南方医话

刘尚义 主编

北京科学技术出版社

图书在版编目（CIP）数据

南方医话 / 刘尚义主编. —北京：北京科学技术出版社，2014.12（2021.10 重印）
ISBN 978-7-5304-7502-7

Ⅰ.①南… Ⅱ.①刘… Ⅲ.①医话—汇编—中国—现代 Ⅳ.① R249.7

中国版本图书馆 CIP 数据核字（2014）第 249903 号

策划编辑：侍　伟
责任编辑：章　健　赵　晶　王　微
责任校对：贾　荣
装帧设计：蒋宏工作室
责任印制：李　茗
出 版 人：曾庆宇
出版发行：北京科学技术出版社
社　　址：北京西直门南大街16号
邮政编码：100035
电　　话：0086-10-66135495（总编室）　　0086-10-66113227（发行部）
网　　址：www.bkydw.cn
印　　刷：三河国新印装有限公司
开　　本：710 mm × 1000 mm　1/16
字　　数：570 千字
印　　张：31.25
版　　次：2014年12月第1版
印　　次：2021年10月第3次印刷
ISBN 978-7-5304-7502-7

定　　价：68.00元

《南方医话》

编辑委员会

胡　序

　　中华全国中医学会中医理论整理研究会组织编写的《北方医话》《南方医话》《燕山医话》《长江医话》《黄河医话》等五部反映我国近代中医学术进展的著述，经过两年多的时间，已经完成。

　　这五部医话，全国有五千余人参加撰稿，最后审定近三百万字。撰稿者，既有名老中医，又有学术上已近成熟的中年中医科技工作者，这个事实本身，就标志着我国中医界学术上的兴旺繁荣，是十分令人欣喜的。

　　我希望：像这样的理论和临床实践相结合的整理研究工作，今后能够继续开展下去。

　　当本书即将出版之时，编委会要我写几句话，特书之以共勉。

胡熙明

1985 年 10 月

谭　序

　　为了继承现代名老中医的学术经验，总结学有卓识的中年中医师的学术成就，中医理论整理研究会组织全国中医师参加征稿，编著《黄河医话》《长江医话》《燕山医话》《南方医话》《北方医话》，这项工作的意义十分重大而深远。

　　中国，是世界文明古国，中医药学就是我国古代文明中的一颗璀璨夺目的明珠。历史的发展将继续证明，勤劳智慧的中华民族对世界作出的新贡献，中医药学将是其中重要的组成部分。

　　希望中医药学术界的专家，不断创造出新的成绩，及时地将这些成就加以总结，升华为理论，丰富发展中医药学术体系，更好地为我国人民的保健事业服务，为人类健康长寿作出贡献。

中华人民共和国卫生部副部长　谭云鹤
1984 年 10 月 1 日　北京

裴 序

中医药学典籍浩如烟海，绚丽夺目。总结现代中医实践经验，编著成书，无疑地是为祖国医药瑰宝增光加彩。

这项总结、整理、研究工作，全国中医约有五千余人参加，经过了严格的审稿、统稿程序，在短短的两年多时间里，完成近三百万字著述，这实在是集体智慧的结晶。我为这部书的出版，感到由衷地高兴。

我希望中医药学界的科学技术工作者，继这部书出版之后，在不久的将来，还有新的著述问世。当此巨著出版之际，仅写上面一些话，表示祝贺。

中国科学技术协会副主席　裴丽生
1985 年 10 月 28 日

自 序

为了继承、整理、交流浙、闽、粤、桂、黔、台及港、澳地区名老中医学术思想和医疗经验，力求能反映 1949 年以后成长起来的部分中年、壮年中医的学术水平，推动中医事业向前发展，彻底改变中医"后继乏人""后继乏术"的局面。中华中医药学会理论整理研究会特组织上述省、区编写《南方医话》。

是书以中医理论为指导，突出中医特色，贯彻执行"百花齐放，百家争鸣"的学术方针，对不同学术观点的医话、医论兼收并蓄，使流派特点风现粲然，以利中医学术的不断向前发展。

《南方医话》征稿通知发出以后，各省、区编委积极组稿，在不长的时间内，收到了不少稿件，经过披沙拣金，最后选定 500 余篇，五十余万字。内容十分丰富，涉及了伤寒、温病、金匮、内科、骨伤、外疡、妇、儿、五官、针灸、肛肠、推拿、气功、民族医学、中草药、民间疗法等各种内容。这些医话佳作祖述内难，继承传统，师法古人，匠心独运，别开生面，殊有见地，发人深省，使人耳目一新，于临证有所遵循，有所教益。

祖国南方历来名医荟萃，人物辈出。所有医话作者中，有饮誉杏林，蜚声南北的名老中医，也有近年来脱颖而出的中年、壮年中医骨干。香港、澳门、马来西亚的名中医、有识之士也欣然命笔，积极撰稿。所有稿件，力争做到科学性、实用性、趣味性三者统一，而对于遗闻轶事，占卜星象，以及出言含混、粗俗荒率之作，恐有误人性命之虞，一概不予选录。书成，满可一饱眼福，目饫心迷南方及港澳岐黄技艺，实乃中医界一件快事。

　　由于种种原因，浙、闽、两广、黔、台、港、澳名医佳作，未能悉数征集到，遗珠甚多，殊属缺憾，有待进一步加以完善。

　　"一鳞一爪，未必完整"，是书谬误难免，恳请海内外医界同道指正为祈。

刘尚义
于乙丑仲冬

前　言

为了从多方面总结交流全国各地名老中医、部分中年中医师的各科临床经验和理论，中华全国中医学会中医理论整理研究会决定组织编写：

《燕山医话》（北京地区）。

《黄河医话》（陕、甘、宁、晋、鲁、豫、青、蒙）。

《长江医话》（川、藏、滇、鄂、湘、赣、皖、苏、沪）。

《北方医话》（辽、吉、黑、津、冀、疆）。

《南方医话》（浙、闽、黔、粤、桂、台）。

全国各级医疗、研究、教学单位的中医工作者，积极总结自己的临床经验，踊跃参加征稿活动。

医话内容，包括内科、妇科、外科、儿科、方药、针灸……，凡能用医话形式表达的，皆可撰写。

《五部医话》运用医话随笔体裁；所收载的文稿，大多具有短小精悍、内容充实、学术上有新的建树和较强的实用价值等特点。

作者除 55 岁以上的名老中医外，还收录了部分中年中医师（指 1966 年前高等中医院校毕业或具同等学历者）的文稿。

本丛书的编写，得到了卫生部谭云鹤副部长的鼓励和支持；书稿完成后，卫生部胡熙明副部长应本书编委会邀请，为之作序。

各部医话均成立了编委会，施行主编负责制。编委们认真审稿，层层把关，在提高书稿质量方面，作了大量工作。

在编写经费方面，得到了辽宁省本溪市第三制药厂对各部医话编委会的经费赞助。

五部医话在编写过程中，得到了各省、市、自治区卫生厅（局），各级中医学会以及主编所在单位的积极支持。各部医话的主编、副主编、编委，克服种种困难，创造条件，出色地完成了组稿、编审等各项工作。从本书的报批选题开始，一直到完稿，全过程中，得到了北京科学技术出版社傅亿伸社长和韩丽娟副总编辑的热情指导，在此一并致谢。

各编委会统定稿后，中医理论整理研究会学术秘书组又聘请若干位国内中医各学科的专家，认真审阅，提出了宝贵的删修意见。

尽管在编写过程中作了多方面的努力，但由于时间仓促，水平有限，错误和缺点在所难免，深望海内外热心中医药学术的专家、读者，随时提出批评指正意见。

学术秘书组

1985 年 12 月 3 日

目录

漫谈胸痹心痛与痰浊 | 袁家玑 |

　　胸痹心痛在辨证论治中，应从整体出发，既重视心之阴阳气血虚损及脏腑功能失调，又重视痰浊、瘀血、气滞之标证，通补兼施，标本兼顾。在治标证时，对于"痰"这一病理产物，应尤加重视，现就此问题介绍如下。

　　我认为胸痹之证主要由于上焦阳虚，阴邪上乘所致。上焦阳虚主要指心阳心气之不足，功能不健，致血行不畅，属虚，为病之本；而阴邪主要指痰浊、气滞、血瘀等，痹阻脉络，属实，为病之标。由于胸阳不振，则阴乘阳位，也就是指痰浊、瘀血、气滞等痹阻脉络，正邪相搏于上焦，致胸痹心痛发生。属本虚标实，虚实挟杂，而以本虚为主的证候，治本当然是极为重要的，然而对痰浊、气滞、血瘀之标证亦应重视，因为它们已作为病因出现，与本证有着密切的关系，有时在发病中还居主要方面，急时治标为主，兼以顾本，平时虽治本为主，亦要标本兼顾。目前，对于气滞血瘀已较为重视，采用活血化瘀法治疗本病也取得了较好的疗效，但对于痰浊还未得到足够的重视。在数十年临证中，我体会到痰浊与胸痹心痛关系密切，特别强调对本证的治疗必须要化痰。这里所指的痰是广义的痰，是脏腑功能失调的病理产物，不专指咳嗽咳出的痰（有形之痰）。我认为，西医所言的动脉硬化一类疾病，如冠状动脉硬化性心脏病、高血压病、脑血管意外（中风）等与中医的"痰"有关，这种痰称为无形之痰，其来路约之有三：一是肺脾（胃）肾之虚损，因肺为贮痰之器，肺失宣降，水津不能布散，聚而为痰；脾为生痰之源，脾失健运，水湿可聚而为痰；肾虚不能制水，津液不能蒸化，亦可聚而为痰，此类多湿痰、寒痰。其二是肝肾阴虚则阳亢生热，也可炼液为痰，此多痰热。其三是饮食不节，喜食膏粱厚味，易于生痰，古人有"膏粱厚味，足生大疔"之说，此亦属之。另外，情志不遂，或感冒风寒湿热之邪，致气机不畅，脏腑运化失职，水湿停聚，亦可为痰。痰浊一旦形成，每与瘀血、气滞等病因交结不解，乘其胸阳不振而痹阻心脉，致气血运行障碍，则胸痹心痛发生。

　　痰在本病的发病中，是不可忽略的因素之一，故治疗中化痰通络一法，虽属治标之法，亦尤为重要。我常用瓜蒌薤白半夏汤合二陈汤来通阳化痰宣痹，瓜蒌滑利，善开胸中痰结，往往用瓜蒌壳或全瓜蒌，其化痰开胸之力著；薤白辛滑通阳，下气散结；法半夏化痰散结，和胃调脾；二陈汤燥湿化痰，理气和中，《本草求真》称之为"治痰总剂"，痰化则结开。以上为化痰宣痹之要药，将其配伍应用于不同类型的胸痹心痛的治疗，常获良效。应用时，要注意以下几点。

痰与肺、脾、肝、肾的关系

痰虽为标，但推本溯源，若属肺脾气虚，痰湿重者，可将二陈汤合益气健脾、活血通络之剂加以运用，益气化痰须注意补肺健脾和胃，因肺主气，气化则湿化；脾主湿，脾健则湿化，湿化则痰消。气虚甚者，可增入黄芪、黄精等品；若为脾阳虚，则常以桂枝人参汤合用；如为阴虚阳亢，可配合天麻钩藤饮应用；若心阴虚，肝肾阴虚，可配合首乌延寿丹、杞菊地黄丸应用；若属心气虚或心之气血不足，则可配合炙甘草汤应用。

要注意痰瘀交阻的病机

痰阻可加重瘀血，瘀滞亦可加重痰阻，二者交结难解，互相影响，互为因果，故化痰时一定要配合通络之品，如三七粉、红花、川芎、降香、鸡血藤之类。

注意辨别痰的属性

湿痰往往合苓桂术甘汤运用，热痰则多合温胆汤运用。痰重时，胸痹心痛以胸部憋闷为主，苔腻，脉多弦滑，可加浮海石、胆南星、远志等化痰，而生地黄、芍药等滋阴腻滞之品少用。

注意理气药的配合应用

本病胸阳不振，气机障碍，而阴邪之痹阻，愈增其势，三者是层层相因，互相影响，致胸痹心痛迁延不解。且气化则湿化，气顺则痰消，气为血之帅，气行则血行，故流通气机甚为重要，在化痰祛瘀的同时，又必须配以行气之品，如陈皮、木香、佛手、枳实之类，才不致呆滞。

总之，胸痹心痛的辨证论治应当全面，对于痰浊在发病中的作用及化痰宣痹法的应用尤为重视。

（袁金声　整理）

学中医之门径　　|郭梅峰|

自神农尝百草，轩岐言病机，惜其方尚稀，降后方药渐兴，惟苦其不传，如伊尹、如和、如缓、如跗，皆以医名，而未有方传世。越人受长桑君之禁方，仓公受公乘阳庆之禁方，皆不见诸典籍，虽有茛菪子汤、苦参汤、火齐汤、下气汤、阳剂刚石、阴剂柔石，皆未悉其所以为方也。迨汉建安纪年时有仲景出，勤求古训，博采众方，著卒病论以治伤寒，立方113首，著《金匮要略》以治杂病，实为医方鼻祖也。

世人每疑中医无系统，不知系统即在仲景书中，仲景体会前贤之精粹，如《内经》《难经》，而著《伤寒论》，以六气为体，以三阴三阳为用；又著《金匮要略方论》，以虚实为体，而以"调以甘药"四字为用，两书融会贯通，则外因内因之病条理井然，此即中医之系统，亦即医法之定律。若舍此定律而言医，虽有一得之长，亦为杂家，非正统之可贵也。

风寒暑湿燥火，天之六气为病，外因也；喜怒忧思悲恐惊，人之七情为病，内因也。仲景《金匮要略》一书，治内因各症，其原旨无非阐明《内经》"邪气盛则实，精气夺则虚"二语，以为辨证之准绳，其立法亦不脱"调以甘药"四字，而以"实脾"冠之。须知"天气半月而一更"，人身之气，与之相仿，三更不愈，即为顽症，此入杂病范围。

若夫六气感人，变化无极，仲师分六经治之，先为伤寒立法，详为辨证，俾学者得知内而脏腑，外而形骸，以及"气血之生始，经俞之会通，神机之出入，阴阳之变易，六气之循环，五运之生制，上下之交合，水火之相济，寒热虚实，温清补泻，无不悉备"。且疾病千端，治法万变，统于六经之中，然后治他气之病，隅反而旁通之，自可效如桴鼓矣！

六经之标本中气不明，不可以治六气之病。六经之为病，各有提纲，如太阳之为病，以"脉浮，头项强痛而恶寒"九字为提纲；阳明之为病，以"胃家实"三字为提纲，……凡病以提纲为主，参以兼见之症，必无遁情矣！

《伤寒论》一书，为治病之模范，亦学中医者之基本功，必须熟读而探索之。

余临证以来，治病悉遵仲景立法，遇伤寒证，即以伤寒方治之。但仲景多为风寒湿立方，而若暑、若燥、若温则未定恰方，似待吾人以隅反……因伤寒伤人之阳，温燥伤人之阴，余所以从对面立方，颇见小效。

余临证处方，不肯苟同，端以见效为原则，体会有三。

1. 儿科以健脾为主：盖小儿稚阳稚阴，难任攻伐，况小儿肝盛脾虚是其本质，《金匮要略》首篇已道及见肝之病，当先实脾之旨，所以，一切儿科疾病用药不可损及脾元，自收事半功倍之益。

2. 妇科以养血为主：经带病无不惜血之盛衰以为攻补，旷观仲景论产后以郁冒、痓病、大便难三者立论，可知妇科要旨之所在。

3. 温病以甘凉为主：试观《伤寒论》误用温针诸条，以为后学治温之戒，其不立方，使人三反而悟其治法，因知伤寒温剂，不能混治温病，显而易明。

观此三点，治病必求于本，应是仲景心法，故梅峰遵之。

（郭燕文　整理）

温病之真面目　|郭梅峰|

热病不同于温病，其义人多弗察。吾尝考灵、素微意，而知热病有自外来之热，有自内作之热，病源不同，治法实不可以含混（外来之热，起于临时；内作之热，蕴之既久。临时者可攻下，久蕴阴竭者不可攻下。《内经》有冬春二字，喻病之非暂，亦即明示此病治法以甘凉养阴为主）。如伤寒中风，本无内热，但因风寒外感之故，病在经络，不在脏腑，阳盛而后传阳明之腑，而为热病，是热由外来。视与温病之热，自内发者不同。更视温病之表里皆热者不同也。

夫温病虽病因外感，而根源内伤，感在经络，而伤在脏腑，故病在三阳，即内连三阳之腑；病在三阴，即内连三阴之脏。在脏在腑，但热无寒，以其原有内热，因表邪而引发也。六日经尽，则脏腑经络表里皆热，故曰三阴三阳五脏六腑皆受病，治法不能杂以丝毫之辛温，与热由外入者，其热未盛之际，犹可凉温复用者，不可相比。故《伤寒论》第6条揭示温病之特征，曰："太阳病，发热而渴，不恶寒者为温病。"太阳病证主指头痛而言。太阳病当恶寒，此发热而不恶寒，是阳中无阴；又即见少阴之渴，太阳之根本悉露，岂非少阴早已不藏，先有伏热而为温病耶！仲景深恐人以治伤寒化成热病之手段，移以治温，故将温病之旨揭出，并教人认证不可草率，必有此四者（头痛、发热、渴、不恶寒）方是温病。而治法之当用凉解，已在言外，然人身体有厚薄之不同，病情有浅深之各别，则凉解之方尤不可不细心施与，须知治法当分两义。

《内经》谓"冬伤于寒，春必病温"，此人元气当不大虚，只缘冬月不善养阳，胃寒浴冷，表寒虽不得内侵，而卫阳亦不得外散，内蕴灼阴，至春日感冒而病发，轻者宜用凉散清络，重者宜用凉润清火，治不差谬，热去而元气自复矣！

又谓"冬不藏精，春必病温"，此人以欲竭其精或炙煿五志药误，耗散其阴气，阳强不能密，而阴日虚，至春日阳盛而病发。（冬春二字，表示病源之久远，亦即表示阴液竭于平时，非温病独见于此时也。）轻者宜用泻热和阴，重者宜用甘寒养阴，治稍差谬，阴气孤绝而死。

前者因于外感，后者因于内伤，虽皆蕴热而发，病有轻重之异，学者不可不潜心体察也。

他若暑症，经谓"先夏至日为病温，后夏至日为病暑"，是暑与温似乎同例，抑之此之谓暑，是暑之正病，不得稍用辛燥以治，而非暑之变病。变病者，即阴证之暑，当用辛散者也。苟不审辨，以暑之变病，混同温治，势必燎原，嗟嗟！相火寄于甲乙，肝胆为发温之源；阳明原属燥金，肠胃为成温之渊薮。是则温之所以为温，庸庸者岂能识其真面目欤！

（杨千潜　整理）

谈谈学习《内经》的重要性及方法　　|班秀文|

学习中医的途径，我主张踏踏实实地从经典著作《内经》开始，因为《内经》所阐明的阴阳、脏腑、经络、病因、病机、治则等理论，是我们的祖先在长期的医疗实践中积累起来的经验总结。作为一个中医，如果不学习《内经》，很好地领会它的理论，在学术上就等于无本之木，无源之水，要在医疗领域中有所作为，是比较困难的。

如何学习，才能较快地领会《内经》的精神实质？各人的经验不同。我主张第一是粗读与精读并重。粗读就是了解《内经》的概貌，为精读打下基础，精读就是研究某一章节的精髓所在。第二是学与用紧密结合，通过实践深刻理解原文的精神实质。如学习《素问·六节藏象论篇》"肾者，主蛰，封藏之本，精之处也"，对"主蛰""封藏"，一时很难理解其深义，通过临床实践，就能很好地理解。妇女崩漏者，流血减少或停止之后，后期的巩固治疗，通过补肾就能收到满意的效果。屡孕屡坠的妇女，在辨证的基础上，孕前注意补益气血，孕后未病先防，以调补肝肾之法治疗，多能足月顺产，这就是"主蛰""封藏"的重要意义。又如"肝者，罢极之本……以生血气"，历代有不同的说法。"罢极"有取类比象解释的，如"如熊罴之任劳"；有以肝主筋来解释的。其实，只要结合临床，就能很好地理解。肝藏血，主疏泄，主筋，内寄相火，为将军之官，肝的调达如何直接影响到人的活动。肝气调达，肝气壮，则活动强劲有力；肝失调达，肝气衰，则情志不舒，神靡不振。对于"以生血气"，我认为这句话很重要，很有意义。我曾治一放射线所致紫癜女患者，全身困倦，四肢乏力，下肢有大小不一的紫斑，月经提前、量多色淡、质稀，舌淡嫩、苔薄白，脉虚弱。血常规检查：白细胞减少。根据其脉症，按脾不统血论治，先后用归脾汤、十全大补汤、人参养荣汤等加减，连治 2 个月余，效果不显。后按"肝生血气，肝主生发"的理论，用傅青主的调肝汤和朱丹溪的五子衍宗丸加减，治疗月余收功。不能说不是运用"肝生血气，肝主生发"理论的结果。

总之，《内经》是一部重要的中医经典著作，不仅初学中医的人要读，就是从事临床医疗多年的医生也应该读。在学中用，在用中学，边学边用，边用边学，理论密切结合实践，则其效益彰，其乐无穷。

伤寒辨证应注意"三定一宜" ｜俞长荣｜

我刚刚学会应用《伤寒论》某些汤方之时，先君就训以先祖"伤寒不过三"之诫，至今我仍恪遵这条医旨。所谓"伤寒不过三"意即，《伤寒论》汤剂药专力峻，临床应用针对性很强，用之得当，效若桴鼓；用之失当，为害匪浅。而伤寒病多急重，传变多端，初次用药无效，可能辨证不准；再诊时就应进一步认真诊察，仔细分析病情，更易方药，若改方易药三次仍罔效，说明医者思路多歧，已到茫然不知所从地步，亟应退让能手，万不可固执己见，贻误病人。我在临证 40 多年中，深感先人经验之言胜似指南针。长期实践使我逐渐体会，治疗伤寒病要做到选方用药恰切，或基本无误，首先要求辨证明确，为此，我自己立下了"三定一宜"的原则。**"三定"即定主症、定病位、定病性。"一宜"即疑似宜辨。**主症只能作为首先考虑诊断某病的一种依据，而不能作为确诊，要确诊还必须联系主症以外的兼症和体征以及其他情况，并判断确定其病位和病性，做到了"三定"，一般确诊才能成立，但病情较复杂的还须作鉴别诊断。

从事临床工作的同道都有共同的体会，临证所见的疾病现象有时与书本记载的内容不尽相符，有主症，有兼症，有真象，有假象。因此"三定一宜"放在伤寒临证方面作为一种原则是很有必要的。如我曾治寒邪直中少阴 1 例。患者 20 岁，素常清早入河中捕鱼，有一次，偶感风寒有轻微不适，自恃年壮体健，不以为意，仍旧涉水捕鱼。当回家时便发寒战，四肢逆冷，腹痛腹泻，大便稀薄，完谷不化，脉沉微尺弱。先邀某医诊治，疑为阴寒证，但未敢确定，商诊于我。本例主症为恶寒、下利、厥逆，同时又兼见踡卧喜近衣，但欲寐，偶醒即呼口干，索饮热茶，察其脉沉细弱。病属阴、属寒、属虚，病位在里（少阴），前医辨证无误，但何以有所犹豫？究其原因有二，一为患者未婚，怀疑不可能得少阴病（福建某些地区有此说法）；二是证属阴寒，何以口干舌燥？

关于前者,乃是习俗见解,不足凭信。至于后者口干舌燥,但喜热饮,知非热渴,而是由于自利津亏所致。根据以上分析,遂诊为少阴寒化证,且有孤阳浮越之象。议以大剂人参四逆汤加葱白,回阳救阴而通阳。服 1 剂告愈。

又治一老翁,72 岁。夏日外出,骤遇暴雨,旋即恶寒发热,周身沉重疼痛,头眩欲擗地,小便短少,脉沉弦缓,舌苔微黄而滑。分析其病情,病始 1 天,恶寒发热,身痛,此为表证,而头眩欲擗地,肢体沉重疼痛,小便不利,脉沉,又属里证。主症、病位已定,病性属寒,虚中有实。因老人素体阳虚,淋雨感寒着湿,寒湿阻遏经络,水气内停,诊为太(阳)少(阴)合病,与桂枝合真武汤 1 剂而愈。本例发病于夏日,须与暑湿病做鉴别。若是暑湿病,可有恶风头重或头痛,周身困倦酸楚,但不至恶寒发热,头眩欲擗地和肢体沉重疼痛。

"三定一宜",不仅伤寒辨证必须注意,而且对于各种杂病的辨证也是如此。我们说《伤寒论》汤方不仅能治伤寒,也可用于杂病,其道理就在于其有诊治大法可作为准绳。"三定一宜"是在《伤寒论》诊治大法指导下的一种辨证构思。它是一个细致的分析归纳过程,实际就是中医"整体观"在辨证过程中的具体体现。

谈 "治风先治血"　　│陈全新│

风为六淫之首,四时皆可致病,故有"风为百病之长"之说。对风邪侵袭而引起的疾病的治疗,历代医家为我们提供了丰富的临床经验,除了对外风引起的风寒用辛温解表散风,风热用辛凉解表疏风,风湿用化湿祛风等治法外,还根据不同的病因病机,辨证地提出了"治风先治血"的治法,通过调和血气而达到"血行风自灭"的治疗目的。这种治法正体现出中医学"同病异治"的辨证施治观点。

"治风先治血"包含着"活血"与"养血"为主的两个不同内容,它是根据不同的病因病机而辨证施用。例如,体质素热而触受风邪,致邪滞留肌腠而发风疹块或与湿邪蕴结而发湿疹,用辛凉解表疏风剂(如消风散)奏效不显时,采用活血治法往往可收到良好疗效。又如临床上常见的眩晕、耳鸣或症见肌肤不仁、冷痹或震颤,若患者脉象细弱,舌质淡嫩、无苔或少苔,则可知为血虚生风之象,可投以八珍汤或归脾汤补益气血,阴血得充,风疾可除,这就是"治风先治血,血行风自灭"所以能获效的原理。

治疗风疾，笔者常结合针灸。除按经络学说辨证取穴外，多配合与调理血气有关的背腧穴，如肝俞（肝主血），脾俞（脾统血），膈俞（血会膈俞）等。风热、肝风宜针、宜泻，血虚生风宜多用艾灸，针用补法，针药结合，常可收事半功倍之效。

年前曾治一徐姓中年病者，因患皮肤痒疹月余，经用多种药物未奏效。余诊见患者形体壮实，神志微烦，痒疹多分布于肘、大腿、背部，疹块微隆，色淡红，散在分布或溶合成块，杂有色素沉着旧疹斑，触之皮肤微烘热，口干，胃纳欠佳，小便短赤，大便秘结，苔薄黄，舌质红，脉浮数。

脉症合参，病由内有蕴热，复外感风邪而触发，风热聚结于皮肤所致。乃投以活血解表之剂，同时针泻曲池、血海、膈俞，以疏通经络气血。二诊患者诉皮肤瘙痒减半，视之疹块大多平复，色淡，胃纳改善，小便淡黄，大便已解，苔薄黄润，舌质淡红，脉转浮缓。病势稍去，仍遵原意化裁，五诊而病除。

此例针药并施，以活血为主而获良效，后续用此法施治 26 例，疗效均满意，从而进一步印证古人提出的"治风先治血，血行风自灭"治法，对指导临床确有其现实的意义。

谈补、泻　|陈全新|

补或泻，是中医学施治的原则之一。寒者热之，热者寒之，这是正治的常法。药物与针灸治病采用方法虽然不同，但施治原则是一致的。

历代中医古籍记述针刺补泻的形式很多，由于师承各异，体会不同，加上受当时历史条件所限，故众说纷纭，令学者无所适从。一种倾向是给它披上"只能意会，不可言传"的神秘色彩；而另一种倾向是把辨证施治的补虚泻实原则简化成"轻、重刺激"或"强、弱刺激"，把补泻手法看成是一种机械的操作。显然，这两种认识都是片面的，它妨碍了针灸治疗学的发展和提高。

我认为施用补泻手法的准则必须建立在明确的辨证施治前提下，离开这个准则而抽象地谈补泻，是不现实的。

针刺是一种治疗手段，是促使疾病向痊愈方向转化的重要外在因素。但要达到补虚泻实的治疗目的，还必须通过脏腑的气化功能（内因）才能起作用。因此，合理的补泻手法，除了根据不同病情、体质、年龄、情志、气候、环境等因素外，还要密切注意个体的差异性，把补虚泻实的原则和当时的病情有机地结合起来。实践证明，补或泻刺法过之（过量手法）或不及（不足量手法），均可导致失效，甚至引起病情恶化，这样的事例是屡见不鲜的。

基于上述原则，笔者通过长期临床实践，根据辨证施治原则，按照病人不同的生理、病理状态和针下气至情况，把补泻相对地分为三种，即轻补（泻）、平补（泻）、大补（泻）。不同的补泻，除了体现在不同的操作手法外，还有其不同的主、客观指征。

补刺手法

适用于虚证。在针刺得气的基础上，运针以慢按（插进）、轻提（轻快提针）、小角度捻转（不超过 120°）为主，留针 5 ~ 10 分钟。根据不同的病情，以及针下气至情况，具体的操作分为三种。①轻补：慢按轻提运针，结合轻刮或轻弹针。②平补：慢按轻提运针，结合小角度轻捻针。③大补：慢按轻提运针，结合较快速小角度的捻转和提插。

补刺手法的主、客观指征：针下气至徐缓，针感向邻近、远端（或沿经络扩散），或见针刺部肌肉或关节（指、趾）轻微颤动。行针的强度以病人有相对的舒适感为度。刺后病情有所改善。

泻刺手法

适用于实证、热证。在针刺得气的基础上，运针以速按慢提（按入快而重，提针较慢）、捻针角度较大（160° ~ 180°），或伴以较重力提插为主。留针 15 分钟或视病情需要适当延长。具体的针刺操作可分为三种：①轻泻：速按慢提运针，结合较大角度捻转和轻提插。②大泻：速按慢提运针，结合大幅度捻转和较重力提插。③平泻：刺法操作介于轻泻与大泻之间。

泻刺手法的主、客观指征：针下现沉紧，针感向远端扩散（或沿经扩散），并见针刺部肌肉或肢节跳动，行针强度较大，但不应超过病人的耐受度。刺后病情有所减轻。

平补平泻

适用于不盛不虚病证，或病属实而体虚的病人。运针以缓进缓退为主，强度介于补、泻手法之间，以病人有较强针感而无明显不适为度。

以上是在一般情况下施用补或泻、平补平泻手法的操作，但在某些特殊情况下（如昏迷等），患者不能配合治疗，操作者必须细致观察客观指征，以疗效为主要依据。正如《灵枢·小针解第三》指出："为虚与实，若得若失，言补者必若有所得也，泻则恍然若有所失也。"

这种分级补泻手法及根据主、客观标准为依据，既符合中医辨证施治原则，又具有实践性的规范化操作，长期以来，很受来我院进修的国外学员欢迎。

谈"治痿独取阳明"　　|陈全新|

　　痿证是以肢体筋肉痿软无力，自主运动功能减退甚至丧失为主的一类病证。其病因除创伤外，多由五脏受热，导致有关的筋骨、肌肉、皮毛、血脉失却濡养而成病，但正虚邪盛（阴虚与湿热之邪蕴蒸）是发病的主要病机，而病之成又与阳明经气失调有极其密切的关系，因阳明胃腑为水谷之海，是生气化血之处，五脏六腑皆禀气于胃，胃气盛则气血充盈，宗筋润，胃气衰则宗筋弛纵，故有"阳明无病不成痿"之说。《素问·痿论篇》正是根据脏腑生理病理变化而提出"治痿独取阳明"的治法。这对指导临床实践，很有现实意义。目前临床上对因湿热蕴蒸阳明、肺热熏灼或肝肾亏虚而致痿的三个主要证型的治疗，主要是参照《内经》治痿的原则。

　　我认为治痿除注意调理阳明气机的同时，应按照不同证型及疾病的不同阶段，而有所侧重地运用。如病痿热象仍存，属肺热所致，宜先清热养阴；胃热则需清热化湿；热邪已尽可用调胃与养阴并进。而对肝肾亏损致痿，则可治以调胃与滋补肝肾。在施治过程中，应结合健脾、养血通络法，针药并施，这对调和脏腑虚实，疏通经络气血，促进痿疾康复很有裨益。

　　1973年，余治一黄姓男孩，12岁。因咳嗽、发热5天而成痿。症见：神情怠倦，面色㿠白，仍低热，咳嗽，咽痛，右足痿软，不能站立、提举，食欲不振，小便黄，大便溏，舌尖红，苔薄黄腻，脉濡数。症脉合参，病由温热之邪灼烁肺金，阴液耗损，致筋脉失于濡润而成痿躄。投以养阴清肺汤加减，滋肺金之阴而清阳明之热，针刺孔最、足三里穴，用平泻手法，以疏通手太阴与足阳明经络气血。三诊热退，咳嗽与咽痛除，食欲增进，患足则稍可提举，苔转薄润，脉稍数。热象已除，肺阴得养，阳明气机始复，仍旨原意续治2天后，改用健脾胃、养阴血之剂，补针足三里、三阴交、阳陵泉，交替用梅花针叩刺肺俞、脾俞、肾俞、肝俞及足阳明经下肢循布区，隔日治疗1次。十诊后足可步行，食欲佳，神态活泼，面色转红润，此乃经治后肺热清则阴液能下荫肝肾，肝得血则筋舒，肾得养则骨强，脾胃气机得复则血气生化有源，宗筋得润而流利关节，脏腑阴阳得调，经络气血和顺，故痿疾已除。再针刺5次，巩固疗效而终止治疗。经观察10年，健壮如常人，近年竟能参加长跑，还多次获奖。

察下诊病之妙义　　|杨干潜|

问诊歌说："一问寒热二问汗，三问头身四问便"。故询问病人大便情况是问诊的重要内容。寒热汗否可望而知之，但因临证时相对斯须，故二便情况必须问而始知。

何以必须询问大便呢？《内经》云："善诊者必察其下"，又谓："魄门为五脏使"，魄门一作粕门，即是肛门。是故大便情况可以反映脏腑的病理变化。叶天士说："湿温病大便溏为邪未尽，必大便硬，慎不可再攻也，以粪燥为无湿矣！"由此可见，掌握大便情况对诊断治疗的实际意义。

此处介绍临证时，几种常见病证视大便情况的用药经验。

1. 头痛：头痛而便闭者，可用釜底抽薪法，如决明子、怀牛膝、钩藤、桑叶、石膏、天花粉、酸枣仁等随症施用。

头痛而便溏可以潜阳镇摄，如生牡蛎、桑寄生、苦丁茶等。若兼头重，湿浊明显者，又当取羌活胜湿汤意。

2. 咳喘：咳喘乃肺气上逆所致，肺与大肠相表里，大肠司大便，其关系如此。

咳喘而便闭，可通肠以降肺气，如用冬瓜仁、北杏仁、天花粉、车前子、百合、怀山药等。

咳喘便溏，可据"脾气散精，上归于肺，通调水道，下输膀胱"之旨，与"实则泻其子""湿热为痰之本，利水泻火之品皆痰药也"之法，着重以茯苓、薏苡仁等分利之。

3. 腹痛：腹痛而便闭，则用通肠止痛法，如用承气汤，配用白芍、枳实、决明子、冬瓜仁、桃仁、金银花、麦芽等。

若腹痛而便溏，则予利湿止痛，如用绵茵陈、薏苡仁等。通则不痛，此时之"通"不是通大便而是通小便，因其大便已通。

4. 腰痛：腰痛便结，可选肉苁蓉、牛膝、怀山药等，热痛者用桑叶、秦艽。

腰痛而便溏，寒者用补骨脂、甘草、干姜、茯苓、白术；热痛者用薏苡仁、海桐皮、桑寄生、金毛狗脊等。

5. 发热：发热便闭，尚有表证者，可用桑叶、菊花、钩藤、秦艽、冬瓜仁、瓜蒌壳、牛蒡子等解表润肠之剂。

若里有实热，则可选用白虎汤、承气汤辈以清肠泄热。

若发热而便溏者，则不用石膏而用金钗石斛，尚有表邪者则用紫苏梗、佩兰、扁豆花、葛花等，逆流挽舟，散风热于外。

如兼小便不利，则用绵茵陈、茯苓皮等，"渗湿于热下，不与热相搏，势必孤矣"！

总之，根据大便溏结而随症变法，因势利导，临证不可忽视。

热传营，舌不尽绛　　|杨春波|

舌诊在温病的诊断上，具有特殊的价值。它不仅可以提示病位、病性，还可以判断病的转归和预后。这在各种温病书中，都有大量的记述，而效详尽的首推叶天士的《温热论》。但温病学与中医学其他的内容一样，具有宝贵经验的一面，也有经验不完全的一面，所以通过临床的系统观察，来验证前人的理论和经验，是继承发扬祖国医学的重要方法。

叶天士在《温热论》中说："再论其热传营，舌色必绛"。他指出温病邪热传入营分，其舌质一定是深红色而无苔的。我们在流行性乙型脑炎（乙脑）的中医药治疗过程中，系统观察了舌象的变化。为了避免输液和药物的影响，以入院时的舌象和症状为标准。两年共观察52例昏迷的乙脑患儿。结果是：淡红舌39例，淡舌9例，红舌4例，而无1例绛舌。但在恢复期中，却有63%左右出现绛舌。初步表明，绛舌在乙脑这种温病中，主要是反映阴液耗伤，未能提示邪热入营。所以对温邪入营的判断，主要还是靠症状，而舌诊只是一种参考，不要刻板于叶氏的"必"字。当然，这或许是乙脑这种暑热温病的特性。因为暑为酷烈之邪，内传迅速，邪已犯入心包而营阴未伤；也可能是叶氏当时所观察的温病，主要还不是乙脑这种温病，所以邪热尚甚，营阴已伤。有人可能会提出，昏迷是心包的病变，不能等同于营分。但经验告诉我们，邪入营不一定侵犯心包，而邪入心包则必然犯营，所以从热犯心包的昏迷症状来观察绛舌的出现，还是有意义的。

此外，我们还发现乙脑患儿如果舌质变淡，往往是正气虚弱的最早征象，接着脉也从实象变成虚象，这时很快就会出现气脱或阳衰（呼吸或心力衰竭），正如叶天士所说的"暑伤少阴，传变最速"。再者，舌苔的变化可以提示病情的轻重和预后、转归。一般是薄苔、干苔主热，示病轻，病程较短，预后较好，后遗症少；厚苔特别是腻苔主挟湿，多为病重，病程较长，预后较差，后遗症多；薄转厚、干转腻为病有转重的趋势，反之则为好转的征象。

综上所述，舌诊对温病的诊断，有的具判断意义，有的仅供参考。对前人的经验，既要注意继承，也要细心体察，以求有所发现，有所前进，以促进中医学术的不断发展。

王聘贤先生论中医药之研究 |杨越明|

已故著名老中医王聘贤先生从事中医中药的研究工作近50年，学验精湛，造诣高深，甚有心得，曾说中国医药学是我国民族文化遗产中的精华。尤须指出，复古主义是错的，它看不见医药学在不断发展；民族虚无主义也是错的，它否定我国民族文化遗产，崇洋媚外。在近代史上，有人妄图主张废医存药，更是错误的，究其起因，清末海禁大开，东西交通，我国科学极为幼稚，步以急趋，以期进步。西医输入，遂有守旧与维新之争，守旧者以尊经辟西为宗旨，维新者以斥经崇洋为目的。争意见而不争是非，遂相见如冰炭不相容也。夫中西医药各有优劣。中医以五行气化，阴阳表里研究其所以然，兼以数千年经验，治疗之成绩，诚有不可思议之处。其论五脏六腑之作用，与西医吻合，较含哲理，惟六经与动静脉稍有歧出也。但学者多悟玄理，略于解剖。如称左胁属肝，其治病之方，多为治胃之药，与今左属胃之理，合其药与病异，历代无改正者，皆不按解剖之故也。而学者性多守旧，因袭权家，不知革新，或偶有精研独得，则秘而不宣，或宣而不尽其说，致学术回翔而不进，或中绝而失传，不独医学为然也。（按：中医之脏腑、经络，当分有形与无形。有形之五脏六腑，与西医的生理解剖大抵相吻合，而无形之脏腑、经络乃是一种学说。）

王老继续指出："我国医学实有高人之处，但切不可固步自封、自命不凡，必须认真加以研究提高。欲研究斯学者，一须守正而不探奇，二当崇实而不贵虚，三务明古而通今，四必述闻而可创说。由古籍《灵枢》《素问》《神农本草经》《难经》《伤寒论》《金匮要略》诸书研求，而推及后世诸书，是归纳研究之法，以特别（殊）而推定一般也。再旁及后贤，分门别类诸书，是演绎研究之法，以一般之法推定特别（殊），或其他之法则也，二者实有密切之关系焉。再以东西诸书比较研究，考其得失，结合二者之所长，是挽近诸人之所企图也。"这是王老从事研究工作数十年的心得体会，值得中医中药的研究工作者学习借鉴。

临证二三事 　|陈真一|

余临证喜用仲景原方，仲景方乃群方之祖，配伍严谨，疗效确切。常用小青龙汤原方治疗哮喘重症，温经汤原方治疗妇女崩漏，俱获佳效，其他诸如五苓散、诸泻心汤、小柴胡汤、真武汤、八味丸、竹叶石膏汤等，亦为吾常用于临床之方剂。

临证应注意顾护胃气，凡遇慢性病及重危病人，应了解其饮食情况，若食欲不振，则当以平和之药缓图，恐峻药损伤胃气，或于主方中加入开胃健脾之品。若纳食极差，则以补土为先。治病必顾其中州，后天之本充盛，则不治病而其病自愈。昔曾治一痰饮患者，其人咳嗽多痰，日约1茶盅，心悸气促，肢、面俱肿，食纳极差，先予加味平胃散二十余剂，纳食增而痰量减，次予胃苓汤二十余剂，浮肿消而心悸除。

贵州地处高原，但气候潮湿，故人多易被湿邪所侵，治病应重利湿，常以平胃散加味进治。凡食欲不振，口淡无味，本方加焦三仙，名加味平胃散；若兼现脘胀、便溏，加广藿香、豆蔻仁，名香蔻平胃散；若浮肿，平胃散与五苓散合方，名胃苓汤；如咳嗽多痰，与二陈汤合用，名二陈平胃汤；兼外感头痛身重，加香附、紫苏，名香苏平胃汤。

余治高血压病也颇多心得，认为清血热、利二便、平气逆为治疗高血压的三大法门。此外，大便秘结乃为高血压之大忌，凡便秘之高血压患者，只要阳明腑气得通，则血压自降，余自拟专治高血压方如下：扁豆花10g、生杜仲15g、黄芩10g、怀牛膝10g、生地15g、玄参15g、苦参6g、茯苓15g、白芍15g。若大便秘结，脉实者，加调味承气汤，脉虚者加当归、肉苁蓉。治疗高血压忌用风药，因风药太过，易致血溢气逆，故古人有"治风先治血，血行风自灭"之说，上方中无一味风药就是明证。

（刘书奎　整理）

从中医的整体观谈起 　|邹卓群|

中医把人与大自然看作一个统一的整体，人是大自然的产物，"与万物浮沉于生长之门"。《素问·宝命全形论篇》指出："人以天地之气生，四时之法成。"同时，中医还把人体各脏腑器官看作一个统一的、不可分割的有机体。《素问·灵兰秘典论篇》还将人体各脏腑器官的相互关系形象地比喻为一个国家的上层政权机构。各脏腑器官和全身的关系，是整体和部分的关系，彼此之间相互联系，相互制约，相互资生。整体是由各脏腑器官构成统一的有机体，形成一种极其复杂的活的生命现象。

中医学术的整体观，是对客观事物及其规律的正确反映。在认识人与自然及人体自身脏腑器官的关系上，采取了分析和综合统一的辨证方法。中医整体观的真理性，常常为一些著名的哲学家和科学家所论证，例如黑格尔在论及整体不是由一些单独存在的部分所组成，而是一种有机的结合时，他用人体来举例，"割下来的手就失去了它的独立的存在，就不会像原来长在身体上时那样。它的灵活性、运动、形状、颜色等等都改变了，而且就腐烂起来了，丧失它的整个存在了。只有作为有机体的一部分，手才获得它的地位"（见黑格尔：《美学》一卷，156 页，商务印书馆）。恩格斯也曾经说过，"无论骨、血、软骨、肌肉、纤维质等等的机械组合，或是各种元素的化学组合，都不能造成一个动物"（见恩格斯《自然辨证法》，191 页）。这些论述正与中医的整体观和脏腑相关学说不谋而合。伟大的物理学家爱因斯坦在讨论科学研究时认为，科学研究的专业化是不可避免的，但专业化不应忽略整体观点。他用人体来比喻说，"如果人体的某一部分出了毛病，那末，只有很好地了解整个复杂机体的人，才能医好它；在更复杂的情况下，只有这样的人才能正确地理解病因"（见《爱因斯坦文集》一卷，518 页）。

上面举出的这几位哲学家和科学家，根本没有条件接触中医学。他们虽然不懂得中医学术的基本特点，但他们却从另一个科学领域，从另一个角度间接地论证了中医整体观的科学性。真理是没有国界的，只要是真理，都是相通的。应该深深感激那些勇于探求真理、热情传播真理的人们。

（邹克扬　整理）

脾 阴 小 议　|黄建业|

吾早年治疗患儿疳证常采用健脾益气之法，其效甚佳，但其中有部分患儿药后无效。1971 年 5 ~ 8 月间，在治一位 3 岁疳证女孩过程中，对滋养脾阴之法颇有所悟。该患儿于断奶后因喂养不当而致逐渐消瘦，饮食减少，发育迟缓，在其他医院均诊为Ⅲ度营养不良。曾用消化酶、维生素、输血、中药等治疗均未见效。来诊时体重不足7kg，骨瘦如柴，皮肤干皱，头发黄而少，精神萎靡而烦躁时作，大便干结如羊屎，尿黄少而浑浊，鼻干无涕，目睛干涩，口渴欲饮而不多，每日仅可食牛奶和奶糕糊200～300ml，午后及夜间低热，盗汗，脉细无力，指纹淡紫而细，推之不畅，舌质红瘦、苔少，舌上有散在糜烂点。先按常法予以健脾益气之品，并稍加养胃阴之石斛、玉竹，服药10剂，其证未见好转，反见口渴加剧、舌糜益甚。虑其病久，虚火上炎，故在益气健脾方中去香燥之品，加入石膏、黄连等清火之药，但药后病情有增无减。吾计穷矣，乃求于前贤之著。吴澄在《不居集》中说："古方理脾健胃，多偏重胃中之阳而不及脾中之阴，然虚损之人，多为阴火所灼，津液不足。"提倡治病应注意养脾阴；张锡纯在《医学衷中参西录》中亦指出："治阴证者，当以滋脾阴为主，自然灌溉诸脏腑也。"吾思此患儿除有脾虚之证候外，还有一派阴虚内热证候，治疗应不泥于健脾补气而应滋养脾阴为主。吾用吴澄之理脾阴正方及中和理阴汤加减，并效法张锡纯重用山药，拟方为：山药20g、太子参6g、白芍6g、石斛6g、白扁豆6g、神曲6g、麦冬6g、甘草6g、糯米15g，煎水频服。进服15剂后，患儿病情好转，口渴减轻，食量增加，舌糜减少。除再用上方加减化裁外，还用山药捣烂与糯米熬粥内服。3个月后疳证已基本治愈，食量增加，皮肤皱纹消失，面色转红润，体重明显增加。

从上案中体会到，治疗脾病不应单纯从气（阳）方面着手，亦应考虑到脾阴。从古人的论述及个人的临证心得中，我认为，脾阴包括两大部分：一是组成脾脏的实体结构，一是脾脏所化生的营养全身的营养物质。它们主要化生于水谷，其主要作用有：①构成脾脏的实体，供给脾脏本身更新、壮大的物质；②与脾气、脾阳一起共同完成运化、统血、升清等功能，它是产生上述功能的物质基础，如元代朱丹溪指出："脾土之阴受伤，转输之官失职。"清代唐容川更做了非常形象的比喻，他说："脾阳不足，水谷固不化，脾阴不足，水谷仍不化也，譬如釜中煮饭，釜底无火固不熟，釜中无水亦不熟也。"；③脾阴能濡养全身脏腑、组织，如张锡纯说："脾阴足，自能灌溉诸脏腑也。"

由此可见，脾阴显然与脾气、胃阴有别，在辨证、立法、处方等方面均应加以注意。

脾阳虚者多因劳倦、饮食不节而致，其证多见形寒肢冷、大便溏薄、脘腹冷痛、食入难化、食后腹胀、不渴、舌淡；脾阴虚常因思虑、饥饿、脏腑内热、药食温燥而致，其证常见食少腹胀、腹痛消瘦、便结尿黄、渴饮不多、低热、舌红、并伴其他脏腑虚衰症状；胃阴虚则常见于急性热病后期，邪热伤阴所致，其证常有食少或饥不欲食、胃小灼热、嘈杂、呃逆、干呕、口燥、咽干等。

在治疗方面，脾阳虚当温中健脾，常用理中汤合香砂六君之属；胃阴虚则应滋养胃阴，常用益胃汤加减；而脾阴虚则宜补脾阴，其代表方剂为吴澄之中和理阴汤（人参、燕窝、山药、白扁豆、莲子肉、陈仓米）、理脾阴正方（人参、紫河车、山药、白芍、莲子肉、白扁豆、茯苓、橘红、甘草）、《太平惠民和剂局方》参苓白术散（人参、白术、茯苓、山药、白扁豆、薏苡仁、莲子肉、砂仁、陈皮、桔梗）以及张锡纯之一味薯蓣饮。

吾在临证中常用上述三方加减化裁，自拟补脾阴方为：山药 20g、莲子肉 6g、太子参 6g、白扁豆 6g、神曲 6g、麦冬 9g、乌梅 6g、薏苡仁 9g、糯米 15g。煎水或煎浓汁制成糖浆内服。便结者加蜂蜜；烦躁者加白芍、淡竹叶、蝉蜕；口疮者加灯心草。在治疗过程中常配服山药糯米粥。此法治疗小儿疳证之属脾阴虚者颇具疗效，此等病儿多经用健脾补气、输血、维生素、消化酶等法治疗无效者，先用上方煎服 5~10 剂，再熬糖浆长期服用，往往在 3~5 个月内可见显效。食欲好转，体重增加，皮下脂肪增厚，血浆蛋白上升。上法亦常用于成人久病体虚、消瘦、便结、咽干、食少、低热之证以及长期口腔溃疡等，其效亦佳。

谈有关表证的误文两则 　　|徐学义|

本书名《南方医话》，顾名思义，应有南方特色，在表证方面，自然应考虑到南方人腠理疏松，易于汗出的特点。

谈到南方人腠理疏松，有一则《素问》误文不可不提。《素问·异法方宜论篇》说："南方者，天地所长养，阳之所盛处也，其地下，水土弱，雾露之所聚也，其民嗜酸而食胕，故其民皆致理而赤色。"按本节"致理"应作"疏理"方与上文相适应。《汉书·晁错传》："扬粤之地，少阴多阳，其人疏理，鸟兽希毛，其性能（耐）暑。"因南方气候炎热，无论人民鸟兽必须适应自然环境，故人民皮肤皆疏理，而鸟兽则希毛；疏理则多汗，可以散热而耐暑，如言致理，其义则反。《灵枢·刺节真邪》对疏理、致理的问题剖析甚明："阴阳者，寒暑也，热则滋雨而在上，根茎少汁，人气在外，皮肤缓，腠理开，血气盛，汗大泄，皮淖泽，寒则地冻水冰，人气在中，皮肤致，腠理闭，汗不出，血气强，肉坚涩。"据此可知"异法方宜论"中的"致理"之"致"必是"疏"字之误，应当更正。

吴鞠通的《温病条辨》一书在《伤寒论》基础上发展的"轻清气热"法，

如辛凉平剂的银翘散，辛凉轻剂的桑菊饮确给后世以诸多启发，弥补了《伤寒论》在表证治法上的不足，至今仍为中医临床所习用。但吴氏在桂枝汤表证运用范围上的看法，我却不敢苟同，例如他在《温病条辨·上焦篇》第4条中说："太阴风温、温热、温疫、冬温初起恶寒者，桂枝汤主之。"我认为首列桂枝汤治疗温病不妥，且该条自注中疑问颇多，尽管他言明"此处变易前法""非敢擅违古训"，但这种"变法""违训"的理由是不充分的。其一，桂枝汤本不属治太阴温病的处方；其二，吴氏改《伤寒论》第6条"发热而渴、不恶寒"为"但恶热、不恶寒而渴"，须知"发热"与"但恶热"不同，发热不恶寒而渴者已不可用桂枝汤，"但恶热"则更甚于发热，则桂枝汤更不可用了；其三，吴氏以"温病忌汗，最喜解肌"为由，认为"桂枝性温，以之治温，是与火济火也"之文自相矛盾；其四，自注中言明是"温自内发，风寒从外搏，成内热外寒之证，故仍旧用桂枝辛温解肌法"，桂枝汤不属表里双解之方，用之治内热外寒是不恰当的。

用甘温除热宜有胆有识 | 谭学林 |

外感发热一证，多遵从伤寒温病治法，病程一般较短，因热势较高，起病急骤，需认证准确无误，要有胆有识，治疗方能见效。俞根初云："勘伤寒证，全凭胆识，望形察色，辨舌诊脉，在乎识；选药制方，定量减味，在乎胆。必先有定识于平时，乃能有定见于俄顷"（《重订通俗伤寒论·何序》）。对于内伤发热，何尝不是如此，特别是用甘温除热法，只要认证准确，不得心中常有疑虑，要有胆有识，而能当机立断，始能无误而见效。

我曾治一发热病人柏某，男性，38岁，某电视机厂推销员。每日下午1时开始发热，热度逐渐升高，可高达39℃，午后3时左右热即渐退，后即神疲乏力，汗出淋漓。病始发于1983年3月外出推销产品时，曾历经十多省数千里，旅途劳累，又精神紧张，整日疲于奔波，即发此病。曾在省医住院月余，做结核、血液（骨髓涂片）、内分泌等病检查，未能得出结论。病人要求出院，某医按少阳、湿热病诊治无效。

病人延余诊时，已发热2个月有余，除上述症状外，尚有口渴纳差、心烦失眠、动则汗出等症，舌红苔薄黄，脉虚软无力，发热每遇劳累或天气炎热时加剧。我以甘温除热治之，方如下：炙黄芪30g，党参15g，当归、升麻、柴胡各10g，陈皮9g，白芷10g，神曲12g，连翘、黄芩各10g，生姜3片，大枣5

枚，炙甘草6g。3剂后温度即下降0.5℃左右，后加重黄芪为45g，并增五味子、麻黄根，减黄芩、连翘，5剂后热度即正常。后虽偶有发热，热度不高，经服二十余剂，至今两年未发。

内伤发热病程较长，病因错综复杂，治疗常经多人之手，短时难以见效。故用药时多存疑虑，不能当机立断，以致延误病机。此病人发热时间已长，热势较高，多方治疗无效，处理较为棘手。但因起病为劳倦，"阳气者烦劳则张""饮食劳倦即伤脾"，故从甘温益气升阳为治。虽见口渴烦躁、舌红苔黄等症，但不可与少阳、湿热、阴虚等混治。用甘温除热也宜有胆有识，当机立断，不可因病程长、病变复杂、热势高而法出多门、杂驳不精。只要有定见而认证准确，就能获得满意的疗效。

漫谈中医治法警句 ｜谭学林｜

中医的名言、格言和谚语，或载于典籍文献内，或流传于医生口头中，数量很多，可谓琳琅满目，是中医学的一份宝贵遗产。其中许多是关于治法的警句，如同箴言和座右铭，含义很深，语言形象生动。读之发人深省，令人难以遗忘。它起到了规劝、警戒的作用，使闻者足戒，受益匪浅。

这些警句，许多是历代著名医学家的创造，如"**桂枝下咽，阳盛仍毙；承气入胃，阴盛以亡。**"这是张仲景的一句话，虽是讲桂枝汤、承气汤误用致毙的，但却被历代医家引为要严格遵从中医辨证论治规律的警句。

"**读书无眼，病人无命。**"这是喻嘉言戒劝人们在阅读医书时，要抱严肃认真的态度，否则会造成病人无命的后果，可谓简短有力。

这些警句还有许多是口头创造流传较广的谚语，往往难于找到原始出处，或不知出自何人之口，但却为大家所习诵，如"**大黄救人无功，人参杀人无过。**"虽然徐灵胎在《医学源流论》中有论人参滥用致害的专篇，但不及这句谚语那么响亮有力，朗朗上口。这句用大黄作比较，鲜明犀利无比，使人难于忘怀。对于恣用补药的庸医，也是一付最好的清醒剂。

过去某种治疗上的时弊，历代医家莫不大声疾呼反对，就有用警句这种形式的。历史上服石之风泛滥成灾，孙思邈晚年目睹其危害，曾大声疾呼反对，其中有一句话使人难以忘记，就是"**宁食野葛，不服五石。**"他还说："明其大大猛毒，不可不慎也。有识者遇此方，即须焚之，勿久留也。"这句"宁食野葛，不服五石"的话，几乎成了当时反对服石恶习的口号，因此对纠正时弊起了不小的作用。

　　用药治病，事关性命，故不可不大声疾呼之，使之有动人肝胆肺腑之力量。这些警句既显示了语言的力量，以能流传不衰，更重要的是它是正反面经验的总结，是许多人的生命和血的教训换来的，其价值高于某些个案，或某种具体经验的总结，故值得珍视。

　　这里再推荐一首有名的治法警句，以供选用：

　　"见痰休治痰，见血休治血；无汗不发汗，有热莫攻热。喘生休耗气，遗精不涩泄；明得个中趣，方是医中杰。"（李中梓《医宗必读》引王应震语）此语不妨抄录之，贴于易见之处，使自己慎思之，力行之，警戒之。

上病下治，便通衄止　｜陈国信｜

　　衄指鼻衄，即鼻出血，是临床常见症之一。便指大便，便通即是疏通大便，言其治法。引起鼻衄的原因很多，其治法往往以凉血止血为先。但是，余在诊治鼻衄，特别是大出血（经注射止血剂，肾上腺素棉片鼻腔填塞，ET棉片、明胶海绵压迫止血无效者），往往与大便有一定关系。这类病人，大便多燥结，治疗时常以承气汤类通其便，便通则衄止，收到满意的效果。

　　通便何以能止血呢？盖大便燥结，为实热蕴结大肠所致。大肠与肺互为表里，脏腑相关，鼻为肺窍，手阳明大肠经分支循鼻旁，大肠实热，腑病及脏，热移于肺，通过经络反应于鼻。热迫血妄行，伤于阳络，则为鼻衄。鼻衄乃急症，病位虽居上，然其根源为大肠热结，病机在下，故以泻热通便，釜底抽薪之法，便通热去，热去血安，故鼻衄告愈。

伤寒与杂病的关系　｜杨泽君｜

　　伤寒与杂病往往互相夹杂、互相转化，有时两者的临床表现也很类似。掌握伤寒与杂病的区别与联系，是临床工作者必须具备的常识。下面以《伤寒论》和《金匮要略》原文为依据，简述伤寒与杂病密切关联的三种情况，亦可使后学者了解仲景学说的思维方式。

伤寒类似证

伤寒与杂病在一定条件下可能会产生相同的病理变化与临床特征，所以仲景在以六经辨伤寒中列举与伤寒相类似的杂病，在以脏腑辨杂病中列举与杂病相类似的伤寒，《伤寒论》与《金匮要略》中相同的原文达四十余条，这些条文所列举的证例在伤寒和杂病中皆可见到。

列举类似证的目的在于使辨证清晰。如《伤寒论》厥阴篇第 338 条蛔厥证列在厥逆病机条下，而该条载入《金匮要略》蛔虫病条下时，只论述了蛔厥证治，而将"伤寒，脉微而厥，至七八日肤冷，其人躁无暂安时者，此为脏厥，非蛔厥也"和乌梅丸"又主久利"删去。说明蛔厥证本属杂病，列在厥阴篇是为了与厥阴脏厥证相鉴别，并借其方以治厥阴寒热错杂的久利证。此外，诸如胸膈痰实证、水饮作厥证等，都是为了辨清伤寒而类举的杂病。

类似证的列举还体现了伤寒与杂病异病同治的原则，所以《伤寒论》与《金匮要略》中共同使用的方剂达三十余首。例如《伤寒论·阳明病篇》和《金匮要略·五脏风寒积聚篇》均载有麻子仁丸证，说明无论伤寒邪热伤津还是杂病胃强脾弱，只要见津枯脾弱的大便秘结，皆可用麻子仁丸主治。这些实例在《伤寒论》和《金匮要略》中不胜枚举。

伤寒夹杂证

伤寒之六淫外感往往引发五脏宿疾，而痼疾之积聚陈莝则常常留结寒热不去，形成伤寒与杂病内外挟杂、虚实互呈的病变。例如太阳之邪随经入腑的寒水潴留，多责于肾阳虚损不能温化，所以治太阳蓄水证必先温通肾阳，方能化气行水；阳明病燥热内结，皆因为脾胃津伤，津亏脾弱不能为胃行津液是小便数、大便硬的病理基础，所以治阳明腑实须待脾机运转，津液还入胃中方知大便不久出；少阳病枢机不利常由肝胆失于疏泄所致，所以小柴胡汤和解少阳是通过疏肝达木来实现。病入三阴更是虚实互呈。脾虚湿盛之人，邪多直中太阴；心肾虚损之人，邪多直中少阴；肝虚气郁之人，邪多直中厥阴。总之，凡伤寒之邪随经脉入脏腑，就可呈现内外夹杂、虚实互呈的复杂病变。

伤寒变证

伤寒变证，仲景称为"坏病"。因为这种"坏病"多由失治或误治引起，所以《平脉法》称之为"灾怪"。从这个概念出发归纳太阳篇有关原文，属于"灾怪""坏病"的达 90 多条，除 10 余条属于"灾怪"传入他经外，其余均属坏病变成为杂病。如邪热壅肺证、邪热不利证、心阳虚诸证、肾阳虚诸证、脾胃阳虚诸证、结胸证、痞证等皆属之。仲景在论述这些变证时，还经常列举他经病证或者类似的杂病进行比较分析，以便于学者细心体会、深入辨证。如第132～155条统论结胸，其中类举了如结胸状的脏结证，同属误下而病变不同的发黄证，胸胁下满如结胸状的热入血室，以及心下支结、胸胁满、藏结等邪阻少阳诸证，从而使结胸辨证的内容丰富多彩。伤寒由于"灾怪"而坏变，往往变成杂病，而杂病的辨证难以用六经来概括，所以必须"观其脉症，知犯何道，随症治之"。

综上所述，某些内伤杂病与外感疾病颇相类似，或者内伤和外感互相挟杂、虚实互呈，外感疾病在一定条件下往往转化为内伤杂病，二者在临床辨证中无法截然分开。有些内伤杂病要求用六经外感方，有些外感疾病必须遣脏腑内伤药，有些疾病则当内外分治或增损合方才能治愈。

厥阴病的病理特征浅析 | 杨泽君 |

厥阴为风木之脏，主疏泄条达，有调畅气血之用，其气化规律不从标本，从乎中气。其病理特征可归纳为以下三个方面。

木郁气逆与风木克土

《内经》关于其性为宣，其德散和，其政舒启，其令宣发等，都是对厥阴疏泄之用的描述。邪气侵入厥阴，无论寒热温凉，都会导致其疏泄功能障碍而使气郁不达。气郁不达则使阴阳气不相顺接，便为厥逆。木郁则克土，脾气不以升为和则下利，胃气不以降为顺则为呕哕，并以腹胀、腹痛、转气下趋少腹、下重等为风木克土的佐证。可见，厥利呕哕是厥阴病的主要特征。其中，厥为本经主证，下利呕哕为其乘化之证。厥阴篇以25条论述厥逆，17条论述下利，4条论述呕吐，2条论述哕证，这种条文安排足以说明四证在厥阴病中的主次。

邪以热化与寒热错杂

六经的气化规律主要受本、标、中气的影响。厥阴之本为风，其性属阳，但风令在春，处于冬寒夏暑之间，为寒热不定之气。"标"是指六经脏腑的本质属性，即三阴三阳。厥阴之标属两阴交尽，寓阴尽阳生之机。"中气"是六经之间表里相合，相互为用。厥阴中见少阳相火。在厥阴的气化过程中，阴尽阳生之标与寒热不定之本相合，既不能从标化，亦不能从本化，只能以中气为化。所以，邪气侵入厥阴，无论寒热温凉，都会从相火之性而趋于热化，乃其病理基础。

在厥阴以中气为化的过程中，如果阳邪侵入则以中气为化太过而标阴受抑，风从热化，为厥阴热证；如果阴邪侵入则以中气为化不及而标阴用事，风从寒化，为厥阴寒证。不过，在热证病程中，常见中气相火来复相争。这种胜复交作的病理特点，使厥阴病往往呈现寒热错杂、阴阳胜复的临床经过。厥阴病提纲以"消渴"反映热盛；以"气上撞心，心中疼热"反映木郁气逆；以"饥而不欲食，食则吐蛔，下之利不止"反映风木克土，脾胃虚寒。提纲基本反映了本病的病理特征。

邪伤营血

厥阴之脏主藏血，有调节血量之用，邪气侵入厥阴，无论寒热温凉，皆可伤及营血。寒邪伤及营血则寒凝血滞，脉流不畅，出现"手足厥寒，脉细欲绝"（第351条）等证。热邪伤及营血则蓄结而为痈为脓。热邪伤于上，则咽喉不利，吐脓血，伤于下则为热利便脓血。所以厥利呕哕诸证常在邪伤营血的病变基础上发生，是厥阴病的一个重要临床特点。

根据厥阴病的上述病理特证，该病的辨证要点可以确定为：①厥阴病具备木郁气逆和风木克土的临床表现，以厥、利、呕、哕为主证；②厥阴病具备邪从热化与寒热错杂的病理变化，其证有热有寒，而往往呈现寒热错杂、阴阳胜复的临床经过；③厥阴的病程中常有痈脓、喉痹、便脓血等邪伤营血的病变。

从邪正关系谈"合病"
"并病""直中""两感"

杨泽君

合病与并病是以邪气盛为主要原因的邪正消长转化形式。如果感邪势盛，所向披靡，往往两经或三经同时受邪，则为合病。如第224条论述三阳合病，由于三阳皆为阳、热、实证，所以三阳合病则邪热燔炽，充斥于表里上下而见腹满身重，难以转侧，口不仁、面垢、谵语遗尿等症。在邪正斗争中，如果邪气步步深入，正气节节后退，往往一经之证未罢又出现另一经证候，则为并病。如第147条论述太阳与少阳并病，太阳经的头项强痛未罢又出现少阳经的眩冒、时如结胸、心下痞硬等症。

六经皆有合病并病，但《伤寒论》有明文者，仅见于三阳篇，这正是为合病并病以邪气盛为主要原因所做注脚。两者比较，合病的邪势又比并病更为猖盛，所以从病情来看，合病多属原发，其势急骤，而并病多属续发，其势较缓。

"直中"与"两感"是以正气虚为主要原因的邪正消长形式。如果正气虚弱，抗病无力，让邪气长驱直入，不经太阳或三阳阶段而直入三阴，则为"直中"。如第323条"少阴病，脉沉者，急温之，宜四逆汤。"如果正气虽虚而不甚，邪气初感尚未进入三阴而表里同病，则为"两感"，如第301条"少阴病，始得之，反发热，脉沉者，麻黄附子细辛汤主之。"

"直中"和"两感"，《伤寒论》中虽无其辞，却有其实。两者皆属阴证，是因为两者都以正气虚弱为主要原因。比较起来，"直中"和"两感"比"合病""并病"为重，"直中"又比"两感"重。所以汪苓友说："此（指第323条）寒邪深中于里，殆将入脏，温之不容以不急也。少迟则恶寒身踡，吐利躁烦不得卧寐，手足逆冷，脉不至等死证立至矣，四逆汤之用，其可缓乎"。而"两感"者，则可表里同治，如第301、302条的温阳发汗。

对于"合病""并病""直中""两感"的治疗，仲景遵循《内经》"谨察间甚，以意调之，间者并行，甚者独行"的医疗原则。

间，是间缓，因为"并病""两感"的病情比"合病""直中"间缓，所以用兼取诸经的治法。如第147、176条太阳与少阳并病、刺大椎、肺俞以泄太阳之邪，刺肝俞以泄少阳之邪；第301、302条太阳与少阴两感，用麻黄附子细辛汤、麻黄附子甘草汤温阳发汗，皆为"间者并行"。甚，是急甚，因为"合病""直中"的病情比"并病""两感"急甚，所以用独取一经的治法。"直中"之邪，独甚于阴经，取"甚者独行"之法自不用说；"合病"之邪，邪势猖盛，弥漫诸经，如果试图兼取诸经，则反倒不能制其锐气，当视邪气甚于何经而独取之。如第36条太阳与阳明"合病"，独取太阳而主以麻黄汤；第177条太阳与少阳"合病"，独取少阳而主以黄芩汤；第224条三阳"合病"，独取阳明而主以白虎汤。

伤寒六经气化俗解 ｜杨泽君｜

六经气化是指人体向外界摄取资源物质后，在六经脏腑中进行一系列的生化反应，以生成生命物质的过程。这个过程主要受本、标、中气的影响。本是人体向外界摄取作为生化的本元物质，六经以相应的六气为本，如厥阴以风为本，少阴以热为本，太阴以湿为本等。"标"是因为六经脏腑的本质属性不同，而根据其功能外象推测各经脏腑中含有阴阳气多少，以作为反映各经脏腑本质属性的客观指标，即三阴三阳。"中气"是六经之间表里相合，互相作用于对方的客观条件，在既不能从本，又不能从标的情况下，中气成为左右生化过程的主要因素。六经的气化规律是"少阳太阴从本，少阴太阳从本从标，阳明厥阴不从标本，从乎中也。从本者，化生于本；从标本者，有标本之化；从中者，以中气为化也"。所谓从本、从标、从乎中者，是言其主流。实际上，任何一经的气化都是本标中气共同参与的综合过程，以维持三者的平衡协调。在病理情况下，由于邪气侵入，使其从化太过或不及，以致破坏三者的平衡协调则发生六经病证。

少阳太阴标本同气，所以化生于本。少阳以火为本，阳邪侵入少阳则化生于本太过，火郁枢机则口苦、咽干、目眩；阴邪浸入少阳则化生于本不及，生发之气不足则正邪分争，往来寒热，枢机不利而胸胁苦满、嘿嘿不欲饮食、心烦喜呕。太阴以湿为本，阳邪侵入太阴则化生于本不及，脾津不生，不能为胃行其津液，四肢不得禀水谷气，为四肢烦疼等太阴中风证；阴邪侵入太阴则化生于本太过，寒湿内盛则腹满而吐，食不下，自利益甚，时腹自痛。此两经化生于本，所以少阴病以邪从火化为主，太阴病以邪从湿化为常。

少阴太阳标本异气，所以有标本之化。太阳标阳本寒，阳邪侵入太阳则从标化太过而本寒不及，为卫强营弱或热结膀胱；阴邪侵入太阳则从本化太过而标阳不及，为寒束肌表或寒水潴留。少阴本热标阴，阳邪侵入少阴则从本化太过而标阴不及，为阴虚热化证；阴邪侵入少阴则从标化太过而本热不及，为少阴寒化证。此两经有标本之化，所以太阳病有中风伤寒之异，少阴病分寒化热化两途。

阳明之本为燥，厥阴之本为风，燥令在秋，风令在春，皆处冬寒夏暑之间，为寒热不定之气。阳明之标为两阳合阳，太阳阳气多，少阳阳气少，阳明介乎其间，取两阳之合而明，谓不"太"不"少"也；厥阴之标为两阴交尽，有阴尽阳生之能事。寒热不定之本与不"太"不"少"或阴尽阳生之标相合，既不能从本化，亦不能从标化，只能以中气为化。如果阳邪侵入阳明，则以中气为化不及而标阳用事，燥从热化，为阳明燥热证；中气来复与标阳相搏，为湿热发黄证；阴邪侵入阳明则以中气为化太过而标明受抑，湿能就燥，为阳明中寒证；标阳郁而内发与中气相搏，为寒湿发黄证；如果阳邪侵入厥阴则以中气为化太过而标阴受抑，风从火化，为厥阴热证；标阴郁而内发与中气相争，为寒热错杂证；阴邪侵入厥阴则以中气为化不及而标阴用事，风从寒化，为厥阴寒证；中气来复与标阴相争，为阴阳胜复证。此两经以中气为化，所以阳明病以津液的多少论转归，厥阴病以阳气的存亡定顺逆。

以上所述，邪气无论寒热温凉，侵入六经以后，都要随着六经本身的气化规律而化，这是决定六经病变性质的根本原因，"是谓因形而病，五变之纪也"。

"阴阳气不相顺接"浅析 | 邓兴学 |

"阴阳气不相顺接"是仲景对厥证病机的概括。他在《伤寒杂病论》中说："凡厥者，阴阳气不相顺接，便为厥。厥者，手足厥冷者是也。"

为何"阴阳气不相顺接"会引起手足厥冷呢？盖人之阳受气于四肢，阴受气于五脏，阴阳之气互相承接贯通，如环无端，循运不息，以温煦濡养四肢百骸，五脏六腑，促进和维持人体的生理活动。而阴阳气互相贯通，循运不息，又必赖人体气机调和畅达。因此，人体气机调和畅达，则阴阳气相贯。若病邪伏遏，气机壅滞，则阳气不行，阴气不运，两者不能互相承接贯通，四肢失于阳气温煦而出现手足厥冷之证。

《伤寒论》中导致气机郁滞而阴阳气不相接的原因甚多，归纳起来，不外有以下几条：

1. 痰饮内阻，阳郁不伸：痰注水饮停滞胸中或胃脘，中焦升降被阻，气机郁滞，胸阳被郁不能达于四末，而致手足厥冷。如痰厥、水厥等。

2. 邪热内郁，阻遏阳气：外感病邪化热入里，伏遏于内，气机壅滞，或肝气郁结，阳气不布，四末失温而致手足厥冷。如热厥、气郁致厥等。

3. 阴阳不调，寒热错杂：人体阴阳二气是互相调和维系的。一般说来，上焦心包之火以三焦为通路，达于下焦，而温煦肝肾，肝肾之阴上奉于心，以济心火，这样上下交通，则下焦温暖，上焦清和，水火互济，阴阳调和，以促进脏腑功能活动。若病邪入里，壅郁于内，气机郁滞，则上下交失，心火上炎，邪从阳化热而为上热；下焦失于温养，邪从阴化寒而为下寒，气机郁阻，上热下寒，阴阳不调，两者不能相贯，四肢失于温煦而致手足厥冷。如蛔厥、上热下寒致厥等。

4. 阴血亏虚，阳郁不运：机体阴血虚少，脉道失于充盈，运行不畅，不能载阳气达于四末而致手足厥冷。如血虚致厥、血虚寒凝致厥等。

5. 阴寒凝滞，阳气虚衰：由于机体阳气不足，抗病力衰减，阳气不布，阴寒凝滞，机体失于温煦而致手足厥冷。如阳衰阴盛厥逆证、脏厥、寒温凝滞致厥等。

总之，厥证的病机，虽云："阴阳气不相顺接，便为厥。"然邪遏于内，气机郁滞则是导致"阴阳气不相顺接"的主要原因。同时，厥逆之至，多责之阳气不能温煦四肢，不是阳郁，而是阳虚。前三种情况多为阳郁，后二种情况多为阳虚。

另外，厥阴为阴尽阳生之脏，阴阳气互相承接贯通之终始，故厥阴含阴阳二气，并具有极而复返的特征。且厥阴肝主疏泄以调畅气机。若邪入厥阴，不但易致热化证、寒化证，或寒热兼现之错杂证，而且最易导致气机郁阻，阴阳气不相顺接之病理变化，故厥证多责之厥阴，此即为仲景将厥证多归于厥阴病篇的原因所在。

《伤寒论》"既病防变"管窥 | 罗治雄 |

《内经》云："圣人不治已病，治未病。"是故大医治病，当既病防变，治之于早，则医家事半功倍，病家早脱所苦。《伤寒论》在辨证论治的基础上，熔原则性与灵活性于一炉，辨证用药精微处令人叹止。其于辨证论治中，每每透出"既病防变"之意，兹以太阳表剂中葛根汤证为例，略事管窥。

《伤寒论》第14条："太阳病，项背强几几，反汗出恶风者，桂枝加葛根汤主之。"第31条："太阳病，项背强几几，无汗恶风者，葛根汤主之。"伤寒六经，太阳为诸经藩篱。风寒之邪侵袭人体，太阳首当其冲，若邪盛或邪不解，则可顺传阳明。上二条病机，即风寒之邪侵入太阳，经输不利，筋脉失养，且因太阳邪盛，有溢于阳明之经的趋象。程郊倩说："项背强几几者，太阳之脉满，而连及阳明之经也。"

何以知之？以经脉言，《灵枢·经脉》云："胃足阳明之脉，……旁纳太阳之脉"，又云："足阳明之别，……上络头顶，……下络喉嗌。"可见二经相联络，皆布行于颈项、喉嗌，且太阳行后主背，阳明行前主胸，今二经有邪，见项背强几几。几几者，颈项俱病，俯仰不能自如，非太阳病之但颈项强直也，正如《医宗金鉴》所云："太阳之强，不过颈项强，此痉之强，则不能俯仰，项连胸背而俱强。""不能俯仰"4个字最能透其中消息，学者当细心琢磨。

于是治法除解表外，而有葛根之用。葛根乃阳明经之药也，此入太阳剂中何？正为顾及阳明而防之于早耳！葛根性平，味甘、辛，甘平能益阴生津，辛能升阳发表，此处用之，固能发表而祛太阳之邪，升清以濡润经脉，然亦虑及邪入阳明，多欲热化，故以此益阴生津之品，达于阳明，实可扶胃阴以防邪热，截太阳之邪以防变也。故徐灵胎曰："葛根,本草治身大热。大热乃阳明之证也,以太阳将入阳明之经,故加此药。"此仲景明规律预料发展,早准备用药御变之深意也。又第14条方后语云:"不须啜粥",盖恐啜粥助汗,津伤而经脉愈失其养,此又异于桂枝汤证处,是故治固勿过不及,即服药之法,亦不可忽视,以防伤正而致变矣。而第31条不用麻黄汤加葛根,亦防过汗伤阴而致变也。

进而论之,邪初在阳明经不解,可郁而渐次化热,若表不解而热不泄,则成表实内热之证。其轻者如桂枝二越婢一汤证。太阳病而见热多寒少、烦渴等,即已露阳明经热之端倪,故张隐庵曰:"此表阳从肌入里,故桂枝二以解肌,越婢一以发越表阳之内陷。"越婢中用石膏,即为阳明设防,此意尤显于大青龙汤证中。

更进一层,表郁内热轻证不解,阳明经热益盛,内迫阳明之腑,斯时两经热盛,故除太阳证外,阳明呕、利等证遂作。第32条:"太阳与阳明合病者,必自下利,葛根汤主之。"第33条,"太阳与阳明合病者,不下利,但呕者,葛根加半夏汤主之。"此之谓也。太阳之邪不得外解,内迫阳明,若上逆于胃则呕;若下走大肠,使其传导失职,水谷不别则下利;如尤在泾所云:"两阳合病,邪气盛大,不特充斥于上,抑且浸淫于里,故曰必自下利。其不下利者,则必上逆而呕。晰而言之,合病下利者,里气得热而下行也;不下利但呕者,里气得热而上行也。"柯琴更明确指出:"下利即胃实之始,《内经》所谓'暴注下迫,皆属于热'也。"然此证当于葛根黄芩黄连汤证相别。彼为邪热未传阳明之经,已先入阳明之腑,表不显而以里证为主,已成太阳变证,治当全以治里为主;此则邪热虽已盛于阳明之经,然病因表而致,且条文只各举下利、呕逆一证,故病仍重在表,治则只以解表为主,使表和里自愈,即《内经》云"从外之内者,治其外"之意,故用太阳表剂葛根汤。方以麻黄、桂枝发汗解表,令热从表泄;而葛根仍为阳明设,此处取其轻清升发,升津液而止利,且清阳明经热,以防阳明腑燥。呕逆者,复加半夏降逆止呕。此于太阳发越之,于阳明堵截之,邪必外解而不复内陷,病必向愈而何变之有?此从表陷里者仍当由里出表,如逆水挽舟之意,或问,病既偏于表,治亦解表为主,其方何不曰桂枝汤加麻黄、葛根,而以葛根命名耶?考其意,无非重在阳明耳!以呕、利已属阳明,示医者必当留意也,此证可作"既病防变"之佐证。

再参之于大青龙汤之用石膏治烦,可知《伤寒论》用太阳表剂有相承相联之用心,"既病防变"之脉络清晰。若邪盛于太阳,可溢于阳明之经而项背强几几,即加葛根以防变并升清濡润;若邪仍不解,则可邪实太阳之经而热郁阳明之经,其轻者即可酌加石膏以防变;若邪再不解,阳明经热益盛,斯时或内迫阳明之腑而下利,或热扰神乱而烦躁,下利者仍用葛根截之防变而兼止利,烦躁者急用石膏救之防变而兼清热透邪。总之，或明规律用药御变，或察细微防微杜渐。病可渐次而进，治则层层设防，因证施治不可含混，服药之法亦须重视，则"既病防变"之言虽未明示，而其意昭然不晦矣！又葛根治利，石膏治烦，均系于太阳病中见一二阳明之证，即及早预防，可知仲景立法，每在极微处设防，恐人于微处易忽也，医者临证当据脉明察丝毫，审病机见微知著，早治疗防微杜渐，斯能防患于未然。

由上可窥《伤寒论》"既病防变"思想之一斑，其博大精深实当深研也。

"喘家作桂枝汤加厚朴杏子佳"
的断句谈　|廖崇文|

对《伤寒论·太阳上篇》中的"喘家作桂枝汤加厚朴杏子佳"条，历代注家有不同的断句法，有的作"喘家，作桂枝汤加厚朴杏子佳"；有的作"喘家作，桂枝汤加厚朴杏子佳"。前者意思是素有喘病的患者，用桂枝汤加厚朴杏子好，未必一定要喘发作；后者则认为喘发作时，应用桂枝汤加厚朴杏仁。哪一种注解更为适当呢？我联想刘禹锡诗"三日入厨下，洗手作羹汤"句，认为前一种解释恰当一些，意思是说素有哮喘病的人，在得桂枝汤证时，处方应加厚朴杏仁，符合中医治疗新病应照顾旧病的原则。后一种解释把素有哮喘的人发作时，用桂枝汤加厚朴杏仁治疗。这种情况，临床上是很少有的。要有的话，那就是新病引动宿疾，必然含有桂枝汤证，也正符合前一种解释。

试谈辨证与辨病　|刘书奎|

辨证论治是祖国医学的精髓。特点是以证为基础，这种"证"是通过四诊而获得的，具有客观的临床指征。只要对"证"进行分析，然后应用历代医家总结出来的辨证方法，不难对疾病作出正确的诊断和治疗。

临床上也常遇到无证可辨的情况。特别是现代检验技术高度发展的今天，这种情况日渐增多。例如，某些乙型肝炎病人，往往缺乏自觉症状。这时，若用传统的辨证方法来诊断和治疗就比较困难了，于是，提出了"辨病"的方法。就是通过现代医学技术对疾病作出诊断，探讨中医治疗规律的一种方法，即针对肝功能及澳抗等阳性指标，运用中医治疗"胁痛""黄疸"等病的经验，找出行之有效的治疗方药。

由此看来，辨病也是一种辨证方法，只不过这种"证"不是通过四诊而来，而是借助于现代医学检验技术获得的，是一种特定的情况，是在新形势下对辨证论治的补充。

当然，辨病必须以传统的辨证论治为基础，如果脱离了辨证论治，辨病的方法就是盲目的，就不可能取得良好的疗效。例如，无症状肝炎必须从"胁痛""黄疸"等病中找出治法，无症状的肾炎必须从"腰痛""血尿"等病中找治法。五味子降转氨酶、二至丸消血尿等，就是通过这种方法总结出来的有效方药。

值得提出的是，辨病的方法不可无限制地扩大使用。否则，就会置辨证论治于不顾，造成某病套用某方，对号入座的情况，非但不能治愈疾病，甚至可能加重病情。曾治一胁痛患者，西医诊断为慢性胆囊炎，某医不查病因，不辨虚实，即用延胡索、川楝子、枳实、青皮、大黄、芒硝等疏肝利胆药20余剂，病人服后胁痛不止，反增神疲乏力、口苦纳差，甚而服药则头晕目眩、舌红少津、脉沉细弱。医见如此，仍不变方，至病人痛苦不堪，乃求治于余。余断为疏利太过，辛温伤阴，苦寒耗气，拟养肝柔肝为治，予一贯煎原方，少佐枳壳理气，豆蔻仁醒脾，潞党参补中，3剂胁痛即止，再服3剂，余症亦愈。

"善补肾者，当于脾胃求之"偶谈 ｜万本善｜

茶余饭后，与友人谈论医事。友人问道："对'善补肾者，当于脾胃求之'（藕塘居士语）这句话应如何理解？"我沉思后回答说："根据祖国医学理论，肾为先天之本，脾为后天之本，脾肾之间在生理、病理等方面都有着极为密切的关系。如在生理上，脾为气血生化之源，先天之肾赖之濡养；在病理上，脾虚可导致肾虚，引起水肿、阳痿等。先天不足，可以通过补益脾胃，使脾胃运化功能健旺，生化有源，则肾精充沛，肾气强盛，所以又有人说'补脾即所以补肾'。因此，善于补肾者，往往能够追究脾肾之间的内在关系，从补益脾胃入手，加强疗效。如治肾虚水肿，我常用崇土制水法，疗效确实不错。但如因此认为，补肾不如补脾，凡肾虚患者，只要补脾不必补肾，那就错了。事实上，临床所见许多肾虚、脾肾虚的病证如阳痿、遗尿、遗精，不是单纯补脾所能取效，专用补肾或补脾肾之法，却可能获得满意效果。可见，对'善补肾者，当于脾胃求之'这句话必须灵活理解，不能生搬硬套。"友人听罢，点头赞许，称谢而去。

不可死读方书　｜孙坦村｜

子痫本多发生于妊娠 9 个月左右，因胎儿增大，胞脉受阻，肾脉不通，肾阴不能卫荣所致。方书治疗子痫，多主滋肾养阴。《千金要方·妇人方》载徐之才逐月养胎法，谓孕六月，足阳明脉养胎，方用麦冬汤；孕七月，手太阴脉养胎，方用葱白汤。然而，先父孙浩铭曾治疗一子痫病例，则不循前法。该病妇怀孕 6 个月时，发现耳鸣耳聋、语音低哑不清，卧床则消失。就诊时怀孕已 7 个月，上症加重，伴心烦少寐、气短腰酸、大便不畅、脉细滑、舌淡苔薄白。先父认为孕六月，足阳明胃经养胎，七月手太阴肺经养胎，肺胃气虚，中焦不足，处以补中益气汤升发中焦之气，佐以黄芩泻胎火，阿胶、艾叶安胎气，石菖蒲宣气通窍、明耳目、开声音。服十余剂而病愈。所以先父常告诫说，方书要读熟读活，切不可死读，大凡证情各异，治法亦殊，第一要着，还是审因辨证，而后方可处方用药。

涌痰法奇验　｜汪济美｜

常闻前人用吐得法，微妙若神。欲试已久，而未遇适应证者。1982 年 3 月间，从浙江泰顺送来一例患者，姓欧，男，18 岁。昏迷已 40 多日，出现 3 次呼吸衰竭，抽搐严重，饮食靠鼻饲，小便靠导尿，无发热寒战。当地医院拟诊为"脑膜炎"，治疗 8 日，症状日见加重。于 2 月 2 日转住某医学院附属医院，最后诊断为"急性散发性脑炎，昏迷型"，并发金黄色葡萄球菌败血症。因疗效不好，3 月 14 日家属要求出院，前来求余治疗。

其父诉，出院前后，相继每日抽搐 1 或 2 次，每次 10 分钟至 2 小时，神态昏愦，汗多而黏，痰鸣咳嗽，呼吸时促，二便自遗。细审认为，痰热闭窍，引动内风，有内闭外脱之象。审知顽痰壅阻，里结不解，而表难和。初起西医用降温、强心、脱水诸药，致痰闭热遏，痰火壅结益甚，虽大量"三宝"（至宝丹、紫雪丹、安宫牛黄丸）并化痰寒凉开窍醒脑，亦无济于事。此时，发之不可，下之不能。急中悟及张从正说："曾见病之在上者，诸医尽其技而不效，余久思之，投以涌剂……一吐之中，变态无穷，屡试屡验。"余步其治法，非涌痰不能为功。遂拟祛痰搜风药：皂角子10g、防风10g、半夏10g、黄芩12g、陈皮6g、麝香0.25g（另调）、甘草3g。药汁鼻饲，饲后探吐2次，第1次探引未吐，2次竟涌出顽痰约2碗。一吐，确实奇验，犹如扣拨灵机，闭塞骤通，生气立旋，未经2时许，神志顿清，即能言语，抽搐亦止，肢体僵硬相继著减。危证突出险境，则余邪可图徐治。病家喜出望外，复来恳求出诊，余喜即随其前往，惟见上半身多汗出，心悸，喉间微闻痰鸣，大便溏泻，尿清，舌红，苔白腻，脉较和缓，体温38℃。考虑神机已转，顽痰未清，应继续蠲除痰浊。拟涤痰汤加减投治：半夏8g、茯苓12g、枳壳5g、陈皮5g、胆南星6g、石菖蒲3g、黄芩10g、黄连6g、连翘10g、沙参10g、甘草5g、竹沥60ml（另冲）。每日1剂，连服6日，徐图正气来复。因路途遥远，嗣后多以口述，按症情的变化，随症拟治。后期纳食正常，惟出现盗汗，四肢活动还受限，转动无力而颤抖，舌淡红，脉缓。呈现一派虚象，遂予补阴养液清热之品，消除余热，补益气阴，继用加减虎潜丸强筋壮骨调治1个多月，盗汗瘥，肢体活动日有向愈。半年后追访，已康复如常。似此危重昏迷痉厥，若非信服前贤的经验，敢于使用"涌吐法"，将何以解除？

气火内焚肌肉脱，苦寒直折健康复 ｜汪济美｜

某年夏，陶某体重骤然减去18kg。4个月前出现心悸，气短，胸腹时感郁闷，四肢无力肌肉消瘦，精神不振，无寒热、吐泻、失血等证。消肉最甚时，平均每日0.5kg，阖家惊惶不安。各方求医，多以衰弱及虚劳过极等进治，或补、或滋，或温、或调，皆未取效。邀余诊察，知患者生平坎坷，心情抑郁不舒。诊时除见大肉已脱，骨瘦如柴外，伴有大便秘结，尿量少而色赤，舌苔厚黄，脉来数疾。此由五志化火，一水难敌五火，来势凶猛，故使肌肉暴脱，若非大剂苦寒直折其火，难以熄灭烈焰。方用：生石膏30g、大黄12g、黄芩10g、芦根60g、白芍10g、青皮5g、陈皮3g、甘草6g，连服4剂。二便通畅，精神好转，肌肉不再瘦削。继以黄连6g、鲜石斛30g、芦根30g、白芍10g、陈皮3g、青皮5g、甘草6g。服12剂，二便正常，心悸、短气与脉象均好转，体重逐渐恢复，余症亦相继改善。嗣服补心丹2个月，诸症悉除，并能参加轻度工作。

常言说，治病如救火，当病情急重时常须大剂、重剂以冀挽回，若惧怕风险，只以轻描淡写之剂敷衍了事，正如杯水车薪，无济于事。

治湿余絮 |刘燮明|

黔东南州地处山区，终年雾露不断，湿病极为常见。湿邪为患，有外湿、内湿之分。外感湿邪多兼夹风、寒、火邪而发为风湿、寒湿、湿热、湿温等证；内生湿邪则多表现为痰饮、水肿、泄泻、淋浊、带下等病。以上病证，表现纷繁复杂，然而又有两个共同特点。其一曰"重"，湿病之人多有头重身楚、肢节沉重难举等症；其二曰"浊"，亦即湿病患者五脏之液（涕、泪、汗、唾、涎）和排泄物（痰、二便、带下、脓液等）多秽浊不清是也。

湿病之治，由于病位及兼挟症之不同，治法颇多。如芳香化湿、祛风胜湿、健脾渗湿，清热利湿，温阳化湿等等，兹不赘述。不过，个人体会亦有两点尚须注意。一是治湿宜守。湿性黏滞，难求速效。故认准之后宜守法，不宜频频更方。诸祛湿药中茯苓、猪苓、薏苡仁、车前子、泽泻、滑石等淡渗利湿之品药性平和，在辨证施治方药中灵活选用其中数味守服，并无妨碍。其中薏苡仁一味，利湿兼能健脾，堪称治湿佳品。二是治湿忌补。所谓忌补，是指湿邪未清时禁用滋腻碍胃之品及助湿生热之物。湿邪为患，最易阻遏气机，困扰脾阳。故湿病患者最忌熟地黄、白芍、阿胶、天冬、麦冬等阴柔之品。然干黄芪、白术、怀山药、白扁豆等益气诸药，益气而兼有健脾除湿之功，均属治湿要药，又不在当禁之列。酒酪炙煿及肥甘厚味能助火生热，滞膈生痰。故湿家不宜食用鸡肉、狗肉、羊肉、奶酪及油煎之物。

曾治王某，头重如裹，耳鸣目眩，苔白厚腻，脉虚。诊为眩晕（痰浊中阻），投泽泻汤，二陈汤合方加减9剂，诸症有减。然晨轻暮重，总未得痊愈。经仔细询问，探知患者自认体虚，鸡肉、蜂乳、人参、奶粉等补品从未间断。乃嘱停用一切滋腻之物，继用前方调服半月，诸症悉平。由是观之，治湿不忌补，虽方药合拍，欲获佳效，亦为难矣。

芳香淡渗治盗汗 |郑家铿|

盗汗一症，多因阴虚，但也有因湿热内蕴，蒸迫汗出者，应辨证施治，切勿仅以汗出之时间而论治。我曾治一男性青年，素嗜酒，于初秋乘凉露宿，醒时周身汗出，患者以为气候炎热，即用冷水淋浴后就寝，但夜半气候已凉，醒时仍遍身汗出。此后每夜如是，曾多方求治达 2 个月余，均诊为阴虚盗汗。先后服过六味地黄汤、当归六黄汤、生脉散等益气养阴泻火之剂和固涩敛汗之药，不但无效，盗汗反增。诊时仍夜寐汗出，以头面、胸背为多，并诉头晕体倦，烦热纳减，口干饮少，小便短赤，大便正常。见其舌质红，苔薄根腻。诊其脉濡而数。审证求因，断为湿热内蕴，蒸迫汗出之所致。因卫气昼行于阳，夜行于阴，故白天表卫固密，则汗无以外泄，入夜卫气行阴，则表卫失固，湿热蒸迫则汗出外泄。治用芳香透泄，淡渗清利之法。方用薏苡仁、滑石各 15g，藿香叶、赤茯苓、蚕沙各 9g，大豆卷 12g，白豆蔻仁 3g。日服 1 剂。连服 3 日后盗汗大减，再服 2 日后而愈，此为湿化热清而汗自止。

实证用补，犹如火上添油，临床辨证，应全面细审，切勿草率从事，人云亦云。

危重证与四合脉 　　|潘永煌|

所谓四合脉即指浮、数、滑，实四种脉象相兼而言。一般地说，四合脉的主病往往等于各脉所主病的总和，而这四种脉常常是主阳证、实证。但是医者不可掉以轻心。张景岳说："凡内出不足之证，忌见阳脉，如浮、洪、紧、数之类是也，如此之脉，最不易治。"又说："……久病而浮洪数实者，皆为逆也。凡脉症贵乎相合，设若证有余而脉不足，脉有余而证不足，轻者亦必延绵，重者即危亡之兆。"景岳之言甚是中恳，验之临床，箭不虚发，举例证实。姜某，男，64 岁。罹哮喘 20 余年，每逢仲夏或入秋即发，近年来发作日频。1 周前因热贪凉服食西瓜 1 块，哮喘突然大发作，经西医治疗稍缓。望其精神委顿，形态伛偻伏案，喘逆加剧，喉中痰声呼呷，抬肩撷肚，口唇轻度发绀，面色两颧如妆，眼胞如卧蚕状，四肢厥冷，切其脉浮数滑实相兼，观舌质红而少苔，口渴思饮，但必饮滚烫开水稍安，小便短赤，便溏不禁。脉症合参，病势凶险，此乃沉痼顽疾，缠绵难已，反复发作，渐至正气溃散，精气内夺，即刻有真阴耗竭于内，真阳衰脱于外之危。确属至虚有盛候之证，此盛则表现在四合脉上，与虚阳外越之浮大无根脉虽异实同。急拟参附龙牡汤和《冯氏锦囊秘录》全真一气汤大剂速投。将益气回阳救脱与滋阴补肾潜纳同揉一方，真是斩关夺隘，背水一战。拟方：红参 30g、西洋参 15g、附片 12g、龙骨 30g、牡蛎 30g、怀牛膝 10g、熟地黄 30g、麦冬 20g、五味子 10g、肉桂 6g、沉香 6g。2 剂，日 3 次夜 2 次分服。进药当晚险情稍定，次日清晨，险情甫定，然仍未进入坦途，原方再进 2 剂。至第 4 日症情基本缓解，后用生脉地黄汤与青娥丸加减善其后。

此案之义，在医者遇四合脉时，切切不可作实论，作虚实挟杂亦不可，谨识于此。

一卷在手，受益无穷 |陈明见|

太史公有"医之所病病道少"之说。窃思所以"病道少"，不外是由于不读书或不善读书的缘故。而医治"病道少"的良方妙药，也不外是多读书、善读书而已。也就是说，要即类求书，因书求学，择优是崇，持以辨治。

然而，自秦汉以来，名家辈出，著述相继，蔚为大观。其中难免鱼龙混杂，瑕瑜互见。所以，祖国医学文献虽是浩如烟海，而欲取舍精当，择善而从，颇感不易。但也有不少书籍立论中肯，内容丰富，读者一卷在手，终身受益无穷。清代唐笠山（大烈）纂辑的《吴医汇讲》，就是这样的一本书。

《吴医汇讲》一书，衷先贤的精华以立说，淹先哲之所长以治学，旁搜博采而成书。其中或阐明奥义，或探索精微，或发蕴索隐，或疏注古训，多能别出心裁，本于集思广益。内如陈献传的《人身一小天地》，采用取类比象的方法说明生理特点；顾雨田《书方宜人共识说》，针砭了医之弊病；唐笠山《维脉为病论治》，阐明了维脉的病理和治法；《医宜博览论》《读〈伤寒补天石〉〈贯珠集〉二书合记》《读书十则》等，是前贤治学的经验之谈；孙庆增《石芝医话》，说明了人与自然界的关系；傅学渊《管见刍言》从外感内伤的辨别，谈到病变无常，方难执一的原理；蒋星墀《升降出入说》，是论述出入则神机化育，升降则气运通畅；沈实夫《四维相代、阳气乃竭解》以素有争论的"四维相代"学说，作为人身"四隅"解，有一定见地。他的《膀胱上口论》既指出"无下口"说的谬误，也批评了张景岳、李士材所谓"无上口"的错误，有独特的看法；薛公望拟张令韶《伤寒直解》的《辨证歌》，以至表里寒热虚实汗吐下辨，是晓人必须严格掌握辨证论治，以指导临床实践；翁寿承对于喜怒恐忧思诸解，是探求情志病变内在相关的疗法；管象黄《气有余便是火解》《东垣、景岳论相火辨》等，都有精辟的见解、唐笠山的《周身经络总诀》，是说整体观当以经络纵横笼络为基础；徐叶墀《论读景岳书不可专得其温补之益》，认为既无"全书"名之，当知有温凉补泻并收之意在；汪缵功《虚劳论》，以酒色思怒为主因，阴虚相火内炽为病理，也是一家之说；周省吾《命门学》《阴阳常变论》《中道说》等篇，也有其独特的见解。

总之，《吴医汇讲》内容丰富，颇能启迪后学。学者如能在此类书中深入求学，则不但可医"道少"之病，而且可以大受教益，为发扬祖国医学，为四化建设，作出更大的贡献。

临证贵在学贯古今医理 陈明见

医者，必须兼学古今的各种医学知识，然后融会贯通，以指导临床实践，并不断总结经验，达到博古通今的妙处。宋代朱熹曰："举一而反三，闻一而知十，乃学者用功云深，穷理云熟，然后能融会贯通，以至于此。"即指此而言。

回忆 1984 年 11 月，我会诊一乳腺癌术后呕吐不止的患者，经环顾诊察，发现患者精神疲倦，微有自汗，口苦，胃脘、胸胁胀闷痞塞，稍进汤水旋即呕出，全赖输液维持，舌苔薄白滑，脉沉细。从病者的体质所反映的客观证候来分析，病情拟属"少阳证"；清代薛生白谓"肺胃不和最易致呕"；再证之《素问·至真要大论篇》"诸逆冲上，皆属于火"的病机。细析其病虽属"少阳证"枢机失常，但有夹杂湿热内阻，肺胃下降的病变，当用小柴胡汤去甘药（甘草、大枣）以免碍湿。方中生姜虽能止呕，但其性辛温，不适于火邪上冲的呕逆，所以也去而不用。方取太子参、柴胡、黄芩、姜半夏等，扶正并转"少阳"枢机，复遵薛生白"必用川连以清湿热，苏叶以通肺胃"，使苦辛开泄，宣降火逆上冲；再佐以竹茹、大麦芽疏通肝胃、协助止呕。药后，一剂知二剂已，遂出院调理而安。本病用药采取轻宣开泄之品，用量少而精，其所以不采用大剂量者，一则由于病者神倦体虚；二则病兼肺胃不和，防止量大药过病所，而犯虚虚之禁。这是融会古今，结合具体病情的辨治法。

谈"几几"与"几几" 留章杰

"几几"和"几几"，两词均甚古，又甚生僻。"几几"出《诗经》；"几几"除《伤寒论·太阳篇》中之"项背强几几"外，最早见于《素问·刺腰论篇》，有"腰痛侠背而痛至头几几然"句。盖此古字均甚罕用，因之聚讼纷纷，音、义莫衷一是。主张读为几案之"几"，则孚义无作强直之解；大多数主张读为"殳"音，然读虽为"几"，往往又写为"几。"查"几"字只有一音，亦很少知有"几"之古字；或有知者，又无从寻其本义。《辞源》《辞海》均无"几"字。《辞源》有"几几"词，注为安重貌，引《诗经》"赤舄几几"句。《辞海》亦有"几几"条，注为形容鞋翘起的样子。近人更有断言为"几几"，并引"赤舄几几"词，欲与形容鞋的翘状与项强状相似，殆亦强解也。

所以如此纷纭不一，良由字形不辨。"几""几"形相仿佛，字又生僻，词亦少用，每由于传抄和字牍之讹，由来已久，遂致"几""几"不分。

余曾著《中医学字辨》一书，因字书查无此字，于心不安。复查《中华大字典》，果有"几"字，音殳，鸟羽。并引《韵汇》云："有钩挑者为几字之'几'字，无钩挑者为'几'字。"十年悬案，至此释疑。《韵汇》无从见到，凭字出《中华大字典》似尚可靠。

"脉脱入脏即死，入腑则愈"之我见 ｜廖崇文｜

《金匮要略·脏腑经络先后病脉证第一》："问曰：寸脉沉大而滑，沉则为实，滑则为气，实气相搏，血气入脏即死，入腑则愈，此为卒厥。何谓也？师曰：唇口青，身冷，为入脏即死；如身和、汗得出，为入腑则愈。"

"问曰：脉脱入脏即死，入腑则愈，何谓也？师曰：非为一病，百病皆然。譬如浸淫疮，从口流向四肢者可治；从四肢流来入口者不可治。病在外可治，入里者即死。"

这两条原意是阐述卒厥病的病理机转和症状表现，《医宗金鉴·集注》赵良解释说："脱者，去也；经脉乃脏腑之隧道，为邪气所逼，故绝气脱去其脉而入于内。五脏阴也，六腑阳也，阴主死而阳生，所以入脏即死，入腑即愈而可治。非惟脏腑之阴阳然也，凡内外脏腑之邪毒出入表里者皆然也"。他把"脱"字作"去"解释，有"离去"或"走向"的意思，这是可以理解的。接着又说"绝气脱去"就难理解了。因此后人有把"脉脱"作为乍伏不见，是邪气阻止正气，血脉一时不通来解释。这就更不好说了。

我认为从文理、病理来看，下一条的"脉"，仍是指上一条"寸脉沉大而滑，沉则为实，滑则为气，实气相搏，血气入脏即死，入腑则愈，此为卒厥"。何尝脉分两样，而下面也只以症状表现分别入脏入腑。个人意见，照条文原意，上一条问者的目的是要求解释寸脉沉大而滑是卒厥的脉，而病却有入脏入腑生死的不同，是什么道理。但是师曰以下只是说出了入脏入腑的道理，问者仍是不明白，如是在下一条便提出再问"脉脱入脏即死，入腑则愈，何谓也"。上下联系，很明显"脉"仍是指"寸脉沉大而滑"，而"脱"字则当作"或"字解。《辞源》《康熙字典》都有这个释义。而且沉脉属脏属阴，大滑脉属腑属阳；"脉大而滑"本身都具有或入脏或入腑的可能。要是这样来解释，这两条便顺理成章，通畅易晓了。从这个意义来说，我们可以把两条作如下意译：

问：寸口脉象沉大而兼滑，沉属实，滑属气，实与气互相搏结，侵入五脏就会死亡，侵入六腑病就会痊愈，这种病证叫做卒厥。是什么道理呢？答：病人口唇出现青色，身体发冷，是病邪入脏入里的象征，可能很快会死亡；如果汗出，身体温和，这是病邪入腑向外的象征，病就很快会好转。

又问：同是寸脉沉大而滑的"此为卒厥"，何以会有或入脏或入腑的区别，是什么道理？答：不仅是卒厥病如此，任何疾病都是这样。因为"经脉乃脏腑之隧道，为邪气所逼（赵良语）"都有或出外、或入内，或出表、或入里，或入脏、或入腑的可能。以显而易见的浸淫疮为例，从口部发生向四肢（向外）蔓延的易于治疗；从四肢发生向口部（向里）蔓延的就难治愈。总的一句，凡病证从里向外、达外、入腑的好治；从外向里、入里、入脏便不好治。

这样解释，不悖原意而上下贯通易于理解。

察 舌 辨 危 　│陈桐雨│

余在多年临床工作中，擅长儿科，尤精察舌辨病，现略述一二。

一男患儿3岁，突然舌体肿胀，几欲满口，不能进食，呼吸受阻，势甚紧迫。先君嘱我急以银针沾醋，刺舌尖及两旁，出紫色血水少许，并投导赤散加大黄，服后二便通畅，翌日病愈。

又一女患儿5岁，麻疹之后，腹泻数日不愈，神疲困倦，面色苍白，四肢不温，食欲锐减，唇舌淡白，且时时弄舌，动摇如蛇。先君惊道："此系气血两虚，心脾无所营养，乃病后弄舌，属凶象。"处以十全大补汤。因其父惑于麻疹后忌服温补之说，未从命，终致不救。

木舌、弄舌为儿科急重症。本文例1因心火上凌心窍而成"木舌"，治宜清心泻火。因舌体肿大，汤药难以入口，故先针刺以缓其急，继以导赤散加味，使心火自大小肠而下泌，实寓"釜底抽薪"之意。例2因心脾衰微，气血两虚，以致舌络失养，时时弄舌，且症兼神疲色夺，四肢不温，食欲不振，唇白舌淡，与《幼幼集成·卷四》中所述"大病后精神困惫，饮食少思而弄舌者凶候"颇为相似。此时如以大剂补益如十全大补汤或可挽救，惜病家未能合作，遂致不救，惜哉！

（陈辉清　整理）

皮质激素反应在舌苔上的变异 ｜彭格非｜

因药物而致舌苔变异的现象，近年报道日有所增。《中医杂志》曾专文报道药物性染苔及某些抗生素对舌苔的影响。但因长期使用激素而致舌苔变异者尚未见于文献。余于临床会诊中发现长期使用肾上腺皮质激素的患者，常出现灰苔或黄腻苔，舌质多呈红色，若不详细询问病史，常把激素所致的腻苔误为痰浊、湿热。其实为气阴两虚。如曾会诊一患全身播散性红斑狼疮性肾病女工，长期使用强的松、地塞米松等激素治疗，病情有缓解。某日自觉头晕乏力，腹胀，继而高热抽搐入院。经用大剂量激素后热退搐止，但白细胞下降至 $0.8 \times 10^9/L$，用维生素 B_6、肌酐等治疗未效。会诊时但见患者频频汗出以头胸部明显，舌质红绛，苔灰黄厚腻，脉虚浮。辨为久病气阴两伤，热入营血。予益气养阴，佐以凉血清营为治。处方：太子参、西洋参、丹参、甘草各9g，沙参、麦冬、金银花、玄参各12g，黄芪20g，白芍、连翘各10g，五味子6g。服药3剂后，汗出明显减少，血象复查，白细胞升至 $5.6 \times 10^9/L$，舌苔转薄，舌尖红有点状溃烂，提示气阴渐复，改投甘露饮，治疗月余病情稳定。

从本病例看舌苔与脉症不符，但在明了长期服用激素能使舌发生变异之后，就可舍苔从脉辨治，才不会导致诊治的失误。

偏苔与半表半里证 ｜彭格非｜

舌苔是舌诊中的一个重要内容，大多数医者只注意观察苔的颜色、薄厚和干润，注意苔的偏正者甚少，根据偏正情况辨证施治者更少。然而偏苔辨证早有记载，如《辨舌指南》："偏苔者，其苔半布也，有偏内、偏外、偏左、偏右之分。"笔者30年前侍诊于广州伤寒名家黎少庇老师时，曾见一特殊类型的偏苔，以舌部为界，一侧为白苔，一侧为淡黄苔，境地清晰，黎师教诲云："凡遇此苔当以半表半里论治，因白苔主表，黄苔主里，舌两侧属肝胆部位，今一侧白苔、一侧黄苔，邪在少阳之枢，按少阳病治之。"投柴胡汤果然效若桴鼓。余临证 20 余年，遇此类偏苔近百例，牢记黎师经验，均以柴胡汤治而获良效。

如治一老妇，胃脘痛 4 个月有余，并左侧腰背牵引作痛，曾服六味地黄丸、壮腰健肾丸、六君子汤等均未奏效。近日夜间腰痛增剧，头晕目眩，耳鸣耳聋，舌苔以舌中部为界、右黄而左白，脉弦。乃按黎师经验，予小柴胡汤加减：柴胡、法半夏各 10g，党参、川续断、菟丝子各 12g，白芍 12g，大枣 10g，炙甘草 6g，生姜 9g。3 剂，日 1 剂，水煎服。药后胃脘及腰背疼痛明显减轻。复诊时余未应诊，他医改投一贯煎加味，服后胃脘痛反剧，不得眠，又复诊于余。见其偏苔依然如故，仍守上诊之小柴胡汤加味，治疗 7 天后，苔转薄白，偏苔消失，诸症悉除。

本例病者治疗中虽有周折，但最终仍以小柴胡汤收效，可见偏苔在临床辨证施治中的重要作用。

辨证论治是中医学的精髓 ｜吴水清｜

辨证论治是中医认识、诊断及治疗疾病所特有的一种方式，是中医学的精髓，它体现了唯物观、整体观、衡动观。辨证是根据"四诊"所搜集的资料加以综合分析而得出证的概念。四诊所得的资料是来自患者的症状和体征，是唯物的；辨证体现了整体观，当人体发生疾病时所出现的证是与当时的外界环境、人的体质、精神状态等密切相关，辨证就是从整体研究疾病的证候，找出它的内在联系以及与外界环境的联系，辨证过程也就是从整体认识疾病的过程。同一种疾病由于气候条件或体质等的不同可以有不同的证，治疗也就不同。如大家所熟知的蒲辅周老先生在 1956 年治"乙型脑炎"时用白虎汤取得了很好的疗效，次年某地又发生"乙型脑炎"再沿用白虎汤则疗效不佳，再经蒲老辨证指出 1956 年"乙型脑炎"为热偏重，而次年则为湿偏重，加用苍术而提高了疗效，辨证中体现了"天人合一"的观点；辨证还体现了衡动观，人的生命活动是复杂的、不断变化的，而证也是动态变化的病理反映。疾病在不同的发展阶段有不同的变化，会出现不同的证，通过辨证可以了解到疾病的发展规律，认识其传变，可预测其发展，给治疗提供了主动性，提高了疗效。1972 年曾治一重症肝炎患者陶左，36 岁，干部。因目黄、纳差、乏力、右胁胀痛入院。西医诊为肝炎，中医当时仅以肝炎病和肝炎病毒论治，给予清肝利胆、退黄、抑制肝炎病毒的药物治疗。药用茵陈、金钱草、虎杖、板蓝根、大黄、白花蛇舌草等，数剂后，上症加剧、目黄加深、皮肤转黄、呕恶、胀满、腹水征阳性、肌衄、鼻衄、神疲嗜睡、肝功能损害更著。西医诊为重症肝炎，中医诊为"急黄"。病已由肝传脾，证属肝强脾弱，脾虚不运，而致中焦阻滞，故呕恶、腹胀、神疲、嗜睡，脾虚不统，故见衄血，病情危急。根据辨证所得结合张景岳所说："肝脾俱实，单平肝气可也；肝强脾弱，舍肝而救脾可也"。给予健脾为主佐以祛湿、清肝、利胆。方用五苓散去桂枝加茵陈、白扁豆、山药、薏苡仁等，十余剂病情稳定，并日趋好转，黄疸渐退，腹胀渐减，以后一直以健脾益气为主，用四君子汤加山药、薏苡仁、黄芪等药为基本方，并随症加减，治4个月余，终获痊愈。随访数年而未复发。重症肝炎属凶险证候，西医认为是病毒所致。治疗开始时，从病毒考虑多，而忽视了辨证论治，致使病情恶变！以后辨证从脾论治，使险症转夷，并获痊愈。辨证论治体现了整体观、衡动观的优越性，在肝病时多可见脾虚证候，治疗时注意实脾，即未见脾虚证候，每先顾及脾气，而可收显效。所以说通过辨证可以找出证候规律，预测证候，防患于未然。

辨证论治仍需发展。由于历史条件的限制，还存在不足之处，但其思维方法是正确的。随着科学的发展，用现代科学来研究中医，使四诊客观指标更完善，辨证更科学，这是我们努力的方向。

"张熟地" 来由何在 | 萧 熙 |

孰为张熟地？中医同仁咸知其乃明代的大名医张景岳。张氏学识渊博，才智超群，医理精通，诊技娴熟，主张温补。由于其在学术上与薛立斋、赵献可、高鼓峰、张石顽等所见略同，成为明清以来祖国医学温补学派的先导者。

张氏指出："医道虽繁，而可以一言蔽之，曰阴阳而已。"认为水火阴阳是互相依存的对立统一体，阴不能没有阳，无气便不能生形；阳不能没有阴，无形便无以载气。阴精是生命活动的物质基础，阳气为生命活动的主要动力，指出了阴精与阳气的辨证关系。而对疾病的认识，尤其对虚损病证，认为久病阳损可以及阴，阴损可以及阳，力倡"阴中求阳，阳中求阴"的治疗原则。景岳一生，主张温补，重视滋阴，善用熟地黄，他对熟地黄的评价很高，认为熟地黄味甘、微苦，味厚气薄，阴中有阳，大补血虚，滋培肾水，填骨髓，益真阴，补肾中之元气，养五脏之元精，乃补血益精之要药。其曰："凡诸阴虚而神散者，非熟地之守不足以聚之；阴虚而火升者，非熟地之重不足以降之；阴虚而躁者，非熟地之静不足以镇之；阴虚而刚急者，非熟地之甘不足以缓之。"故凡一切阴虚所致之病，或因病而致阴虚，或它病兼见阴虚，熟地黄均在所必用。这与其学术观点"欲治病者必以形体为主，欲治形者，必以精血为先"有其密切的关系。故其不独阴虚之患，熟地黄在所必用，就是阳虚之证亦常以熟地黄配合桂枝、附子使用。如右归丸治元阳不足，方中重用熟地黄，可知立方之意在于"阴中求阳"为宗旨，显示了张氏善用熟地黄之妙处。考据《景岳全书·新方八阵》所定新方 186 首中，使用熟地黄的就有 48 首方。统计新方"补阵"28 首方中，使用熟地黄就有 22 首方，占补阵总方数之 78.6%。详阅《景岳全书本草正》论述熟地黄之内容最广，书中竟达 973 字之多。综上所述，张氏从理论到实践，从组方到用药，从善用熟地黄到重用熟地黄，体现了他不但重视熟地黄，而且对熟地黄的临床应用确有极为丰富的灾践经验，因而后世称之为"张熟地"（《会稽县志》）。

"阳气怫郁"说 | 周硕卿 |

"阳气怫郁"，语出《伤寒论》第 48 条，谓太阳病证不罢，是由风寒外感，汗出不彻，阳气怫郁之故。"怫郁"二字，大有妙义。既言卫阳郁表，病人"面气缘缘正赤"；又言病者阳气内扰，悒悒不乐，"其人躁烦，不知痛处。且"乍在四肢"之表，"乍在腹中"之里，证之临床，如印之泥。例：1980 年 6 月上旬，诊香港施某，男，43 岁。患者全身无汗 4 个多月，心中闷烦而热，遍体肌肤烧灼感（腋下体温 38.5℃），胸、背、臂部皮肤呈粟粒状（鸡皮疙瘩），并感针刺样瘙痒。时值盛夏，每于烈日之下步行 3~5 分钟，或气候炎热，虽不外出，坐在室内，亦均觉心烦悒郁，肌热更甚，面色深红，额上筋脉浮露，齿干舌红，苔薄滑微黄，脉浮疾数，右关带弦。在香港曾请中西医治疗，均告罔效。回福建后经某医院体检及化验检查，均无异常发现，诊断为内分泌功能失调。先后服用中西药，均未见效。询得病人素忌酒而嗜烟、茶，因处于温热地带，有日浴冷水和饮菊花、麦冬等凉茶之习惯。拟诊寒凉阻遏，肌表闭塞，阳气怫郁，营卫失调。予通阳开表发汗，调和营卫法。宗仲景桂麻各半汤加干浮萍、鲜葱白（麻黄、浮萍各用 10g）。服 3 剂，额上微汗出，心烦稍愈。服至 9 剂而诸症悉除，从如上病例，不难看出阳气怫郁的具体表现，及论中之用"怫郁"二字的深义。

谈谈实证的内容和病机　　|秦家泰|

八纲辨证是中医主要辨证方法之一，其中辨虚实尤为重要。虚证有阴虚、阳虚、气虚、血虚。实证的内容是什么？病机如何？《素问·通评虚实论篇》只提到："邪气盛则实，精气夺则虚。"这里所指的邪气是指外感风寒暑湿等外邪所引起的实证。对内伤病的实证略而不谈，以后历代医家对这个问题的论述也不多。这里想谈谈自己的认识。

《丹溪心法》首倡气、血、痰、湿、火、食六郁之说，创越鞠丸为主方，指出了内伤病实证的病机。气指气滞，血指血瘀，痰指痰阻，湿指湿滞，食指伤食，火指以上诸邪郁久化火。而这六者，临证以湿、食二邪多见。六郁又是可以互相转化的。湿郁可以化痰，痰湿阻滞气机可以导致气滞，郁久又可以化火，火热伤络成瘀血。伤食也是一样，食滞脾胃，不能运化水湿，可以产生内湿，湿郁可以化痰，痰湿阻滞又如以上而衍生各邪。

六郁的病机，无论外感、内伤疾病，可以说没有一个病没有，没有一种证不存在。由于病邪不同，病机不同，可以产生不同的证候特点和类型。因此，研究六郁的病机变化，对认识疾病的发病规律，指导辨证论治有着重要的意义，是中医辨证不可缺少的基本知识。

如一个胃脘痛的患者，由于在一段较长时间内工作紧张，饮食无规律，并时常吃冷食而发病。开始见胃脘胀痛、时呕吐清涎、嗳气、纳食减少、得矢气则痛胀减。显然，这是由于过度劳倦，饮食所伤，运化失常，气滞于内所致。以后继而出现口苦口干，心烦易怒，嗳气泛酸，胃脘辣痛。由气滞发展为"火郁"进而伤络为瘀血内阻的实证。治以活血化瘀，清热化痰，失笑散合化肝煎治疗是十分有效的。

谈"从阴引阳，从阳引阴"　　|林沛湘|

徐灵胎的《杂病源》说："生气于精，从阳引阴也；引火归原，纳气归肾，从阴引阳也。"血汗同源，都是水谷津液所化生。求汗于血者，即必须在营血（阴）充盛的基础上进行，如服桂枝汤啜粥，扶正养阴，取其汗出，汗本于阴也，亦即求汗于血之意。《素问·阴阳应象大论篇》说："精化为气故生气于精也。"气旺必精足，气必须有阴精作物质基础，精充盛才能气足，气足然后神旺，神采奕奕。临床上治疗气虚者，多从补脾着手，益气必须补精，补精必须补之以味，亦即生气于精之意。求汗于血，生气于精者，叫做"从阳引阴"。即从阴分的营血、阴精，产生为汗与气之意。

素体阳虚，寒邪直中少阴，冲击真阳，也能招致真阳离位，上僭外越。《伤寒论》第 317 条通脉四逆汤证的温纳阳气法，是属于"从阴引阳"的方法；肾阳虚衰，不能纳气，气不归原出现的呼长吸短的喘促证，用金匮肾气丸治疗，以纳气归肾，也是属于"从阴引阳"的方法。

辨病尤需辨证 |周德丽|

忆昔曾治一莫姓患儿，患暑泻之疾，前医因泥囿于西医诊断之"急性腹泻"，又见患儿持续高热不退，唇红而口渴，心烦躁扰，舌质红，脉数等，判为暑温气分证，予人参白虎汤 1 剂。谁知药一下肚，病儿更增滑泻无度，遂急邀余会诊。余察患儿唇殷红，舌虽红而干裂无津，且目眶凹陷，腹如釜底；细询病史，知患儿已暴泻旬日，此阴液大伤也；再按其脉，脉虽数而细，治取无力。窃思李中梓《疑似病须辨论》中指出："彼假证之发现，皆在表也，故浮取则脉亦假也；真证之隐伏，皆在里也，故沉候脉而脉可辨耳。"故此证高热、神烦、口渴、脉数实为阴津消亡，虚阳浮越之亡阴证，非实热之白虎证也。又再问其母，知患儿口渴引饮，且饮入即泻。此又为阴损及阳之证也。《素问·水热穴论篇》云："肾者，胃之关也。"饮入即泻，是肾阳衰微，关门不利也。综观本证，已是阴竭阳微，医再下寒凉之白虎，重伤其正，倾刻之间，便有阴亡阳脱之虞。故急用红参、麦冬、五味子益气复脉，乌梅、甘草酸甘化阴，再用附子回阳固涩。1 剂而泻止阳回，2 剂而渴止热退，继用养阴健脾而愈。

又治一汤姓幼男，病身热，咳嗽痰鸣，鼻塞流涕半月不愈，渐见神疲，汗出，喘咳痰鸣，不思食，睡卧不宁。求治于余，索观前服处方，麻黄、杏仁、石膏、甘草、葶苈子、大枣、金银花、连翘之类；西药用青霉素、链霉素肌注，红霉素静脉点滴，用之殆遍。俟余诊之，患儿神疲气微喘促，头额身手汗出而热，然鼻仍塞而清涕外流，卧则喉中痰鸣，开口呼气，如咳甚则呕吐痰涎，体温 38.3℃，听诊右肺底可闻细小湿性啰音，撬口观舌，舌质淡红，中心有薄黄腻苔，指纹红。细思《伤寒论》第 63 条云："发汗后，汗出而喘，无大热者，可与麻黄杏仁甘草石膏汤。"是言本方用于邪热内传，肺热壅盛，汗出而喘之证。方中石膏量大于麻黄而起辛凉泻热之效。本证正是发热咳嗽，鼻鸣流清涕，属风寒在表，肺卫失宣。法当辛温解表，理气宣肺。由于早用寒凉泻肺，以致正伤而邪留。正伤则神疲少食；邪留于表故鼻鸣流清涕，寒邪化热入里，痰热互结于肺，故身发热不退，喘咳而痰鸣，舌红而苔薄黄腻。本证属表里同病，表有寒而里有痰热互结于肺，痰阻气道，气触其痰故卧则喉中痰鸣，咳甚则呕吐痰涎，非单纯之肺热壅盛之麻杏甘石汤证也。故拟麻杏苡甘汤加冬瓜仁、桑白皮、鱼腥草、菊花、桔梗、橘红、半夏、前胡、罂粟壳。方中麻黄配杭菊花、桔梗疏风开肺利窍，杏仁、薏苡仁、冬瓜仁、鱼腥草、前胡、橘红、半夏、桑白皮清热化痰利气。更妙在以罂粟壳收敛耗伤之肺气，一开一阖，深得仲景之旨也。故1服而喘咳大减，夜能安睡，体温降至37.3℃。2剂去麻黄、橘红之辛散，易太子参益肺止汗以扶正，连服4剂，诸证痊愈，肺部听诊啰音全部消失。

通过2例病人的辨证施治，体会到必须通过四诊合参，揣度阴阳，权衡邪正，识别表里。如只识病名，不知辨证，孟浪从事，草菅人命，医者之戒也。

肝火炽盛精窍闭　　|陈兴珠|

福州西郊男青年唐某，31岁，在山区工作。每次返榕必往医院诊病，并屡服滋补之品。其母见其身体肥胖，脸色红润，寝食正常，问患何病，避而不答，遂疑之。后知就诊于洪山刘老医生处，询得其详。服药年余，毫无效果。后又住入福州军区某医院，诊断为"前列腺肥大"，治疗月余，因拒绝手术而出院。家属为他担忧，其母谋与其姐，代觅良医。1983年3月，经人介绍就诊于余。告以素体强健，结婚3年未育，阳易举而性交不射精，别无他恙。前医认为"阴虚火旺"，投知柏地黄汤加龟甲、鳖甲之类，并嘱多服龟、鳖、番鸭、水鸭等。身体虽渐肥胖，精神益加强健，将近3年依然未嗣。按其脉弦滑有力，苔薄质红。诊为肝火有余，精窍闭阻。乃阴器为肝脉所主，今阳强不衰，肝火炽盛之征明矣，火盛阻阴窍，则无以射精。若不用苦寒泻热，其火何以得平。遂用龙胆泻肝汤去当归，加知母、黄柏，嘱其用药后若无不良反应，可连服数剂。二诊时告服7剂，性交时已有射精意。再以前方服半个月，精道通畅，遂停药，翌年生一男孩。

话"结胸如柔痉" |赵志瑾|

"结胸如柔痉"见于《伤寒论》第 135 条"结胸者，项亦强，如柔痉状，下之则和……"。有人怀疑水热互结之结胸，何以出现项强如柔痉的太阳经病变？其实论中提到的"项亦强""如柔痉"乃是指病人自觉症状而言，与热病过程中出现的背强反张，口噤不开之痉证当有区别。文中一个"亦"字，一个"如"字当细心玩味体会，含有与痉证虽同样但又不是痉证之义。本病是水热互结胸膈，使上部经脉不利，而出现颈项强直的症状，临床亦并非罕见。余会诊一病人，姚某某，女，48 岁。胸胁剧痛 1 周不愈，西医诊为胆囊多发性结石，家属不同意手术，要求中医诊治。当时病者痛苦呻吟，头汗出，心下硬满疼痛，掣及两胁，右胁更甚。自述颈项强硬，不可左右转动，不可低头，动则痛苦不堪，伴呕吐清水，口渴，尿黄，便结，脉弦，舌苔白厚而燥。此证即属《伤寒论》之大结胸证，水热之邪互结的部位较高，而见"项强如柔痉"，取"下之则和"之义，用大陷胸丸加味治疗，当晚下黄水稀便 5 次，下后头项已能转动，腹痛明显减轻，心下按之亦软，复进攻下药 2 剂，症状基本消失，继以调理脾胃，半月痊愈出院。

《灵枢·经筋》有"诸痉项强皆属于湿""足太阳筋病，脊反折、项筋急、肩不举……不可左右摇"，说明只要邪气（特别是水湿）阻滞经气的运行，亦可出现痉证的表现，临床上见到的痉证未必都是热甚灼津而致，并非见痉就用清热凉肝、滋阴熄风，当细辨痉之原由。《伤寒论》中"结胸如柔痉，下之则和"的论述，确是经验之谈。

诸病不愈当治脾胃 |甘均权|

《慎斋遗书》说："诸病不愈，必寻到脾胃之中，方无一失。何以言之？脾胃一伤，四脏皆无生气，故疾病日多矣。万物从土而生，亦从土而归。'补肾不若补脾'，此之谓也。治病不愈，寻到脾胃而愈者甚多。凡见咳嗽，自汗，发热，肺虚生痰，不必理痰清热，土旺而痰消热退，四君子加桂、姜、陈皮、北五味，后调以参苓白术散。"

余30多年来究心于此，结合临床实践，觉得此说甚是。

如治慢性咽炎，若症见咽喉干涩，微痛或如异物梗塞，或如烟熏火灼，此为咽燥，津液不能濡润之故。医者多投以养阴清肺之剂不效，此类病者余遵《素问·阴阳别论篇》"咽喉干燥，病在土脾"之说，用参苓白术散补脾，治之多效。

脾病下流乘肾，土克水而骨无力，是为骨痿，令人骨髓空虚，足不能履地之证。是阴气重迭，阴盛阳虚之候。余用参苓白术散加减，合青娥丸（补骨脂、川杜仲、核桃仁、菟丝子）治之甚效。

长期低热，脉微数，苔薄白，腹胀时痛而便溏，用滋阴宣解汤加减治之不效者，仿岳美中大夫治脾阴虚低热之法，用四君子汤加山药治之，往往数剂而瘥。

小儿疳疾，凡倦怠形瘦，毛发焦枯，低热口渴，腹胀便溏，不思食，或食入难化，舌质红，脉虚细数者。辨证虽属脾疳，倘患者病久已脾薄胃弱，单用四君子汤等药，也力不能胜，反至发热烦躁顿增。细审之，始知此即脾阴虚之证也。余遵陈修园："脾为太阴，乃三阴之长，治阴虚者，以滋脾阴为主，脾阴足，自能灌溉诸脏腑"之训，采用胡慎柔以参苓白术散方药，去头煎，取二三煎，以养脾阴之法，每每服药数剂则愈。按胡慎柔此法，去头煎，取二三煎，则燥气尽，遂成甘淡之味，淡养胃气，微甘则养脾阴，此无法中之活法也，余屡屡用此法治小儿疳疾、大人虚劳，收效佳良。

基上所述，皆为"诸病不愈当治脾胃"的事例说明，亦即"补肾不若补脾"，以及陈修园说："千古滋阴都误解，太阴脾土要扶持"的有力验证。

亡阴和亡阳　|覃海能|

亡阴和亡阳都是危险证候，一般在高热熏蒸，发汗过多或吐泻过度、失血过多时，或慢性疾病的最后阶段时出现。汗出过多，吐泻过度，容易消耗阴液而致亡阴。阴液消耗，阳气无所依附而散越出现亡阳。所以亡阴可以导致亡阳，病机转换，即在顷刻。亡阴者烦躁不安，出汗不止而黏，身热，手足及肌肤热，汗亦热而其味咸，口渴喜冷饮，呼吸气粗，脉浮或躁疾，按之无力，舌红而干。亡阳者神志淡漠，汗出清稀或如珠，手足及肌肤冷，口不渴而喜热饮，呼吸息微，脉浮数而空，或微细欲绝，舌白而润，宜须辨清。至于其治法，亡阴者以生津止渴，补气敛肺。方选生脉散：人参，麦冬、五味子。汗多者加牡蛎、龙骨以敛汗固脱；呕吐者加竹茹、枇杷叶以降逆止呕；腹泻者加乌梅以育阴止泻。亡阳者用辛温、补气回阳。方选参附汤：人参、附子。寒重者加干姜以温中散寒；湿重者加白术以健脾燥湿；出汗多者加龙骨、牡蛎以敛汗固脱。呕吐、腹痛者治宜回阳救逆、益气生脉。方选回阳救急汤：附子、干姜、人参、白术、茯苓、陈皮、生姜、半夏、五味子、肉桂、甘草。总之，亡阴之药一般宜凉，亡阳之药一般宜热，一凉一热，大不相同，如辨证一差，或救治稍迟，危及生命。如于 1975 年，一鱼花师突然胸闷昏厥，送来急诊，西医诊为"室性心动过速、心源性休克"，先用西医治疗，历经 10 多小时，血压仍测不到，无尿，而请余会诊。症见神志淡漠，呼吸息微，大汗淋漓，四肢冰冷，舌淡而润，脉微欲绝，此属亡阳危证矣！予回阳固脱。方选参附汤加味。处方：高丽参 10g（另焗）、附子 15g、生牡蛎 18g、生龙骨 15g。水煎取 200ml，频服。服药后半小时，汗止，血压回升到 16/9.3kPa（120/70mmHg），自解尿 280ml，诸症好转，转危为安，继用上法调理，第三天步行出院。

也谈"治痿独取阳明" ┃黄荣和┃

"治痿独取阳明"，见于《素问·痿论篇》。后世医家大多根据这一原则遣方用药、选穴。我们针灸医生在较长的一段时间内，治疗诸如小儿麻痹后遗症、多发性神经炎、半身不遂等所致的痿证，也都以这一理论为指导，选用手、足阳明经的肩髃、曲池、合谷、足三里、丰隆、伏兔、梁丘等穴治疗。结果疗效并不理想。后来通过一个小儿麻痹后遗症致痿的病儿，除用阳明经穴位外，同时选用厥阴、少阴二经的穴位相配伍，疗效比较显著，仅针 20 次便恢复正常。以后凡举治痿，多采用兼调诸经，效果则比独取阳明为显。因此认为临证不能拘泥于前贤的经验，应在前贤的基础上有所创新发挥。

血 脱 益 气 ┃林沛湘┃

气和血是相互资生，相互依存的。气为血帅，气行血亦行，气逆则血上溢，气陷则血下脱，气滞则血瘀；血为气之母，血载气以行，血瘀则气亦滞，血脱则气散。所以善治血证者首先治气。一则因气无形而易恢复，有形之血不能速生，气旺才能化生血液；二则气为血帅，气调血不乱。

血脱益气，常用于便血、妇女血崩等失血证。用补中益气汤以固血脱是其中一种。如脾虚下陷导致气不摄血出现大出血时，用独参汤大补元气固其脱血。如治一名 17 岁的搬运工人，一天中午突感胸闷恶心，旋即口吐鲜血，连续不断约 2 碗，见其脉大而芤缓，舌淡，苔薄黄而润，神疲声低。认为中气大虚，急扶正固脱，予朝鲜红参 10g、大红枣 10 枚（去核），浓煎分 2 次服。当晚吐血止，但脉虚，神倦。改投益气养血去瘀方巩固疗效。红参 5g，大枣 6 枚（去核），北沙参、炒扁豆、麦冬、白及各 10g，百合 12g，甜橙皮 3g。3 剂煎服后吐血止，20 年来未见再吐血。

血脱益气，还可用于大失血后血止瘀散以后所致的心脾两虚、怔忡。用益气养心的归脾汤，使阳生阴长。如孔某，女，44 岁。突然血崩如注，面色苍白，神疲肢冷，气弱声低，舌淡苔薄，脉细欲绝，先投炙黄芪 24g、炙党参 24g，当归身、血余炭各 10g，炙甘草 6g。1 剂煎服。当晚午夜尚未止血，再进 1 剂，原方加熟附子 10g、白术 12g。翌日复诊，诉当晚服 2 剂药后下半夜血止。但心悸，神怯乏力，少苔舌红，脉细无力。遂投归脾汤去木香加丹参，3 剂后改投归脾汤原方加阿胶珠，连服 20 剂康复。

叶天士说："血有形，难以骤致，气无形，可以急固。固其气则气自充，气充则血自守。"颇可以说明"血脱益气"的道理。

处方立法需辨证 汤年光

辨证论治，这本是中医治病的根本道理，是中医特色的本质。但仍有一些医生，治病不讲辨证，对号入座，以病套方，以方套病，固有愈者，但不愈者居多。9 年前，会诊一名 23 岁女性黄疸病人。初起面目肌肤发黄，尿黄，身热口渴不甚，心中懊侬，苔黄腻，脉弦数，经实验室检查为急性黄疸型肝炎。用清热利湿之法，投茵陈蒿汤加板蓝根治疗，初见起色。会诊时面黄而晦，胸闷脘胀，恶心呕吐，饮食少思，大便溏而小便短，四肢肿胀，身困倦乏力，月经愆期，白带增多，苔白厚腻，脉濡缓。虽属黄疸，显然为寒湿内盛所致，予芳香化湿，藿朴夏苓汤加减：藿香、厚朴、法半夏、白豆蔻仁各 10g，猪苓、茯苓各 12g，佩兰、柴胡、杏仁各 9g，薏苡仁 15g。水煎服，日 1 剂。进 5 剂后，黄疸渐退，胸闷脘胀减轻，守原方，配服逍遥丸，又服 15 剂后，黄疸净退，月经应期，胸脘闷胀除，未再呕恶，饮食稍增，肝功能复查接近正常。逍遥散加减调理近月病愈，追访 2 年，病未再发。

前后二法，为何效果各异？显然前法立方辨证欠妥，病虽为黄疸，湿热所为，但心中懊恼，身热口渴而不甚，是湿重于热，茵陈蒿汤加板蓝根，清热退黄有余，化湿不足，且多苦寒，热去而湿不清，郁困于内，加之苦寒之品用有二旬，戕伐脾胃，湿从阴化，故转入寒湿内盛之象。后选藿朴夏苓汤加减，重在化湿健脾和胃，药证合拍而收功。

中医治病，贵在辨证，不是一病一方，若只知辨病，不懂辨证，处方立法不随之而异，只能是事倍功半，甚则贻误病机，应引以为戒。

治上寒下热法　　|周国雄|

余在 60 年代初，从成都名老中医赵沆章学技，曾告余曰，病有上下悬殊者，用药最难。并谓昔读陆养愚医案，获益不少，从其法以治悬殊疾病，多奏奇效。并以陆验案示余，病人患伤风便燥，冬天喜食柿子，致胃脘当心而痛，医者投以温中行气之药治之，痛尚未全减时而便血，投以寒凉润燥之药，治其便血，在便未通时已心痛如刺，其脉上部沉弱而迟，下部洪滑而数。陆断为胃中积冷，肠中蓄热之证，法用润字丸 6g，以沉香衣其外，浓煎姜汤送下，未几症迭减，最后一切症状消失，惟心口痛尚未全好，遂用前方合脏连丸，亦用沉香为衣，姜汤送下，又用附子理中汤料为散以温其中，用饴糖拌吞，取其恋膈，不使速下，不终剂而两症均痊愈。治法可谓微妙非常。

余默记于心，随后用此法治一病人，得心应手，援记如下。

杨某，男，50 余岁。患胃病已 20 余年，其症状为胃痛，呕吐，饮食不能消化。胃痛每移于左胁下时，其处即发肿，有如橡皮状物鼓起。痛剧如发痧气闭作痛，自觉上下不通气，又如体内从中断，上下不能连接。如因寒、因气、因食均可诱其痛发，发时大都满床翻滚。平时大便结，3～6 天一行，解则大便如羊屎，硬如铁弹，饮食不思，时有口干，但不思饮，恶油，若大便结至四五天，则必心烦头痛，难以言状。不敢吃冷饮，偶吃水果及冷馒头，疼痛即发，吃热物稍舒适，但吃后则大便更结而痛苦更甚。睡眠差而易醒，每夜只能睡三四小时。20 多年来迭经中西医药治疗而少效。余仿陆法而收显效，方用：当归 18g、火麻仁 18g、生地黄 15g、熟地黄 12g、柏子仁 15g、桃仁 12g、酒大黄 10g、甘草 10g。上药研细末，丸如豌豆大，微沾蜜后，再以沉香粉 10g，鸡内金粉 15g 为衣，每日早晚各服 1 次，每次用生姜 10g 泡开水，即以此水送丸，每服 3～

6g。治疗不到 3 周，症状大减，嗣后以本法加减一二料剂，症状基本消失而愈。

火 证 漫 谈 ｜倪大钧｜

南人多火，在南方行医，明辨火证，至关重要。

热为火之渐，火为热之极。火热无形，灼热可感，火燃方见。当其静也，往往不见金中有火而金不销，木中有火而木不焚，水中有火而水不沸，土中有火而土不焦。当其动也，则显其能，肺气肃而大肠润，肝气疏而胆气清，肾气充而膀胱通，脾气健而胃气和。当其亢也，其势燔灼，销金烁石，焚木燎原，沸水化汽，焦土成灰，实难遏止。

人身之火有君相之分。君火者，心火也；相火者，余脏腑之火也。《内经》曰："君火以明，相火以位。"主明则下安，主昏则五脏六腑皆摇。相火生于少阳，游行于三焦，督属于心包，根于少阴，潜藏默运。相火妄动，则诸病烽起。

人身之火有少壮之别。少火生气，柔和温煦，其标在胆，本于命门；壮火食气，燔灼肆虐，则百病丛生。

人身之火有虚实之分。实火多为六淫七情所化，虚火多由阴血亏虚而生。

五脏六腑皆有火证。观夫诸痛痒疮、口舌糜烂，心火动也，治宜黄连、木通；诸风掉眩、胁痛口苦，肝火动也，治宜柴胡、龙胆草；诸湿肿满、唇焦口臭，脾火动也，治宜石膏、生地黄；诸气膹郁、喘咳鼻衄，肺火动也，治宜桑白皮、黄芩；梦遗精泄、赤白便浊，肾火动也，治宜知母、黄柏；癃闭淋漓、溲赤热痛，小肠火动，治宜木通、淡竹叶；身目发黄、心烦口苦，胆火动也，治宜茵陈、栀子；龈肿牙宣、颧腮颐肿，胃火动也，治宜石膏、黄连；舌菌喉痛、便结不通，大肠火动，治宜大黄、黄芩；小便不利、小腹胀痛，膀胱火动，治宜黄柏、滑石；眩晕胁痛、口苦咽干，三焦火动，治宜柴胡、黄芩。心火症见：心中烦热，口疮舌痛，甚则吐衄，便秘溲赤，加味泻心汤主之，凉膈散亦主之。肝火症见：目赤胁痛，口苦咽干，筋痿阴痛，淋浊溲血，囊痈带下，加味丹栀汤主之，龙胆泻肝汤亦主之。脾火症见：口燥唇焦，烦渴易饥，吐衄牙宣，口舌生疮，加味泻黄散主之，甘露饮亦主之。肺火症见：喘咳息粗，鼻煽烦渴，皮肤蒸热，润燥泻肺汤主之，泻白散亦主之。肾火症见：头晕目眩，口燥咽干，耳流脓血，腰痠足软，骨蒸痠楚，加味肾热汤主之。

火之为病，千变万化，然可一言以蔽之曰：或阳亢，或阴虚生热是也。

治火之要有三：①切勿过投苦寒。用甘寒之品最妙，如金银花、蒲公英、石膏、淡竹叶之辈，实属火盛，非苦寒不能疗，亦应中病即止。②须时时顾护脾胃。苦寒之品易伤胃气，宜以怀山药、三仙、大枣之属以护之。③辨虚实。实火治宜寒凉直折，泻其有余；虚火治宜滋阴降火，补其不足。

余曾治刘姓妇女 48 岁，口疮症历二十余载，此愈彼起，经后加重，口燥咽干，舌红少苔，脉来细数，左尺为甚。此乃阴血亏于下，虚火炎于上。投知柏四物以益阴，少佐肉桂以引火归原。1 剂症减，6 剂病愈。随访 3 年，未再复发。曾用此法治慢性口疮数十例，屡治屡验。

余又曾治王姓男子，30 岁。素有脚湿气，左胫患流火 10 年，反复发作，实难断根。己未年夏，病又复发，西医诊为"左小腿丹毒"，肌注青霉素、链霉素不效，遂延余诊治。时见左胫焮肿灼痛，不能步履，壮热烦渴，舌红苔黄，脉象滑数。良由湿热化火，系"流火"也。投真铨五神汤加蒲公英、重楼、淡竹叶、赤芍、紫草、生石膏。每日 2 剂，内服外洗，连用 3 天，热退身凉，肿痛均减。去石膏、重楼，加薏苡仁、石斛，再进 4 剂而瘥。更方治脚湿气，以绝其根。时过五载，街头相逢，诉病未发。曾以此方出入治"流火"十余例，均获良效。

（陈亮光　整理）

下中寓有补意 ｜庄步兴｜

通降胃气是治疗升降失常的重要手段，能直接除癥结，挫病势，颇有直捣黄龙之快。如急性胰腺炎，根据"六腑以通为顺"之理，用大承气汤合金铃子散加味，每获良效。1979 年 9 月，女性患者，徐某，71 岁。西医诊为急性胰腺炎住院。进院时胃脘部阵发性剧烈疼痛。伴恶心呕吐，腹胀，便秘，身微热，面容惨淡，应对无力，苔厚黄燥，脉沉弦。良由饮食不节，损伤胃气，传化失职，即从通下立法，药选大黄 10g，玄明粉 15g，枳壳、炒栀子、延胡索、川楝子、柴胡、黄芩各 9g。服药 1 剂，痛随利减，精神大衰，并嘱患者少量进食，使生化有源。又续服 2 剂，腹痛已除，且日下数行，却不以为苦，反见神爽。

一般认为，下法会损体液，却不知邪实为患，下中自有补意。凡胃气郁滞者，即使未有结粪，亦可通降，可以舌苔厚腻为使用指征；舌根部苔厚者，尤可重用通降。如服药后下利，仍宜续服，不可见利停药，直至根部渐转苔白，才可改变治法。若惟结粪是务，则秽浊内蒸，变证迭起，坐失时机，无异养虎贻患。由于胃主纳主降，故通利后即可少量进食，日渐增多。如此有降有纳，上下通畅。倘执"饥渴疗法"，则有碍脾胃生化之源，势必延误病程。

（王贵森 整理）

补泻先后贵在灵活　　│许国华│

病有千变，治有千法，总不外补泻二端，或补其正虚，或泻其邪实。但扶正祛邪孰先孰后，孰多孰少，当具体分析。现举二案说明。

50 年代末，我治一潘姓男孩，出生 15 天即呕吐，呈喷射状，偶闻粪臭，大便全无。某医院诊为肥大性先天性幽门狭窄，经 25 天治疗，中西药物遍尝未效。诊时脱水严重，腹部微膨，右中上腹扪到橄榄样肿块，肌肉消瘦，目无光彩，反射亦消失，干号无声，针刺皮下无痛感，唇舌干燥，脉细如丝，危候毕露。揣其呕因便闭，胃气不行，本应通腑降气，使胃气下行而不上逆。又念患儿水乳不受已久，元气津液消耗殆尽，证虽实而本已虚，乃拟补气生津，稍佐通降法，用大半夏汤加味：半夏、西洋参、蝉蜕各 3g，旋覆花、麦冬各 4.5g，代赭石、钩藤各 6g，降香 2.4g。上方出入连服 10 余剂，呕吐好转，能受水乳，大便已通，精神好转，津液有回复之征。乃改用通便降逆，佐补气生津：大黄、半夏、西洋参各 3g，旋覆花、麦冬各 4.5g，赭石 9g，公丁香、甘草各 1.5g，枳壳 1.8g。又服十多剂后，大便畅通，呕吐显减，元气日复，但大便秘结稍久，仍欲作呕作吐，乃拟大黄甘草汤加枳壳，嘱其在大便秘结时煎服，务求大便通畅为度。经 2 个月治疗，诸恙痊愈。至今已成年，身体一直健壮。

婴儿吐粪证，《医宗金鉴》称"锁肚"，认为由"胎中受辛热之毒，气滞不通"而致，治用朱蜜方（朱砂、蜂蜜）与一捻金（大黄、牵牛子、槟榔、人参）。本例是据《金匮要略》胃反论治而获效。按《金匮要略》"哕而腹满，观其前后，知何部不利，利之即愈"的法则，本当通大便之闭阻，但患儿当时正虚已极，难任攻伐，故当先扶正后祛邪，用参、麦补气生津为主。

当邪实而正不甚虚，或邪盛正虚以邪盛为主者，当先祛邪后扶正，或祛多扶少。曾治张某，78 岁。尿闭 2 天，少腹胀痛，大便秘结，某院诊为前列腺肥大症。观其形体肥实，脐下胀满压痛，面赤，舌苔薄黄，脉象和缓。姑从瘀血败精，内阻尿道论治，投行气祛瘀合通利小便法，用滋肾丸合桂枝茯苓丸加减：知母、黄柏各 4.5g，肉桂 1.8g，琥珀 2.4g，桃仁、牡丹皮、乌药各 6g，茯苓、车前子各 15g。3 剂小便通，胀痛减，大便解而不爽，原方加枳实导滞丸 9g。续服 3 剂，小便不多，下腹腰尻重滞不适，属高年本虚标实之证，改用补中益气汤合滋肾丸。3剂后，小便畅通，下腹腰尻重滞亦减，小便后仍有不适感，参照下瘀血汤法，扶正祛邪兼行，原方加制大黄、牛膝各9g，土鳖虫6g。6剂，诸症消失。

一般认为本病以老年体虚为多，尿潴留尤与气虚有关，当以扶正为先，但本例由形肿引起，败精瘀血阻滞膀胱，病初期形证尚实，故先事祛瘀，用桂枝茯苓丸合滋肾丸，加车前子、琥珀利水道。以乌药易白芍可加强调气作用，宗活血先行气之旨。

（王贵淼　整理）

简议"阳用为重" ｜孔庆余｜

治病必求于本，本于阴阳，当以阳用为重。仲景曰："有阴无阳者死，从阴出阳者生。"故医家当以保护阳气为本。尤怡曰："阳明津涸，舌干口燥，不足虑也，若并亡其阳则殆矣。"良工治病，不患津之伤，而患阳之亡，所以然者，阳能生阴也。是故阴津之盈亏，阳气实左右之。关于维护阳用之治法，约而言之，不外乎升阳、温阳、通阳、养阳、潜阳五法。兹分述如下。

升阳重在升脾阳

升发乃阳气之本性，不升便是病态。升发脾胃中阳之气，李杲在《脾胃论》里颇有阐发，认为"脾胃是元气之本，元气是健康之本，脾胃伤则元气衰，元气衰则疾病所由生"。并认为只有"谷气上升，脾气升发，元气才能充沛，生机才能洋溢活跃，阴火才能戢敛潜藏"。又说"脾胃气虚则下流于肾，阴火得以乘其土位"。因此，其在理论上就非常重视升发脾胃之阳，在治疗上就着重于升阳补气的药物。虽然有时也用苦降之法，但只不过是一时权宜之计。其所创制的补中益气汤就是这一指导思想的代表方剂，认为内伤是不足，应用补益法，但必须认清确属内伤才可使用，还应领悟在升阳补气药中，若单补脾胃而不升阳气，此"补"不足为用，单用升药而不补脾胃，此"升"只是无根之升而无升阳补益之功。葛根、柴胡、升麻一类药，善用之则升阳气，不善用之则竭胃液劫肝阴。叶桂说："东垣大升阳气，其治在脾。"即是指出升阳气药应须与补脾胃药结合运用才能发挥补中益气升阳的应有功效。阳气不升之证，临床所见甚多，"上气不足，脑为之不满，耳为之苦鸣，头为之苦倾，目为之眩"，以头为诸阳之会，清阳出上窍，阳气不升而受干扰，首当其冲也。"中气不足，溲便为之变，肠为之苦鸣"，也有出现胸闷气促等症，以胸中之清阳不升则浊阴不降也。升清降浊，益气泻火，也是东垣在治疗用药上的一种变法，如升阳汤治"膈咽不利，逆气里急，大便不行"的病变，方中以黄芪、升麻为君，生地黄、熟地黄、当归、黄柏、苍术为臣，佐以青皮、槐子、桃仁，和以甘草。此方重在升发阳气，因为逆气里急诸证是由于清阳不升，以致浊阴不降的结果，方中当归、地黄、黄柏、苍术等以滋阴和营燥湿泻火，也是为了照顾元气，同升阳益气药配伍，有相反相成的作用，主要是为了维护人体本身的阳用功能而达到"扶正祛邪"的目的。

温阳常在温肾阳

温阳主要用于回阳救逆，治疗心肾阳气衰竭的阴寒重证即将亡阳虚脱之证。如《伤寒论》中的四逆汤证、通脉四逆汤证等方药均以干姜、附子为君，配以人参、甘草温阳益气，诚为正治不易之法。然虽得挽救，已属焦头烂额。张景岳说："阳衰者，即阳亡之渐也。"与其焦头烂额于亡阳之时，何如未雨绸缪于阳衰之候。《伤寒论》提示"脉微细，但欲寐也"，即属少阴心、肾之病，就当温其阳而治。这一精神是应该深刻领会的。因此，要在临床诊治中见有脉沉细或微弱，形神虚衰气阳不足之证，不论其为何病证，就当温阳益气，以增强本身之抗病功能，为缩短病程、及早康复、提高疗效创造有利条件，确是治本之法。

通阳者有四

通阳与温阳既有联系，又有区别。通阳之药多取其性辛温之品，其目的不但是"温"而更在于"通"。温阳用附子为主，通阳则用桂枝。论其作用有四：①通达卫阳，能治风寒表证，配麻黄可促使发汗解表，配芍药则调和营卫。②温通经脉，配川乌、羌活、防风等，能治风寒湿阻痹痛，配当归、川芎、桃仁、益母草等，能治妇女因气血寒滞所引起的经闭腹痛。③通阳化阴，对阴寒遏阻阳气，津液不能运行输布，因而水湿停滞形成的痰饮病。常与茯苓、白术、半夏等配伍应用；若下焦膀胱气化失司，以致小便不利者，可配猪苓、泽泻、车前子等，以通阳化气而利小便，所谓"下阳非桂不化"。④温通心阳，配茯神、酸枣仁、炙甘草、远志等，以治心悸怔忡，配瓜蒌、薤白、丹参、白檀香等，以治心阳不振所致的胸痹心痛。

养阳当温且柔

养阳用于虚劳。虚劳主要是精血不足，中阳气虚，多为慢性久病，治宜护摄养生。古有"理虚二统,治劳三禁"之说,阴虚者统之于肺,阳虚者统之于脾;一禁燥烈,二禁伐气,三禁苦寒。肾为水(阴精)火(命火)之藏,乃生命之根本,所宜巩固,是故肺脾肾实为治虚劳之三本;然而脾胃尤为重要,所谓"上损及下,下损及上,损不过中,过中则死"。所以补脾益气甘温养阳,诚为治疗虚劳病之惟一大法。《内经》曰:"劳者温之",盖亦甘温养阳、补脾益气之义。要知养阳与温阳不同,急救温阳之药宜刚,补益养阳之品宜柔。药如人参、黄芪、茯苓、白术、当归、白芍、熟地黄、酸枣仁、山茱萸、怀山药、枸杞子、肉苁蓉、菟丝子、巴戟天、炙甘草等,皆性温而柔润,均可适当配合选用。还有血肉有情之品,如龟甲、鳖甲、鹿茸、鹿角胶、紫河车之类,既可填精亦能养阳;所谓"味归精,精归化""精化气、气化神""形不足者温之以气,精不足者补之以味",两者是相互联系,相互为用的。

潜阳宜重平肝

尚需参合他法 阳气本宜升发,但亢阳无制,又宜镇潜。如肝阳上亢,出现头痛眩晕,耳鸣耳聋,肢体麻木不仁或震颤等症,治用金石介类重镇之品如龙骨、牡蛎、磁石、赭石、石决明、珍珠母等,以镇潜亢阳之害,并常与平肝滋阴等法同用。但有些病证,既有肝阳上亢,又有脾虚清阳不升之证。例如某高血压病人兼脘腹胀痛、肠鸣便溏等症,这时,柴胡、葛根、党参、黄芪、茯苓、白术、怀山药、神曲等药,不妨与龙骨、牡蛎、白芍等潜阳敛阴药同时配用;升者升其清阳,潜者潜其肝阳,可以并行而不悖。又者病少阴伤寒,出现四肢厥逆,神昏,谵妄时,治可用人参、附子、干姜、酸枣仁、甘草等配伍磁石、龙齿、牡蛎等药同用,一以强心壮阳,一以潜摄镇静不使虚阳浮越。这又是温阳与潜阳并用的治疗方法。升阳、温阳与潜阳,本来是相反的两个治法,但在一定的条件下,相反可以相成,这是事物发展变化的辩证法。只要辨证准确、用之恰当,是能取得良好效果的。

漫话热、厥、痛、血的治疗 | 黄奉辛 |

1. 热证:发热属多种感染性疾患中一项主症,如何控温退热为治疗的关键。发热的证治,伤寒、温病、时病的各种专书均有记载。如温热病必须针对偏热、偏湿,在经在腑……,各种证候的不同情况,分别选投清化、清热、苦寒直折、通府攻里诸种方剂,契合病机,始能达祛邪退病之功。常用方如三仁汤、甘露消毒丹、藿朴夏苓汤、白虎汤、清瘟败毒饮、栀子金花汤，以及诸承气汤随证化裁；时行（如重感冒、流感）发热，银翘散为常用方。上海市曙光医院之羌蒡蒲薄汤（羌活、牛蒡、蒲公英、薄荷）药精味简，属辛温、辛凉组合偏辛凉的解表剂（药量稍加调整，则可成偏温之剂，适应于风寒证）。针对发热常用的兼证，可加桔梗、杏仁、浙贝母等宣肺止咳；加板蓝根、玄参、射干类治咽喉痛；加知母、生石膏清气抑壮热。临床尚未发现有抑热恋邪之弊，疗效满意。单纯高热，仅用柴胡一味，用量 20 ~ 30g，亦常获良效。此外十宣放血或针合谷、曲池、大椎等穴，都能不同程度地取到退热之效。笔者 1967 年 9 月参加中西医结合防治乙脑隔离病房工作时，应用《灵枢》"热病五十九刺"治疗危重高热病例，观察针刺一法，除有显著退热作用外，还有抗痉厥、醒脑等各种效应，此法简便经济，值得推广应用。

2. 厥证：《内经》中就有薄厥（类指脑中风而言）的论述，后世医家所指有郁冒、暑厥、痰厥、昏厥、昏仆、气厥、血厥等，繁冗碍辨，惟《医宗金鉴》中之尸厥证（呼吸停止，脉尚搏动或微软等），投以辛窜芳开药物，如通关散、苏合香丸等，或扎针开窍，其效俱优。1964 年本科室王某，女，24 岁，初妊围产期，工作时骤发子痫，昏厥抽搐，余仓卒中予暴捏肱正中内侧大筋立苏。治疗厥证，拿捏法是可取的。

3. 痛证：中药止痛剂，大都是起间接效应，速效去痛很难如意。据往昔阅历，圣睡散（曼陀罗花、胡麻花）内服能奏全麻之效，《医宗金鉴》所载之外科心法中有内服和外用麻醉方，也有成效。但以上诸方性烈峻毒，每因个体差异而反应迥殊，用量不易准确掌握，且未获得近人有关施用该类药可资借鉴的材料，个人经验不多，故临床未敢蛮投。惟针灸为常用之法。1968 年台州石油公司驾驶员柯某，男，32 岁。就诊时述患胰腺炎，曾经沪、杭医院 2 次剖腹术，3 ~ 4 年中，每年急性发作绞痛三四次，多次住院未获效果。予灸治脾胃诸俞穴、募穴配合膏肓、气海、关元、足三里等健身穴，急性发作之疼痛即缓解渐至消失。患者志去痼疾，坚受灼肤之痛，坚持每月回环选灸三四穴，疗程 4 个月。观察 17 年，未见复发。另外，针灸施于急性软组织伤痛、痹证疼痛亦效果不凡。特别是近年来，针麻昌明，中医治疗痛证又辟新径。

4. 血证：辨证时应注意患者禀赋强弱、阴阳偏颇、经络脏腑虚实、病因病位等，结合四诊，分析病机，然后才随证选方化裁给药。如用四生丸治鼻衄，丹溪咯血方治咯血；槐花散治痔疮出血；五淋散、小蓟饮子治血尿；归脾汤治妇女功能性子宫出血；黄土汤治脾阳虚寒的出血；十灰散通治热迫妄行的诸血证等。笔者于 20 世纪 60 ~ 70 年代间先后遇有肺结核大出血病人 3 人，俱因西医治疗未效，投以中药犀角地黄汤，其效如神。另外，对于外伤及疮疡出血，黄柏粉撒敷有奇效。1953 年曾治 1 例老年患者，下肢内踝上缘溃疡导致小动脉蚀裂射血，予厚撒黄柏粉包扎止血，效果极好。此外，单味止血药如云南白药、三七、大蓟、小蓟等，内服外用均有效，就不再赘述了。总之，中医治血证，也不外辨证中肯，有的放矢，才能收效称心。

热毒内闭外脱宜攻论　　|张良骥|

　　伤寒杂病亡阳虚脱，脉微肢厥汗冷，以四逆参附大温大补之品，挽救欲脱之阳，已成定法。温热证脉微肢冷，则当别论，一为阳厥极深，阳气怫郁，脉道不利，不能营运于身表四肢，一为阴精阳气亡脱，正虚邪陷，医不明此，则虚实失其治。治之大要，前者刘完素用凉膈散、黄连解毒汤或加承气汤，养阴退阳，宣散蓄热。后者书载景岳六味回阳饮、冯氏全真一气汤，回阳救阴，补气固脱。但临证不能刻板，尤对内闭外脱之证，要看邪毒轻重及其可解处，有邪应先攻邪，攻邪应就其近而驱之。

　　忆 4 年前，余医一患者，热毒内闭，正气外脱，生命垂危，然不拘泥于固脱，亦不攻补兼施，而大胆纯用攻邪得愈。患者朱某，男，52 岁。4 天前突然心窝部及右上腹疼痛，呈持续性阵发性加剧，伴畏寒发热，呕吐黄水，尿少便秘。有慢性胆囊炎史 11 年。因病情恶化，转本院治疗。查体：急性病容，神志清，体温不升，脉搏触不到，心率120 次/min，血压 5.3/0kPa（40/0mmHg），巩膜轻度黄染，胆囊区饱满压痛，莫菲征（＋），肝肋下 1cm。检验：白细胞 34.6 × 10^9/L，中性 66%，尿蛋白少量，胆红素（＋），尿胆原（±），尿胆素（±），诊断急性阻塞性化脓性胆管炎伴有中毒性休克。入院用抗生素、激素、输血、升压等治疗，病情未见好转，一度神志不清，呼吸心跳骤停，尿量极少，血压不稳定，患者濒于死亡，家人已备后事，院方决定即行手术治疗，或许九死一生，但本人拒绝手术治疗，要求服中药，邀余会诊。病人面色苍白，神志淡漠，口燥渴，欲饮冷水，小便赤色数滴，大便 5 天未解，四肢凉，脉细弱，舌红有小裂，苔燥，根黄腻。证属热毒阻于肝胆，结于胃肠，侵入血分，损及心肾，由于邪毒鸱张，多个脏腑受伐，正不胜邪，津气两衰，心肾已竭，险象显露，有倾刻气脱阳亡阴涸之危。先救脱或先攻邪，若不循缓急之法，虑其动手便错，一时仓皇失措，忽悟张从正病由邪生，攻邪已病之论，他说："邪气加诸身，速攻之可也，速去之可也，揽而留之可乎？"又说："先论攻其邪，邪去而元气自复也。"此外邪为主，若先论固其元气，则真气未能受益，邪气越加蔓延而不可制，有邪积之人而议补者，犹如"鲧湮洪水"。气血以通流为贵，胆胃以疏降为顺，去陈莝而洁肠胃，下者，乃所谓补也。用急下存阴的承气汤合凉血解毒的犀角地黄汤为主方，又加桃仁，一仿王清任活血解毒之义，一取《类聚方广义》桃核承气汤祛瘀泄热，治二便闭涩之功，加鲜茅根、车前子、干地龙清热利尿解毒，方投 1 剂。第 2 日神志清楚，血压稳定在 14.4 ~ 17.3/10.9 ~ 12.0kPa（108 ~ 130/82 ~ 90mmHg），尿量增加，脉搏应指，舌根黄腻苔转薄。查黄疸指数 16U，谷丙转氨酶 500U 以上，上方加败酱草、黄连、鲜石斛。第 3 日体温正常，大便通畅。第 6 日血化验白细胞数基本正常，继用清疏肝胆以消余热，补益气阴以复元气。随症调治 1 个月余痊愈出院，4 年未发。笔者管见，揉合泄热通下、凉血解毒、活血通瘀三法，配合现代医学抢救胆源性败血症伴中毒性休克，对减少死亡率，提高治愈率是有成效的。"急下存阴""凉血散血"，在治疗中毒性休克中的机制，值得进一步探讨。

"轻可去实"治腑实　　|汤年光|

临证中，遇到复杂而又迂回曲折的证候时，如何才能既不伤正气，又不助邪，不犯"毋虚虚，毋实实"之戒呢？如果病未重实，治疗用重实对付，则是以刚济刚，不仅无济于事，还常增加病势的发展。惟有轻清宣泄，才能邪去病却，这就是"轻可去实"治法之一。还有正气已虚，邪留不解，既不能补，又不能表，然邪不去则正愈伤，正不补体更虚，在这种攻补两难的情况下，宜先用轻清宣泄的方法，先祛其邪为上策，使邪去正存。

曾治一名78岁高龄老妇，因逢节日高兴多食而不化，腹痛发热，始则尚进少量饮食，继而水入顷刻即吐，20 日未大便。某医院因在上腹部摸到拳头大的包块，怀疑是胃癌，拟以手术，又恐体质不就，劝其回家调养，嘱家属准备后事。家人不忍，邀余予诊，见患者羸瘦如柴，时时额汗，腹痛呻吟，扪之拒按，摸见一如拳头的积块，苔焦黄，脉沉实。据临床舌脉所见，应属阳明腑实，本当下法，但现有"格拒"，饮入即吐，上下不通，又是高龄羸瘦，恐承气一类攻下荡涤之剂，难以适应。权衡之下，遵前贤"轻可去实"之法：予金银花、麦芽各20g，煎水频服，若见呕吐，先以人丹 10 粒含服，再饮汤药。2 剂之后，呕止，肠鸣有声，数次解下"羊矢"粪团，哕臭难闻，腹痛渐失而安。复诊腹中"块积"已消，仍再进前剂 2 付，后经米粥调养近月而康。

金银花、麦芽轻清消导，不伤正气，符合"轻可去实"之列。后余又用此两药相配治疗食滞、泄泻、痢疾、便秘等证，多能收效而不伤正气，可见"轻可去实"所言不差。

"冬至一阳生，夏至一阴生"
与年度周期性顽疾关系初探 陆鸿滨

　　人体能合于四时阴阳则不会害病，这是祖国医学"天人合一"学说的重要论点之一。"冬至一阳生，夏至一阴生"是古代医家根据我国地理气候及民族体质总结出来的天人合一的阴阳消长规律。现代生物钟学说与祖国医学这一古老的学说不谋而合。

　　据笔者临证体察，某些年度周期性顽疾的发作时间，与"冬至一阳生，夏至一阴生"相关，这种疾病按一般的辨证论治不能取效，必须结合这一天人相应的阴阳消长规律调理其阴阳始能获效。笔者曾遇到年度性周期发作的鼻衄、呛咳、发热各2例，发作时间在每年公历11月至次年2月左右，均属诊断不明并按一般中西医治疗无效者。笔者认为，"冬至一阳生"是指在冬季即将来临的时候，体内命门火即开始"添薪"，以做好战胜严寒的准备。此时若体内存在某些阴阳失调的因素，可发生相火偏旺，上灼肺金则鼻衄或呛咳，充斥少阳三焦则长期发热不退。是以治此等疾病必须从清泄相火着手，命火寄于肝胆，游行于少阳三焦，故治鼻衄、呛咳用龙胆泻肝汤合泻白散，治发热用大小柴胡汤。如1979年11月，笔者遇一顽固鼻衄患者孙某，每年国庆节后不久即发，直至次年2～3月始止。已7年，出血量大，身体虚弱，经中西医多方治疗无效，笔者用龙胆泻肝汤合泻白散，未加一味止血药，9剂后出血量大减，后加知母、黄柏直伐妄动之相火，加生石膏以清肺胃，出血基本停止，至今已观察5年，除冬天偶有几滴鼻血外，基本上未发作。另外，也曾见到2例周期性发热，均在每年公历5月左右发作。笔者考虑，夏至以后人体为了迎接酷暑，必须使体内保持较多的阴液，是以"夏至一阴生""长夏多湿病"。若其人少阳本有郁热，值此"一阴生"之际，热与湿合，蕴于少阳三焦，长期发热不解，按一般外感湿热治无效，必须疏发少阳。1977年笔者曾治一每年5～8月发热已15年的病例，用小柴胡汤与越鞠丸合方加减，8剂而热退，至今已7年未发（详见《云南中医杂志》1982；2：1）。

　　体温和渗透压是机体维持稳态的两个要素，前者涉及中医的阳，后者涉及中医的阴，而两者皆与外界季节变化息息相关。故善治病者不仅应注意到疾病与四时外界的六淫相关，也应考虑到与体内阴阳消长相关。

五 音 疗 疾 ｜邹卓群｜

　　北宋文学家欧阳修，因与王安石政见不和，遭到排挤，忧郁成疾，久治无效。辞官退休后，学习弹琴，陶醉在悦耳动听的琴声中，心旷神怡，自得其乐。忘却了政界勾心斗角的残酷、整日案牍的疲劳，疾病不治而愈。

　　乐音与疾病的关系，我国古代医家早就有所认识。《素问·五脏生成篇》说："五脏相音，可以意识。"大意是说，五脏的形相，可以从五种乐音中意识体会到。所谓五音，就是宫商角徵（音止）羽五种乐音。至于五音究竟是怎样的声音呢？现在或许有很多学习祖国医学的人都没有弄清楚。从人体口腔发出的乐音来讲，分辨的方法是：①从发音的部位来分，喉音为宫，齿音为商，牙音为角，舌音为徵，唇音为羽。②从发音时的动作来分，古人概括为几句歌诀：欲知宫，舌居中；欲知商，开口张；欲知角，舌根缩；欲知徵，舌拒齿；欲知羽，口吻聚。乐器发出的五音，可以根据声乐的五音类推。古代医家根据五行学说的生化哲理，把五音的音色归属于五行：宫属土，徵所生，其声浊；商属金，宫所生，其声次浊；角属木，羽所生，其声半清半浊，徵属火，角所生，其声次清；羽属水，商所生，其声最清。然后再将五音分属五脏：宫音属脾，商音属肺，角音属肝，徵音属心，羽音属肺。这样的归类，未免太机械，但它绝不是搞文字游戏，而是古人长期医疗实践中的体会，某一音色对某脏腑的疾病，可以发生某些影响。举例来说：宫音属脾，宫音是一种洪亮豪壮的乐音，能使人欢欣鼓舞，豪情满怀，奋发向上。从而起到胃开脾健，增进食欲的作用。羽音是一种婉转悠扬的乐音，使人心境恬淡，怡然自得。对一些表现以肾虚为主的疾患，可以起到调节阴阳，扶持正气的作用。

　　总之，用乐音来调治一些慢性病或预防疾病，在我国古代就已引起注意。我国是世界上最早用乐音来治病的国家，现在，更有条件广泛地采用这种辅助性的治疗方法。我们当然不能像古代那样片面认识和机械归类，而是要采用灵活多样的形式，用乐音达到治病防病的目的。这一简便易行的辅助性治疗措施，千万不能忽视。乐音与疾病的关系，有待音乐家与医学家紧密配合，认真总结研究。

（邹克扬　整理）

医 忌 偏 执 | 邹卓群 |

医者立论，力求精当，切忌偏执。立论过偏，不但没有收到好的效果，有时还会造成观点上的自相矛盾。试以历代医家为例。

清代徐灵胎在《慎疾刍言·补剂》中指出："人之有病，不外风寒暑湿燥火为外因，喜怒忧思悲恐惊为内因。此十三因，试问何因是当补者？""盖邪气补住，则永不复出，重则即死，轻则迁延变病。""大凡人非老死，即病死，无病而虚死者，千不得一。"徐氏这番议论，显然是有感而发的。立论的用意，本来是为了反对滥用以人参、附子等为主药的温补剂，反对庸医以补药媚人的恶劣医疗作风。可是，由于没有把正确的观点阐述清楚，话说绝了，反而成为一种偏激之见。按照徐灵胎的观点，内外因概不能补，有邪不能补。果如其言，则补法可废，攻补兼施更不行。事实上，徐氏虽在反对补剂，但他却是一位善用补剂的高手。《洄溪医案》载：龚孝维身患暑热，手足拘挛，呻吟不断，瞀乱昏迷，脉微而躁，肤冷汗出。先用参附汤急救，后用消暑养阴之品而愈。许论五暑病热极，大汗不止，脉微肢冷，面赤气粗，进以参附，一剂而复。又，治沈又高患风痱，调以养精益气之品而愈。以上案例正与徐灵胎的观点发生矛盾。徐氏尚有自知之明，发觉自己立论欠妥，作了必要说明："余并非禁用补药，但必对症乃可施治耳。"幸好有这样的补充解释，使人明白他所反对的是什么。否则，他的立论就是以偏纠偏了。

医学上开展百家争鸣，各抒己见，这是理所当然的事。只要持之有故，言之成理，抱着与人为善的商榷态度，就会统一认识，求得真理。绝不能固执己见，惟我正确，采取否定一切的做法。例如，清代陈修园，认定人参只有养阴生津的功效，而无回阳的效能。不论其持论有无充足理由，他首先就采取敌对的态度，将持有回阳观点的人，必欲置之死地而后快。《神农本草经读·人参》注释中，陈氏严厉地斥责道："今人辄云以人参回阳，此说倡自宋元以后，而大盛于薛立斋、张景岳、李仕材辈。而李时珍《本草纲目》尤为杂沓，学者必于此等书去，方可与言医道。"当时反对某一观点而主张焚书，未免太粗暴了。

在临床上，遣方用药也不应偏执拘泥，必须详审病情，据证而辨。吴鞠通曾治一妇女，死胎二日不下，脉洪大而芤，大汗不止，精神恍惚，亡阳欲脱。诊为心气太虚，不能固胎。不问胎死与否，急宜先固心气。用救逆汤加人参，服二杯而死胎自下。吴氏并未偏执而用通下之法，致使患者得救，故在《温病条辨·下死胎不可拘执论》中不无感慨地说："若执成方，而用平胃朴硝，有生理乎？"

偏执是产生门户之见的根源，同时又是影响医界同道互不团结的主要因素之一。只有认真掌握辨证法，学会全面地看问题，努力提高临床思维的能力，坚持实事求是的科学原则，才能有效地克服思想上的片面性和偏激情绪，把祖国医学推向一个新的高峰。

（邹克扬　整理）

医 林 错 改　　|邹卓群|

清代名医王清任著《医林改错》一书，注重解剖实体，精察脏腑，纠正了古代解剖学关于人体脏腑的一些错误的记载，对当时和后世解剖学的发展，有很大的影响。王氏的科学求实精神是值得后人学习的；他在解剖学方面的贡献，也是不可否认的。

由于王清任缺乏辨证看问题的思想方法，只注重对脏腑实质性的研究，而忽视了脏器和脏象是两种不同的医学概念。没有深刻理解历代医家对脏象所作的解释，脏象本是一种哲理性的归纳推理，是人体生理病理的一种高度抽象的概括，并非单纯解剖学的概念，因而，不免顾此失彼，言之过偏，甚或由偏而错。例如，王清任对肝藏血、肾藏精等脏象理论作了机械片面的理解："肝体坚实，非肠、胃、膀胱可比，绝不能藏血。""肾体坚实，内无孔窍，绝不能藏精。"把血虚的概念片面理解为血管空虚，血管"有空隙之地，则是血虚。"对气血的涵义误认为"气管行气，气行则动；血管盛血，静而不动。"并将动脉血管，误作气管。脉管的搏动，就是气行的表现。从而全盘否定前人"心主血脉""脉为血府，百骸贯通"的正确认识。王清任不同意前人对脏象的解释，他认为那些解释都是"无情无理"的。

此外，王清任在论及肺的孔窍时指出："虚如蜂巢，下无透窍，吸之则满，呼之则虚。既云下无透窍，何得又云肺中有二十四孔，行列分布，以行诸脏之气。"其实这两句引文是两种不同的观点。前一句是赵献可的论述，《医贯·形景图说》谓："虚如蜂巢，下无透窍，故吸之则满，呼之则虚。"后一句是明代李梴的论点，《医学入门·肺脏赋》指出："下无透窍，叶中有二十四孔，行列分布诸脏清浊之气。"赵说是正确的，李说是一种错误的推论。两说混同，良莠不分，一概斥之为错，不是持平之论。

王清任由于受到历史条件的限制和在思想方法上的严重片面性，使得他在改正医林中错误认识的同时，又错改了医林中一些正确的认识。

（邹克扬　整理）

一位近代中西汇通医家——力钧　｜俞慎初｜

自明万历年间（1573～1619），意大利人利玛窦等来华后，西洋医学东渐。迨清代嘉庆、道光时期，影响日著。国人汪昂、赵学敏、王清任等人开始接受西说。而持汇通之说者，当推朱沛文、唐宗海、张锡纯、恽树钰等人，为中西医界所熟知。然而清光绪年间，闽人有姓力钧者，亦继诸汇通派之后，也是积极提倡中西汇通之士，但知之者少。兹就所搜集到的资料，介绍给同道，以彰其迹。

力钧，字轩举，号医隐，福建省永福县（今永泰县）人。约生于公元19世纪中叶。清光绪年间举人。早年曾随刘善增、陈宗备、张熙皋、朱良仙诸先辈学儒医。常与当时名医郭永凃、郑省三、林宇苍等共事著述和讨论医学问题。自是，亲友之间多以医事相嘱，而始以医行世。诊余辑《庚寅医案》，纂《内经难经经释》及《骨论》，并校订何为良所释《全体阐微》一书，以比较中西医学之异同，由是医名渐震。

光绪十七年（1891），应新加坡侨胞延请南下，愈病人甚众，特就所得，辑成《辛卯医案》，次年，又辑《难经经释补》一书。归来后，仍边医边儒，亦医亦儒，视医儒为一体。

到光绪二十年（1894），赴京都应礼部试，历为诸达官贵人治病皆效，诸权贵欲罗置留京任职，均以母老婉辞。归闽后，适福州发生鼠疫，钧创制"大青汤"愈者千百。嗣又游学日本，在日本期间辑有《日本医学调查记》。在光绪二十七年，为了考证历代医书之存佚，又辑《历代医籍存佚考》一书问世。

光绪二十九年（1903），力钧被朝廷任命为商部主事，并以医事名震京都。曾应召入宫，诊视慈禧太后及光绪皇帝，于是医名鼎沸。

宣统三年，力钧随使游德、法、瑞、奥、意、俄等国。每到一处，必参观当地医院、医校，极力搜集医著，归国时图书满箧。其子嘉禾、树藻均学医，毕业返华时，力训之曰："宜多临证，中西医医学之理兼求并进，不可偏执。"并嘱将中医书籍译为西文，供欧美学者研究。还谆谆告诫后学，切勿分歧立异。力钧年70卒于京师。

鉴于上述，力钧是主张中西医汇通的，也是一位名重一时的医家，是其勤求博采，获得成名济世之术。聊撰数语，冀有益于后学者。

（倪法冲　整理）

临证与胆识 ｜何炎燊｜

1979 年春，一青年患者因壮热如燎，神志昏瞀，目闭口噤，痰鸣气促，肢体强痉而送院治疗，经确诊为化脓性脑膜炎。当即用中西医结合以中为主治疗，中药处方为防风通圣散化服万氏牛黄丸。其中大黄用至 30g，芒硝 25g，其他诸药亦相应加大其用量。鼻饲给药后 5 小时，大泻 3 次，随即汗出热降，次日神清，1 个星期痊愈出院，无后遗症。此病甚重而愈病神速，何也？固是诊断明确，投剂中肯之故，而医者毫无瞻前顾后之虑，用药猛峻而剂大，亦成功之关键也。

又某尊翁，年逾古稀，患癃闭，入某院后，翌晨即行会诊，参加者有全城中西内外科名医 11 人，而列席之至亲好友又多于会诊者。于是会场气氛，顿时肃穆，医者亦无不虚怀若谷，自谦才疏学浅，但求无过，免惹麻烦。会诊结果，惟有上送而已。其实，此翁年事虽高而体质尚健，病非危重，几经辗转，最后仅用普通清淡之中西药物调治而康。

《后汉书·郭玉传》载："玉仁爱不矜，虽贫贱厮养，必尽其心力，而医疗贵人，时或不愈。常乃令贵人羸服变处，一针即瘥。"此 1800 年前事也，不意今世仍有类之者！郭玉述其医疗贵人所以不愈之故，曰："夫贵者处尊高以临臣，臣怀怖慑以承之，……臣意且犹不尽，何有于病哉！此其所为不愈也。"一语道破，发人深省。愿世之欲愈病者，幸一读《郭玉传》，毋使医者"怀怖慑以承之"可耳。

中医之理论基础 ｜陈立夫｜

由于世界各国学者，鉴于若干重要病证，尚未有根治之方药，转向历史文化古老国家之医药典籍中寻求，而世界上惟一有丰富之典籍能保持老法以治愈重要病症者，厥为我国。希腊、印度等古国，已鲜有古法存在为临床之实用矣，实殊为可惜。

研讨中医须先明了中医之科学理论基础，庶几能"从根救起"，兹述之如次。

孙中山先生少时习医学，对于人类进化之原理。诸多发明，谓"求生存"为人类社会历史进化的中心，又谓"互助"为人类进化时期之进化原则，则人类一切发明，自必首先应用之于生存直接有关之医药，自无疑义。考诸今日西方医学上所应用之仪器，以 X 线、镭射、声波、扫描等等均非医学家所发明者，则以中国文化之崇高伟大，焉有医学独留滞不前乎？须知中国文化根源于《易经》，此一巨著，为伏羲、文王、周公、孔子四大圣人之集体创作，历代学者誉之为"经中之经"，为合天道、人道为一之巨著。例如，乾卦系辞中"天行健，君子以自强不息"，前句为天道，后句为人道，其他六十三卦皆然。孔子与老子之道，全体乎此。此著以数、理、象三者为纲，与西方今日之自然科学以数、理、化三者为基础者，相差仅为一字，惟因其有一字之差，竟产生前者为"致广大"后者为"尽精微"之两大不同之理论体系。盖《易经》一书。为阐明宇宙万物生存进化之原理，故曰"生生之谓易"，其开始、先应用于大自然之天文、气象、历法、季节等学。故吾国对于上述数项之创见最早亦最多。而此数项，均无时无刻不在动变之中，故曰"易"。易者，变易也，惟动变亦有其轨迹及法则可循，法则者即相对不易也，明其变中不变之理，盖欲求易知易明也，故曰简易。知此三易，而知易学之高深矣，由此进而研究天体中无数之星云系单位，各自在变动，同时又环绕一中心而变动，而竟能时时自动调整，使之各得其位，各循其轨；在地球之上，万有生物，各自在变动，各遂其生，而又能时时自动调整，达致共生存共进化之果，于是发明了"致中和，天地位焉，万物育焉"之至理，此一以人力达致"动的均衡"（致中和）之至理。遂被用之于凡属动变之事物（如天文、气象、数理、音乐、军事、经济、生理、医学等等）。而每一事物，又必须具备质、能、时、空四大条件，其质能之相对盈虚消长，则以阴与阳代表之，由两仪、四象、八卦，以致六十四卦，以穷究其动变；其时空之调整适应，则赖五行以达成之。五行者，宇宙间五种基本动向也。"火"代表向上，"水"代表向下，"木"代表由一点向多方面发展，"金"代表由多方面集中于一点，"土"代表向前进展。有此五者，达致中和之调度，乃克有济。中国医学即本此最高生存原理—动的均衡—而成者，余名之曰"中和位育原理"，为中医之科学理论基础。

盖中医视人为一小天地，凡宇宙一切风、雷、雨、寒、暑等种种大自然的变化，均可影响人类之健康，故称病证为伤寒、温症、风湿等名称，失去均衡则病，而以药物之五行生克之性，以使回复中和则愈。而以整体治本为先，故先从安内人手，安内者，"致中和"之别称，盖在此情况之下，自身之抵抗力自增，而病自消，故称中医治病之原理为"安内攘外"亦可，而自成一完整之病理及医理体系，并不亚于西医学。昔人喻良医为良相者，以良相能尽"安内攘外"之功，医人医国，其义一也。惟西医之视人为一部机器，何部分损坏，则修理何部分，并可更换零件，其治病原理，可称之曰"就事论事"简单易明。故凡物理化学之原理方法，均可用之于人，故其研究方向，从极其小处用功夫，如细菌、病毒及细胞等，其理亦通。盖人为动物之一，固亦为一部机器，惟人究竟又为万物之灵，有生命，能自动调整适应，与一般机器不同，故中西医二者一从"致广大"入手，一从"尽精微"入手，各得真理之一半，前者其方法近王道而慢，后者近霸道而速，各有其长处，苟能精诚合作，爱其所同，敬其所异，则世界完整之新医学必然产生，造福人群必无限量，余所以倡"中西一元化"者即在此。惟中医书籍，文字古老，近人不易了解。宜用语体文译之，始易知晓，此则余所倡"中医现代化"者是也。近代学者，由于"易"理之启示，获得诺贝尔奖金者，已有4人。德国之汉森堡，其论文为"测不准定律"；丹麦之宝雅教授，其论文为"相生相克原理"；中国之杨振宁、李政道，其论文"不对等定律"，并自称得之于《易经》之启示是也。今后由此书而得奖者，当犹有其人，其能谓《易经》不科学乎！

明乎上述之理由，可知中西医二者，各有短长，而中医学理，显然比较高深，有待深究。今西医方面渐渐感到人体自具之免疫力，至为重要，则正与中医治病之原理相接近，二者之合作，当更可日见其接近矣。

希望从现在开始，各位除研究所列之主题之余，更能以若干时间，阐明中医药之学理及其应用，则世界医学之进步，必日见其速效也。

注：福建中医学院举办"海峡两岸首届中医药学术交流研讨会"，台湾省陈立夫先生应邀寄来此文，并在院刊上发表。这篇论文是来自海峡彼岸研究中医理论的第一篇。

临 证 一 得　　|邓铁涛|

杧果核治咳效

外感咳嗽病人，如饮食不慎，过食肉汤一类滋腻之品，往往滞邪不能外解，致咳嗽日久难愈。这种情况下多在辨证论治基础上加用杧果核，疗效甚佳。杧果核，甘微苦、平，入肺、脾经。本品善消痰滞。多用于外感食滞引起的咳嗽痰多，亦用于治疝气痛，均取本品有行气化滞之功。岭南民间常用五核汤治疝气，其中便有杧果核一味。

血尿治验

不明原因之血尿，尤其于老年人，临床上常有见之。临床上必须与血淋相鉴别。血淋为淋证中的五淋之一，以尿中有血，甚则夹有血丝血块，尿道灼热疼痛，舌苔黄腻，脉滑数为主症；血尿，虽也尿中有血，往往以虚证为主，因此应注意少用利水药。血为阴液，失血本已阴伤，如过用利水之品，则恐有虚虚之弊。同时在治疗上必须注意养阴不能过于滋腻，止血不能过于温燥。临床上用太子参、墨旱莲、女贞子、白及、三叶人字草、甘草为基本方以益气养阴止血。三叶人字草止原因未明之血尿疗效甚佳。曾治一老妇，诉说肉眼血尿已近2个多月，服用中西药均未效。观其面色苍白，精神疲乏，舌淡胖，苔白，脉细弱。处方以益气养阴止血为主（四君子汤合二至丸加减）加三叶人字草30g，3剂而告愈。

冠心病诊治点滴

冠心病是目前中、老年人的常见病、多发病之一。经过多年的临床摸索积累了一点不成熟经验。本病好发于中、老年，祖国医学认为年逾四十，形气虚衰，抗病力渐退，加之我省地处南方，气候潮湿，容易聚湿生痰，故冠心病患者每逢气候变化往往出现胸闷、气短、心痛等主症加重，又有肢麻、疲乏、头痛眩晕，唇色红亮，脉浮滑，舌偏暗红、胖，苔腻等情况。病情比较复杂，既有外邪诱发之因，又有本虚体弱一面。每每喜用温胆汤加党参及豨莶草以治之。因为豨莶草既能活血通络，又能透邪外出，对于心血管病人兼有外邪者，尤为适宜。据说宋代曾有单味豨莶草作为献方皇帝的长寿药。可谓"平淡出神奇"也。

番石榴叶治泻

用鲜番石榴叶治泄泻，每获良效。兹举一例：李某某，女，26岁。患者有身孕7个多月，近1个多月来反复腹泻，日三四次，便色黄，混有泡沫，伴有肠鸣，双下肢浮肿。于1984年7月17日初诊。诊见精神疲乏，舌边、尖红，苔微黄，脉弦数。处以太子参18g、茯苓15g、白术15g、陈皮15g、白芍15g、柴胡10g、甘草6g、鸡血藤10g、赤石脂10g、鲜番石榴叶20片。7月20日复诊，言服上方3剂腹泻已止，现大便每日1次，无泡沫，量不多。依上方去鸡血藤加黄芩6g，3剂而愈。

疖　肿

　　疖肿是一种生于皮肤浅表的急性化脓性疾患。随处可生，其特征是局部红肿热痛，甚则溃烂化脓，常伴有恶寒发热，全身不适，口苦，口干，便秘，溲赤等。如果是多发性疖肿常常此愈彼起，日久不瘥，短时不易治愈。我治疗疖肿常加入大量臭草、绿豆配合穿山甲、皂角刺、红条紫草等药，共奏清热解毒，消肿排脓之功。臭草即芸香，广州习称臭草，药性凉，味微苦而气香，功能清热解毒，凉血散瘀。鲜干均可，用量一般为30g。绿豆为豆科植物，可供食用及药用，性味甘寒，功能清热解毒，利水消肿，本品有清凉解渴，中和解毒作用，故民间常视为解暑佳品，也常用于食物中毒及其他中毒。用量可在30g以上。病人蔡某，男，37岁，广州自行车厂。患多发性疖肿月余，血糖、血培养均未见异常。使用多种抗生素均未能控制，现仍在市某人民医院住院。因久治不愈，住院医生同意他在住院期间（1984年12月18日）来就诊，诊见下肢及面部散发性疖肿，大小不等，局部色红，肿痛，舌红苔薄黄，脉弦滑数。处以下方：皂角刺12g、陈皮9g、浙贝母15g（打）、金银花20g、绿豆30g、臭草30g、红条紫草10g、炮穿山甲15g、甘草10g。12月21日二诊：3剂药后，左下肢疖肿已基本痊愈，患者已出院。诊见胸痛，痰黄，舌红，苔黄腻，脉弦滑，依上方加天花粉15g。1985年1月4日三诊：疖肿已愈。既往有支气管扩张史，现仍有咳嗽，痰多，气促，胃纳可，舌淡红，苔黄，脉滑数，守上方4剂以巩固疗效。

　　　　　　　　　　　　　　　　　　　　　　　（邱仕君　整理）

离照当空，阴霾尽扫　|刘尚义|

　　1977年仲夏，余在贵阳中医学院瓮安分院带教，该县新华书店职工柏常军同志专来求治。其人30来岁，五短身材，腰粗肚圆，满月脸，面色晦暗，举手投足，反应迟钝。据其自述，1975年初患感冒，头痛鼻塞，肢体疼痛，曾自服一些治感冒的中西药物，过了好几天，出现下肢麻木、举步维艰以致不能行走，小便失禁。单位即将其转至贵州省人民医院，诊为"急性脊髓炎"。输液打针，经用大量激素及其他药物后，病情开始稳定并趋好转，渐能行走，后嘱其出院，将息治疗。返回瓮安后，两腿行走无力，麻木，走路左右摇摆，其症最突出者为两足冰冷异常，6月炎夏与其幼子同榻而卧，双足偶抵儿身，竟将其子冰得大叫，于此可见其冰冷之一斑。此外还兼见阳痿、腰膝酸软等肾阳虚证，舌胖有齿痕，诊得六脉沉细无力。两年来西医中医遍请；西药中药杂进；单方验方皆用；温肾助阳同服。所服附片、干姜、肉桂总量不下数十斤，也曾服用过鹿茸、仙茅、淫羊藿、巴戟天、韭菜子等制成的丸药，但终不济事，疾病一直未瘳，遍身苦处，难以名状。面对此肾阳衰惫、沉寒痼冷之顽疾，沉思良久。

余早年喜读张锡纯的《医学衷中参西录》，每每以其对药物的高见而叹其才秀矣。其中的"服硫磺法"印象颇深，曾亲尝以验其毒性，几经尝试体验，证明其无毒，指出"其毒也即其热也""其功胜桂附"，施之于人，"生硫磺其效更捷"。当下即用此纯阳之药，以愈彼纯阴之证，不必投鼠忌器。"离照当空，阴霾自散"。又忆及张景岳："善补阳者，必于阴中求阳，则阳得阴助而生化无穷"之告诫，用熟地黄、桑椹、沙苑子、白芍、黄精、玉竹、牛膝煎汤，吞服生硫磺每次约3g许，取其"由阴引阳"之意。牛膝引药下行，直趋病所。适瓮安县雍阳医院中药房有多年存储之半瓶天生磺约60g许，病人听我述其功用，愈病心切，全部买走，约4天后，病人径直来分院宿舍，喜告曰："两足冰冷已除。"问及天生磺服法，言之已在3日内将60g天生磺全部服完，余惊愕之，病人却不以为然，说："这两年我吃的药要用背兜背，这半瓶药算什么？"计算一下，平均每日服20g，超过正常服药量之一倍。病人告曰："服用硫磺的当晚，双足即感燥热，身上亦热烘烘的，两天以后，双足已不冰凉，但无力麻木依然。"病人服药效验，增强了愈病的信心。余见缠绵痼疾竟收效于二三剂药石中，心甚悦之，愈发跃跃欲试，以图全功。再仔细候脉问症看苔。病久入络，难以骤期霍然，酌古参今，拟用膏剂缓图，方用两仪膏加马钱子粉早晚服用，其方用熟地黄、党参加冰糖，常法收膏，膏将成时，倒入白酒1杯，再入制马钱子粉调匀，每日早晚服用1汤匙，如此坚持天天服用，约达半年，病势日减，旬日见面，病者每每以手加额，连称"奇病遇高手"。

1978年寒假，余返贵阳，开学时回瓮安相遇，他告诉我，阳痿已愈，春节回草塘区木老坪家里过节，返回时错过班车，前不挨村，后不靠店，无奈只好步行回城，其间竟步行20km，到单位时，天已黑尽，屈指一算，20km走了近6小时，说明病体康复。

前数年还不时互通音讯，而今已失联系矣。

脓　　胸　│刘尚义│

1978年5月5日，余治一肋骨结核并发脓胸病人，历时4个半月，体会颇深，简述如下。

贵阳市京剧团武术教师解世奎同志，59 岁，山东人。1976 年初因右肋结核，在某医院骨科行肋骨结核病灶清除术。术后并发脓胸，X 线显示，右肺出现 4cm×6cm 液平面，并感胸痛，呼吸短促，潮热。病人不愿再手术，又入某某医院希望保守治疗，住院 1 个月效不显，反而大口大口咯出脓痰，全身衰弱，医者在右背五六肋骨间挖一孔洞，将皮管直插进肺脓腔中，进深达 20 多厘米，借以引流，排出脓液，每日约 2000ml，引流管稍有堵塞，脓液便从口中吐出。前后近两年，花费二千多元不见效。挂瓶引流脓水每天约 2000ml，病情险急，身心十分痛苦，情绪低沉。

经人推荐，病人求治于余，问病史、查体征后，沉思良久，若能用三仙丹塞入脓腔，呼脓外出，脓尽生肌，重症自能入于坦途。但管腔窦道弯曲，硬药线很难奏效，自将缝制麻袋之大针鼻眼锉去一块，使之呈 "Y" 形，再以丝线用白及浆汁浸湿，渗上三仙丹（水银、明矾、芒硝常法升丹），再用 "Y" 形针，将药线叉入脓腔内，留少许线头在外，加味太乙膏盖定（血余炭、朱砂、血竭、生地黄、麝香、铅丹、桐油常法收膏），1 日 1 换。每次换药只要拉出线头，脓液即哗哗流出 800～1000ml，中药内服以千金苇茎汤加味，药用冬瓜仁、薏苡仁、桃仁、苇茎、桔梗、黄芪、金银花、蒲公英、穿山甲珠、贝母、天花粉、白芷、白芍、乳香、没药等出入为方清肺化痰、逐瘀排脓、清热解毒。2 个月内，每日换药，脓液均哗哗流出，不见减少，心甚异之，到底还有多少脓液尚待排出？好在病人眠食二便较前好转，于此，坚定了我继续治疗的决心和信心，毫不动摇，一往无前。3 个月后，脓液逐渐减少，一日换药，随药线拉出一条像肠子粗细的发乌的窦道管壁，伤口肌肉红活可见，X 线显示液平面显著下降，疾病已入坦途，守方再进，嘱患者用白及粉每日以粥油（粥冷后表面结的一层皮）吞服，冀收补肺空洞之功。4 个月以后，X 线显示液平面消失，单用加味太乙膏敷贴，伤口平复，全身症状消失，重返舞台。

如此危重险症，全用中医内服外治法治愈，单位邻里皆叹中医中药之神功，病人单位发函向贵阳中医学院致谢，1983 年 7 月 1 日，《贵阳晚报》曾以"久炼出好丹"为题报道了这个病案的前因后果。

本例追访 7 年，病人健在，宿恙未再复发。

肾 炎 治 胃 ｜刘尚义｜

1977 年在贵阳中医学院瓮安分院教学门诊，曾治一患儿，经现代医学检查诊断为"急性肾炎",按中医辨证,从胃论治,竟收全功。中医现在的临床治病,不能被西医诊断和病名所囿,当用中医理论辨治,自能"有是病,有是药",应付裕如。患儿皮安,男,8岁,住瓮安县城关。月余前因感冒引发全身水肿,诊断为急性肾炎住院用西药治疗,水肿渐退,惟每日呃逆,稍进水饮,旋即呕出,最为所苦,邀余会诊。

患儿形寒畏冷,神疲倦怠,面色㿠白,头面仍浮肿,尿少,呃逆频频,呕恶,舌诊时,开口启齿清涎牵线直下,舌胖质淡,灰苔,脉沉细。证属脾阳虚衰,运化失司,胃失和降,气机上逆,急拟温中摄涎,降逆止呕之方,冀脾胃安、纳谷佳为第一要务,逐寒荡惊汤出入加减,疏方:白胡椒10粒(打)、丁香10g、肉桂3g、益智9g、代赭石60g(先煎)、生大黄3g、甘草3g,1剂两煎,3次分服,加少许红糖兑服,未尽剂,呃逆呕吐顿止,去大黄,续进2剂,以资巩固疗效。5日后患儿复诊,水肿已退,纳谷大增,其母告曰:"现尿中蛋白只有一个'+'号,没有服药前是3个'+'号。"舌质仍淡,脉仍沉细,予补脾肾,运中枢,展清阳方:熟地黄12g、补骨脂9g、胡芦巴9g、白术9g、肉桂3g、泽泻3g、草薢6g。连服4剂,小便正常,痊愈出院。肾病治胃,在其治法中,又添一法。个案点滴,录之备查。

上石疽治验 　　|刘尚义|

1982年4月,经人介绍一病人求治于余。其人叫牟衍华,女,46岁。在其右耳下沿颈部有一成人拳头大小的包块,巍然屹立,不红不肿,不痛不痒,摸压之,石硬板结,毫无松软处,正中有一2cm长之活检切口,不流血,不流脓,俨如腊肉状。病人告之,病起已半年,开始发现包块时只有大拇指大小,在都匀打针吃药,病情不能控制,包块一日大于一日,半年之间长至拳头大,特来贵阳检查治疗,住某医院外科病房,包块正中切开活检,排除癌肿,疑为结核瘤,住院20多天,病情毫无好转,患者心急如焚。

余诊毕即告患者,包块不红不肿,不痛不痒,当务之急,应破坏这种不战不和的状况,使矛盾转化。外敷贴温阳解凝膏(凤仙花全株、生川乌、生草乌、细辛、肉桂、甘松、樟脑、麝香、铅丹、麻油,常法收膏),内服阳和汤:熟地黄、肉桂、麻黄、鹿角胶、白芥子、蜈蚣、全蝎、穿山甲珠、干姜、炙甘草。水酒各半煎服,每日1剂。

3日后复诊,活检切口处已见红活色且有少量脓液流出,阴证渐转阳证。

即在患处以三仙丹撒布（三仙丹：芒硝、明矾、水银，常法升丹），温阳解凝膏盖定，嘱患者3日1换。内服汤药既见效机，勿改弦易辙，守方再进。如此连服1个月，脓液渐多，包块渐小。以后，用三仙丹制成药线，插入包块深部，再用蜈蚣、全蝎等量研粉，装入胶囊吞服，每次1g，每日3次，膏药及三仙丹隔日1换，患者带药回都匀市工作单位，十天半月来贵阳1次，如此往返治疗8个月，肿消包散，耳颈部平复如旧，迄今已3年，其病未复发，且身体康健胜于同龄人。

阴证瘰疬，先激化矛盾，内服外治，发挥中医丹药去腐生肌，呼脓祛毒之优势，如此大症、险症完全治愈，足可窥见中医疡科术贵药奇之一斑。

儿科急症与"烧灯火"　刘尚义

1971年秋季，余在金沙县石场区卫生院。一日下午5时许，街上居民肖某带构皮乡武姓男孩求诊。据来人介绍小孩病重，治疗数日不愈。其母言恳意切，望我用针灸为之治疗。

检视病儿，面色青紫，口唇发乌，四肢冰冷，呼吸表浅，时有叹息，脉微弱，指纹青紫。细询之，云病孩一岁零五个月，病已3日，始病时高热、咳喘气促，唇红面赤。因居乡不便，仅服用少许治感冒之药片。延至昨日夜半，突然汗出如洗，高热骤降，随之出现面清鼻黑，手足逐渐发凉。余细究之，此证系邪盛正虚，肺气闭塞，阳气衰竭之重症，极似肺炎。是时为医疗条件所限，余时能否用针灸治疗如此重症，尚因无先例可寻而犹豫。但曾记民间医有"烧灯火"一法，据云"掌握得当，有起死回生之功"。昔亦从师习此术，惟于实践中运用不多。其法系用麻线和蜈蚣、全蝎、白附子、胆南星、白僵蚕、荆芥、防风、白芷、秦艽同煎，去药取线，阴干备用。治疗时，点燃麻线后复吹熄，用线头之火星烧灸有关穴位，对闭证、脱证、虚寒证有回阳固脱、祛寒回阳之功。余虽从未操用此法，因见患儿危笃，决心一试，冀望其回春之力，救患儿于垂危。余先征求家属意见："以针灸治疗，余无先例可资借鉴，可否以'烧灯火'治之？"其亲属闻之甚喜，促余亟施此法。金沙乡间一带，过去一度盛行"烧灯火"之法，近年鲜有复用者。余尚未备有药线，姑且割用一截捆扎处方之麻线，以火柴点燃之，旋吹灭，即用线头火星在病孩儿人中、太阳穴烧灸，尔后又沿肚脐四周顺时针烧灸九醮（烧灸时环绕需等距离，并留意线头火星随灭随点），如为女性，烧灸肚脐时则逆时针，等距离，七醮。俟术毕，嘱带患儿还家。我心内忐忑不已，因此法之施用乃为搪塞之意。故至夜间10时许，余闻叩门声，询之系患儿亲友，窃意以为必病孩已亡，亲友怪罪于余。及启门后，乃见一亲友喜告曰："娃儿已经回阳，睁目而讨食矣。恳请医生前往视之。"余闻此言，不仅心中惊惧顿失，而且欣喜之情油然而生。即随众亲友往视患儿，果如前言。其眼睁口张，四肢渐温，继用逐寒荡惊汤加味，方用胡椒10粒（捣碎）、肉桂3g、炮姜3g、丁香3g、川厚朴3g、杏仁3g，嘱煎水频服。经调理渐至痊愈。当地群众至今仍将此事此法诵记。除金沙一带外，贵州民间尚有用灯心草一根或数根蘸油烧灸急症患者，亦颇有异曲同工之效。

余业医有年，操"烧灯火"之术仅此一例，而取效甚神。都市医院之中，绝无施用者。殆医者恐酿成事故，难脱干系；病家亦目之为小道，即病属危重，仍婉言谢绝。余念如此简便之急救良法，一旦失传，殊为可惜。故不揣粗陋，聊为琐碎之言，请同道讨论研究，且发扬之。

巧治金破不鸣　　│袁家玑│

声带小结所致声音嘶哑，甚至失音者，属中医暴喑，失音范畴。《灵枢·忧恚无言》说："会厌者，声音之户也"，还认为"肺为音所自出，而肾为之根，以肺通会厌而肾脉挟舌本也"。肺为声音之门，肾为声音之根，肺为金，肾为水，金水相生，则气道可通，声音自出。因而选用《伤寒论辑义》治喉咽郁结、声音不闻之铁叫子如圣汤。该方不仅治疗声带小结有效，辨证治疗声带息肉、急性咽炎引起的声音嘶哑效果也满意。爰举一例以证。

李某，39岁，医生。1978年5月来诊。述其咽干、咽部异物感、声嘶、烦热口臭、咳嗽不畅、头晕少眠3个月余，西医诊为"声带小结"。内服抗生素、激素，并作2个疗程理疗。因服西药致胃痛且理疗烧伤颈部而改为肌注庆大霉素，效果不显著。某医院五官科主任动员其手术治疗，患者心存疑虑转请余治疗。

查其双声带轻度充血，左声带前中1/3交界处有一灰白色较坚实之声带结节，约1mm×1mm。舌红、苔黄、脉细而滑，饮食及二便正常。

辨为肺肾阴虚，金破不鸣所致失音证。治宜滋养肺阴，宣肺开音。方选铁叶子如圣汤加味：生地黄、熟地黄各6g，生、煨诃子各5g，生、炒桔梗各5g，生、炙甘草各2g，北沙参12g，麦冬12g，马勃粉10g（布包煎），木蝴蝶10g，当归6g，赤芍10g，蝉蜕6g。

服药 6 剂，上症明显减轻，再进 6 剂，声音恢复正常，检查声带小结消失而愈。

本方养肺阴，宣肺气，滋肾治其根，宣肺开其门，声音自然可以恢复。方中妙在桔梗、甘草、诃子、地黄均用生熟各半。生用能清肺开音利咽喉，熟用滋补肺肾之阴为主。加之当归、赤芍、蝉蜕可活血祛瘀。至于用药剂量，可以根据病情，适当增加用量。

（罗国隆　徐学义　吴元黔　整理）

止血之剂亦可逐瘀　|邱德文|

1970 年，余在黔南边阳行医，曾治疗 1 例漏证患者，虽纯用止血之剂却攻下陈年瘀块。现将诊治经过实录如下，俟明者指正。

黄姓妇女，47 岁，因其漏下淋沥不止，已 1 个月有余而前来就诊。自述从去年 9 月以来，月经停闭不潮，到今年 10 月已年余。今年 10 月下旬，突然月经复来点滴漏下，迄今 1 个月仍淋沥不止。自感全身倦怠乏力，少腹寒冷不温，畏寒肢冷，时欲昏寐，大便微溏，小便清长。察其形色，形小不丰，面色萎白，舌淡苔白滑，脉细弱无力。黄氏年近"七七"，已近"任脉虚，太冲脉衰少，天癸竭，地道不通"之年，更见畏寒肢冷，少腹不温等虚寒之象，治当温经止血，方选《金匮要略》胶艾汤加炮姜炭进治。用阿胶 15g（烊化冲服）、艾叶 10g、当归 10g、熟地黄 15g、白芍 10g、川芎 6g、炮姜炭 6g。水煎服，每日服 1 剂。

次日黄昏，患者急至，神色紧张，告之曰：服药 1 剂以来，漏下不惟不止，其下血反而更多。今服第 2 剂后，自觉下腹似有热感，且时时作痛，下体有一线状物约寸许已出体外，不知何故？第 3 剂是否再服？余折肱沉思，胶艾汤乃《金匮要略》治漏下专方，药性和平，温经止血不惟无性犷之弊，且有补血调血之功，辨证遣方，并无错失。于是对黄氏言道：第 3 剂药仍要继续服用，3 剂之后再据证更方。第 3 日下午，黄氏欣喜告之，当晚服药后，下腹阵阵缩痛，午夜从下体排出一物，手掌大小，一面光滑，一面状如泡沫，瘀血裹渍。现漏下已止，全身亦感舒适，余以八珍汤调理善后。

诊罢细思，胶艾汤乃温经止血之剂，如何能逐下瘀块？查《诸病源候论·漏下候》云："漏下者，由劳伤血气，冲任之脉虚损故也。"《张氏医通·妇人门》云："大凡血之为患，欲出未出之际，停在腹中，即成瘀色，未必尽为瘀热,又曷知瘀之不虚冷乎?若必得瘀血净后止之,恐并其人而不存矣。"黄氏全身一派虚寒经漏之证,用胶艾汤温经止血、补益血气,人体正气得复,则宫缩自然有力,停积于宫腔的瘀块得以排出,故辨证精确,用药得当,止血之剂亦可逐下瘀块,此恰是中医学辨证施治的优越所在。

多囊肝、多囊肾治验　　|陈慈煦|

多囊肝、多囊肾是属于肝脏或肾脏先天畸形的一种疾病。发病因素可能与遗传有关。多囊肾,可伴有多囊肝。据现有资料,国内解放以来迄今,中医或中西医结合治疗共报告有17例。其中多囊肝2例,多囊肾3例,多囊肝合并多囊肾12例。

关于本病的治疗,到目前为止,尚无比较理想的方法,而运用中医学理论治疗本病,有时可获较为满意的效果,尽管例数不多,但这是一种可喜的苗头,值得进一步发掘和提高。

我于1978年曾治疗多囊肝合并多囊肾1例,随访4年余,疗效满意,特整理如下。

患者郑某,男,43岁。解放军某部干部。于1978年因腰痛、腹部包块就诊,经超声波检查,初步诊断为多囊肝、多囊肾。当即转北京某医院作进一步检查,经超声波检查结果:①多囊肝;②多囊肾(双侧)。同位素扫描结果:肝脏显著增大,多数占位性病变(肝多囊症)。肾盂造影结果:多囊肾(双侧)。未作特殊处理,嘱回原地治疗。

化验:肝功能正常。尿常规:蛋白(++),白细胞(++),红细胞(+++)。

体检:血压20/13.3kPa(150/100mmHg)。神志清楚,腹部膨隆,可触及凸凹不平之大小包块多枚,有压痛,腹围93cm,双下肢水肿,按之凹陷。

症见面色萎黄,精神倦怠,语言无力,腰胀痛,小腹刺痛,两腿痠楚并水肿,饮食不思,尿短赤,排尿时声灼痛感,大便1日2次,质软,苔边白中黄而腻,舌质淡紫,脉沉细而涩,证属气虚脾弱兼肾虚水湿不化、湿郁化热、络脉瘀阻而成癥块。拟方益气健脾补肾,清热利湿,活血化瘀,变法为治。方用:黄芪24g、潞党参24g、炒白术12g、云茯苓24g、炒山药12g、炒扁豆9g、炒杜仲15g、续断12g、生薏苡仁30g、半枝莲15g、白花蛇舌草30g、当归9g、桃仁9g、红花6g、大枣3枚。水煎服,10剂,每日1剂。

8 月 28 日复诊，排尿时灼痛减轻，余无著变。再以益气健脾补肾，清热利湿，活血化瘀。上方黄芪、潞党参、半枝莲、云茯苓增至 30g，炒白术、续断增至 15g，去桃仁、扁豆、大枣，加三棱、莪术、王不留行各 9g，全蝎 4.5g，10 剂。

　　以后于 9 月 9 日、10 月 7 日又诊两次，二诊方又进 50 剂后，12 月 13 日五诊时，患者述服药期间，小便曾连续排出脓液状之尿液，臭秽难闻，目前腰胀减轻，小腹痛已续减，腹部包块有缩小，腹围 89cm，尿常规：蛋白（＋）、白细胞 2～6，红细胞（＋）。苔中根淡黄而腻，脉沉细。仍守原法。二诊方入茜草根 10g，30 剂。

　　1979 年 3 月 5 日六诊：患者服药后，自觉舒适，又连服 30 剂，小腹痛瘥，腰胀痛减，腹部包块明显缩小，腹围减至 81cm，食欲增加，大便日一行。尿常规：蛋白（±）、白细胞 1～3，红细胞（＋）。血压 18.7/12kPa（140/90mmHg）。因患者就诊不便，乃于前方加阿胶 10g，照方 10 剂研末蜜丸，每粒重 9g，日服 3 次，每次 1 粒，并间日服煎剂 1 剂。

　　1979 年 8 月 21 日七诊，腹围减至 77cm，腹部包块续见缩小，除劳累稍感腰胀痛外，余无不适，并已恢复工作。尿常规检查仅少许上皮细胞，嘱丸方继服，以巩固疗效。

　　1980 年患者转业回山东胶县龙山工作。1981 年 12 月来函致谢，述因配药困难，仅服半年丸药，现已停服。现血压正常，腰亦不痛，包块也摸不到。能骑自行车往返 30km 也不觉累。饮食睡眠均正常。后寄处方 1 首调补气血，滋养肝肾，参以清热祛瘀，蜜丸常服，以杜复发。

　　本病属中医积聚、癥瘕范围。《金匮要略·五脏风寒积聚篇》说："积者，脏病也，终不移。聚者，腑病也，发作有时，辗转痛移，可为治"。《景岳全书·积聚篇》说："治积之要，在知攻补之宜，当于孰缓孰急中辨之。"故中医虽无多囊肝、多囊肾之病名，而详其证候则属于积聚、癥瘕之类。我治本例即宗前人论述，结合现代医学及个人体会而立法选方遣药，获得较为满意效果。

　　本例由于脾气虚，不能运化水湿，湿为阴邪，最易伤人阳气，故久而损及肾阳，肾阳亏虚，不能温养脾土，而水湿久难运化，肝主疏泄，水湿滞留，可影响肝之疏泄功能，所谓"土壅木郁"，肝气不疏，则气机不畅，又可影响水湿运化，日久气滞血瘀，水湿凝聚，遂逐渐而成囊状肿块。病虽涉及肝、脾、肾三脏，但从本例来说，关键在脾，故治法以益气健脾为主，补肾、清热、利湿、活血化瘀为辅，立足于补，补消结合。所以处方重用黄芪、党参以益气；白术、白扁豆、山药、大枣以健脾；茯苓、薏苡仁以利湿；半枝莲、白花蛇舌草以清热解毒，消肿利水；杜仲、续断以补肾；当归、桃仁、红花、莪术、三棱、王不留行、全蝎以活血化瘀通络；茜草根、阿胶以凉血止血，故而获得疗效。

（陈继婷　徐学义　吴元黔　整理）

特抽一矢贯双雕 　|吴粤昌|

忆 1935 年，余主韶州宏仁善堂医席时，治一中年妇右臂废软不用已 4 年，脉迟细而涩，舌质淡红，苔白滑而微胖，眠食无恙，二便亦调，平时自汗，神倦气乏，入冬则畏寒肢冷，余断为血痹。投黄芪五物汤、玉屏风散、当归补血汤三方合用，再加姜黄。方中黄芪初用 30g，配 3 剂，每日 1 剂，并将药渣加葱煎洗患臂。3 日后复诊，臂已较能活动。效不更方，但北黄芪每剂增至 60g，继服 5 日，再来时臂能举至肩齐，精神渐旺，守原方加鸡血藤胶。接服 10 日后，妇再来时，笑容可鞠，举右手摸头顶示余曰："我不能梳髻者已数年矣，先生之药何其神也?!"余与候诊之病人均为之高兴。诊其脉，涩象已除，但仍细。继进前法，5 日 1 期，前后共服四十余剂，右臂已恢复正常。最后一次其夫周某偕来，向我鞠躬致敬！并谓"深感赠医施药治愈妇臂疾，尤有奇事不能不奉告，吾妇多年来原患脱肛，迄未明言者，一因安之若素，二因只望臂能告痊，余愿已足，又不愿分散药力，岂期今日不仅臂功能完全恢复，连脱肛久病亦已霍然，足证英年妙手！"言毕，将亲书七律二首裱就之横披，置于手中，谓终身不忘云。原诗其一："避乱韶关已数年，思归空赋式微篇，风雨两袖家重累，月落三更蜡自煎，茶鼎药炉抛未得，丁男子妇病相连，宏仁各实真堪副，克庇灾黎戴二天。"其二："先生能使入风调，方药投时病即消，博览群书穷万象，特抽一矢贯双雕，娲皇炼石功相埒，诸葛征蛮德并超，济世慈航凭引渡，神医何幸遇今朝。"录之聊以记实。

随处是药笼，廉便得奇验
——血证 2 例举隅 　|吴粤昌|

凡为医者，每当遇到突然急病，而又地处穷乡僻壤，或值风雪阻途，或时当深夜，即使有医，亦苦无药，此情此景，常感难以施治。回忆 20 世纪 60 年代居乡时，遇一50余岁之农妇，经断忽行，初不为意，两日后量多而不止，眩晕神倦，心慌肢颤，深夜延诊，脉细弱，舌淡红而胖，面少华，病属崩漏，理当先止其血。适其夫以临时所炒花生招待。顿悟一法，嘱即刮取大灶镬底之炱约小半碗，另炮黑干姜1块，二者研末混合后，铺地上以出去火气，当时适有稀粥，乃取粥汤调匀服下安卧，至凌晨血渐止。天明后始书胶艾汤3剂，每日1剂，竟告痊愈，盖所用之镬底炱实即真正之百草霜。农村大灶长期烧茅草，此是止血之妙药也。

又于1972年6月27日，治一吴姓农民，57岁。是日下午，突然吐鲜血甚多。就诊时已吐满大半痰盂。观其神态尚清，诊其脉细，幸未见数大，舌质红，苔少，未现肢厥，气促，自汗等恶候，但仍感温温欲吐，询得素有胃病，当属胃出血无疑。虑其继续涌出，乃差人急往屋外采生松针取嫩者一束，又适门前植有柏树，取柏叶数十片，与松针共捣取汁，略加温水和匀，缓缓服下，逾1小时未见吐。再用童便小半碗予服。当时病势非轻，原应送医院留医较为安全，但时已入夜，医院隔十余里之遥，又因出血病人，不宜抬送颠簸。再三考虑，乃毅然留宿病家，以防病人失血过多而虚脱。旋得知姐夫储有吉林参，嘱取以备急。携处方就近往医疗站取药，回时已夜半矣。所用之方为：潞党参、代赭石（先煎）、花蕊石各30g，藕节、仙鹤草、墨旱莲各15g，阿胶9g（烊化冲服），白及6g，即煎服。

翌晨再诊，自进先后各药，夜能安寐，血已得止。舌转鲜红而干，面红微渴，脉芤。乃转方去花蕊石、白及、党参，加茅根、怀山药各30g，白芍、大生地黄各12g，竹茹9g，知母6g，另用怀山药30g煮粥，调治旬日康复。3年后以他疾去世，时余已离乡。

子宫内膜异位症所致痛经治验 王聘贤

痛经之症，有虚有实。实者或因寒滞，或因血滞，或因气滞，或因热滞；虚者则有血虚，或气虚。实痛者，多痛于未行之前，经行过后则痛自减；虚痛者，多痛于既行之后，血去而痛不止，甚或血去而痛益甚。但就我数十年临床所见，又常有实中兼虚，虚中夹实者，证候多端，故须详审病情，辨证施治，圆机活法。吾曾治一西医诊断为"子宫内膜异位症"之痛经，颇有典型意义，兹简述于后以就教于同道。

某女，姓朱，35岁。自幼禀赋不足，体弱多病。14岁时月经初潮起，即感行经前后少腹隐痛，时有胀痛和刺痛。经期则口干心烦，两肋胀满。22岁结婚后，痛经之症日趋加重，经期提前，经量减少，经色紫暗并有血块，至今十余年未孕。后经某医院做妇科检查发现阴道后穹隆左侧有可触及有痛感之结节3粒，均为黄豆大小，诊断为"子宫内膜异位症"。遂多次邀中医诊治，皆云"血瘀癥瘕"之证而服用水蛭、虻虫、三棱、莪术之类甚多，不但无效，反使病情更重。吾闻其病情及诊治经过，又查其舌质暗红，诊其脉弦而细。细思前医之误何在？忆及张景岳曾云："凡治经脉之病，或其未甚则宜解。初病而先其所因，若其已剧，则必计所归而专固其本，甚至脾肾大伤，泉源日涸，由色淡而短少，由短少而断绝，此其枯竭已甚也。昧者犹云积血，通之破之，祸不旋踵矣"（见《景岳全书·经脉诸脏病因》）。此证乃肝血不足，气郁血瘀，疏泄失常，瘀阻胞脉所致，前医反妄投温燥破血之品，正违此训，岂不适得其反？我以为当养血疏肝为法，并配合行气化瘀以为治，遂选《证治准绳》所载之交加地黄丸方，去辛温之川芎，加养血、泄热、通瘀之鸡血藤、炒大黄、鲜韭菜根，并配以行气消癥为主的三虫二甲散；攻补兼施，汤散并用，养中有行，消中有滋。处方为：生地黄30g、老生姜15g、延胡索10g、当归身10g、白芍12g、没药9g、广木香6g、桃仁12g、潞党参15g、制香附12g、鸡血藤15g、炒大黄6g、鲜韭菜根15g。水煎汁，送服三虫二甲散，每日3次，每次5g（三虫二甲散方为：蜣螂1对，红糖水拌炒，土鳖虫5个酒炒，九香虫5个，生鳖甲15g，炒穿山甲5g，山楂肉15g，共研细末使之均匀即成）。

进药20剂后，经行转好，痛经消失，其他症状亦大减。继以10剂，诸症痊愈，竟收全功，并再经妇科检查，阴道后穹隆左侧之结节完全消失。

（丁启后　吴元黔　徐学义　整理）

可保立苏汤疗小儿慢惊风力挽垂危　|王聘贤|

慢惊风乃小儿之危证，阴竭阳微，若处置失当，顷刻即有性命之忧。此"风"非外风，乃脾肾阴阳两衰所生之内风，必须谨守病机，从温补脾肾立法，方可使阳气来复，营卫调和，阴霾消散。临床上余每以王清任所创之可保立苏汤随症加减治疗，多获良效。兹举二案供同道参考。

患儿李某，男，6个月。半月前因发热、咳嗽、呕吐、腹泻而请某中医师诊治，发热、咳嗽渐平后，呕吐、腹泻仍不止，遂转入某院西医抢救，但病势仍无转机，以致抽风阵阵，冷汗淋漓，唇紫面青，指甲发乌，口吐白沫，呈昏睡状态。患儿指纹隐没，舌淡苔白，一派阳微阴竭之象。余经四诊合参。断其为吐泻日久，脾肾两亏之小儿慢惊风，急当补气养血，濡润筋脉，脾肾双补，遂以可保立苏汤加减主之，药用：生黄芪90g、党参9g、白术6g、甘草6g、当归6g、白芍6g、酸枣仁9g、山茱萸3g、枸杞子6g、补骨脂3g、核桃（连皮打碎）1个。水煎至60ml，每日1剂，分3次服。药进3剂，吐泻均止，神志清楚，抽搐停止，惟汗仍多，不欲食，舌淡红，脉缓弱。原方再进3剂，精神渐振，胃纳萌动，厥回汗收，舌转红润，六脉和缓。原方再加鸡蛋黄，3剂而收全功。

又有1岁患儿宋某，因泄泻旬余，日行七八次，呕吐纳差而请某中医诊治，经用参苓白术散等治疗无效，竟发展至颜面苍白，口唇青紫，两眼直视，项背强急，神志昏迷，手足抽搐，四肢厥冷。家属急来求诊救治，只见其一派脾肾阳衰之象，舌质淡白，苔薄白腻，指纹隐没难显。此因吐泻日久而大伤元气，阴津亏耗，筋脉失濡之慢惊风，治当温补脾肾，逐寒镇惊。方亦用可保立苏汤加减：别直参10g、熟地黄炭9g、甘枸杞9g、山茱萸9g、怀山药9g、黑附子3g、炮姜炭1.5g、肉桂心1g、白术4.5g、生龙骨9g、牡蛎9g、白芍2.4g、灶心土2.4g。水煎频服，3剂后，吐泻皆止，四肢微温，风症渐平，颜面口唇转为红润，再投3剂，诸症悉除。

此2例小儿慢惊风，皆因吐泻日久而致，营血阴津亏耗，阴损及阳，以至于出现阳微而阴竭，神明无主而昏睡，筋脉失之濡润而抽搐。均用王清任所创之可保立苏汤加减救治而收奇效，使危证逢凶化吉，转危为安。对于本病，明清医家皆有论述，儿科医家钱乙在《小儿药证直诀·慢惊》中谓其"遍身冷，口鼻气出亦冷，手足时瘛疭，昏睡，睡露睛"，均阳微之象，认为是"因病后或吐泻，脾胃虚损"所致。张山雷也认为："慢惊纯是虚寒，良由脾肾阴阳两衰，脱绝于下，而浊阴之气，亦复上升，冲激及脑，而为抽搐"（见《小儿药证直诀笺正·慢惊笺正》）。王清任更明确指出："本病因乎气虚，而不是外受风邪。"他反对使用散风清火，攻伐克消之方。他在《医林改错·论抽风不是风》中说："服散风药，无风服之则散气，服清火药，无火服之则血凝；再服攻伐克消之方，气散血亡，岂能望生！"这些论述甚为得当，只要辨证准确，谨守病机，随症加减应用王氏所创之此方，每有奇效，常使危证应手而愈。

（丁启后　吴元黔　徐学义　整理）

婚嫁在即，崩中急挽　　林朗晖

崩漏为妇科多发病，然而未婚女性患之却不多见。余于1979年10月随医院医疗队赴某县医院进行医疗工作，临将结束之际，适有城关镇一吴姓女子，24岁。3个月来月经量多如注，且漏下淡红，几乎整月不辍。妇科用肛门指检无特殊，血检：血小板120×10^9/L，血红蛋白75g/L。其父母心急如焚，请余出诊，要求在3天内能止血。经查问之后，始悉待嫁闺女，婚期仅隔3天，若依然崩下，喜期诸多不便，按当地风俗，带病合欢很不吉利。询问其治疗经过，曾服过中药归脾汤、胶艾汤、十灰散、四生饮、六味地黄汤、失笑散、傅青主固气汤，以及云南白药、槐花、地榆等药剂，并口服、注射西药止血剂等，均难根治。视患者面色㿠白，舌嫩齿痕，质淡苔白，脉虚无力。并有喜热饮而肌表怕冷，盗汗而复呈大便干结，胸闷心悸等症，患者甚忧，思此证必先止血以解燃眉之急。但病属脾肾虚寒，阳气虚乏，血失统摄，血亏肠燥，中土生化不及，拟以重剂《金匮要略》黄土汤合柏叶汤治疗。阿胶用蒲黄拌炒成"阿胶珠"，姜、附子用炮，大量地黄一半用熟以补血，一半用炭以止血，白术用土炒，侧柏叶、艾叶制黑，利用该地山区真正烧百草之灶心土（即伏龙肝）60g，共水煎成汤剂，空腹1日2剂，分4次服。服2日后，出现桴鼓之效，崩血完全停止，合家十分感激。临"于归"之晚，旨酒宴宾，盛情邀余赴席，待"三朝"回门之时，随访其家，悉知一切安然，仍嘱其节制房事。此时不待患者合家欣喜，余亦不胜惬意耳。

慢性粒细胞性白血病从肝论治　　陈忠仁

慢性粒细胞性白血病（以下简称"慢粒"）者，其脾必大，白细胞总数升高，多年来跟师学习和自己临床实践总结，认为此病多系肝实热型，故特提出慢粒从肝论治。

慢粒系恶性疾病，治疗可以说进展不大，生存最长3年左右。十多年来先后诊治多例病人，临床表现是左胁下不适，有沉重感，食欲不振，神疲乏力，时有发热，口苦，脉弦，舌黄等。病久有头昏，眼花，口干苦，手足心发热，烦躁、卧床不起等。按中医理论分析，两胁属肝，其伴随症状以脾为明显，肝血不足，肝阴亏损极为常见，肝气、肝火、肝风同出一源，异名而同类。久则阴血不足是十分自然的。肝者，体阴而用阳，说明阴阳失去平衡。实践证明，必抓住肝为本。我常选用丹栀逍遥散、龙胆泻肝汤、当归龙荟丸疏肝解郁，泻肝火从小便出，清肝热由大便去。这些均属中医正规治疗方法。实践中患者食欲太差，选用香砂六君子汤、参苓白术散之类效果不显或暂有改善饮食作用，亦会延缓治疗；烦躁、失眠、多梦、食欲欠佳，归脾汤治疗亦不奏效；如见肝血不足，风阳上亢，天麻钩藤饮之属亦不是治疗之根本；当见精血亏损，六味地黄汤、杞菊地黄汤养阴反见左胁不适加重。所以治疗中当以肝为中心，我们治疗 1 例慢粒生存 5 年多，辨证时抓住肝，随证化裁。处方常用当归、白芍、芦荟、鳖甲、大黄、黄连、黄柏、龙胆草、柴胡、青黛、山楂肉、紫草、木通、车前子、木香等药。我的体会是疏肝首防伤气，泻肝注意便溏，利湿小心伤阴，柔肝养血，软坚活血亦应贯穿于治疗中，只要抓住肝，据证加减化裁。

以上管见，盼同道细辨，总结规律，攻克这一难关。

妇 科 志 异　　|邹卓群|

临床上发现有少数病例，书本上未见有记载，殊感奇异。特记于此，留待专家研究参考，以广见闻。

1970 年 8 月下旬，遵义县虾子区有一张姓女婴，出生才 4 个月多，阴道经常流出少量鲜血，啼哭不乳。家长迅即抱往当地医院治疗，未见好转。又到地区医院西医儿科门诊治疗，作炎性病变对症处理，仍流血不止。特来我处求治，患儿面色苍白，形体消瘦，息短脉微，啼哭惊叫。自愧才疏学浅，不敢冒昧妄诊，建议住院观察治疗。当时收住地区医院西医外科，治疗 1 个月左右，未经手术，患儿死去。医院征得患儿家长同意，对尸体作病理解剖，发现为子宫内膜癌。

湄潭县兴隆区有一陈姓女孩，3 岁半时阴道流出少量鲜血，从此每月按期流出。女孩饮食睡眠均可，嬉戏如常。4 岁时即现乳房胀大，身高和体重已跟10 岁左右的健康女孩差不多，只是智力比同龄女孩较差。1983 年 5 月，女孩已满 5 岁，家长要求服药治疗。因无病态，只是发育早熟，属于生理上的特异性，向家长耐心解释，未予治疗。我临证 60 余年，只见此 1 例月经过早的女孩。由此可见，"二七而天癸至"，只是带普遍性的一般规律，仍有少数例外，不能绝对。但其早熟的原因何在？仍有进一步探讨的必要。

以上两例，都不能用常理来解释。在医学知识的广阔领域里，还有许许多多未被认识和掌握的奥秘，需要大家努力去探求，去获取。

（邹克扬　整理）

"伤寒壳病"奇案求贤 |陆鸿滨|

人体体温分核温和壳温，核温在核心部分，是基础体温，壳温在浅表部分，受外界温度影响，与外界保持协调。日本现代医家将受寒邪引起的当归四逆汤证等归为"壳病"，此类病现代常发生在受冷气设备所致的"寒邪"之后，又称"冷症"。笔者曾遇一伤寒奇案，推其理应属受寒后壳温调节障碍，故拟诊为"伤寒壳病"，兹纪实于后，以求贤者赐法。

1978年9月16日笔者在贵州省某县医院门诊带学生实习，遇一29岁男性患者许某，主诉体表怕冷已3年，缘于3年前出差外地，适遇寒潮，无衣可加，坚持顶住，此后即觉体表怕冷，不能静坐，越坐越冷，故3年来跑跳不停。当时我等只穿单衣，而患者已穿毛衣。汗臭浓烈，皮肤浮白松软而湿润，有如中年以上体虚发胖者之面容，舌淡苔白，脉濡细。曾服温补剂、祛风除湿剂、麻黄桂枝小柴胡三汤合方、玉屏风散合桂枝汤等药无效，笔者先后予麻黄附子细辛汤、金匮乌头汤亦无效。10月5日三诊，仔细询问，稍感胸闷心悸，服助阳药时加剧。笔者乃思，胸中为三阳交会之处，"心者，三阳交界之地也"（《伤寒来苏集》）。3年前受寒太重，邪已由太阳之表犯及胸中，以致三阳气化不利，营卫不得外达，故肤冷。动而生阳，故活动时体表冷减。心胸阳气受阻，故胸闷心悸，乃阳遏而非阳虚，故得助阳药则加重。此证病机似结胸，用瓜蒌薤白半夏与桂枝汤合方以开胸通阳，助营卫外达。服4剂大效，已能静坐，但舌心苔剥，为营阴不足，加饴糖以建中养营，服后舌心苔复，皮肤外观正常，恢复青年面貌，但怕风，予以大小建中汤加减以调补营卫，共治月余后笔者返校。1979年3月接患者来信说，1978年底受寒后冷症复发，按原法治疗无效，胸闷、心悸、怕死加重，不敢动，动则发热，经常咽痛，容易感冒，余复信给予小柴胡与小陷胸汤合方，4月来信说上方无效，胸部如有石压，不断增加衣着亦不能减冷，后再用瓜蒌薤白半夏加麻桂各半汤亦未效。患者回江苏某市休养，当年6月，适逢笔者出差该市，至其家中，见患者全身棉装，棉帽、棉衣、棉鞋，外加绑腿，皮肤又转浮白松软。数年来，书信往来18封，患者病情越来越重，靠进热食及加衣被可稍抵寒冷，垫盖被褥各四床，裤子最多加至八条，用过黄芪建中汤、金匮肾气丸等亦未效。其家人及某些医生认为他是"精神病"，曾一度送入精神病院，强行脱去其衣服，按精神病治亦未效。1984 年 10 月 23 日末次来信说："他们不相信我会得医书上找不到的、没听说过的病……若可能的话，到医院住上几天，让一些医生看看我的各种古怪现象，使这家医院的某些医生能想通我的病，证明我的病。"从来信可见其思维清晰，不像精神病。

技穷矣！但笔者认为，作为一个医学科学工作者，贵在不断地探求，否则人类医学就不会进步。既然器官功能都会发生衰竭，体温调节功能难道不可以衰竭吗？此案值得深思。

"火腿"一案心悟　　|陆鸿滨|

1973 年冬张某告余曰，其母八旬高龄，尝患右下肢冷痛数十年，1966 年遇一针灸游医，为其针刺，一针之后冷痛即失，该医告其母曰，3 日之后必来打"解针"，其母谓数十年来患肢从未如此温暖舒适，决心"不解"，此后即觉该肢一日热甚一日，往寻该医，已不知去向矣，迄今七八载，夜间热如火灼，实难忍耐，求余诊治。余觉此案奇特，亲往病家诊视，时值隆冬，患者尚出外游玩，呼之归来，见其装束，甚觉可笑，特制棉裤，裁去右侧裤脚，右下肢裸露于外，着一浅口布鞋，左侧则棉裤棉鞋，患肢皮色不变，温度稍高，患者神态正常。余心中暗叹：神哉！岐黄针术！窃思此病起于针刺，恐只能针解，遂谢绝为其用药。1980 年余读湖北朱曾柏先生按痰热瘀阻经络治愈一侧下肢发热 8 年 1 例（见《辽宁中医杂志》1980 年 4～7 期连载《论中医痰病学说》），余猛省其理，拍案叫绝，盖针灸之妙用在于"得气"，气至则血至，荣卫亦至矣，是以一针之下，即不再冷痛；然"得气"而"不解"，岂非形成"营卫不清，气血浊败，熏蒸津液，痰乃生焉"（见《证治汇补》）乎？余悟此理，速至病家，张母已归西矣！憾哉！读岐黄之书，贵在心悟，余当引之为训。

《金匮要略》方治"鬼迷"　　|胡肇基|

辛亥季秋，某日，有中年妇人，双眉紧锁，似有隐忧，到余诊室，余问，有何不适者？曰：非我就诊，乃我女儿有病，欲请教先生也。余曰：何不挈其前来？曰：彼遇鬼迷，不能来也。余深讶之！曰：何以知其遇鬼迷？曰：一周前，学校组织学生旅游白云山，我女儿亦去参加。是日归来，即见其神情有异，饭量减少。问其原因，俯而不答。初以为远足爬山，过分疲劳如是矣。乃任之，仅促其上床休息。本以为翌日醒来，疲劳一过，当复常态也。岂料午夜，隐闻女儿呻吟梦呓，似极辛苦者，乃唤醒之。待醒，问何不适，不答。再问之，竟悲从中来，作欲哭状。因其不答，故一再追问。在其断断续续，不成词语中得知昨日前往白云山旅行，中途因小便急，附近无厕，乃转入路旁树丛小解，正欲解溲，耳闻男同学笑语声喧，恐其瞥见，乃寻幽探径，转入荒塚坟地中解之。便毕，始觉尿中一骷髅，大骇归队，而队友已去。更惊，边呼边赶，至赶上队伍，已喘息吁吁，面青唇白，有气无力耳。老师见状，问其所以；同学见状，纷至围观。女儿更惧，不由悲伤欲哭，幸得师友劝慰，扶持上车，始返家门。自师友离去后，女儿即觉有鬼追随，连声索命，故不敢言语，盖惊魂未定也。其后入睡，朦胧中该鬼又至。要来索命，故惊惧而呻吟梦呓也。是时，医院届已下班。病人家居离此不远，乞余往诊。途中，又云：我已多日烧香拜神，烧钱送鬼，亦曾按神婆旨意，给服神茶，惜未能逐冤鬼而愈爱女耳。财虽破而灾未除，家运之不济也。言下唏嘘再三，竟至潸然泪下。抵其家，窗门紧闭，帘幕低垂，阴森昏暗，莫可名状。灯亮，见一少女，面壁而坐，其母呼之，亦不回应。余乃嘱开其窗而牵其帘，在自然光照下，只见该女年约十四五岁，面容憔悴，形体偏瘦，两目凝视前方，面无表情，神态呆滞，略俯其首，问而不答，俗谓："呆若木鸡，状如神灵也。"切其脉，形偏细，力偏弱，息偏快，乃虚细而数者。移时，忽见病人呵欠，余留心观察之，良久再欠，继之以伸，如是者再。顿忆《素问·宣明五气篇》云："五气为病，肾为欠。"盖肾主藏精，又主纳气，恐伤肾，肾伤则精力不继，纳气无权，气乏而欠，故呵欠频仍也。《内经》云：脾主四肢，禀气于胃，清阳实之。脾气健运，清阳流布，则四肢轻劲，灵活有力。思虑伤脾，脾虚则四肢倦怠，发而为伸，故频伸懒腰也。此正仲景《金匮要略》所言"妇人脏躁，喜悲伤欲哭，像如神灵所作，数欠伸，甘麦大枣汤主之"之证也。今病人欲哭而未嚎啕，欠伸而未妄动，所表现者为静态，说明证偏于阴，乃惊恐忧虑，脏阴不足，虚火浮越，上扰心神之病也。治宜养脏益阴，宁心安神为法，处以加味甘麦大枣汤：小麦 30g 以养心气，熟酸枣仁 9g 以补心阴，合而养阴宁神；大枣 15g 以补脾气，桑椹 9g 以养肝阴，合而补阴滋液；五味子 5g 以敛肺气，生牡蛎 15g 以潜肝阳，合而敛阴潜阳；玉竹 9g 以润肺阴，怀山药 9g 以益脾阴，合而益阴润燥；天冬 6g 以滋肾阴，生甘草 6g 以泻心火，合而滋阴泻火；龙齿 30g 先煎，用以安神定志。加味后，名"五味淮麦饮"，有酸甘合化，养阴潜阳作用。平素用治脏燥阴虚，浮阳上越者，有一定疗效。病人服药1剂，已能答问；服药2剂，已能自言所苦；服药3剂，已无幻视幻听；服药4剂，已能安睡。连续服药10剂，诸症消失，已如常人。嘱其恢复上学。治疗期间，老师同学曾来探望，余嘱病愈复学之时，只宜好言劝慰，不宜重提此事，免伤其心，而再乱及神志也。

病人愈后，同事有戏呼余为钟馗者，答曰：余固非终南道士，惟鉴其外，知其内，见是证，用是方，所谓辨证施治而已。

（谭宇翔　整理）

附子饭治寒痢 |周德丽|

附子味辛，大热，气厚味薄，可升可降，通行十二经，功专回阳，为补先天命门真火之要药。然纯阳有毒，《神农本草经》将其置于大毒之列，李时珍《本草纲目》谓其"辛，温，有大毒"，故仲景治少阴下利，利止脉不出，真寒假热之证用大附子1个去皮生破8片。王好古《阴证略例·活人阴证例》霹雳散亦用大附子1枚，烧存性蜜水调服。足见附子用量，前贤均较稳慎。

但近日遇一妇人下痢，时休时作已数年。痢下白冻黏液，日十数行，临厕虚座，腹痛里急。观其面色㿠白，唇舌淡白，肢端厥冷。诉已辗转求医，温中涩肠之品饱尝，食胡椒如嚼豆，嚼姜如嚼糖，但腹部寒冷，终不觉减。故自制一肚兜，虽酷暑之日，亦抱之不放。细思胡椒、干姜乃温胃之品，食之仍腹冷如冰，脐腹之处乃命门之地，此天寒地冻皆由无火也。故用真人养脏汤，方中人参、白术、肉豆蔻、诃子、罂粟壳既能涩肠又可补脾，更用肉桂温肾，当归、白芍调血，木香行气。药后病人诉病势虽减，但又增胁痛、咽干燥。细问得知妇人尚有胁痛宿疾，乃肝阴之血素亏之体。王好古《医垒元戎》曰："桂肉入足少阴、太阴血分。"赵献可《医贯》云："世止知附桂为补火之最……，讵知火衰气寒而厥，则必用附子，火衰血寒腹痛则必用以肉桂。"可知肉桂温血但弊在耗阴，肝阴血虚者用之则胁痛增，耗肾阴则咽干燥。故遵赵献可之说，以附子易肉桂。于原方中用附子15g，病家要求附子用量再增些，余嘱其将药久煮则效自卓，不宜过量。过得3日，病家来诉：利下腹痛寒冷已愈。并告之曰："前日所开方中之附子，服之量小力差，自将3日量作1日服，将附子煮于饭中食用，又再购得附子90g，每日附子煮饭，慢火熬煮，始得利止腹暖。"

吾闻之愕然，咦！附子之用斯量斯法，诚所谓"有故无殒"也！

臌病奇案 | 张景述 |

　　1938 年冬，因日寇侵华，广州沦陷，余逃难蛰居于江西塘江圩，一天因事到赣州，遇同乡梁锡扶之妻患臌邀诊。患者年逾五旬，身体素健，无特殊病史，曾生育儿女六人，两年前开始停经，3 个月后即觉恶心呕吐，厌食喜酸，继患腹臌，久治无效，曾请当地一著名外科医师诊治，断为腹部肿瘤，建议剖腹摘除，但患者怕手术痛苦，不肯接受，乃延至病情危重。才邀余诊治。

　　患者腹水严重，有转移性浊音，腹围 120cm，腹壁静脉怒张，上胸出现蜘蛛痣，肝不可扪及，脾肿大在肋下三横指，面色苍黄，五官端正，巩膜有轻度黄染，心肺正常，双乳稍隆起，乳头呈褐色，腹部臌胀按诊未发现肿块，脐凸起，发育正常，营养中等，下肢微肿而皮肤粗黑，精神憔悴，但目光有神，发音洪亮，脉搏滑数有力，舌苔灰白腻带黄，舌质紫暗，口唇干燥。自诉腹部胀痛欲裂，坐卧不安，呼吸困难，饮食难下，已七八天未大便，小便短小如茶色，数日来昼夜呼号，痛苦难忍，不能宁睡。

　　根据上述体征症状，初断为臌胀病（肝硬化腹水），且认为患者儿女多，家庭经济困难，由于忧思伤脾，郁怒伤肝，情志不遂，以致气血郁结，经络阻隔，运化失职，水谷滞留，遂成臌病。肝郁脾困，湿热内蕴，气机不利，乃出现胸腹胀满，便秘溲赤，舌苔灰白厚腻带黄和巩膜黄疸等症。舌边紫暗，腹壁静脉怒张，蜘蛛痣，下肢皮肤粗黑，是肝郁血瘀之征。腹满腹痛，大便不通，小便短赤，为邪水宿食壅塞之象。但目光有神，发音洪亮，脉搏滑数有力，故邪虽盛而正气未伤，尚可接受攻逐之剂。

　　选方《外台秘要》十水丸（芫花、甘遂、大戟、巴豆、牵牛子、连翘、赤小豆、大黄、泽漆），服首剂，泻下 12 次，泻出糊状秽粪两痰盂之多。腹胀顿减过半，并能安睡，进小碗稀粥。次日再诊，脉搏仍滑数有力，精神尚佳，因照前方加服 1 剂，服后又泻 6 次，泻出秽粪半痰盂，小便逐渐增多，腹胀已减大半，食欲增强，病情明显好转。三诊见脉症如前，体力尚健，腹水未尽，乃嘱再服前方 1 剂。此时因敌机常袭赣州，我匆匆逃返塘江，临行时叮嘱病者丈夫梁某说："病人目前虽有好转，但不能短期获愈，且处理不当，随时有复发可能，如必要我治疗的话，最好迁来塘江就医，并可避免敌机空袭惊扰。谁料我离开赣州后，梁某怕药力峻猛，只给服半剂，即停止服用，这时病情虽暂告好转，但过了一星期，大便不通，腹胀又渐增加，甚至回复腹胀欲裂的程度。梁某为了解救其妻的疾苦，便举家迁来塘江请我继续治疗。

再诊，脉搏仍滑数有力，口臭，舌腻带黄，腹满硬痛如前，小便短赤，大便已五六天不通，乃再用十水丸原方加减，连服 3 剂，得泻后病情逐渐缓解，以后采用了一攻一补，或攻补兼施方法，即间用了香砂六君子汤，或补中益气汤以扶正助祛邪，如此经过约 2 个月，腹胀已消了 3/4，小便恢复正常，饮食日增，精神愉快，颜色红润，巩膜黄染已退，腹静脉怒张消失，自觉无任何痛苦了。但少腹日见隆起，当时没有条件作任何辅助检查，只能耐心观察，用大剂佛手散试胎，结果确有胎动现象，此后转用八珍汤，归脾汤等加减以调补气血，过半个多月，竟出乎意料地发现胎心音，继又发现胎儿活动，乃转告病者家人，他们惊喜交集，疑信参半，又过了 3 个月左右。就瓜熟蒂落，顺利地产下一男孩，从此臌病若失，恢复了健康，且有乳汁喂儿，追踪观察，6 年未复发。

治此臌病，且喜添一男，母子平安无恙，可谓奇案了。

辨证论治治愈恶性组织细胞病 ｜黄奉辛｜

1971 年 8 月 18 日，同道刘君介绍一例周岁女婴于某就诊，症见神怯消瘦，面色无华，烦躁不安，皮肤燥热，咳呛气促。家属诉述 7 月 10 日因发热、腹泻无度，前医以中毒型痢疾诊治，住院 3 次，辗转月余，针药未效，病反加重。经随证施治，法则数易，给药十余剂，症转告愈。最后才看到上海一医儿科医院、浙江第一医院骨穿病理报告为恶性组织细胞病。笔者治愈该例病婴，随访 15 年，发育良好，回溯所用方药，品味中医辨证施治的优越，谨介绍诊治简况，就教于高明。

初诊：除篇首所列见症外，体温 39.5℃，鼻煽，雪口疮，泻利频繁，舌鲜红，脉滑数，表现久痢蕴毒，腑病犯脏，肺肠综合征，脏病险急之候，予辛寒清肺、消痰宣壅法，方用麻杏石甘汤加黄芩、连翘、地龙、瓜蒌皮、竹茹，2 剂。

复诊：热稍低，喘稍平，口疮减轻，口渴，面绯颧赤，病机为肝火犯肺为主，改用清金平木，泻肝宁喘法，予泻白散加消痰药 2 剂后，喘平，热未退，利未止，继则着眼挟热下利，投以葛根芩连汤加凤尾草，3 剂。

之后热退利止。此时患婴体极憔悴，气津俱伤，即投王氏清暑益气汤，凉滋益气。

七诊诉 2 日来已稍进稀食，大便次数又增，完谷不化。可见脾虚气陷之候。

则予七味白术散益脾升清，合计服药半个月，血象恢复正常，症平，渐趋康复。

附：检验报告

8月2日台州地区医院检诊：体温39.5℃。大便常规，黄黏便，白细胞少许，其余皆阴性。血检：白细胞2.1×10^9/L（分类不详），血中见到异形细胞。印象："恶网"。故行骨穿。

8月16日上海一医儿科医院检查报告：骨髓象增生活跃，网状细胞较多，13.5%，有些细胞大、核仁大，胞浆呈蓝色，早幼粒中有些形态亦较大，红细胞系统略少。印象：恶网。

同日浙江第一医院报告：涂片中有核细胞呈中等，巨核细胞量稍增多，血小板功能尚佳，粒细胞系统增生欠活跃，粒细胞核左移，部分胞浆有空泡，红细胞系统增生欠活跃，又见到少数异常网状细胞。印象：恶性组织细胞病。

"脉暴出者死" 目睹记 |刘友梁|

1953年冬，余应聘至一中药铺坐堂行医（该系偏僻之乡）。某日晚间有一人叩门借宿，据称系邻乡中医陈某，白天赴本村出诊，因患者病危，惟恐不测，未敢久留，故来投宿。因查询病状及用药情况，陈某当即介绍说，证属少阴，病已数日。症见肢厥，不省人事，脉细欲绝，傍晚时处以白通汤1剂，已煎服，尚不知结果……云云。

约当子夜时分，店铺外敲门声甚紧，同时有二三人喊道："陈先生，病人服药后已大有好转，劳驾您再前往看看。"陈某心虚，要我陪伴此行。到病家时，但见病人躺在床上，不时摇头，喉中有声，而神识昏聩。又见床下颇潮湿，询知系遗溺所致。陈某诊脉毕，喜谓脉已显，肢末已转温，乃佳兆也。我诊其脉鼓指而疾，但重按无根，心感有异，细思此证如是服白通汤而阳回，何以却神昏摇头而遗溺？又何以脉如釜沸？再察其舌根已收缩难辨，显系危象。于是告以："其状有似《伤寒论》'服汤，脉暴出者死'，此证未可乐观。"陈经余提醒，若有所悟，但仍故作镇静，谈笑自若，又取红参3g，嘱即冲炖灌服。拂晓，病人仍昏迷不醒，且增息高。据《伤寒论》第229条曰："少阴病六七日，息高者死"。陈某见状，情知不妙，托辞说另有病人召诊，不能久留，这里请刘医生多关照，说毕即匆匆离去。陈某去后，余亦欲告别，忽闻邻室嚎哭之声，急返视之，病人已溘然而逝，不禁为之恻然。

事隔20余年，至今回想起来犹历历在目，细思当时患者证情，诊为少阴重证当无疑义，但医者投白通汤，何以出现脉暴出、阳气外脱的死候呢？余以为少阴病当阴寒内盛，如有格阳于外之时，仲景曾立通脉四逆加猪胆汁汤，意取胆汁阴寒引姜附阳药入阴，使不格拒，以达到通阳救逆之效。现少阴格阳迳用白通，而无阴药为引，则药难中病，且益增阳气暴脱之危。本例用药后出现的"脉暴出""息高"亡阳之候实为其因。仲景对少阴病"脉暴出""息高"反致"死"，而未有出方，可见此证救治之难了。其时山区，交通不便难以运送，且病情急骤手中又无所需应急救治药品，故是时辗转思考，深感个人孤掌难鸣，对病者垂危已无回天之力。但对目睹患者之死，思之犹感无限之内疚，录此以为自儆。

半边脸出汗治疗奇效 ｜李俊辉｜

曾遇 2 例患者，均为男性，体质壮实，饮食睡眠正常，惟面部汗出甚多，淋沥不止，左右交替出现，额部无别的表现，静坐亦有如此症状，饮食动作则更加严重。此种现象已 2 个月有余，经多方治疗均无效果，甚为苦恼。自觉尚有心悸，气短，大便秘结，二三日一行，脉弦，舌质淡红，苔薄黄。初遇此证，难于下手，仔细揣摩，额面为少阳、阳明经脉所过，有大便秘结不畅，乃阳明腑气不通，此为少阳、阳明二经之腑积热不解，热结内阻，经气不利，则水津不布而溢于外，故以泻少阳、阳明积热为主，又因汗出伤阴，佐以益气养阴敛汗之法。拟方：龙胆草 6g、杭白芍 12g、石决明 24g、生石膏 24g、知母 9g、粳米 9g、黄芪 12g、麦冬 15g、大黄 6g（后下）、龙骨粉 21g、牡蛎粉 21g、麻黄根 24g、浮小麦 30g、甘草 6g。2 剂见效，5 剂痊愈。

五年怪病，一吐而愈 ｜蔡垂钱｜

侨胞肖老画家在海外得一怪病。每一合眼，几分钟后就仿佛看到许多手折足断、血迹斑斑的怪物，或是三头六臂的金甲奇人，因而叫喊惊醒，彻夜搔扰，不得安眠。病经 5 年，治疗皆无济于事，因此回国求医，到鼓浪屿时，形容憔悴不堪。

经洪子辉先生介绍特来求余诊治。脉寸口浮大，倍于人迎。系胸中痰积所致。方用常山（酒煮）15g、生甘草3g、生姜5片、人参芦9g，水煎服2小时后，感觉恶心欲吐，遂自用指头探吐，随即吐出大量黏痰，约500ml，内有指头大青亮如石的顽痰一块。吐后疲惫不堪，即伏枕昏昏入睡。次日午后醒来，精神大振，再进1剂，顽痰尽吐，霍然而愈。

此例因寸口之脉滑盛，盖寸口主胸中，倍大于人迎，可想其胸中痰涎之壅盛。痰涎蒙蔽而致幻梦，惊扰不得安眠。"顽痰生怪病"，是中医的经验之谈，痰去则病安，正如澄其源而流自清。欲去胸中顽痰，最速莫如涌吐。由此可见，吐法运用得当，实有不可思议的疗效。

（朱清禄　整理）

脉痹之疾，贵在温通　|黄奕卿|

尝读《素问·痹论篇》有"风寒湿三气杂至，合而为痹"之说，这是指痹证的病因而言。在中医病理学上通常认为痹者阻塞不通之意，气不通则痛，故凡肢体疼痛之证，多从"痹证"论治。可是，《内经》所指却非独指疼痛而言。《痹论》说"夫痹之为病，不痛何也？岐伯曰：痹在于骨则重，在于脉则血凝而不流，在于筋则屈不伸，在于肉则不仁，在于皮则寒……"，这五种痹的证候在临床上也是常见的，都可以照此病机筹措治法。

多发性大动脉炎，又称无脉症，它的临床表现类似中医的"心痹""脉痹"。根据上述理论，我认为本病病机与阳气不足、瘀血痹阻脉络有关，20多年来采用温阳益气、活血化瘀为主治疗5例，获效满意，兹举1例如下。

颜某，男，46岁。右上肢痠痛、发麻、发凉已年余，就诊于某医院，确诊为多发性大动脉炎，经强的松治疗1个月，效果不显而中断治疗，后经友人介绍来诊。近来上症加剧，且增添头晕痛，视力减退，健忘，右上肢易疲劳。检查：舌质黯红边有瘀斑，苔薄白，脉右侧切不到，左脉弦；右侧桡、肱、腋动脉搏动消失，左侧桡、肱、腋动脉搏动正常；右上肢血压测不出，左上肢血压17.3/10.7kPa（130/80mmHg）；右上肢体温33.5℃，左上肢体温36.8℃；眼底可见视网膜萎缩、动脉硬化、静脉扩张；胸片可见肋骨下缘有凹陷缺损，左心室扩大；心电图示左心室肥大伴劳损。西医诊断：多发性大动脉炎。中医辨证：阳气不足，瘀血痹阻心脉血络。治拟温阳益气、活血化瘀为法。方予：桃仁、红花、赤芍、党参各15g，附子6g。水煎服，每日1剂，连服7天。复诊：右上肢痠痛麻木稍减，肢末转温，脉右寸隐见微细，左脉弦。药已中病，勿庸更张，再进7剂。三诊：服药2周，右上肢痠麻痛大减且渐转温，头晕痛瘥，视力转佳，精神觉爽。舌质略黯红，瘀斑仍在，舌苔薄白，脉右寸细、关微细，尺未扪到，左脉弦。守原方续进35剂后，痠痛麻均除，肢体转温，头晕痛显减，视力正常，精神转佳，体力倍增，舌质淡红，瘀斑消失，右侧寸口三部及桡、肱、腋动脉均可扪及搏动（右脉弦细），左脉弦。右上肢血压为13.3/8.0kPa（100/60mmHg），右上肢体温36.6℃随访3年未见复发。本例治以丹参、桃仁、红花、赤芍、苏木、当归尾，活血化瘀、破血通脉；加党参，黄芪益气；桂枝温通心阳；附子强心、通行十二经脉；上述诸药有加强行气、活血化瘀、破血通脉之力，使其气充而心阳渐复，故右脉复出，诸症悉平，于是病愈。

　　足见中医临床，贵先识病，然后就病辨证，谨审病机，病机既明，法亦随出，按法投剂，自无不效。不过据我体会，要做到这一点，是很不容易的。朱熹诗云"问渠哪得清如许，为有源头活水来"，要求达到临床辨证澄明清澈，就必须在医学"源头"上下功夫，这个源头就是《内经》和历代各家学说。可见，钻研理论确实是必要的。

三年痰包中药除　　|潘文昭|

　　人们常说，中医中药治疗奇难杂症有其独特的疗效。此话是有一定的道理的，笔者运用中医理论治愈这种病例，深有体会。

　　1982年4月，治疗一患舌下水疱样肿物已3年多的13岁患儿。西医诊为"舌下黏液性囊肿"，曾先后两次手术切除，但第二次手术后2个多月，舌下又出现2个如绿豆大的肿物，半透明状如珍珠，触之疼痛难忍，因不愿再作手术而邀我治疗。诊见：舌红，苔淡黄而厚腻，又得知其祖籍四川，嗜辛辣，每餐必麻辣佐味，乃考虑为湿热内蕴、痰热胶结为患的"痰包"，予清热化痰、散结消肿为治。处方：川黄连5g，黄芩、法半夏、胆南星各6g，藿香、白芥子各8g，海藻、昆布各10g，夏枯草12g，鹿角霜15g，青黛4g。每日1剂，每剂煎取90ml，早晚分服。另锡类散调水外搽患处，忌食辛辣热物、肥腻。服药18剂，肿物消失，停药后随访2年未见复发。

　　痰包是一种杂症，系由湿热内蕴，积酿成痰，流注舌下胶结而成。中医从痰论治效果如此显著实为喜事，之后又治2例均效，可见中医对奇难杂症之功。中医治疗杂证值得进一步深入研讨，以期发扬光大。

肺痈错治获效　　|黄仕沛|

1977 年夏，治一阮姓翁，经某肿瘤医院诊为肺癌，用抗癌药环磷酰胺治疗 8 个月之久，病势日增，自认必死，举家忧虑，其婿邀余往诊，余坦诚告之："吾不擅此道。"其曰："望慰之以言，假之以药，求一时之安矣。"遂往诊之，其脉虚数微弦，苔灰白厚腻，潮热气喘，不能平卧，频吐痰涎，胸痞胀闷，饮食不思，形销骨立，素体七十多千克肥胖之躯仅剩四十多千克。诊毕，聊以好言慰之，并谓家人："正衰邪盛，病确濒危，抗癌药似无实效，徒损正气，既属不治之症，不若暂停药。但自问亦无良法。勉以千金苇茎汤加穿山甲、皂角刺、蜂房、北黄芪。服数 10 剂无咎无誉，亦意料中事也，数日一期往视之。一日阮翁曰："服前日之药，涌吐脓血瘀浊，至今仍未尽，甚者有两块如橙大，吐时辛苦几不能支，仅服两剂，尚余 1 剂，不敢再服矣。"思处方并无更移，何药克伐如是？乃问曰："药物配齐否？"答曰："未配齐，惟皂刺一味缺货，药肆中人谓不若以皂角代之。"令取未服之药拈视之，为猪牙皂，并按原方 24g 配足。诊其脉无甚变化，虽大吐之后，幸病未加甚。另处益气涤痰方，岂料自方后潮热渐退，食欲日增，神爽气顺，吐脓油血痰达数月之久，后 X 线检查块状阴影已消失，据阮翁言，肿瘤医院曾做病例讨论，推翻原来判断，考虑可能为肺脓疡云云。阮翁现年近七十，形色丰腴，起居如常。

窃思此例，错有数端，寓其理也数端，错有错着，错中求理，颇有趣味。

一错为某医院，诊断不确，竟用环磷酰胺徒伤正气，延误病情，几成冤死。

二错在余，先入为主、人云亦云，以为不治之症，敷衍了事，并无细心诊断，以无功之药，避有罪之嫌，再误病情，几亦枉死我手。

三错为药肆中人，不明药理，不识病情，擅改处方，以峻猛之品，视同一般。幸错中又错，纯出侥幸。《金匮要略·肺痿肺痈咳嗽上气病脉证治》："咳嗽上气，时时唾浊，但坐不得眠，皂荚丸主之。仲景原已用之攻涤痰窠，峻药缓用，今竟以 24g 煎汤，峻猛尤加，无怪乎顽固之痰，一朝得破。

近贤冉雪峰先生曾治一肺痿，病已造极，潮热盗汗，脉虚数，肌肉消脱，皮肤甲错，面目黧黑，稍动即息贲，气不接续，浊痰胶结，不能平卧，先生多方以求，清肺热、化肺痰、理肺气、润肺燥、补肺虚，遵依古方，似效不效。一日病者自服樟木刨花约斤许，煎饮两大碗，逾时腹痛泻利不已，脉弱气微，不能动弹，困憋不支，奄奄一息，经用止泻固脱救治而减。自此，年余未平卧者居然得以安卧，约月余病有好转。故先生曰："樟木水何以能疗肺痿？盖樟木香臭甚烈、有毒，滑泻力强，能稀释胶结，搜剔幽隐，荡涤潴秽，与葶苈大枣泻肺汤类似，但葶苈大枣泻肺汤是治肺痈实证，何以能治？且前次我按法用药，何以不救？自服樟木水后，何以服用前药又有效？盖前药未达有效量耳。浊痰随来随积，去少积多，如何能效？服樟木水后，浊痰老巢已破，半疏半调足矣，所以得愈，惟服樟木水过量，是以变生险象，但病因此而速愈，亦未始不由乎于此。可见大病必用大药，不得先将一个虚字横在胸中。"（《冉雪峰医案·肺痿》）

观此两案，无独有偶，予亦有感于此而录之。

（梁淑贤　整理）

宜遂其性，以遣其情　|吴粤昌|

昔年曾对郁证研究，略有心得，认为精神病源多因情志受影响所致，情志抑郁则精神状态失常，遵《内经》治郁方法"乃遂其性"之旨，与及"情病当以情遣"之理，运用此意治愈本病多例，兹选其较著者1例以证明之。

1969年，梅县松东谢姓，女，年二十余，在婚期前1个月，闻男家悔约罢娶，自后，神态日渐失常。其母代诉，女有时清醒，有时昏乱，醒则能料理家务，昏则或歌或哭，自语自笑，夜不安寐，将房中陈设，搬弄不停，半年不断延医，均为女对医指戟大骂，说骗子又来害人。故医不能近，近则女狂奔逸去，无从诊视。其间虽曾试行遥诊处方，但药煎成予服，未及入唇，一闻药气，即泼于地，纵强灌之，则碗亦被打破，屡施吓、恐、骗，仍未能使其就范。家人焦急之至，坚请余治。余曰：病者见医即逃，必先设法接近。乃教其母向女声称，来者为回乡休养之老伯，知你被人欺负，饱受委屈，故来探问，应以礼相待。女闻而首肯。握其手亦不却。余即抉其隐衷，说明对方退婚，毫无可憾，从长远看，反为好事，倘因此苦恼损坏身体，就是自甘失败，至于恐怕传闻不利，引人错觉，更不足虑，你是一个有志气的女子，只要坚强下去，天下之大，何愁无理想对象。女边听边动容，旋称已无病。余乘机曰："汝能让我诊查，始可证明无病。"女点头默许。乃察其舌质红，苔薄白而干，脉两寸沉弱，左关细涩，显属情怀郁结，肺阴已损，心营暗伤，脾精亦耗，尚喜胃纳仍佳，经期无阻，倘得怡情悦性，调治非难。但恐其不肯服药，遂佯告辞，后于别室书方：浮小麦60g、甘草9g、大枣4枚、怀山药30g，先将浮小麦先煎水4碗，再入余药煮成稀粥样，假称是粥，又用百合每次30g，冰糖适量，水煎成1碗，调鸡蛋黄1个，以充点心。另用鲜藕作膳。女果然肯服。如是者连服3日，夜卧得安，歌哭渐减，照方服到半月，神志已逐渐复常。继以温胆汤合枕中丹加柏子仁、石决明、龙骨、白芍、郁金出入为方，以善其后，1年后结婚，随夫工作于福建，生一女，曾来函致谢。

本例中所用甘麦大枣汤。原方后有"亦补脾气"句，本治脏躁，方义是补脾精，充肺阴。肺气得充，则下以注百脉，外以输精皮毛。内外调达，气机舒畅，抑郁自解，诸恙自平。更佐以百合鸡蛋黄汤，增强宁神安睡之效。盖脏躁及百合病，其实均属精神病，亦均为郁证范畴。由于善用仲景方，又熟谙治郁，故对此棘手之病，竟如生公说法，顽石点头而获愈。

畏风恶水湿痰证　　周国雄

1971年余在四川医学院附属医院工作时，四川荥经县吴某，女，年30余，由同事介绍找余诊治，自谓得一"怪病"，经中西医药治疗历数年之久，奏效不显。

缘因三四年前感冒后即渐觉全身虚弱，日间、夜间均常出汗，并有畏风、怯冷。每稍沾湿水，则四肢浮肿，周身不遂，几天不能恢复。因是县妇女干部，常需下乡工作，地处山区，涉河过溪，皆由他人背之而过，以免沾水；由是痛苦异常，一家为之不安。患病后纳差而形消瘦；稍多食，则腹胀难忍。抵抗力差，常易感冒，且难恢复。晨间无咳嗽而常咯之白黏痰。睡眠多梦，易醒，夜间尿多而频。观其舌象质淡而苔腻且黄，脉沉滑数。

综观症脉，本病应从痰辨，盖痰邪阻遏，症状殊多，痰阻脉络，百症丛生，即所谓"一脉不和，周身不遂"。气道阻塞，则阳气不能外达，故有畏风、怯冷、汗多，不能沾冷水。余曾读《王旭高医案》，有一类似医案"一病者胸中有一盘大一块常觉板冷，背亦恶寒，三四年来，每交子时后则气喘，天明则喘平，并常有咳嗽，心悸，易惊恐"。王旭高分析为"痰饮阻遏胸中，阳微阴胜，故夜间阴主用，则喘发，天明阳气张则喘平。至咳嗽，心悸，易于惊恐，皆阴邪窃据胸中之病，图治之法，当祛寒饮而逐阴邪，以苓桂术甘汤加味而愈"。本例证虽不尽然，但其机制却相同也。盖脾阳受痰湿所困，运化失常，则纳呆腹胀，不能沾湿水，甚至生痰停饮，肌肤浮肿。痰湿停滞过久，必化热化燥，故神烦梦多，舌苔黄腻，痰热阻气，日久必虚，然脉络阻塞，气不能升故见脉沉而滑数。过去医者不从痰解，而妄投益补，何以解病。余处以祛痰通络，肃肺健脾安神之品，使痰去络通，肺脾健运，则诸症除矣，此标本同治之法也，处方如下：冬瓜仁30g、薏苡仁20g、京半夏10g、橘络6g、旋覆花10g、胆南星10g、石菖蒲6g、丝瓜络6g、夏枯草30g、黄芩10g、党参15g、白术10g、夜交藤30g。每天1剂，共服9剂。后来信说："服药后效果很好，晚上白天都不出汗了，怕风怕冷的症状已大大减轻"。余根据患者久病，舌淡，脉沉等诸症，在原方加入补肾益精之品，而稍减辛燥之剂。嘱服下方14剂：冬瓜仁15g、怀山药30g、清半夏10g、橘络6g、旋覆花10g、胆南星5g、夏枯草15g、黄芩10g、党参15g、桑寄生15g、蒺藜10g、枸杞子10g。

约半年后，患者到成都访余，见她气色及精神都好，体重也增加十多斤，并告余每当旧证稍现，服第一方三五剂即好，旧病一直未复发。

也谈成人流涎症 | 闵范忠　蓝青强 |

流涎症多见于小儿，成人并不多见，但并非成人就无此症。我曾治一名52岁男性患者，睡中流涎持续已5年，不分白天黑夜，睡则鼾声呼吸而作，大量清涎从嘴角外流，湿透枕巾。平时若胸闷，舌下常有清涎上冒，说话亦然，因被他人讥笑，甚感痛苦。饮食、二便如常，面色㿠白，形体稍胖，舌淡、苔薄白，脉沉细。《素问·宣明五气篇》："五脏化液：心为汗，肺为涕，脾为涎，肾为唾……。"纵观患者临床所见，为脾肾两虚，遂从健脾益肾论治。处方：党参、茯苓各15g，白术、苍术、益智、菟丝子各12g，法半夏、石菖蒲各10g，远志6g，怀山药15g。每日1剂，水煎服。5剂服完，涎明显减少，服至15剂流涎消失，睡中鼾减少，后用香砂六君子丸调理半月而愈，随访半年，未见复发。

涎唾为口之津液，为脾所主，脾胃功能正常，涎液上行于口而不溢于外。脾胃虚弱，脾不摄涎，肾水上泛则致涎唾失约、外溢而生流涎症。故以健脾益肾收功。

大 怒 致 呃 | 陈 澄 |

某中年健妇，由家人伴随到诊，脸青不华，唇舌皆红，脉弦滑两关尤甚，默默不语，呃逆频作。家人代诉，经治未效，西药曾用解痉镇静剂，中药投半夏、厚朴合橘皮竹茹汤。询之，自云无意就医，奈家人催迫，勉从之耳。言时烦躁有怒意，细问起因，谓家中宴客，操持颇劳，席散，夫妻因事反目，彻夜未眠，翌晨觉胁痛胸满，欲吐不遂，继而呃逆频作，3 日未解。脉症合参乃大怒致呃。拟丹栀逍遥散，去白术，当归轻用，加枳实、厚朴、川楝子，服 1 剂。再诊，胁痛胸满减，有嗳气，呃间作，照前医之方加消导药，服 2 剂而愈。

呃乃因气逆上冲而作声也，常见数声而止者，可无药而愈。然所得之因不同，有久病胃虚，有因误下，或得之痰热内扰，连声而有力者为实，胃气当降不降上逆而呃，法当以降气和胃为主。

肝藏血，性喜条达舒畅，怒则伤，气滞横逆，胃为水谷之海主纳，脾主运化水谷精微，为胃行其津液，与胃同属土。该妇因食饮在前，继而大怒，前治之所以罔效者，因未平其肝气，盖木克土，肝气未舒，脾运失职，胃气不降之故。今始用丹栀逍遥散舒肝，继用半夏、橘皮竹茹汤降逆消痞，加消导药恐其因宿食滋滞未尽也。病必有因，体虚为邪所凑，医者易察，若七情所致，病从内生，多被隐忍，每有忽略，可不慎欤。

笑 证 治 心 　　|赖祥林|

笑为心之志也，《内经》云："五精所并，精气并于心则喜。"（《素问·宣明五气论篇》）正常的笑有利于健康，能协调气机，流畅气血。但笑之太过，终日发笑不休者，则责之于有病。心者，君主之官，心主神志，笑而不休，乃神志变也，当从心论治。

李某，男，9 岁。无故发笑已 3 个月余，日发多则十余次，少则 3～5 次，每次发笑，嘻嘻有声，持续数十分钟之久，呼之不理，笑后自言自语，手足多动，夜寐不安，溲短便结，胃纳如常，曾作脑电图检查，诊为"先天性大脑发育不全"，服药未效。诊时见其发笑不休，自言自语，唇舌红干，舌尖有小红点，苔薄黄，脉数。此乃心火旺盛，痰火上扰神明所致之笑证，投以清心泻火，佐以化痰定志之法，方选清宫汤合聪明汤加减。处方：水牛角 20g（先煎）、川黄连 5g、淡竹叶 9g、麦冬 12g、生甘草 6g、生牡蛎 15g（先煎）、辰砂 3g（冲服）、白茯苓 9g、石菖蒲 6g、玄参 12g、连翘 10g、天冬 15g，水煎，每天 1 剂分 3 次服，服药 3 周，发笑明显减少，已无自言自语，舌尖小红点已消失，药已中病，故不更方，仍以原方易水牛角为犀角 3g（先煎），继服 2 周，病已告愈。

神奇气功除胆石 |李兆惠|

　　我因患胆囊结石，于 24 年前作过胆囊切除术，术后 3 年右上腹部又经常发生阵发性绞痛，逐日加剧，于 8 年前经静脉胆管造影，发现左右肝管有多颗结石，胆总管有残余结石及部分梗阻，胆总管内径 1.7cm 并有炎症，由于不宜再做手术，乃于当年底采取气功治疗，先练放松功 3 周，当全身能放松后改练内养功。练功后自觉全身轻松舒适，精神愉快，天长日久，体质逐渐增强，为了进一步加强锻炼，巩固疗效，近 4 年多来又改练意拳站桩功。自练气功迄今右上腹部绞痛从未再发，也不需再忌大油、蛋类及酒等食品，食欲良好，身体健旺。近年来为了验证气功疗效，做 B 型超声波检查肝胆情况，结果未发现左右肝管扩张，也未发现胆总管结石，胆总管内径 0.7cm。以上情况，说明气功治愈了我的胆管结石症。

　　在治疗实践中，我有如下几点体会。

　　1. 气功确实能起到治病强身的作用。它是我国宝贵的文化遗产，在我国已有四千多年的历史，也是一门古老而又新兴的学科，是值得我们继承和发扬的。

　　2. 气功治病贵在坚持。通过气功锻炼，可以疏通经络，调和气血，平衡阴阳，扶正祛邪，培育真气，以达强身治病的目的，练功的过程也就是一个自我修复、自我调整及自我建设的过程，因此决不是短期就能见奇功异效，更不能一曝十寒，要知练功时间愈久效果愈好。为此应坚持不懈，持之以恒地练功，功到自然成。

　　3. 气功治病贵在专一，又要辨证施功。气功治病也和中医一样，选择功法要因人因病而异，辨证施功。当选定一个适合自己的功法后，要坚持锻炼，才能观察是否有效，但练一段时间后觉不适应或效果确实不好，亦可根据情况改练其他功法，切忌见异思迁，朝令夕改，才能取得良好效果。

　　4. 练意拳站桩功除选好姿势、全身放松、入静外，最重要的是意念活动的选择。意念活动也就是心理活动，心理和生理是相互作用的，心理活动在一定程度上可影响生理功能，生理又作用于心理。故恰当的意念活动，对神经系统的紊乱现象也可进行有效的调整，从而达到治病的目的。我练意拳站桩功时采取的姿式是扶按式，意念活动为似有似无地意念水冲沙子，让沙子慢慢流走，练功后感全身轻松舒适，随着练功时间的增长，在每次练功时很自然地感觉肝区也随着意念活动有一种放松的舒适感，这个意念一直坚持数年未变，取得了较好的效果。意念内容的选择须有针对性，遵循辨证施治的原则和有明确的目的性，同时意念的内容亦应稳定，不是为意念而意念，这样才能收到较好的效果。

近几年来，许多医疗单位经临床观察证实，人在进行气功锻炼时，胆汁分泌量较未练功时增加 3~4 倍，甚至胆汁成分亦有所改变，由于胆汁分泌量的增加，正好对胆道起到一个冲洗的作用，有利于胆管结石的排除。此外，中国科学院心理研究所等单位进行了练功后镇痛作用的观察，证实练功有明显的镇痛作用，其痛阈最高可提高 82.5%，而且气功镇痛有全身镇痛的特点，后效应亦好，故在几年的练功中，从未再发生过右上腹部绞痛与此不无关系。几年来的实践，我认为气功锻炼对胆道结石术后预防复发或排除胆道结石是有一定作用的。

民族医药巧治冻疮　　|吴元黔|

我幼时身体瘦弱，平时很怕冷，但又贪玩，冬天总喜欢到外面去玩水、玩雪、玩冰，故年年为冻疮所苦。常常是手上足上长着多个冻疮，紫红发乌，又痛又痒，甚至发生破溃，总得到阳春三月以后才渐渐痊愈。家父为治我的冻疮，到处访医求药，运用过多种治法，终于没有较好的疗效，不料一个偶然机会让一位苗族医生给治愈了。

记得是十来岁时的一个冬天，我的冻疮又犯了，手足又僵又痛，皮肤满是麻辣，足后跟两个冻疮紫红发亮，像两个大桃子，我痛得双脚直跳。父亲让我坐下来，用白萝卜皮在火上烤热了来为我烫冻疮，这是新近学到的一个办法。谁知白萝卜皮一贴在冻疮上就烫得我直大声叫唤。此时正巧来了个父亲的朋友，人称杨二伯，50 多岁，是安顺城郊汪家山的苗族医生。杨二伯见状立即制止，说："娃娃皮肤娇嫩，这种搞法如何要得？不注意就烫破皮，整个冬天都化脓，那才淘气！"他又说："冻包（疮）这东西，娃娃最多，一是因为贪玩受冻，二是阳气不足，寒凝气滞，气血瘀积在哪里，就在哪里生冻包（疮）。不能用这种烫法。只能温运血脉，气行血行，瘀阻一除，自然就好。我送你一个法子，包管好。"于是父亲遵嘱找来生石灰约 500g，脚盆一个，搓衣板一块，旧布一块。我一看要用生石灰，十分害怕，杨二伯忙说："不怕不怕，包管你一点也不痛，舒服得很，一次就好。"他把搓衣板架在盆沿上，盆内放些水，让我把洗净的脚放在板子上，在凳子上坐好，双手也放在小腿附近，然后就往盆里缓缓地放生石灰，立刻就热气腾腾，这时他用旧布将我的手足连同盆一齐罩起来，让那热气来熏我的冻疮，我果然感到手脚上热气上升，手足以致全身都热呼呼的，非常舒服。太热时，他就揭开布一会儿，然后再罩上，如此反复了几次。杨二伯又说："这个法子安全，一次若不好，隔日可再来一次。"家父连声称赞说："生石灰本是暴热之品，碱性很重，如若直接接触，肯定受不了，你这种办法确实是妙啊！"

我是这样一次就治愈了，说来也奇怪，数十年来，我竟未再患过冻疮。但苗族老医生杨二伯教的这个法我却记得很清楚，以后凡遇冻疮患者，我均告知以此法，虽然不都是治一次就一劳永逸，但却未有不效者。此法的确安全可靠，又符合简便价廉的原则，颇值得推广。杨二伯是当地颇有名气的苗族医生，身怀不少绝技，可惜现已去世，我那时年幼，竟没有跟他学习点什么。但我想，民族医药中确实有不少宝贵的东西，应认真加以整理发掘，以造福于人民。

生黄芪治疗全身广泛性皮下脓肿 李建安

一少女因自行流产而致感染，初，寒战高热，住某医院，以多种抗生素治疗历月，体温始降，然全身皮下均为脓液所浸，以致注射、穿刺无法进行。人皆呼之"脓人"。曾切开引流、继用抗生素并服中药仙方活命饮治疗罔效。病日渐深沉，医亦谓之待毙。家人日日哭泣。邀余往诊，见病者全身肿胀明亮，按之凹陷不起，臀及上下肢刀痕累累，尚有新切口数处，时时流出绿脓，神情极惫，息微声低，似若耳语，而目光炯然，饮食尚可，六脉微细而缓。此乃邪热已尽，正气大伤，无力排脓所致。然胃、神尤在。何以知之？因六脉微缓，目光有神，尚能饮食，故知之。经曰"壮火食气"，又曰"得神者昌""有胃则生"即此。遂以生黄芪60g煎服，日1剂，2剂后饮食倍增，肤现皱纹。并嘱食炖猪蹄、牛乳等物，以生精血。继服原方，仅半月，肿消脓没，身若春蚕蜕皮而愈。

效法张锡纯，顽病得福音 王著础

忆解放前，福州鼓岭村一名9岁男孩，跌伤额角，出血少许，两旬后病发，牙关逐渐紧闭，继则面如苦笑，项脊强硬，四肢挛急。某医院诊断为破伤风。

其家素贫，无力住院诊治，而就诊于余。因牙关紧闭，难察舌苔，然脉弦。审证求因，认为是风毒乘外伤侵袭之，潜伏而发。议取张锡纯逐风汤，去独活加双钩藤、蝉蜕、白芍。服5剂后，牙关渐开，精神好转，身体较为灵活，但仍不能握物走行。旋悟"治风先治血，血行风自灭"之理，继加养血舒筋之品。结果日见好转，仅调理匝月而告愈。逐风汤（黄芪、当归、羌活、独活、全蝎、蜈蚣）为张氏治破伤风之验方，今去独活，因儿童为纯阳之体，用药不宜过于温燥，加入蝉蜕、钩藤、白芍，藉以增强镇痛熄风之效，方中蜈蚣最妙，正如张氏所谓"蜈蚣最善搜风，性又和平"，故倚为主药。

又1983年秋，一男童11岁。脐腹时作疼痛，历3个月之久。每早起床发作，持续约2个小时左右自止，俨若常人。曾经医治，均无好转。就诊时，脉弦涩，苔浊，舌质晦暗。认为肝脾不和，夹有气滞。以四逆散、左金丸、金铃子散、百合乌药汤等化裁，毫无奏效。思再三，乃悟"不通则痛""久痛入络"之训，改投张锡纯金铃泻肝汤加味（川楝子、乳香、没药、三棱、莪术、生地黄、熟地黄、炙甘草），给服3剂。首剂痛轻，3剂痛除。张氏云："吾拟得此方，以治心腹胁下作痛，而非寒凉者用之，皆甚效验。"本例之捷效，证明张氏所言真不诳也！

婴儿口疮，推拿可愈   郑英珠

口疮，现又称疱疹性口炎。常见于婴幼儿，多因心脾积热所致。本病应用小儿推拿疗法，一般2或3次即可治愈，疗效满意。由于手法简单，治疗时毫无痛苦，患儿愿意接受，是一种经济实惠的疗法，值得推广应用。兹把治疗穴位及手法介绍如下。

八卦穴：手掌心，内劳宫穴外1圆周。功能调整脏腑，和中利膈。法用运法，顺时针运转。

六腑穴：前臂尺侧，由肘关节至腕关节。功能清泻实热，凉血退热。法用泻法，离心推。

胃　穴：腕关节至拇指根节，赤白肉际处。功能清胃热，和胃，消积滞。法用泻法，离心推。

小肠穴：小指外侧缘。功能清心火，利小便。法用泻法，离心推。

四横纹穴：掌面第二指至第五指根部横纹处，即指掌交界处。功能清脏热。法用来回推。

如王某，男婴，10 个月。发热 2 天，经用西药治疗，热退后，发现口腔黏膜、舌尖、牙龈有数个小疮及溃疡面，有白色渗出物，并有严重流涎，烦躁拒食，大便干结。曾在某医院注射青霉素，3 天未见好转。由于饮食难进，使患儿精神疲乏，家人恐生他变，而来本院住院治疗。经用小儿推拿治疗，治疗 1 次，则口涎明显减少，当晚即能食稀糊两汤匙。翌日再按上穴推拿治疗 1 次，口腔疮面基本告愈。住院 3 天，患儿嬉戏如常，痊愈出院。

高 年 出 麻　　|陈桐雨|

昔年，里中有老妇"枇杷嫂"，年逾花甲，患麻疹。初见寒热微汗，咳嗽，头痛身楚，医以为感受风寒，恐年老体弱未敢宣表，予玉屏风散加桂枝、藁本、紫菀、马兜铃等，服后热增如焚，特邀余往诊。只见头面疹点已现，麻路已至胸背，热高有汗，气粗，咳难，口渴引饮，尿少便秘，舌红苔黄，脉浮数有力。审证究因，乃系火毒内盛不得宣达。急以宜毒发表汤去升麻，加枯黄芩、竹茹、前胡，宜毒消热并举。翌日疹渐至胫，热亦稍减，余症依然。麻透表解，内热待清，遂转方凉膈散去芒硝、大黄，加葛根，桑白皮，既能清泄内热，又可宣达余毒。药后疹大透，热亦退，舌转净红少津，脉洪大有力。此乃内热伤津，改与增液汤合白虎汤等大清肺胃之热，并滋阴液。迭进 2 剂，疹渐收没，诸恙向安。旋以鲜芦根、鲜白茅根、沙参、麦冬煎汤代茶，清余热，生津液，以善其后。

盖麻为阳毒，本火候，古谓麻喜辛凉，人人皆知，亦即常法。临床麻疹初期多主辛凉解表，中期则应清凉解毒、少佐宣达之品，以免余毒留恋，麻谢之后以甘寒滋阴善后。整个过程忌辛燥温热耗液之品。本案因前医不知高年出麻，误投温补，致火毒内炽，几成坏症，辨证既错，用药安得不误？

（陈辉清　整理）

神鞭侠之暴喑　　|吴粤昌|

1938 年余在韶关行医时，有粤剧爱国艺人关德兴（艺名新靓就），从海外率其剧团回国，为抗日救亡举行义演，预告第一场节目是《神鞭侠影》，表演其神鞭绝技，该晚之票全部售罄。岂料是日关君晨起突然失音，势将宣告改期或退票，急邀余商之，可有良方使当晚声音恢复，得以登台演出，余重其人有民族气节，笑答曰："效否固未敢必也，姑试之。"即细加诊视，脉细数，舌质红无苔略干，口渴，二便调，胃纳尚佳，乃由于指挥团务及应酬繁忙，心营受扰而肺之气阴亦损耗，拟方：人参叶12g、麦冬12g、胖大海9g、木蝴蝶9g、龙利叶12g、金蝉蜕6g、石菖蒲6g、天冬12g、薄荷3g，以4碗水煎取2碗，入保温瓶，作饮子服法，频频呷之。切嘱谢客静养，尽量少言语。并以西洋参15g炖入水壶，待开场时携入后台备用。吩咐毕，辞归时已辰刻，至下午五时，关派团员走告，谓声音已开，特送戏票来，务请光临云云。余携眷依时入座，与观众一起为关之唱做俱佳而报以掌声，其余音纵未绕梁三日，而唱腔几可响遏行云，余因所制本方有此殊功，乃誉之为"遏云饮"，后用以治同类型失音，屡效。

辨证治愈双目失明　　｜陈忠仁｜

1963年秋某日下午，余在贵阳医学院病房中听唐德修老师讲解病理，五官科送来会诊单，请唐老师会诊一双目失明、原因不明的病人。次日老师应约前往。

患者某女，12岁，因发热，扁桃体炎入院，经注射青霉素后热退，渐至正常，但忽觉失明，下地活动等需人扶持指路。经查眼底正常。唐老师追问病史，其父述说，小女因感冒畏寒，继而发热，头痛，身痠痛而入院。该女自小身体衰弱，消瘦。诊见脉沉细，舌质淡，苔黄白相兼。证属伤寒，寒邪直中少阴所致，拟定麻黄附子细辛汤治之。并嘱病家细心护理，千万不可再受风寒。服药3剂，药到病除。患女重见光明，已如常人。事过1周，五官科请唐老师作学术报告，阐述其病机及治则。老师说，病初起是伤寒，证见恶寒，头痛，发热，一身尽痛。《伤寒论》原文："太阳病或已发热，或未发热，必恶寒、体痛、呕逆，脉阴阳俱紧者名曰伤寒。"故病之初期，应用麻黄汤治疗，由于未用中药，寒邪始终未去，加之素体阳虚。按《伤寒论》原文："少阴病，将得之，无汗恶寒，反发热，脉沉者，麻黄附子细辛汤主之。"说明病已传至足少阴肾经，当以麻黄开表，附子温阳，细辛交通表里。失明系肾精不足，肾阳虚损所致阴阳两亏，精血同源，肝血失养，目则失明。解表四阳，邪去正安，阴阳自调，病当愈矣。

眼衄奇证 　　|翟随华|

　　尚某某，女，13岁，农民。患儿双目流血年余。每于晨起则双眼睫毛被干血凝块黏住，双眼不能睁开，须经温开水浸湿，方可缓缓睁开。若哭则双目流血不流泪。平时则一如常人。双目不红、不肿、视力正常，曾各处求医罔效。因病因不明，诊断不确，施治也多无的放矢。西医不外消炎、止血、补充维生素；中医不外清心泻火、凉肝明目、滋肾养肝……效果全无，以至束手，求治于余。

　　余思之再三，不得要领，想常法用尽均未得手，今再用之，劳而无功。早闻割治一法，不如试之，以冀幸中。遂于无菌下将患儿双侧耳屏以手术用尖刀切穿。切割时，患儿号呼，泪下尽血，前襟几湿，望之骇然。不想自此后眼衄奇证竟因此而愈。我心甚慰。

　　耳屏割治一法对各种眼部炎症均有不同程度的疗效，其中机制尚不明了。割治时不需局部麻醉，也不需止血，只注意无菌操作即可。

针然谷出血，人即感饥 　　|张济民|

　　20年前，余曾治痹证患者张某，年50岁，因患双足内，外踝肿痛，行动困难，邀余往其家诊治。当时病者正在午饭，饭后约15分钟，针足部各穴，如解溪、昆仑、行间等，最后再针然谷穴，出针后针口渗血一滴。当晚检阅针灸医书，查阅然谷穴的作用。有记述针然谷穴出血，能使人立饥的记载。翌日复诊时，询患者昨日针后有何感觉？答曰：足痛减轻，奇怪的是你针前我刚吃过午饭，针后即觉饥饿异常，后需再煮面食充饥。此例给本人留下难忘的印象。

　　以后本人在闽南沼安任教针灸时，适逢立夏节日，有医生张德坤邀请本人及亲友晚餐，进以佳肴，最后炒面，张医生因多食而过饱，一时腹部胀满难受。问何法可解？有言"即洗冷水浴"。因气候尚冷，未敢尝试。有说以手指探吐者。此时本人回忆曾治张姓痹证时针然谷自行出血，立即令人肚饥之例，姑试针之，张即应允，余即拔针刺其然谷穴（左右），以捻转刺激手法（泻法），并有意不让此穴出血，视其效果是否相同，针毕约20分钟顿觉腹饿难受，急欲进食，在座亲友均为之笑然。以后曾刺多例，屡试屡验，录之存查。

胸　痹　|俞才钧|

胸痹，是为胸膺窒塞疼痛之病证，病机是胸阳不振，痰血瘀结，气机阻滞，痹阻于脉络。

余辨识胸痹为正虚邪实。在治疗上以阳气、阴血、痰浊、瘀血四点辨治。常以温阳宣痹，益气养阴，行气化痰，活血通络为法。

证有阳气之虚，有痰血瘀阻之实，根据脏腑经络气血有谓"在经主气""在络主血"之分，如病者胸憋闷，心慌气短，自汗肢麻为心气不足，胸阳不振，而致津液不能蒸化，聚湿生痰；血行缓慢而瘀滞，痰浊遏阻胸阳，则以温阳益气宣痹通脉。取用桂枝、瓜蒌、薤白温阳宣痹通心脉。党参、太子参、炙黄芪、炙甘草甘温益气宣痹，气阴两虚用生脉散治气短、汗出、倦怠等症，或补中益气汤治气虚下陷证时，加瓜蒌、薤白取其宣痹通阳，寓通于补，每多见效。如痰浊遏阻胸阳之实，常用炙远志、制半夏、茯苓、石菖蒲、白术等化痰蠲浊之品。再如胸痹常见胸痛、阵痛、刺痛、心慌、心悸等症，多为血行瘀滞，心血失养，不通则痛，痛为痰阻脉络，心慌、心悸为阴血失养所致。温阳益气，尤应顾阴，习用养心之品如柏子仁、麦冬，有合古训无阴则阳无以生之意。此外，活血化瘀尚可用丹参、郁金、红花、三七。

在化瘀蠲浊之中，尚应调气，常用香附、枳壳以调气开郁。

郭左，68岁。自述心慌、气短、胸闷痛1年余，曾住院2次未根除，且反复发作加重，心电图示三支阻滞（左前、后分支传导阻滞，完全性右束支传导阻滞）。确诊为冠心病。来诊时，症有心前憋闷疼痛，心慌气短，动则汗出气短加重，四肢痠麻乏力。察舌黯红胖，边有齿痕，脉沉细缓而结代。证属胸痹。为胸阳不振，痰遏瘀阻。治以温阳益气顾阴，宣痹化浊，活血化瘀。方拟瓜蒌薤白半夏汤加味。处方：瓜蒌、薤白、桂枝、丹参、郁金、太子参、党参、炙甘草、柏子仁、麦冬、当归、炙远志、制半夏、香附、枳壳、石菖蒲等药进8剂后，心慌气短、脉细缓结代显著改善，每次复诊均以上方加减，服27剂后，心电图复查左后束支传导阻滞消失，听诊心律齐，未有早搏。

经上例治疗后，体会有二：其一，桂枝通阳宣痹，通心脉，治心慌脉缓结代有卓效。其二，古谓"阳主动、阴主静"。治心慌脉缓以温阳宣痹，心悸脉数治以养阴宁悸，与临床所见正相吻合。

补阳还五汤治窦房结综合征　　|朱锡光|

补阳还五汤是补气药与活血祛瘀药配合的方剂，王清任原用治中风后气虚血滞、脉络瘀阻所致半身不遂、口眼㖞斜等症。据本人临床体会，本方加入补气的党参、温阳的淫羊藿、化湿的草果，还可用于治病态窦房结综合征，经验证数例，疗效较满意。

林某，女，55 岁。经常头晕、心悸、胸闷痛、两手麻木、形寒畏冷，心率每分钟 48 次。西医诊为冠心病、病态窦房结综合征，经治无效，邀我诊治。察脉迟涩或兼结代，舌质暗红，舌苔薄白边有齿痕。此系阳气不足，寒冷内积，以致血行凝滞成瘀，痹阻心脉，发为此病。治则益气温阳，佐以活血化瘀。处方：黄芪、淫羊藿各 30g，地龙、赤芍各 15g，当归尾、桃仁各 10g，草果 6g。服药 1 周，形寒肢冷消失，肢麻减轻，但尚头晕胸闷，仍宗原方续服 30 余剂，诸症消失，脉转缓（心率每分钟 58 次）。

病态窦房结综合征，是西医病名，可属于中医"心悸""胸痹""眩晕""昏厥""迟脉症"等范围，其病机主要是阳虚。阳虚则阴凝，故可兼有血瘀之象。至于"迟脉""迟主脏寒，其病为阴""迟为阴寒，气不宣通"，古人所论有理。所以治以加味补阳还五汤，以补气壮阳、活血化瘀。虽其临床表现与半身不遂有异，但因发病机制相似，故可以"异病同治"。

益气固脱救治心功能不全　　|林节藩|

心功能不全，中医有各种的理论认识和丰富的治疗经验，临床应用确当，常能收到显著效果。

我曾治一男性患者，年 45 岁。患者已反复咳喘 9 年，且逐年加剧，两个月前又出现浮肿而住本院治疗。体检有关记录是：脉搏 128 次/min，肝于肋下2.5cm，质中等，双肺湿性啰音，以左侧为甚，心音低钝。西医诊断为肺心病伴心功能不全。西药用过强心利尿、抗生素、激素及持续给氧等。已治疗 80 天，均未见显效，遂请中医会诊。诊时见患者短气喘促，呼多吸少，难以接续，声音低微，不欲言语，口唇发绀，神疲欲寐，大汗淋漓，两颧紫暗色，腹部隆起，青筋暴露，舌质紫暗，舌体胖大，苔根白腻少津，脉沉细数无力，自诉口干、心悸、胸闷似有物阻塞及周身烘热感，食欲不振，尿黄量少，大便一日五六次，黏腻不爽，腹中胀满。认为此为久病肺虚，津伤气脱之危候。因久咳肺阴已损，不能下荫于肾，致使真元不足，摄纳无权，以致呼多吸少，肺虚卫弱则汗多，而津伤故尿少；肺虚不能肃降，故大便不爽而腹中胀满；气虚则血滞，所以两颧紫暗、口唇紫绀，脉细数无力。急用益气固脱之法，药用人参 15g（另炖冲），生、炙黄芪各 12g，白术、麦冬、白薇、麻黄根各 9g，牡蛎 24g，浮小麦 30g，乌枣 4 枚。服 1 剂则汗止，诸症悉减，脉转缓和。后用调中益气、活血化瘀法，续治 9 日，喘平，肝肿大已回缩，心音恢复正常，食欲增加，二便自调，患者精神清爽，步行出院。

心悸（快速型房颤）治谈 | 郑源庞 |

快速型心房纤维颤动（以下简称房颤）主要表现为心悸怔忡，惊慌不安。一般多呈阵发性，常因劳累而诱发。

临床上以心脉瘀阻型的房颤最为多见，好发于冠心病和风湿性心脏二尖瓣病变者。祖国医学认为其常见成因有二：一是阳气不振，心气衰弱，心血流行不畅，以致阻于心络而发；二是由痹证发展而来，如《素问·痹论篇》所说："脉痹不已，复感于邪，内舍于心。"此乃风寒湿之邪搏于血脉，内及于心，心气被抑，心脉瘀滞而成悸。

然房颤的节律有快慢之分，快速转慢虽属不难，但持续性（指 3 个月以上）房颤恢复窦性心律亦非容易。今举案如下，聊供参考。

患者陈姓，男，62 岁，自 1973 年起有阵发性心悸（快速型房颤），平时除服些扩张心脏冠状血管的西药外，先后用过安定、心律宁（内含奎尼丁等）、异搏定、达舒平及乙胺碘呋酮等多种抗心律失常药物。初服皆见效，久服效渐差，且有不良反应。1984 年 10 月后，心悸频作，继则持续心悸，数天不解。即入某医院住院治疗，诊断为冠心病、快速型房颤。在用奎尼丁，乙胺碘呋酮做转律治疗未成后，遂以狄戈辛、心得安、安定等来控制心率。由于患者对持续性房颤非常恐惧，未待病情缓解就自动出院。于 1985 年 1 月 25 日来所邀余诊治。见患者面容憔悴，精神倦怠，语声低微。3 个多月来，心悸心慌难忍，心区不时隐痛，胸闷气急，头晕乏力，纳谷不香，夜不安寐，小便量少，下肢浮肿，舌质红紫，苔厚微黄夹灰，脉沉而数疾不匀。心电图示心房颤动。中医辨证认为心悸数月，心气耗损，阳气虚弱以至推动无力，心脉瘀滞，发为心悸。治当温阳益气、活血宁心。自拟附子归芪汤合桂枝龙牡汤加减，药用淡附片、生黄芪、全当归、茯苓皮、桂枝、丹参、冬瓜皮、法半夏、甘松、炒酸枣仁、五味子、化龙骨、生牡蛎、琥珀粉等。

上药连进 15 剂，心悸气急悉平，小便增多，下肢肿退，舌暗亦减，苔已转薄，脉律匀平，复查心电图示房颤已转复为窦性，但仍有房性早搏。故以前方为基础，略为加减，调治 3 个月余，窦性心律基本巩固。

本例冠心病房颤，间歇发作 10 多年，此次持续 3 个月余。综观证候与舌脉合参，其病因病理属阳气不振，心气衰弱，动力不足导致心脉瘀阻而发心悸。然而心与肾关系极为密切，正如古人所云"心本乎肾"。心火源于肾阳，心阳既不足，肾阳必亦虚，阳虚则气化失司，水液通调不利，故小溲短少，下肢浮肿。水既内停，心不自安。所以说，患者既有气阳虚衰（心功能不全）之本，又有瘀阻水停之标，因而治疗原则当以标本兼顾。方中重用黄芪合桂枝、附子以助心肾阳气，补阳气之不足；丹参、当归之活血化瘀以通心脉，促进心血流畅。且当归、附子、甘松等有纠正心房颤动之效；桂枝、半夏配茯苓皮、冬瓜皮则达温阳化气以利水；龙骨、牡蛎、琥珀之镇悸，合酸枣仁、五味子安神以敛心气，诸药相合则收温阳益气、活血宁心以达复脉之功。

漫谈中风的治疗　　| 袁家玑 |

中风乃上盛下虚、本虚标实之证。其发病主要是阴虚于下，阳亢于上，肝阳上亢，肝风内动，以致气升、火升、痰升，遂卒倒暴仆。阴阳偏盛、气血逆乱为病之本，风火交煽、痰瘀交阻为病之标，治疗应以潜镇摄纳为主，兼用熄风豁痰、通络滋阴降火之剂。根据不同情况，治法有异。

中风初起，或闭证开后

若血压尚高，神志未清，舌强言謇，口眼㖞斜，半身不遂，痰涎壅盛，脉弦滑有力，舌质红，苔黄垢腻，乃肝阳上亢，内风上旋，痰浊中阻，宜潜阳镇逆，熄风化痰为主，常用张锡纯《医学衷中参西录》的镇肝熄风汤合天麻钩藤饮，竹沥汤，涤痰汤据证加减，拟方：生石决明 30g（打，先煎）、牡蛎 30g（打，先煎）、赭石 24g（打，先煎）、怀牛膝 30g、生白芍 18g、钩藤 15g、法半夏 9g、川贝母 9g、胆南星 6g、石菖蒲 6g、决明子 30g、黄芩 9g、竹沥 60g（加生姜汁数滴，分3次冲服）。随症加减，服后有效，可服10多剂。以下3个问题值得特别重视。①中风初起，滋阴腻滞之品，如阿胶、熟地黄、生地黄、制首乌、山茱萸、天冬、玄参、龟甲等，暂宜少用，以免加重痰浊、瘀血的壅滞。②潜阳镇逆药物的运用，如张山雷说，"莫如介类为第一良药"，还应包括一些金石类药物，如龙骨、牡蛎、石决明、珍珠母、贝齿、龟甲、鳖甲、磁石、赭石、生铁落，均可随症选用。熄风并非必须用大剂滋阴腻滞之品，主要是清肝泻热以熄内风，佐潜阳镇逆之不足，如钩藤、天麻、生白芍、牡丹皮、桑叶、菊花，甚则可用龙胆泻肝汤、当归龙荟丸。③本病由于痰瘀交结，阻滞经脉，妨碍早日恢复，故化痰消瘀药物的运用甚为重要，必须开泄化痰，才有助于潜阳熄风，如竹沥、二陈汤、胆南星、天竺黄、川贝母、石菖蒲、远志、枳实、竹茹、瓜蒌、杏仁、三蛇胆、陈皮末等，均是中风化痰宣窍的常用药。值得重视的是竹沥，甘寒无毒，性滑流利，走窍逐痰，历代为治疗中风要药，中风后迅速使用，则疗效较快，神志转清较早，恢复亦快，每次可兑服20~30ml，加生姜汁数滴，日服3次，最好兑入潜镇熄风化痰的汤剂中服用。通络活瘀的药物，如地龙、当归尾、桃仁、红花、鸡血藤、川芎、三七等，均可选用。痰浊已化，痰热已清，病情好转，若阴虚明显，则宜滋补肝肾，养血宁心，可用一贯煎加减，养心安神药如酸枣仁、柏子仁、茯神、首乌藤、丹参、浮小麦等，可用潜阳熄风化痰的方药配合运用。

闭证与脱证均属重危

应中西结合进行抢救。阳闭用局方至宝丹灌服或鼻饲，以辛凉开窍；阴闭用苏合香丸，以辛温开窍，还可用通关散（细辛、猪牙皂炒炭为末）搐鼻取嚏，针刺水沟、合谷等穴，乌梅擦牙，都是协助开闭的良法。牙开声出，再进潜阳镇逆，熄风化痰之剂。脱证比较危险，宜先益气固脱，大剂参附汤以回阳急救，同时应用滋液固脱之剂，如鸡子黄、山茱萸、阿胶、五味子、龙骨、牡蛎、龟甲、鳖甲之属，或用地黄饮子加减，以滋养真阴，温补肾阳。治疗闭证的局方至宝丹、苏合香丸，通关散等，脱证则不可用。

中风后遗症

可见半身不遂，口眼㖞斜，言謇语涩，神志障碍等，多属风痰阻络，气滞血瘀，经隧不通，气血失荣，可选用益气养血，熄风化痰，活血通络之品，拟方，生石决明30g（打，先煎）、牡蛎30g（打，先煎）、生白芍30g、怀牛膝30g、决明子30g、地龙9g、首乌藤18g、红花6g、丹参18g、法半夏9g、川贝母6g、茯苓30g、石菖蒲6g、竹沥60g（分3次兑服），随症加减，可服多剂，有效。若气虚血瘀者，可用补阳还五汤、解语丹加减，以标本兼顾。后遗症的治疗时间较长，同时配合针灸、功能锻炼，才能取效。

（袁金声　整理）

中风治疗琐谈　|周国雄|

中风证首分闭、脱，盖其治法殊异也。

闭证近于实，初用大剂潜降镇定之品，以压其逆上之势，重坠劫痰，在所不忌，盖泛溢气焰，尚是有余，根本虽虚，犹未先拨，赭石、牡蛎、铁落之重，亦可重用。脱证纯属于虚，入手之初，即须固液恋阴而参合潜阳之品，金石重坠，不容妄试，而山茱萸、何首乌之类，亦可收摄真元，用之亦不悖也。此虽同是潜藏龙相，摄纳肝肾之法，但证情有虚实不同，故辅佐之品亦随之而异，然柔和肝木，收敛浮阳之药则无以异也。

至若闭、脱之分，诸书虽有谈论，然均嫌其简，试结合临床加以阐述。

闭证多见目瞪口呆，牙关紧闭，喉中曳锯，鼻鼾气粗，是为火气升浮，痰塞隧道之闭证也。且多兼有实热确据，如面色多红赤，或虽不甚红，而亦必神采充然，胜于无病，必不呈淡、白、青、黯，脉象必洪、数、弦、劲，搏指有力，或虽不甚劲而亦必粗浊滑大，必不细软无力。神志虽模糊不清，而必不僵卧无声，且脉必不伏，肢必不冷，二便多不通，且必不遗溲自利，此皆有升无降，气闭于内之实证也。

脱证多见目合口开，手不握固，声嘶气促，舌短面青，气壅痰奔，上蒙神志，且多兼有虚寒证象，如面唇多淡白无华，甚则青黯而不红，六脉微弱或不应指，声音鼻息轻微而断续，兼有痰声但不息高气粗，此皆元阴匮乏证，真气不续，命火将倾，与闭证之挟痰上壅火升气塞者迥然不同。

若果系闭证，其治法宜先开闭为急务。潜阳降气，镇逆化痰，犹在其次。如气窒声不出者，必先通其气，可用通关散搐鼻取嚏（方即细辛，猪牙皂炒炭为末），同时可针水沟、合谷穴，回苏知觉。若系脱证治法当以摄约真阴，固摄元气为当务之急，而恋阴益液之剂又须与潜镇敛阳之法并进，庶可救得一二，少缓即已无及。开泄痰涎诸药，不可夹杂其间，而减其滋填之力。若痰塞喉间，欲咯无力，药不能下者，以真猴枣研末，煎石菖蒲根汤先服，暂平其通涌之势。有谓此时宜用局方黑锡丹制约浮阳，温养下焦，最能坠痰降逆，亦为经验之谈。而余以为真阴亏损，而阳虚将亡之际或可一用，若阴亏而阳未浮越者用之恐不对证。脱证虽有痰涌喉关一证，如用人参、阿胶，好像滋腻不合，须知此乃真阴下竭，肾虚上泛而为痰，与实火之热痰不同，治须养液恋阴乃能救垂绝之真元，而戡龙雷之浮火，与肝阳之上扰者见症或相似，而原因则迥然不同，兹辨之如下。

肾虚痰上泛与肝火痰上泛鉴别法，须于脉至之有力无力及气色之有神无神，声息之粗悍微弱，舌苔之黄腻白润、清浊厚薄等见症中辨之，鉴别是不难的。

由此可见脱证治法有二：有用参附法之治脱证，有用参牡龟阿二地法之治脱证，不可不知也。盖用参附之脱证，必症出现肢冷，脉伏或自汗、头汗，如油如珠者之亡阴亡阳证，用参附回阳后又当滋阴补液，以期巩固疗效也。

谈治中风经验方　|汤宗明|

中风起病急骤，证出多端，变化迅速，治不得法，缠绵难愈，甚则瘫痪终身。是以历代医家论之甚详，将其列入"风、痨、臌、膈"四大病证之首。中风记载，肇起《内经》，有仆击、大厥、偏枯等称。后世医家以《内经》为旨，将中风各有发挥，如唐宋以前主外风、内虚邪中立说；唐宋以后以"内风"立论。虽各言其是，但不能不说是对中风认识的发展。余在临证中，最推崇《金匮要略》将中风分为中经络、中脏腑，及李中梓的闭、脱二证之辨，寓意证的深浅与转机，简而不繁，则可尽握中风枢要。中经络有络脉空虚，邪风乘虚而入、致气血痹阻；有肝肾阴虚，风阳内动，夹痰夹瘀，痹阻络脉之别。治疗大法，外邪者，当祛风解表，次养血和血；痰瘀痹阻者，宜化湿祛痰，活血化瘀，次养肝肾。中脏腑分闭、脱二证，闭以邪实内闭，其证属实，急宜祛邪；脱以阳气欲脱，其证属虚，急宜扶正，两者迥然有别，须加详辨。有时闭脱互见，则视孰轻孰重，标本兼顾。

中风始得，有痰者十之七八，故治痰为先，次活血化瘀，切忌早施滋补，以免气血更加壅滞。余自拟除痰化瘀汤，以化湿祛痰为主，活血化瘀为次，血活则痰易化。用此方治中风有痰瘀者二百余例，十有六七得效。药用半夏、陈皮、石菖蒲、天竺黄、竹茹、枳壳、丹参、赤芍、桃仁、鸡血藤。肝阳上亢加夏枯草、钩藤、石决明，以平肝潜阳；肢体麻木加僵蚕、全蝎、川芎以搜风活络。

内风之气，多从热化，致痰热腑实，故中风急性期，十有四五并腑气不通，常恶心呕吐，大便秘结，苔黄腻而干。余常用通腑法下其燥结，热即孤立；治其邪热，风乃自消，对中风有转机作用。药用大黄12g、芒硝10g、枳实（或厚朴）9g、甘草6g，煎汁200ml，分2次服（或鼻饲），每2小时服1次。神智昏迷或时明时昧者，送服安宫牛黄丸1或2粒，以清心开窍，泻下热结；形气不足者，配黄芪或泡参补气。一般服1或2次腑气可通，不通再服，一俟大便得下，则停止服用，但需说明，脱证不宜。

中风小便闭塞或失约自遗，殊为棘手。《灵枢·本输第二》有"实则闭癃，虚则遗溺，遗溺补之，闭癃泻之"，可谓要言不繁。余常用《兰室秘藏》滋肾通关丸加牛膝、木通，以坚肾阴、清湿热、助气化，再掺入一味桔梗，开肺以启上闸；若苔腻而润，乃下焦痰湿偏盛，将桂枝易肉桂，加白术以通阳化气。遗溺者，肾气衰弱，膀胱开、阖失职，用仙茅、淫羊藿、黄芪补肾益气，以助封藏，司膀胱之阖。曾治孙某，年逾花甲，中风小便失约，置保留导尿管2个月，痛苦不堪，投上方3剂而愈，是以小便遗溺以治肾为上。但小便闭塞也有虚者，用补中益气汤加肉桂、茯苓、木通助气化、升清气、降浊阴，如此一升一降，相反相成，小便自通。

语言謇涩，甚不能言，用石菖蒲、竹茹、天竺黄宣窍豁痰；若因肾虚精不上承者，加巴戟天、仙茅补肾填精。尤石菖蒲最需重用，用量25～30g，鲜者更妙。《本经》谓石菖蒲有"开心孔、通九窍、明耳目、出声音"之功。足见用之治失语，恰当不过。

对顽固的半身不遂，经年不愈，痼疾难除者，余拟加味二仙汤。药用仙茅、淫羊藿、巴戟天、川芎、当归、知母、黄柏、牛膝组成。此类病人虚者居多，症见肢体颓废不用，发凉不温，拘痉不柔。取仙茅、淫羊藿、巴戟天温而不燥，滋而不腻，伍当归养血补血，配血中气药川芎，上行头目，下到血海；牛膝补肝肾，引血下行，与川芎一升一降，调和气血；佐知母、黄柏，一可润燥而滋阴，二又防上药过温，补中有泻，泻寓于补中，配方严密，疗效颇佳。

另有一种顽固半身不遂，属风痰久羁络脉，迭进中西药图治，收效不显，此不宜急于求成，应缓缓图功。余自拟搜风散，药用蕲蛇200g，金钱白花蛇4条、僵蚕50g、全蝎50g，研成细末，装胶囊吞服，每次3～5粒，日3次，2个月为1个疗程。服2或3个疗程，始可望其痊愈，是故取虫类搜风活络化痰之性。

中风辨治一得　　陆书诚

余对中风的证治，推崇朱丹溪的"湿痰生热"之论。南方气候炎热多雨，湿热淫气丛生，由茯苓、半夏、胆南星、橘红、枳壳等组成的导痰汤，对湿浊壅阻脉络，蒙闭清窍导致的中风确有良效。但是湿能化热，湿热久蕴，生风化火，气血并逆，殆害尤深。历代著作，对此有不少论述，临证每用紫雪丹、安宫牛黄丸和镇肝熄风汤等治疗。曾遇一中风患者，右侧肢体全瘫，烦躁易怒，口气臭秽，舌质红，苔黄厚腻，脉弦滑，它既有别于湿浊不化引起的肢体困倦、胸胀腹满、纳食不振、舌淡脉濡之症，又未达到湿痰化火、耗津炼液造成的烦躁谵妄、便结、口燥、舌质红绛、苔少而干那样严重的地步。因此，导痰汤、温胆汤不能清其热；天麻钩藤饮、镇肝熄风汤不能化其湿；安宫牛黄丸、紫雪丹又不宜施其症。试投龙胆泻肝汤，1 剂小效，5 剂大效。连用 20 余剂竟获痊愈。因肝为将军之官，风木之脏，在体为筋，司全身关节之屈伸，又与情志密切相关。湿为阴邪，湿郁化热，湿热内蕴，流注肝经，关节失利，筋脉弛缓不用，可发为瘫痪；湿热蕴积，气机郁阻，肝失疏泄，则烦躁易怒；湿热熏蒸，可见口气臭秽，苔黄厚腻等。龙胆泻肝汤能清其湿热，所以见效显著。

查阅历代文献，尚未发现中风按"肝胆湿热"论治的记载，然而临床表现为肝胆湿热者并非少见。近年观察住院治疗的 150 余例中风病人，竟有 40 余例属此。对他们的辨治，除见卒仆昏迷，半身不遂，口眼㖞斜等主症外，其兼症有：①烦躁易怒或夜烦昼静；②口气臭秽；③舌苔黄厚腻；④脉弦滑实有力；⑤大便不爽、小便短黄。只要主症具备其中两项，即可使用龙胆泻肝汤治疗。因此，大凡治病，只须辨证得当，随症用药，自能收到满意的疗效。

杂合之治可防中风（闭证）后遗症 荣远明

卒然昏仆，不省人事，牙关紧闭，两手握固，伴有口眼㖞斜，言语不利，半身不遂之证，即为中风闭证。其发生主要是人体阴阳失衡，肝阳暴张，风阳上扰，并气血上菀，夹痰火上冲，内闭于脑，滞于九窍，阻于经隧所致。针对病机，其治疗大法应开窍、潜降、通络。但病发之初，若只顾开降救危，忽略经络受病之害，逾月日久，痰浊瘀血凝聚经隧，坚固难复，则致成肢瘫不用等后遗症，乃致终生残废。病者虽幸得回生，却痛楚难熬。故此，当于开窍、潜降方药之中予以活血化瘀、搜风通络之品。三法合用则神明得以启复，内闭得以解除，经络得以疏通，垂危可挽，后遗之症可防。此时加以调治，旬月之间即可康复。活血化瘀药可选用桃仁、红花、牡丹皮、赤芍、三七、牛膝之类。搜风除痰通络可选用全蝎、僵蚕、地龙、蜈蚣、蝉蜕、天竺黄、远志之类。肢体强直拘急者，可选配宽筋藤、白芍、木瓜、地龙等，以舒筋活络。

1964 年我曾治疗一例 78 岁高龄的中风闭证偏于火盛患者，用羚羊角汤加减：羚羊角 1.5g（磨汁兑服）、生石决明 30g、代赭石 30g、龟甲 24g（上三味均打碎先煎）、生地黄 24g、牡丹皮 9g、夏枯草 9g、地龙 10g、石菖蒲 6g、天竺黄 10g、牛膝 15g、赤芍 12g。每日 1 剂，水煎分 2 次鼻饲，并配合鼻饲安宫牛黄丸，每日 1 丸。3 日而神志清醒并能言语，但语言謇涩不清，患肢虽能动弹，但痿麻无力。继后递减开降之品，递增柔肝强壮筋骨之品。17 天后中风诸恙渐平，能言能行。后以此法试用于临床，收治中风闭证 6 例，多于旬月之间获效。此后沿用此法均效。今不揣谫陋，随笔数语，就教于诸同道。

脑病辨证琐谈 | 朱祝生 |

继《内经》提出"脑为髓之海""头为精明之府""志上冲于脑"之后，历代医家多有发挥，明代杰出的医药学家李时珍所创"脑为元神之府"更是高度概括了脑主神志的生理功能。因此，对于精神情志的病变，决不能简单地认为是心主神明的病变而与脑无关，对于脑的病变，也不能简单地责之于肾而认为与其他四脏无关。

几年来，笔者据前贤之说与管见所及，注意总结了脑病的证治，取得一些经验。谨归纳介绍如下。

1. 风痰上扰，神失自持：风痰上扰，清气不能上荣于脑，清空不宁而神不能自持。表现为心悸恍惚，闷乱烦躁，头目眩晕，头痛失眠或面红目赤，甚而癫狂。治宜驱风涤痰清脑，多选涤痰汤、变通十味温胆汤、礞石滚痰丸治之。常用胆南星、贝母、橘络清热涤痰；石菖蒲、远志、茯神宣窍安神；防风、钩藤驱风镇静；沙参、麦冬、生地黄、连翘养阴清脑。若热甚便秘加大黄、枳实；烦渴喜饮加石膏、知母。

2. 血阻清空，元神失位：阳热上亢，迫血妄行，上逼脑海，脑血外溢；或血不循经，瘀血停滞，阻滞清空，元神失位。表现为神志不清，头痛头晕，舌强语謇，面瘫偏瘫，口渴口苦，唇舌瘀斑，苔黄，脉弦数。治宜止血通络、清热醒脑，可选用四藤汤加减。方中以络石藤、鸡血藤、红藤、海风藤、红花、桃仁舒筋通络，活血化瘀；生地黄、赤芍凉血止血；当归、川芎行气活血；再加黄芩、石菖蒲、钩藤清热开窍醒脑。

3. 虚热内扰，元神失守：用脑过度，精髓虚亏，内生虚热，热扰神舍，元神失守。表现为多梦失眠、怔忡健忘、五心烦热、潮热盗汗、口干津少、舌质红、脉细数。治宜清热养血、安神镇静，选朱砂安神丸加减。用朱砂、黄连清热安神；当归、生地黄滋阴补血；胸中烦热加竹茹、栀子；失眠甚加莲子心、酸枣仁；心悸甚加龙齿、磁石；痰多者加瓜蒌仁、法半夏、橘红。

4. 髓海不足，神无所归：思虑过度，髓海不足，脑失充养，神不守舍。表现为意志消沉、虚怯气弱、疑虑重重、心悸健忘、头晕目眩、夜寐不佳、食少神疲、面色不华、舌淡苔薄、脉细弱。治宜补脑安神，多选归脾汤加五味子、柏子仁以益髓敛神。

5. 清阳不升，神无所固：精髓耗散，清阳不升，脑虚健忘。表现为心悸失眠、头晕耳鸣、滑精早泄、胫痠懈怠、面色灰暗、舌质淡、脉沉细或细数。治宜补髓养神，多选柏子养心丸加减。用熟地黄、当归、枸杞子、人参补血益髓；柏子仁、石菖蒲、茯神安神镇静；再加五味子、芡实固精敛神。若阳虚、气虚加黄芪、菟丝子；阴虚内热加牡丹皮、黄柏。

6. 气虚不养，元神不充：清气不足，脑无气养。表现为智力减退、神疲心悸健忘、甚则烦躁不安、丧失理智进而昏迷、舌淡苔白、脉沉弱。治宜益气充脑，选远志饮加减。方中以远志、党参、黄芪、肉桂、茯苓、甘草益气充脑安神；当归、酸枣仁养血定志。见气虚脱证者当以人参大补元气；附子回阳救逆。

总的来看，对脑的虚证治疗，重在益气补髓，实证则按风、痰、火、瘀分而论治，疏肝是常用的兼治之法。

以上所举，仅为脑病辨证一隅，临证当需结合具体情况灵活应用。

失眠证治体验　　| 魏善初 |

失眠病源虽多，病理繁杂，但不外虚实两类。虚为阴血不足，实为火热内扰，二者又常相因，伤及诸脏，致阳不入阴，神不守舍，形成顽固性失眠。

根据失眠发病机制及脏腑症状的偏重，其治则可概括为清、镇、潜、补四法。清法包括清热凉血、清热泻火、清热化痰等具体治法，主要针对失眠的主要病机——火热内扰而设立，这是治疗失眠的主要方法。镇法即镇静之意，神不安则失眠，镇惊安神与清法相配也是用于失眠的必要治法。潜法包括潜阳和降逆两法，前者针对阳热上亢或虚热上扰的病变，后者则是对于气逆作乱的治法。补法主要指滋阴补血，长期失眠患者，阴血虚亏，是失眠产生的病变基础，只有兼以滋补阴血之法，才能取得更好疗效和巩固疗效。

治疗失眠的药物，清法常用的有黄连、盐黄柏、川贝母、墨旱莲、淡竹叶、灯心草等，重在清心泻火。镇法常用的有龙眼肉、朱茯神、酸枣仁、石菖蒲、远志等，用以镇静安神或养血宁神。潜法常用的有龙骨、牡蛎等，以利潜阳敛精。补法常用者为黄芪、当归益气补血，白芍补血敛阴，熟地黄、沙参滋阴润燥，共起滋补阴血之用。

上述证治对应，就形成临床上治疗失眠的一个常用方，命曰"清镇汤"，其药物组成为：胡黄连、盐黄柏、墨旱莲、淡竹叶、川贝母、龙眼肉、朱茯神、石菖蒲、远志肉、生龙齿、煅牡蛎、生北黄芪、秦当归身、杭白芍、大熟地黄、北沙参、粉甘草。

25年前，我曾患过失眠证3年，用清镇汤治愈。25年来，我又用此方治疗了大量失眠病人，据不完全统计，近两百例病人中，其病史最长者为16年，最短者也在3年左右，经过治疗，临床有效率均保持在90%左右。

活血祛瘀疗不寐 |巫百康|

不寐，可分虚实两端论治。虚，多见阴虚火旺、心脾两虚、心胆气虚；实，常见肝郁化火，痰热内扰。但血瘀不寐者临床亦非鲜见，尤其是长年不寐，久治未效者，常为血瘀所致，今教科书多未提及，实为憾事。我曾治一男性患者，50岁。因情志不遂而失眠。先是夜寐不安，后发展至彻夜难眠。屡服安眠药，先获小效，渐则倍其量也取效极微。后改服中药，但均按一般常法治疗，服药百余剂，亦未取效，至今已两载有余。视患者性情急躁，面有暗斑，两目红丝，烦躁不寐，头晕健忘，颈项拘急，舌质暗红苔薄白腻，脉沉细弦涩。此为情志所伤，忧思抑郁，肝郁血瘀，日久化火，扰乱神明，所以彻夜不寐，故循常法治疗无功。遂遵王清任"夜不能睡，用安神养血药治之不效者，此方若神"处以血府逐瘀汤加减，丹参、赤芍、川芎、生地黄、桃仁、红花、枳实、牛膝、柴胡、龙骨、牡蛎、玄参、合欢皮、甘草，水煎。服3剂见效，续服10剂而愈。

以活血化瘀法治失眠，教科书上多未记载，但见于王清任《医林改错》一书。如不读此书，则无由悟及。可见，教科书固然必读，古代文献也不可不读。知识广博，临证才能运用自如，得心应手。

（洪炳根　整理）

左归治眩晕　　｜贤振采｜

"无痰不作眩""无虚不作眩"。眩晕一证，多为痰浊上扰，或气虚，或阴虚火旺而发，常用二陈汤、温胆汤、补中益气汤、知柏八味丸治疗。而我对肾阴亏虚所致的眩晕，喜用大剂左归丸治疗，效果颇显。曾治一退休教师，68岁。头目眩晕，动则更甚，步履不稳，发病10天后来诊。五年前每遇工作劳倦，睡眠不好即见头目晕眩，腰腿酸软，稍经休息而缓解。近几个月来，时时眩晕，如坐舟车，休息亦未减轻，经治疗效不显。面容憔悴，表情淡漠，神靡不振，夜烦多梦，时伴耳鸣，舌红少苔而不润，脉弦细。综观审思，由于肾阴亏虚，不能上奉所致。予大剂左归丸加减：熟地黄、龟甲各25g，怀山药20g，山茱萸、枸杞子、菟丝子各15g、川杜仲、肉苁蓉、茯苓各12g。水煎服，日1剂。2剂症减，10余剂诸症悉除。守方加减调养1个月而愈。嗣后未再复发。左归丸补肾益精，对肾阴亏虚，肾精不足，脑髓失充所致的眩晕证，效果良好。

外伤眩晕证治验　　｜吴昌伦｜

外伤眩晕证，中医本无此病名。个人体会此类患者的临床表现，因伤及头部，症见眩晕又因责之于外伤，故名。

1967年11月，省财政厅干部王某某，男，年近40，被人以砖头击伤枕部，局部无开放性损伤。伤后月余，常感百会至风府穴处跳击刺痛，头重眩晕，每步行不远即觉得天旋地转，两眼发黑，恶心呕吐，须闭目静息片刻方可缓解；用脑思维，似觉颅内如物闭塞，沉重不已。曾服苯妥英钠，冬眠灵等药而罔效。经友人延余诊治，诊得脉沉细涩，苔薄黄腻，舌边尖少有瘀点。此为外伤髓海受震，气血瘀阻，疏方为炙黄芪25g、当归9g、赤芍9g、红花9g、桃仁9g、川芎9g、丹参9g、白芷12g、朱茯神15g、炮穿山甲9g、石菖蒲9g、珍珠母15g、广木香6g、薏苡仁15g、葱白7根。连服10余剂，诸症悉平，后以四物合安神定志丸加减调治，至今未见复发。

又有遵义南北镇谢君之子，17岁，在校高中生，因小事与其弟争执，发生撕打，被弟用木棒击伤左侧颞部，当即晕倒，苏醒后头痛眩晕不止，以致被迫休学。伤后2个月，几经中西医治疗，效果均不显著，1981年夏经我院曾老师介绍，延余诊治。自述受伤后，伤处麻木刺痛，眩晕从未歇止。伤前，思维敏慧，文史数理，成绩俱佳；今则畏惧开卷，目过十行，即感头晕难支，心烦欲吐，语言迟钝，说话稍多，或头部转动时，疼痛眩晕亦随之加剧。诊视局部，见该处头皮较正常处明显松弛，毛发亦欠荣润而呈穗状。其脉浮弦，重按郁滞不畅，舌边呈明显瘀斑，舌苔薄黄。遂处下方：炙黄芪25g、党参15g、当归10g、红花10g、桃仁10g、川芎9g、丹参15g、炮穿山甲12g、琥珀粉10g（另包分吞），意在补气活血而消瘀，瘀去则新生，气血畅旺，髓海得养，病可望愈。上方连服10余剂，证减近半，后依原方加减又服10余剂。后据其母云，患者已愈后复学，并已考取大学。

痰　　眩　　|蔡友敬|

眩晕之作，原因甚多，证有虚实，但属于痰湿壅滞者甚多。《鸡峰普济方》云："头眩欲呕，心下愦愦，胸中不利，但觉旋转，此由痰饮。饮聚上乘于脑，三阳之经气不得下行，盘郁于上……谓之痰眩。"确有至理。我临证时，见有头晕目眩，如坐舟车，愦愦欲呕，或呕出痰涎，苔白腻，脉弦滑者，常以痰眩治之，方以程钟龄半夏白术天麻汤为主，症虽缓解，但效验不显。后思痰与风有关，因病在巅顶，又有摇动之状，方书所谓头面风者，即眩晕是也。因加双钩藤、珍珠母两药合天麻以镇肝熄风，疗效倍增。后又从《金匮要略》中启示，治其人苦冒眩，用泽泻汤主之。因思泽泻为利水渗湿药，风痰上壅，清阳被遏，浊阴上冒而乘清阳之位。用泽泻利水消饮，配伍白术补脾利水，水去则眩冒自止。故再加用泽泻、白术50g，研制成"眩晕片"，广泛应用于痰眩（包括现代医学的耳源性眩晕及高血压性眩晕），疗效更佳。盖医者，意也。苟得其法，而不必泥其方，所谓神而明之，在乎其人也。

漫话痰厥证　　|祁开平|

痰厥证因痰浊内阻、痰气上逆，蒙蔽清窍，卒然晕倒不知人事。轻则短期苏醒，没有后遗症，重者一般死亡。本证我临床20载，所见数十，颇有一些粗浅体会。

经我总结典型痰厥证 30 例，男性 17 例，女性 13 例，年龄在52～88岁之间，平均年龄76岁，其中70岁以上者16例，39例在冬天发病，18例于夏天发病。经我治疗的30例中无一例死亡，均运用中医治疗法则，用方遣药，收到了较好的疗效。

痰厥证的治疗法则，多用治标治本二法，急则治标先救急厥，采取除痰降逆，继以豁痰开窍救其内闭晕迷。如因痰阻气道，证属危重，为了防止窒息必先把痰吸出，继用针刺法，通闭回苏，因痰厥证多发于老弱之人，一般少用吐法。若痰郁窍闭，卒倒昏迷，牙关紧闭，舌苔白，脉滑而迟者，属实闭证，治宜行气解郁，除痰开窍。外痰贮于肺，内痰则变幻莫测无处不到，后者多因气机壅滞，或阳气衰微致体液积聚而成，此属阴邪，治当温化。但也常见痰湿化热，由阴转阳，痰气上逆，突然晕厥，舌苔黄腻脉滑数者，此为痰热厥证，可用清热降火豁痰开窍之法。或有因于七情郁结，心思不遂，气郁而痰滞，蒙蔽心神而厥者，当以理气解郁降痰开窍，以拨其气机，通其气道，则痰随气行，当可痰去神清。

厥本因痰起，故杜其痰患为治疗痰厥证之根本。痰乃人体水液所异变之病理产物，与五脏功能失调有关，其中与肺脾肾更为密切，如脾阳不足，水湿不化，积湿为痰者，治以温运脾阳。若肾虚不能主水，水气泛滥郁湿化痰者，治以补肾除湿，肾阳虚以温肾回阳，肾之功能恢复，水去则痰尽。又肺虚则气治无权，气郁痰结，治以理气解郁。诸如水湿停滞，痰盛气弱，肢肿纳差，腰痛脚重为三焦失枢，欲宣通三焦之气机，治疗当不离肺脾肾。本人所治痰厥证数十例，均运用祖国医学理论为指导，兹举一二以说明之。

黄姓患者，男，73岁，农民。1979年1月4日初诊：晕厥不知人，痰鸣气促，目闭不开，口有稠涎，唤之不应，四肢清凉，苔白脉沉滑而迟。诊断：痰厥证（痰阻气道痰蒙清窍）。

又一陈姓患者，女，56岁，农民。1981年3月12日初诊：患者突然晕厥，呼之不应，口流出多量痰涎，张口呼吸，四肢发凉，口臭痰腥，苔厚白而腻，脉滑实，查患者身体壮实，平日好食肥甘厚味。诊断：痰厥证（痰气上逆痰蒙心窍）。

以上2例均用如下治疗方案获良效。①迅速吸痰（防止窒息）当时缺乏吸痰机，用洗耳球吸出痰液。②针刺人中（宣其气血通闭回苏）。③苏合香丸1粒开水送服（宣郁开窍）。④例2病者苏醒后，以压舌板刺激其咽喉，令吐出痰液约150ml（适用身体壮实者）。⑤药物治疗采用行气解郁，豁痰降逆之法：石菖蒲12g、党参20g、法半夏10g、莱菔子12g、熟附子15g、枳实10g、白芥子9g、制南星10g。其中石菖蒲入心开窍，法半夏、枳实辛开苦降以解郁，白芥子豁痰温化，莱菔子消痰以守为降，附子温肾回阳，党参扶元益气。如此痰逆得降，痰浊得化，升降协调，阴阳顺接，阳回而复苏。⑥善后调养，益其肺气，调理脾肾，如补肺汤、归脾汤、参苓白术散等方调治半年，2 年后曾追访，未见复发。

我体会到：①要推广中医治疗急症危重症的方法，痰厥属危急重症，应从理论和实践上加以发掘整理；②痰厥晕迷，应首选除痰救脱法。痰塞气道宜迅速吸痰，再针刺人中穴可以救厥回苏；再用内服药物综合治疗，其功效卓著；③痰厥证因痰而生，必杜其生痰之源，其中生痰与五脏功能失调有关，脾为生痰之源，肺为贮痰之器，肾为水脏，痰为水液，故防止痰厥证复发，关键在于肺脾肾的调治。

应用眼科方药治疗高血压 ｜黄奉辛｜

1961 年夏月，治一女病员朱某，工人，因患重度视近昏蒙症就诊，述有高血压家族史，发病近 10 年，血压波动在 26.1～21.3/14.7～12.8kPa（190～160/110～96mmHg）之间，血脂偏高。服药多种，长期不能控制，近期病情进展，眼底动脉硬化，睁目即眩晕，低头则面赤，肢热口渴，心烦不宁，入睡困难，两胁发胀，下肢无力，经眼科治疗 2 个月无效。患者体形肥胖，眼下睑睑赤，舌坚敛，苔薄干，脉弦洪滑，表现肾阴不足，心肾不交，肝火循经犯窍。余治予苦寒直折壮火，选黄连牛黄上清丸、龙胆泻肝汤等治疗半月未效，改用桑麻丸、石斛夜光丸等滋阴润养清火之剂，仍未能中病。忆及清代汪昂曾谓："目能远视，不能近视，责其无水。"；《医宗金鉴》记载有："阳气有余，阴精不足，故光华散乱，不能敛近。"重温两说，本证当辨为水亏木旺，阴虚阳亢，遂改用益肾凉肝为主的地芝丸、杞菊地黄丸，加入蝉蜕、桑叶、菊花、夏枯草、决明子之属泡饮，连续治疗 2 个月左右，患者视力恢复正常，血脂及血压均有所下降，余症消失，随访至今，康复如常。

从诊治该例眼疾，血脂、血压与视力状况得到同步控制而认识到，视近昏蒙乃高血压的伴随症之一，二者有内在联系，从而进一步考虑到是否可筛选眼科常用中药用于高血压患者，对于改善症状，或能见效。余剖析常用于眼科的诸上清丸等八首方剂共 56 味中药的性能，其中对眼疾有直接作用的有龙胆草、黄连、黄芩、黄柏等泻火明目之品，可内外两用；有羚羊角、桑叶、菊花、草决明、青葙子等凉肝明目之品；有车前子、泽泻等利湿明目之药；有蔓荆子、蝉蜕、荆芥等可发郁火而明目；有黑芝麻、沙苑子等可润养肝肾培本而明目。

以上合计 18 味，占 33%。其他药物立意在平调脏腑、气血、阴阳，缓解风、痰、瘀、气、郁诸邪，有标本兼顾、相反相成之义。近有报道认为桑叶、菊花、蔓荆子、蒺藜、黑芝麻、决明子、泽泻等有降压及部分抗血脂升高的作用，葛根、蝉蜕等有解痉之功。

凭借以上分析，几经推敲，余取地芝丸、二至丸为主，自拟"抗压汤"用于高血压患者。方中用天冬、生地黄、墨旱莲、女贞子育阴养肝，用菊花清头目，枳壳疏肝气，山楂祛血中脂瘀，玄精石合怀牛膝清热泻火达下，俾使肝体宁，头目清，血压平。临证应用时可随症加减，加石决明，珍珠母能增强降压之力；入密蒙花、夏枯草清头目之力更佳；加明天麻、钩藤可熄风止晕；入葛根可柔项强；入牡丹皮、地骨皮能除血热内烦；入知母、玄参能润其里燥，还可加入荆芥、蝉蜕、薄荷发其郁火，或加龙胆草、黄芩、黄连之属制其壮火……笔者久用此方，观察到确能改善高血压病的临床症状，其降压灵敏度则因个体差异而各有不同。

头明草果汤治疗高血压　　|饶天培|

在临证工作中，余通过借鉴先贤和反复实践中，拟"头明草果汤"验方。本方由头晕药、决明子、歪头草、果上叶鲜草各 30g 组成。本人常用此方或单用歪头草治一些高血压、偏头痛患者疗效满意。

陆某某，男，50 岁。患高血压 3 年，血压在 24.0～26.7/12.0～13.3kPa（180～200/90～100mmHg）。服降压药后稍有下降，停药后又如前。症见头晕目眩，头胀痛，每因烦劳或恼怒后加剧，少寐多梦，口苦纳差，舌质红，苔黄，脉弦，血压 22.7/13.3kPa（170/100mmHg）。此由肝肾不足，肝肾阴血亏损，肝阳上亢所致。治宜平肝潜阳。方用头明草果汤。服 3 剂后头晕减轻，头痛亦除，睡眠改善，血压降至 18.7/13.3kPa（140/100mmHg），续服半个月，诸症消失，血压 17.3/12.0kPa（130/90mmHg），追访 10 年，未见复发。

通便降压，"将军"显威　　|戴西湖|

吴某，男，50 岁。因事心情郁闷寡欢，寝食不安，头晕头痛，面红目赤，口苦便秘，血压升高 21.3～26.7/16.0～18.7kPa（160～200/120～140mmHg），服复方降压片等其效甚微。邀中医会诊，舌红，苔黄燥，脉弦滑。辨证为肝胆实热，拟用清肝泻热法，方选龙胆泻肝汤加减：龙胆草、黄芩、生地黄、钩藤、夏枯草、怀牛膝、甘菊花各10g，泽泻、生栀子各7g，生牡蛎30g。连服8剂，症状不减，血压仍高，大便尚2～3日1行。后在原方加生大黄10g（后入），连服3剂。首剂后大便即解，口苦亦差，心烦除，能安寝。嗣后仅用大黄7～10g来调理大便，1周后血压稳定在正常范围。

按高血压属肝肾阴阳失调，肝为刚脏，主升主动，体阴而用阳。若忧郁恼怒，气郁化热暗耗肝阴，风阳上扰则肝阳上亢；或因肾水亏虚，水不涵木亦致阴虚阳亢，亦有因阴虚过极，阴损及阳，阴阳两虚而虚阳上亢，血压升高。临床上常抓住肝阳上亢这一病理特点，采用平肝潜阳为主的治法，选用龙胆泻肝汤、镇肝熄风汤或金匮肾气丸等多能获效。而本例为肝胆实热，初以龙胆泻肝汤加减治之，药虽对证，但火盛已有内结之势，不加苦寒通泄之药，则不能折其火势，后借大黄凉泄之力，使大便通畅，则火从下泄，诸羔悉减，血压亦降至正常，可见"将军"确有夺关之威。

中医治急症，功好效捷 |汪济美|

1946 年 3 月间，20 公里外的古琳村，一农妇病血崩5日，服药不止，急求出诊抢救。察其面容苍白，舌淡无华，精神萎靡，听其声音低微，浑身疼痛，动弹不得，口干不欲饮，尿少，大便3日未通，纳食不思，切其脉芤大而数。知为劳累过度，损伤气血，冲任虚亏，调摄无权，以致月水涌出如崩。前医曾取清热凉血止血，未能切证。试拟补气生血，活血止血，投以加味胶艾汤：阿胶9g（另烊冲）、陈艾叶3g、熟地黄12g、白芍9g、川芎6g、当归9g、炙黄芪30g、地榆炭15g。水煎去渣，分2次服。翌晨血崩显减，续与原方1剂，留诊观察2天，崩止，余症亦瘥。第3天乃与人参养荣汤收功，并嘱用米粥、猪肝汤、蛋汤、鸡汁等调摄善后。

同年8月间，族兄，年31岁，突然烦闷，手足挥动，家人邀诊。切其脉搏，每搏动2次即歇止，即中医所谓代脉。正在候脉，顷刻四肢厥逆，喉头紧束，呼气困难，吸气内截，接着上下肢从末梢至肩、髋关节厥冷如冰，欲言不出，遂至不省人事，危急万状，抢救刻不容缓。诊为厥脱之证，急拟助阳补气，散寒祛风，处方：附子9g、人参9g（另炖服）、天南星5g、广木香3g。水煎，边煎边匙灌，一剂接一剂，频频不断，自中午至黄昏连进5剂，始见臂腿温暖而渐达四末，脉息微续而未见代象，呼吸低微，时闻太息，气机已转，继以调养而安。

过去，绝大多数农村没有西医，许多急重病都靠中医治疗，亦多有功效。关键在于要很好地掌握中医理论及方药。危重急症，中医不但能治疗，且有很好的效果。

癫病应"先治其心" |叶淑端|

癫是指精神错乱的一类疾病，多由情志被伤而引起。"喜怒不节则伤脏"。癫属阴，多偏于虚。《难经·二十难》曰："重阴者癫。"

余曾治一女性癫病患者。因其父曾蒙冤，致使其思虑太过，日久损及心脾。正是"悲哀忧愁则心动，心动则五脏六腑皆摇"。近3年来，常神思恍惚，心悸健忘，彻夜不寐，沉默寡言，抑郁少欢，善悲欲哭，神倦，肢痿，纳差。曾多次在精神病院治疗，医生每每嘱其坚持服用镇静安眠药。患者在其家属督促下，服药3年余，每遇情绪波动，上述症状又复发作，遂试更中医诊治。

患者于1981年5月初诊，症状同前，且面色无华，口咽干燥，舌红少津，脉细数。证属癫病，心阴虚型，故以补心丹加减治疗。然余处方后，患者将信将疑，不肯离去。余悟出患者由于长期服用西药无效，对治疗已丧失信心。正如《青囊秘录》曰："是以善医者先医其心，而后医其身。"余好言相慰，告之此病是因其所思不遂，过度抑郁焦虑所引起的，只要心情舒畅，移情易性，并与医生密切配合，短期内可望治愈。其服药5剂，1周后复诊，睡眠、精神都有好转。余因势利导，恳切陈言，再予暗示，鼓励其排除各种因素的干扰，保持情绪的稳定，并与原方加减兼调理脾胃，嘱其逐渐撤去西药。服中药2个月后痊愈，随访两年未复发。

治此癫病，余体会到，一个人意志的强弱、精神情志方面的变化与疾病的发生密切相关。然人之情，莫不恶死而乐生。医者应适其志意，"告之以其败，语之以其善，导之以其所便，开之以其所苦"（《灵枢·师传》）。尤其是对于癫病、郁证以及久病和多愁善感，多疑善虑的女性，更要"先医其心"，结合药物治疗方能奏效。

癫痫病证治琐谈 ｜李仁溥｜

癫痫病又称为"痫证"，俗称"发羊吊"。其主要症状是间歇性、阵发性突然昏倒不省人事，四肢抽搐，口吐涎沫，清醒后起居饮食皆如常人。

中医对痫证的病因病理认为是肝风扰动，痰积于内而引起。痫证的诱发与情志有关，因痫证属心肝二经病变，肝主疏泄条达，肝郁则肝气不能升发，所谓"肝木不伸，不能曲直，凌乱而诱发本证"。五志化火，火热煎熬成痰，肝风夹痰上扰心包。此痰非一般之痰，而是顽痰，是伏藏于膈间的痰，是属于肝经之痰。

痫证的治疗必须针对属于"风"与"痰"二方面的病机。风是指内风、肝风。治疗上必须镇肝、平肝、熄风、止痉。五志化火必须清热，痰浊上扰必须涤痰。久病体虚者必须补益。故痫证的治疗包括六个方面：一曰镇肝熄风；二曰平肝熄风；三曰涤痰；四曰清热；五曰安神；六曰补虚。

1. 镇肝熄风：可选用朱砂、龙齿、磁石、代赭石、珍珠母；

2. 平肝熄风：可选用天麻、钩藤、僵蚕、全蝎，但不用蜈蚣；

3. 涤痰：可选用川贝母、牛黄、胆南星、远志；

4. 清热：痫证属火热之证较少，有火也是一时性的，不可过用苦寒之品。宜清泻肝胆，可选用小柴胡汤加龙骨、牡蛎、朱砂等。清火也宜清痰火，可再加竹沥汁、竹茹之类清络热而祛痰。

5. 安神：痫证属心肝病变。其标乃肝风夹痰，其本属心肝血少。治本宜养肝宁心，可选用酸枣仁、白芍、茯苓、甘草。不宜滥用菖蒲、郁金以耗损心气。

6. 补虚：痫证频频发作，久病必虚，宜补气健脾之法，可选用夏陈六君汤加熄风涤痰止痉之品。

（邹志为　整理）

祛痰健脾治愈周期性癫痫 ｜梁昭烈｜

儿童周期性癫痫，较少见。笔者曾遇 1 例，经用中医辨证论治，取得较好疗效，兹介绍于下。

尚姓女,6岁。于1年前,突然昏仆,不省人事,双目上翻,牙关紧闭,口吐泡沫。诸症持续约3分钟后苏醒。醒后无任何不适,自此以后屡有发作,每次发作间隔时间不等。短则1个月,长则2~3个月。经某医院诊断为癫痫服用苯妥英钠等药未能控制。继之发作间隔时间逐渐缩短,近几月来,发作周期固定在15天。经继服苯妥英钠及中药、单验方等,均未见效。嗣后,家长带患儿往京、穗等地有关医院进一步诊治,均未能控制发作。后求治于我。

诊见:患儿发育正常,智能一般,反应尚可,精神不振,面黄不华,余无不适,脉细数,舌红,苔薄黄腻。无头部外伤史,足月平产,2年多来,食欲一直不振,时有腹泻,痰多,形体消瘦。

本例患儿因长期脾虚,脾失健运,痰湿内生,阻滞气机,风阳内动,蒙蔽心窍所致。本为脾虚,标为痰邪,当务之急,须从祛痰入手,先治其标,以健脾法善其后:川贝母5g、陈胆南星5g、双钩藤5g(后下)、石菖蒲5g、竹茹3g、栀子3g、香附3g、茯苓5g、陈皮3g、郁金3g。7剂。嘱其服清淡饮食。

1周后复诊,药后咯出痰浊,余症同前,病有转机,因虑其周期将至,再以祛痰为主,效不更方,再服7剂。

第2周后三诊时,家长代述发作周期已打破,距上次发作18天后始发作,仅1分钟左右发作即止,且发作时诸症均较轻,舌苔仍有较少薄黄腻苔。痰邪未尽,前方继续服用,此次用药后第2次发作已推迟到第23天。仍宗前法,酌加健脾之品以固本。自此之后,数年痼疾,霍然而停,食欲增加,精神好转,嘱以香砂六君子汤常服,经追踪观察1年余,未再复发。

辨痫寻源　　|张景述|

患者张某某,女性,45岁,干部。1953年发癫痫病,每月发作几次甚至几十次,每次发作都是突然昏倒,不醒人事,痰涎上涌,四肢抽搐,牙关紧闭,双目直视,甚则二便失禁,非经抢救,不能回苏。经医院检查,最初诊断为绦虫病,说是:"囊胞虫头阻压脑神经所致。"后经X线反复检查,仍未发现脑部病变,大便检查曾发现绦虫卵,但用过多次驱虫药,均无绦虫排出。此后病势日趋严重,曾先后在各大医院住院治疗,历时10年,仍无好转。其长期失眠症状尤为突出,非用安眠药不能入睡。接着出现顽固的翻胃症,食物进胃不久随即吐出。乃邀我会诊。并转用中医中药治疗。

患者面色苍黄,口唇青白,眼睑微有肿,眼周皮肤呈灰黑色,双目无神,瞳孔对光反应迟钝，心悸怔忡，头晕耳鸣，失眠脑胀，形容憔悴，饮食不思，胸痞腹满，食入则吐，大便溏薄，月经淡少，癫痫发作频繁，体力消耗严重，脉象濡弱，舌苔灰白滑润。

根据上述症状分析，认为标病在心脑，本病属胃肠，急者治其标，故目前首先要解决的是心脑病的失眠和癫痫等主要问题，要解决这些矛盾，就应停止一切安眠麻醉药，使心脑得到充分的休息，从而恢复其自主调节的生理功能，则失眠顽症自会迎刃而解。在治疗方面先选用中医的补心宁脑剂，如天王补心丹、朱砂安神丸、归脾汤之类，以期达到宁神镇静的目的。同时合用止痫散（自制方：全蝎、天麻、白芷、牛黄、胆南星、僵蚕、蛇胆、陈皮、麝香等，制成粉剂，每日 2 次，每次用 3g，开水送服，20 天为 1 个疗程），以制止其癫痫的频繁发作。以上方药用了 20 多天，癫痫已逐渐减少。以后隔日用独参汤，每次用高丽参 6g，红枣 8 个炖服。以补气养神，强心健脑，大约过半个月，癫痫症状已基本控制，精神渐复正常。但纳入固体食物尚有翻胃呕吐现象，为了彻底解决这一问题，和探求治本的方法，乃详查病史，追溯病源，经过综合分析，认为患者曾长期住在山区，食过野菜和烧不熟的野生动物，肢体臀肌曾发现囊虫头节，粪便检查也曾发现绦虫卵，虽然用过多次驱虫药都未见排出绦虫，但目前的翻胃症状，可能与寄生在肠道的绦虫有关，决定试用中药的驱绦法。方用鲜尖槟榔片 60g，先用开水浸一宿，次晨煎数沸至出味，空腹顿服，服后 2 小时，即服硫酸镁 24g。患者服药不久，即觉腹中绞痛，头晕眼花，大汗淋漓，吐泻大作，随后泻出一条半米多长的大虫，家人睹状，惊惶失措，即将粪便连虫倒去，故无从辨别绦虫的种类，从此患者的翻胃、失眠、癫痫等顽固症状全告消失，食量日见增加，精神体力亦告好转，再调补休养一段时期，即恢复了健康，回到工作岗位，十年疾苦，一旦消除。

师传灵犀通圣丸验证考　　｜刘绍安｜

业师袁家玑公授曰："治癫狂属痰火者，用《问斋医案医话》灵犀通圣丸每获良效。"余遵师训，于 1975～1980 年间，用此方以丸剂易汤剂，在门诊试治癫狂患者 25 例，服药 15～20 剂愈者 18 例，好转者 6 例，无效者 1 例，效实不浮。

考《问斋医案医话》，乃清同治年间，江苏丹徒县蒋宝素先生所撰。灵犀通圣丸为蒋所创之方。药由犀角屑、桃花瓣、苦参、天冬、蚕卵纸、牙皂角、生大黄、川黄连、玄明粉、生石膏、肥知母、龙胆草、胆南星、枯白矾、煅礞石、芦荟胶、琥珀粉、雷丸、生铁落、竹沥水、飞朱砂、飞雄黄22味组成，功用为清、下、消、镇。如方中之犀角、黄连、天冬、竹沥、龙胆草、苦参、胆南星、蚕卵纸8味，以清心肝窍络之风火顽痰；生大黄、玄明粉、芦荟、石膏、知母、桃花瓣6味，以直折阳明实火而除下焦热痰惊痰，枯矾、礞石、牙皂、雷丸4味，以消宿久之陈痰；铁落、朱砂、雄黄4味，镇静安神而坠浊痰。处方配伍之妙，贵在生铁落、桃花瓣、蚕卵纸3味。盖生铁落无毒，味辛性平，善治癫狂，《素问·本病能论篇》早有"病怒狂者……使之服以生铁落为饮"云云；桃花瓣苦平无毒，善利二便宿水饮邪，消积滞而治癫狂，与张仲景治积热发狂用承气汤、蓄血发狂用桃仁承气汤之取义相同；蚕卵纸甘平无毒，治癫狂病其功独胜，《肘后方》早有"凡狂发欲走，或自高贵称神，或悲泣呻吟……，以蚕纸烧灰，酒水任下方寸匕"等记述。由此观之，吾师袁公言"灵犀通圣丸治痰火癫狂每获良效"一语，可谓学有本源，阅历深切，竭心力智巧所得，经验可法可师。

治疗狂证当重散血法　　|刘文权|

以往治疗狂证，注重泻肝火，平肝阳、泻心火、涤痰浊，忽视了泄膀胱结热，散下焦蓄血，因此对太阳热病不解而引起的狂证疗效不佳。余宗《伤寒论》所论太阳蓄血证之意，使用桃核承气汤之法，重在下热散血，收到了较好的疗效。简介3例如下。

1. 31岁女性患者，已婚，农民。胡言乱语，日夜不眠，东奔西走，惊恐不安。发病前后有头痛、颈背肌痛、小腹发胀。10年前患胆囊炎，最近多次发作。舌苔黄腻，脉稍数。前二诊拟龙胆泻肝汤合大承气汤以泻火利胆，精神症状无明显改善。三诊时，注意到头痛、颈背肌痛、小腹胀，按太阳邪热入于膀胱论治，用桃核承气汤加味：桃仁15g、桂枝10g、枳壳10g、厚朴10g、大黄15g、芒硝20g、泽泻10g、茯苓10g、滑石10g、木通10g、栀子10g。服3剂，病情明显好转。对照大承气汤和桃核承气汤，考虑是桃仁、桂枝散血而收效。

2. 22岁女性患者。失眠烦躁，兴奋吵闹，神志欠清，胡言乱语，经西医治疗3个月未愈。诊见苔薄腻微黄，脉稍弦。据其胡言乱语，神志不清和舌、脉辨证为痰热互夹，扰乱神明。以礞石滚痰丸方意涤痰清热。服14剂仍不见效。吵闹不休，极度躁动，常在地上打滚。复诊时便佐入散血之品：桃仁15g、红花

9g、当归 15g、丹参 10g、黄芩 15g、礞石 10g、制大黄 10g、芒硝 20g、竹茹 15g、胆南星 10g、磁石 30g。1 周内日趋安静，神志渐清，能自理生活，言谈适切。

3. 41 岁男性患者。初诊为湿热内蕴肝胆，情志多变，时恐时怒，气宇轩昂，厉声斥逐，拒绝诊脉。以龙胆泻肝方治疗半月无效，三诊时佐入散血之品：桃仁 15g、当归 20g、赤芍 15g、牡丹皮 10g、大黄 15g、芒硝 20g、黄芩 15g、栀子 10g、泽泻 10g、龙胆草 5g、朱砂 3g、磁石 30g。1 周内即见好转，接触合作，能自诉以前脑子糊涂，行为逐渐正常，夜寐改善。

笔者认为心肝诸经的顽狂之证均有邪热不解，热与血搏的病机。若血不下，热难出，狂证不得愈也。当宗桃核承气汤之法，下热散血常可获效。

（卢胜利　整理）

夜游症与夜游安神汤 ｜贺若芳｜

夜游症指夜间入睡后，突然起床室外行走，良久又回床而卧，但患者本人未知有此情况，白日如常人，一般无特殊征象，此病文献记载很少。笔者在多年临床中曾见几例，初遇确实感到棘手，翻阅有关报道资料，谓此证与百合病颇为相似，宗百合地黄汤加味，亦未奏效。笔者经过反复诊察，证属阴虚内热，以心阴虚为主。《内经》曰："心者，君主之官，神明出焉。"今邪热内扰，则心神失守，调节失常，及至夜间，邪火更甚，魂不守舍，扰于阳分，阳主动，于是就出现夜游症。故治疗应以清心热，镇心安神为主。自拟夜游安神汤。处方：沙参、麦冬、蝉蜕、白芍、茯苓、生地黄、朱砂（冲服）。治疗数例，均取得满意疗效，方用生地黄、沙参、麦冬养阴清热；茯苓、牡蛎、朱砂镇心安神；妙配蝉蜕镇心定惊。方药味轻而效雄，清虚热而阴阳和，神守魂魄而归心，服药数剂多能治愈。

王姓儿童，9 岁，其父代诉，半年前偶然发现患儿夜间入睡后，突然起床行走，约半小时后又转回床上而卧，初起三五日 1 次，家人未予介意，近 1 个月来发作较频繁，或隔夜 1 次，或每夜 1 次，问之，否认夜出，自无不适感觉，白天与小孩玩耍如常，诊见面色稍红，舌尖较红有朱点，苔薄黄略干，脉细数，余无特殊征象，给予上方药 6 剂后，上症消失未再复发。

遗尿从心论治　　|黄建业|

遗尿一证，医多宗经旨治以温补下元，亦有用补气固涩，清肝化湿之法者。我在治疗一遗尿患者后，使我对此病治则有了新的体会。

1970年遇一位20岁之女青年，自幼遗尿，用中西医各法治疗皆无效。吾遵古法予以温肾补气固涩之品，以巩堤丸、补中益气汤、缩泉丸加减，服药10余剂，遗尿依然如故。仔细审其脉证，脉细无力而带数，舌尖有红点，心烦，健忘，腰酸，月经涩少，经后小腹空痛，睡眠多梦，梦入厕即遗尿，尿后即惊醒，一夜数次。其证以心肾阴虚、水火不交之证为主，故一改古训，试投天王补心丹与知柏地黄丸合方加减，并加用少量肉桂、石菖蒲，药5剂后来诊，言其每夜遗尿次数有所减少，且有一夜只遗一次者。前方收效仍守原方，并加埋耳针神门、心。10日后来诊，言遗尿次数更减，仍守原法治疗月余，遗尿证愈。

上述病例对我颇有启发，故在诊治遗尿患者时常注意是否有心病的征象。经过多年观察我体会到，治心亦为治疗遗尿之大法，如补心固涩、清心安神、交通心肾等法均有其疗效。

补心固涩法多用于心气虚弱而遗尿之证，除以遗尿为主症外，尚可见智力不敏、多汗乏力、面色㿠白、舌质胖淡。常用方为自拟之补心固涩汤：黄芪、党参、浮小麦、大枣、茯神、龙眼肉、炒酸枣仁、肉桂心、桑螵蛸、益智、远志、炙甘草。另用鸡肠一具洗净烘干研末吞服。

清心宁神法多用于心火偏亢而遗尿之证。除遗尿外尚见口舌生疮，烦躁，夜卧不安，日间小便黄，舌质红，苔黄。常用方为自拟清心宁神汤：川黄连、木通、滑石、竹叶心、连心麦冬、连心莲子、柏子仁、朱茯神。

交通心肾法多用于心肾阴虚而致之遗尿证，该证常见于学龄儿童及青年，除见遗尿外，常可见失眠、心悸、健忘、头昏、耳鸣、腰膝酸软、咽干、潮热盗汗等症状，常用天王补心丹合三才封髓丹加减：丹参、玄参、太子参、五味子、远志，熟地黄、黄柏、柏子仁、炒酸枣仁、川黄连、肉桂、茯神、炙甘草。

治遗尿症针灸、药物配合，其效更高，针灸取穴除常取三阴交、肾俞、关元等外，还取用心俞、神门、大陵等治心经之穴。

遗尿宁心颇符中医理论。心主神，是人体精神思维活动的主宰，而遗尿为睡中所作，不论是梦中尿床或治睡不醒尿床，均与神不能控制排尿功能有关，故在治疗时，如见上述以心病为主症之遗尿，即不应拘于温肾、补气、清肝，而当以治心为主。

遗尿与尿失禁 罗冬秀

遗尿，系3岁以上儿童，睡中尿自遗，醒后方知。

尿失禁，为小便频数，或滴沥不断，不能自控，白昼多见，且以老人为多。

遗尿与尿失禁病机相似，均以肾气不足；或病后体弱，肺脾气虚不能制约小便；亦有由于热客于肾，水不涵木，厥阴肝木受损，或肝经血虚兼湿热下注，膀胱为火邪所扰，气化失常而致者。另有小儿从幼不加约束，恣肆常遗尿者，不在此例。

临床所见以虚为多，故有"实则闭癃，虚则遗尿"之说。治疗常用温补肾阳，补益肺脾，固摄小便为主。肝经郁热者多以清泻肝热。吾师毛玉贤常用补中益气汤加木蝴蝶30g治肺脾气虚遗尿者，每获良效。余曾治1例虚实寒热夹杂者，法用攻补兼施，亦获良效。

何姓男孩，10岁。近2年余白昼尿失禁，夜晚遗尿，以致不能上学。症见面萎黄微浮肿，头胀眩晕，神情呆滞，性情急躁，意志不能集中，食少神疲，时觉发热，口渴多饮，大便正常，尿黄少赤臭秽，舌尖红，苔薄白，脉弦滑。证属肺脾气虚，肝经郁热夹痰。治以补益脾肺，固摄小便兼涤痰清泻肝热。补中益气汤加减：潞党参10g，黄芪30g，白术15g，柴胡10g，当归10g，法半夏10g，陈皮10g，生姜3片，大枣12枚，木蝴蝶30g，栀子8g，白芍10g，煅龙骨、煅牡蛎各30g（先煎）、炙甘草10g。服5剂后诸症减轻，昼已无尿失禁，夜偶有遗尿，头胀眩晕，肢软无力，舌尖红，苔薄，脉弦滑。上方加泽泻10g继服。药后昼日尿已正常，10天来仅有1次遗尿。头仍眩晕，性急，舌尖红，脉弦细。上方去泽泻加黄芩10g、珍珠母15g、桑螵蛸10g为末蜂蜜调服。两月后饮食增加，智力恢复，诸症痊愈已复学。随访近1年未复发。

遗尿良方老少咸宜 李仲稻

遗尿证，老少均可发生。多因肾气虚弱，不能摄纳固藏，兼因膀胱虚寒，禀赋虚弱，失去肾的纳气作用，不能控制水道之故。或因病后体质虚弱所致。

肾主闭藏，开窍于二阴，职司二便，与膀胱互为表里。肾气不固，失其封藏固摄之权，致使气化功能失职，发生遗尿。治以培元补肾之法，拟用桑螵蛸合剂（桑螵蛸、熟地黄、益智仁、覆盆子、枸杞子、菟丝子、补骨脂），曾治多例，不论老少均取效。如黎某某，男，83 岁，遗尿 3 个月，每晚皆遗，甚为苦恼，始以尿多急不可忍，后遗尿无衣更换，怕羞不与人言，家人发觉，领来就诊。辨为肾气虚寒，给桑螵蛸合剂，1 剂遗尿停止，一枕天明。患者在烦恼中得到解除，难言之感，喜出望外。又尹某某，女，9 岁。在 2 岁时麻疹后泄泻，纳食减少，身体消瘦，入夜汗出，遗尿 7 年。每晚如是，有时叫醒起来小便，仍复遗尿。根据脉证辨为肾气虚，给桑螵蛸合剂，6 剂后遗尿停止。相隔一段时间复发，先后服药 30 剂而愈。1 年后随访，未再遗尿。

升阳气，治癃闭 |章柏年|

癃闭一证，虽《灵枢·口问》有"中气不足，溲便为之变"之明训，洞察病源，后世多宗"肺为水之上源""肾司开合"两说立法，驾轻就熟，习以为常。殊不知气之升降，全视乎气之盛衰，气盛则清气升而浊阴降，气衰则阳气当升不升，浊气当降不降。胃者多气之府，脾者中气居之，合为气机升降之枢，故脾胃虚九窍为之不通，何独前阴之闭水哉？若忽此，则治癃闭难矣。

笔者曾治一耄老患者，小便癃闭，点滴不通，少腹胀满，形寒神困，饮食难进，虽经用利水之法，病情有增无减。西医诊断为老年性前列腺肥大症，非手术莫为。因患者不胜其苦，转来我院门诊。诊其脉细且弱，舌淡苔薄，四肢不温，中气不足之象毕露，故前医虽用利水之剂，证治有殊，一效难求。随即处以补中益气汤加桔梗、肉桂、车前子，2 剂，小便自通。尔后继服此方，终获痊愈。

耄老之年，天癸已竭，阳气日衰，好患此证，治可补中益气。补中益气汤为李东垣补气升阳之名方，临床应用甚广，以治气虚癃闭，亦堪称绝，年高患者尤为得宜。清·钱镜湖《辨证奇闻》盛赞曰："治之法，必须提其至阳之气，而提气必从胃始也，方用补中益气汤，一剂而小便通矣。"补中益气汤使脾气升运，则浊阴自降。笔者常喜加肉桂以化膀胱之气，加桔梗以升提肺气，既启上闸，又开支河，使补气升阳之大法，切中气虚癃闭之证。

升阳气治癃闭，并非独僻蹊径，实治本之法也。

畅中化湿愈癃闭 |陈永珩|

癃闭是以排尿困难，少腹胀痛，甚则小便闭塞不通为主症的疾病。小便之通利，有赖于水道通调，三焦气化。若水道闭塞，或三焦气化失常，则可引起癃闭，三焦之中，往往责于肺、脾、肾与膀胱，而病位主要在膀胱。由于病系三焦，病因病机复杂，或因湿热蕴结；或因肺热壅盛、或因肾阳不足、或因跌打损伤，经络瘀阻；或由膀胱阻塞。癃闭主症是排尿困难，少腹胀痛，临床表现不一，同中有异。必细察病因，细究其由，辨证施治。

邓某，女，40 岁。1984 年 7 月来诊。述 6 天前，因小便突然不通，少腹胀痛难忍 7 小时，赴医院急诊为"急性尿潴留"，予导尿及服药。尿常规为红细胞 4～10 个/HP。尿培养及腹部照片均无异常。虽导尿 3 次稍缓其急，但病情毫无好转，故求治于中医。

诊见，少腹胀满疼痛，心烦不适，食少嗳气，痛苦病容，舌红，苔黄腻而腐，脉弦而数。证属湿热蕴积膀胱，当宣化畅中，清热化湿，通利小便。处方：杏仁 10g、桃仁 12g、豆蔻仁 6g、薏苡仁 15g、瞿麦 10g、萹蓄 12g、法半夏 10g、黄芪 12g、荷叶 15g、茵陈 12g、忍冬藤 15g、石菖蒲 9g、木通 12g、桂枝 3g、甘草 6g。3 剂，日服 1 剂。

服药 1 剂的当天下午即自行排尿 1 次，身感快然！3 剂后，排尿基本正常，但仍有尿痛感（红细胞 5～9 个/HP）。此因湿热壅遏，加之反复导尿，致血络损伤。守前法稍加凉血药白茅根 30g、牡丹皮 10g 以善其后。

本例由于湿热壅遏，湿性黏滞，阻遏气机，热则气壅，湿热合邪，壅遏膀胱，三焦不利，故尿闭腹胀，舌红、苔黄腻而腐。治以宣肺畅中，清利三焦为法。杏仁宣上焦，助肺之宣发、肃降、通调水道之力以启上源，正所谓提壶揭盖之法；豆蔻仁畅中焦助脾之运化以利枢机；薏苡仁利下焦，除湿热。本方尤妙在以荷叶升清降浊及佐桂枝少许以助膀胱气化，蒸腾水气。另因热伤血络，加入桃仁、白茅根、牡丹皮以凉血止血，化瘀生新。三焦气化正常，则水道通调，小便自利，癃闭得愈。

开盖通泉治尿闭　　区潜云

甲子秋九月，产妇陈氏娩儿方5日，小便不通，每有尿意非行导尿术不可，服中西药未效，求诊于余。察其脉缓，余无不适，检视前医所用方，尽为四君子汤、四物汤、八珍汤、十全大补汤之属，盖囿于"产后宜温"之说，其未能奏效之由，实未谙"开盖通泉"之理，乃处方：麻黄10g，枳壳、地龙、牛膝各15g。1剂服下即康复如常矣。

实习医生问其故，答曰：肺乃五脏之华盖，三焦水道之上口也，上口塞则下口闭，今产妇之尿闭，缘产时闭气用力，气机因之受阻，以麻黄宣肺通气，更用枳壳之宽中，地龙之活络，牛膝走而不守，并可健肾，气机遂得条达，故水道复畅矣。

淋证漫谈　　魏善初

小便频数、淋沥刺痛者，谓淋证。多见于西医的泌尿系感染、结石、肿瘤等多种尿路疾病。就临床常见的泌尿系感染，谈谈个人在辨证论治中的点滴体会。

历代医家根据病人小便性状及整体情况，将淋证分为热淋、石淋、血淋、劳淋等多种。但就其病的性质而论，不外湿热和寒湿两类，其中以湿为主，湿的热化或寒化应成为该病发生发展和转化的根本病理。

湿为阴邪，易伤人体阳气和阻遏气机，阳气伤耗和气机阻滞，又易遭致湿邪进犯或内生，形成恶性循环，加重病情。

凡气机阻滞、湿邪进犯者，湿邪多从热化，表现为湿热证，凡湿邪充盛、阳气不足者，湿邪多从寒化，表现为寒湿证；湿性黏滞，绵延不除，阳气更损，使病变呈现慢性寒化为主的寒热交替过程。

水湿同性，湿性重浊，不论湿邪侵犯或内生，也不论湿邪热化或寒化，都要流注下焦，导致肾主水和膀胱贮尿排尿的功能失常，产生淋证的主要临床表现。

淋证的主症是病因、病位和病性三者的综合反映。由于气不化湿，湿邪阻滞肾和膀胱，故出现小便频数，淋沥刺痛。若湿从热化，则见小便黄赤，尿道灼热刺痛，舌红苔腻脉数，甚则身热汗出；若热伤血络，还可出现血尿。湿从寒化者，则见小便清澈，尿道紧塞刺痛，舌淡苔腻脉缓，甚则畏寒肢冷，神疲倦怠。

根据上述病因、病位和病性的综合分析，淋证的根本治法是温肾化湿，健脾利水。首选方剂为五苓散。该方用桂枝、白术相配，温肾健脾，以壮通阳化气之源；再配猪苓、茯苓、泽泻加强除湿利水之力，则气行水化，淋证当平。

湿从热化者，多见于淋证初期或慢性过程热化期，当清热化湿、利水通淋为法，五苓散去桂枝加萹蓄、瞿麦、车前草。若热伤血络致血尿者，再加白茅根以凉血止血。应用此法，每多见效。

湿从寒化者，多见于慢性过程寒化期，患者病程较长，病体较差。法当温阳化湿，利水通淋。五苓散加吴茱萸，车前草，亦多奏效。

热 淋 辨 治 　｜俞才钧｜

热淋以小便短数，灼热涩痛，小腹拘急为主症。病因主要为湿热蕴结下焦。初病邪实，久病转虚。辨证论治则以正气与病邪之盛衰为其准则。若不彻底治疗，病情反复，常致慢性难治。

热淋初期，小腹拘急，小便短数。灼热涩痛，尿黄赤或血尿，或腰腹引痛，或有恶寒发热等。余治热淋常用《局方》八正散加减，以清热泻火，利湿通淋，宜加黄芩、黄柏以清热除湿；如见血尿加蒲公英、紫花地丁以清热解毒利湿。另如银花藤、败酱草也有效。若寒战或恶寒发热者，可加柴胡或青蒿以退热。

若当邪退正虚之时，常有腰痛，且腰痛作胀常为一侧，与肾虚腰痛不同。自感尿频、尿急且尿黄少。但尿常规正常。若感冒或服祛风湿辛温燥剂，常有尿频涩痛加重。此时，多为热淋耗伤肾阴而致肾气失制，使膀胱气化不利而致腰痛胀，尿频短涩之症。

笔者习用女贞子、墨旱莲、山药、茯苓、泽泻、牡丹皮、党参、白术、川萆薢、石菖蒲、甘草梢以滋阴清热、分清化浊。如无余热留邪，又可加用乌药、益智仁以温肾化气。如腰痛缠绵不愈，可加骨碎补止痛，骨碎补行气活血，治伤止痛甚效，可为良药。

曾治李某某，女，32岁。病者腰痛尿频伴血尿半年。曾在某医院经治半年未效，确诊为肾盂肾炎。余诊为肾虚挟湿热。以上方加紫花地丁、蒲公英。连服 5 剂后血尿明显减少，后再服前方 10 剂，镜检尿全部正常，先后共服药月余已能照常工作，半年后随访未见复发。

鸡内金治石淋有效 　|张敬珍|

鸡内金为鸡肌胃之内膜，味甘，性平，为消滞化瘀的要药。有消食积，止遗尿、化结石的功效。与车前草、海金沙、川牛膝等配伍，是治石淋的便方、验方。张锡纯用鸡胵茅根汤治石淋，方中的鸡胵即鸡内金。笔者曾用有鸡内金的排石汤和不用鸡内金的排石汤各治疗泌尿系结石 25 例相比较，结果发现有鸡内金的处方治疗后结石位置下移明显，大块变小，或整块变碎，碎块变为粉末随尿排出，尿中常有泥沙状之沉淀物，而无鸡内金的处方疗效较差。又曾用单味鸡内金焙干研末，每次 10g，每日 3 次，茶水送服治疗输尿管结石，有 1 例连服 7 天后，自行由尿中排出两颗黄豆大的结石。由此可见，鸡内金在治疗石淋中确有推石下移、化石、排石的作用，在复方中则能增强疗效，比无鸡内金的处方好。

笔者认为，鸡内金不仅能消脾胃食积，也能化其他脏腑的瘀积，还可能使尿液变酸性中和结石的碱性而起消石、排石的作用。茶水送服目的是取其利尿作用以助排石。

虚淋与遗尿宜详辨 　|闵范忠　蓝青强|

淋证有虚、实之分，虚证多发于高龄体弱之人，常因脾肾虚损所致。临床表现小便赤涩疼痛不明显，而以小便频数，尿急或失禁为主。若不详问病情、细加辨别，极容易当作遗溺治疗，使病情增剧。如有一 59 岁的女性患者，形体消瘦，近 1 个月小便频数，昼夜 20 余次，常登厕不及而尿湿衣裤，口干渴，常有眩晕，前医诊为遗溺，投予温肾固涩的缩泉丸合桑螵蛸散加减治疗。服后尿意频频而小便难出，口干、头晕目眩加剧，并腰痠胀，小腹有下坠感，舌嫩红，脉细弦略数，苔少。细询病史得知 20 年前曾患淋证（急性尿路感染），并反复发作多次。检查尿常规：蛋白（＋），白细胞（＋＋），红细胞（＋），脓细胞

（＋）。诊为虚证。投知柏地黄丸加减：生地黄、茵陈各 15g，怀山药、党参、女贞子各 12g，泽泻、牡丹皮、黄柏各 10g，茯苓 15g，甘草梢 3g。水煎，日服 1 剂。6 剂后尿频，遗溺消失，尿检复查正常。

类似情况，笔者先后遇数十例，两者临床表现确很相似，发病年龄亦相仿，然其病机，治法迥异，不可不细辨。虚淋多由淋证实证误治、失治，反复而成，有明显的病史，小便频数，昼多于夜，尿急不易控制，多伴腰部痠胀或小腹下坠感；遗溺则无淋证实证病史，尿频数，夜甚于昼，无尿急，而常在不知不觉中遗出。

"浊"分精溺　　|赵国仁|

"浊"又名"白浊"，指尿液混浊，白如泔浆；或小便时尿道口有白色滑腻之物排出；或小便初时尚清，旋即澄于溺器之底，其白如油者。有精浊和溺浊之分。

精浊。精藏于肾而听命于心。心志清净，肾能封藏，精气内持。若调摄失宜，思欲不遂，或嗜欲过度，心火亢盛，肾水内损，元精失守，而成浊病。初病宜清心宁神，养阴益肾，稍佐清化湿热之品。六味地黄汤滋养肾阴，川黄连、灯心草、淡竹叶、玄参等清心宁神。土牛膝根、土茯苓清热化湿解毒。久病则心神内耗，阴损及阳，以定志丸、心虚白浊饮等养心益智，另用五子丸（菟丝子、五味子、韭菜子、潼蒺藜、补骨脂研粉，怀山药作赋形剂，水泛丸）固肾壮阳。

溺浊。肥甘酒醴辛热炙煿之物过度，则湿热内生，壅阻中焦。如失治或误治，则湿热脂液流于下焦，从肾及膀胱排出，而成溺浊。以过食肥甘，运化失司和小儿疳证为常见。治宜消食导滞，清化湿热。用保和丸去连翘加川黄连可效。

阴 缩 治 例　　|徐文惠|

余曾随程云琛老师门诊，治一阴缩症，疗效甚捷，兹录于下。邓某，男，55 岁。患者由家属背扶来诊。自诉少腹隐隐作痛，牵引至睾丸已十余日。诊前少腹卒然绞痛难忍，阴器内缩，昏厥不省人事，举家惊骇，即予掐人中、虎口、烧灯火、布履温熨肚腹等法急救，神清后因恐阴器再缩急而求治。

望其形色，面色青白呈痛苦状，疲惫虚怯，形寒肢冷，舌淡胖，苔白微腻，脉沉弦而涩。头昏，口干，少腹拘急冷痛，时或痛引阴器。

程老综观脉证，谓证属"寒中厥阴"治以暖肝散寒，处方：小茴香 12g、肉桂 9g、吴茱萸 4.5g、台乌药 9g、白芍 15g、郁金 9g、荔枝核 12g、川椒目 30 粒、附片 6g（另包先煎），2 剂。

两天后，病人自行来诊，谓服前方后，少腹拘急冷痛明显好转，未再阴缩，但肚腹仍隐痛，且腰痛，溲黄赤，脉弦缓，苔白。于前方去附片、肉桂，小茴香改为 6g，加青皮 9g，川楝子 9g，2 剂后痊愈。后家人告之未复发。

阴缩一症，临床少见，本案以少腹拘急冷痛，阴器内缩为主症。阴缩何以使然？程老认为是寒滞厥阴，阳气不运，肝寒气滞之故。正如《灵枢·经脉》云："足厥阴之筋病……伤于寒，则阴缩入。"治之者，"宜破其阴气"，俟寒解，脉络自可通调，仿景岳之暖肝煎增损化裁得效。

小议老人便秘 |刘燮明|

老年人或真阳亏损，温煦无权，阴邪凝结，或阴亏血燥，大肠液枯，无力行舟，均易发生便秘，且亦多属虚证。一般医书常分气虚便秘，血虚阴亏，阳虚寒凝等型论治。肾开窍于二阴，主开合，司二便。故老人便秘从肾论治每有良效。然又常有虚实互见，寒热错杂者，则非补肾所宜。个人体验，虚实夹杂之证往往较单纯虚证更为多见。故切忌一见老人便秘就云补虚。对此虚实互见之证，余常仿《千金方》温脾汤及《温病条辨》新加黄龙汤意，攻补兼施。大黄一味，虽有将军之猛，然采用小量（3～6g）另包泡服，得下则止的方法亦很安全，欲取头功，非此莫属。大便得下则随时撤去大黄只留益气养胃温润通便之品善后。古方清宁丸即以大黄。黄酒各半同煮，炼蜜为丸，每服 9g，每日 1～2 次，主治便秘。

老人便秘属慢性疾患，易于复发。故需药治与养生相结合。余常嘱患者以决明子煎汤代茶或单用蜂蜜 1 匙，每日 2 次。长期服用，多有效验。生活调理对防止便秘复发尤有重要意义，应嘱病者多食新鲜蔬菜并应养成定时登厕的习惯。

昔年离休干部徐某，便秘 7 年，腹胀冷痛。有时临厕努挣，目珠作胀，亦无所出。服果导未见反应，曾灌肠只取效于一时。诸症遇冷加重。虽无性命之忧，亦有诸多痛苦。其脉沉数，舌瘦边尖红，苔腻微黄。余取攻补兼施，寒热并投之法，药用：太子参12g，白芍10g，白术12g，炙甘草10g，干姜6g，肉苁蓉、当归、炒莱菔子、枳实、槟榔片、黄连、秦皮、玄参各10g，大黄6g（泡服得下则弃之不用）。方中太子参、玄参及白术、甘草益气养阴，白芍缓急，干姜散寒，肉苁蓉，当归温润通下，莱菔子、枳实、槟榔行气导滞，黄连、秦皮苦寒燥湿，大黄攻下热结。3剂后大便每日1行，冷痛有散开之势，大便黏液见少。药初中的，上方则减苦寒攻下之品继服善后，调理半月，诸症消失。

总之，老人便秘虽属小恙，也必须坚持辨证施治，才能取得预期效果。

大便失禁与猪苓汤 ｜徐富生｜

韦姓，男，45岁，素禀体弱，某日捣碎猪骨头1大碗，伴米粉末为丸，顿服。当日半夜，腹胀，矢气频频，大便频频登厕，黏稠秽臭，但无里急后重，小便短少。家人自找收涩番桃叶食，下利不减，反增腹痛，时轻时重。迁延两日来院求治。诊见：大便失禁，粪便浸湿短裤长裤，奇臭难闻，形体消瘦，皮肤弹性极差，舌苔白腻厚滑，脉濡滑。几位医生前往诊治，某医主张急投涩肠固脱桃花汤之类；某医意见用消食化滞；某医建议给予健脾培中，余闻各有其理。然家人投收涩止泻之品，腹痛蜂起，固涩不宜使用。止泻方法诸多，何以为善？思《金匮要略·呕吐哕下利脉证篇》条文，"下利气者，当利其小便。"但仲师出法不疏方。遵其法实为"急开支河"之理。试投猪苓汤加山楂治之，予药1剂，小便畅利，大便始有定数。继进2剂，大便正常。盖脾运不健，食积湿阻气滞，急以利小便，另利肠中之湿邪，使气滞湿阻得以宣畅，"急开支河"使清气从小便出，则下利可止矣。利止之后，复其原气，用异功散培补中气，调补十余日，康复而归。

猪苓汤功在育阴利水，医者多用于渴欲饮水，小便不利，或小便涩痛，或夹脓血，点滴难出，小腹胀满作痛之症。今治大便失禁，小便不利，功雄力峻，临证收获，实录为据，祈同道辨证一试。

通关启格汤治疗关格

徐学义

关格指阳竭于上而水谷不入，阴竭于下而二便不通之证。《济阴纲目》称："关者不得小便，格者吐逆。"小便不利，迁延日久，尿毒内攻可引起头晕、心悸、喘促、浮肿、恶心呕吐、视物模糊，甚则昏迷抽搐等症。归纳其因，不外体内阴阳失去平衡所致。《内经》"阴阳俱盛，不得相荣，故曰"关格"。关格之脉《诸病源候论·小便病诸候》认为是"紧而滑直"，笔者临证体会其脉多沉细而滑。至于关格的治则，由于本病的发展过程常与癃闭，水肿等病证有关，故一般常针对癃闭，水肿来分析其机制与治法，如理肺以浚上源，扶脾以启枢机，治肾以疏下源，疏肝以理气滞等。至于药物性味，汪庵曰："关格之症，治以辛温香燥，虽取快一时，久之必至于死。"余听鸿曰："夫格症皆属津枯，刚燥之剂，亦在所禁。"笔者体会，关格既为阴阳平衡失调所致，治当酸甘化阴、通阳和阴，生津滋液，并本此治则自拟通关启格汤治疗关格，每见效机。处方：栀子10g、麦冬12g、沙参12g、肉桂4.5g、当归12g、乌梅6g、玉竹12g、竹茹6g、杏仁9g、黄连6g、白芍15g、五味子9g、酸枣仁15g、生甘草12g。

方中栀子清三焦实火、利尿；黄连入心以清热，俾心肾之气相通而使小肠得以开合以利小便；竹茹清肺利痰，宣通三焦水道并止呕哕；杏仁润肺滑肠；当归生血补心，扶虚益损；生甘草消胀除满、泻火通二便；肉桂暖丹田、壮元阳以救下竭之阴；乌梅、五味子、芍药，酸枣仁酸甘化阴，养阴生津；沙参、麦冬、玉竹甘平质润，补肺滋液。

本方的使用应把握时机，一俟症状缓解，上竭之阳得阴荣，下竭之阴得阳助，则应齐头并进，阴阳俱补，以大补元煎，十全大补汤之类进治，以促使虚象早蠲，体力日复。

以上乃笔者一得之愚，试录验案以证之。

丁某，随喂随吐，并见四肢抽搐，腹满尿少（24小时仅150ml），腹水征明显，面部及下肢水肿，口鼻可闻尿臭，柯氏呼吸，面色苍白，神识不清，昏睡状态已12天。实验室检查：非蛋白氮150mg%，二氧化碳结合力22.5体积%，肌酐6.37mg%，血氯640mg，血钾4mg，尿蛋白（+++），白细胞3~4个/HP，红细胞4~5个/HP，颗粒管型及透明管型多个。西医诊断：肾性尿毒症。要求中医会诊。

中医辨证：阴竭于下则水肿，小水不通；阳竭于上则呕吐不止，腹满喘促；尿毒攻心、心不藏神则神识不清，甚而昏迷。脉沉细而滑，苔黄中黑而干。《景岳全书》称："水道不通则上侵脾胃而为胀，外侵肌肉而为肿，泛及中焦而为呕，再及上焦则为喘，数日不通，则奔迫难堪，必致危殆。"证为关格，毋容质疑，予通关启格汤。

上方加减共服15剂后，症状开始好转，一般情况较前进步，全身水肿消失，已不呕吐，能持续起坐及下床步行，一般生活可自理，面颜丰腴，肌肤润泽。日排尿量1000～2000ml，血压16.0/10.7kPa（120/80mmHg），尿常规（－），非蛋白氮49mg%，肌酐2.65mg%，二氧化碳结合力49体积%，肾功能测定基本接近正常值。

嗣后以十全大补汤、生脉散合方加减，治疗月余，康复出院。

温下通关格 |萧子精|

关格之病，治颇棘手。关是下关，二便不通，格是上格，饮食难进。故其临床主要表现是食即呕吐，大小便不通。我治关格，遵《金匮要略》之训，每从通腑立法。《金匮要略·呕吐哕下利病脉证篇》说："哕而腹满，视其前后，知何部不利，利之即愈。"原文虽指呃逆治法，而于呕吐之治，其理亦通。然通下有寒温之别，临证又当详审。对阳虚不运，阴寒久积者则非温下不为功。

曾治一徐姓老人，宿患胃脘痛（十二指肠溃疡病）。近日来胃脘胀满疼痛加剧，食则更甚，食入即吐，伴嗳气泛酸，小便短少，大便4天未行，而住院治疗。察其脉细涩，舌质淡苔粗厚。此乃积滞内阻，胃气上逆，已成关格之局，非下不能荡其积也，为疏以《金匮要略》大黄甘草汤1剂。药后未见寸效，脉舌如前。细思患者舌淡脉细，高年久病，素体阳虚，阴寒久积，是兼有"非温不能已其寒"之证，前方只下不温，所以不效。遂于前方中加附子6g，水煎频服。1剂，下羊粪样燥屎数枚，胀减、吐止。再剂，大便通畅，精神转佳。继以苦辛开泄，补虚泄浊之半夏泻心汤2剂调治而安。

水肿十五载，六诊得痊愈 |王玉林|

周仁智，男，46岁。1966年不明原因双下肢浮肿及血压升高28.0/20.0kPa

（210/150mmHg）。西医疑为嗜铬细胞瘤。转上海诊治，经作儿茶酚胺定量测定，腹膜后充气造影，明确诊断为嗜铬细胞瘤。因心脏扩大不宜手术，嘱返贵阳治疗。

1981年以来，浮肿更甚，并伴头昏、汗出、胸闷、心悸、多饮、多尿等症。因情志不畅，饮酒过多，阵性发作加频、加剧。近日来，头昏闷胀，腹胀难忍，周身汗出如洗，而来求诊。

诊见：双下肢浮肿过膝，按之没指。腹胀如鼓，隐隐作痛，按之不实，无压痛及痞块，腹皮无青筋显露，腹围90cm，血压24.0/17.3kPa（180/130mmHg）。头昏，心悸胸闷，心烦易怒，晨起恶心，咯少许血痰，渴喜热饮，饮多尿多，自汗，盗汗，大便稀少。脉沉滑，舌质红紫，苔灰白滑。证属阴水。为脾肾阳虚，寒湿阻滞，肝阳上亢，疏泄失权所致。急则治标，治以理气导滞消胀，平肝潜阳。

藿香梗10g、木香8g、乌药8g、枳实6g、陈皮6g、大腹皮6g、莱菔子10g、泽泻6g、黄芩6g、白芍15g、赭石15g、牛膝10g，3剂，水煎服，1日3次。

前方服后矢气频转，稀便随下，腹痛大减，腹胀消退，但浮肿如故。此脾肾阳虚，水湿逆行之故，当治其本，法宜温肾健脾，培土疏木，化气利水。以六味地黄汤合玉屏风散加附片，党参、薏苡仁、柴胡、白芍、陈皮再进3剂。

服上方后，矢气仍频，日更衣8次，溏薄不热，小便频数，日小便量约10痰盂。并觉颜面四肢肿胀渐消，头昏、胸闷、心悸等症均有好转，守方继服。

3剂未服完，患者因四肢皮下出血，急来就诊。查四肢均有散在及大小不等之紫癜，伴头昏、耳鸣、腰痛等症。此劳倦伤脾，脾不统血，肝不藏血，溢于肌肤而致，拟化瘀止血，养心健脾。投归脾汤加仙鹤草60g、血余炭30g（布包煎）。用猪大排500g，同诸药炖服。

药后，四肢紫癜逐渐消失，头昏、耳鸣、心悸、腰痛亦有好转。血压20.6/13.3kPa（155/100mmHg），体重80kg，腹围81cm，食量渐增。因患者多汗之症仍未改善，当以益气固表，敛阴止汗为治：黄芪40g、白术15g、防风10g、白芍20g、山药15g、陈皮10g、百合30g、桔梗6g、杏仁6g、龙骨15g、牡蛎10g、桂枝10g、补骨脂15g、茜草炭30g、琥珀粉6g（另包吞服），6剂，水煎服。

6剂服完后，汗已收敛，盗汗大减，饮水减少，大便正常，小便日5～6次，夜尿1次约400ml，体重76.2kg，腹围81cm，血压20.0/15.3kPa（150/115mmHg）。为巩固疗效，续以前方3剂。并予归脾丸，六味地黄丸交叉服用，以善其后。

后随访3年，浮肿等症均未复发。我以中医辨证治疗嗜铬细胞瘤尚无经验，故提交诸同道共同研究。

诊治白血病，实践出真知 |许玉鸣|

我从 1962 年即开始治疗急性白血病，当时患这种病的人很少，我对此病还非常陌生。常见严重贫血（面色苍白），发热，出血。按照中医一般辨证，认为是气血不足，气虚发热，气不摄血所致。所以治疗采用甘温除大热，益气补血、摄血的治疗原则，主选归脾汤加味，经过治疗，发热、贫血、出血症状并未减轻，其结果是越补越贫血。

以后，在多次接诊这类病人中，经过反复揣摩，发现急性白血病患者发病有肾亏病因和感受外邪病史，因而总结出治疗失败的原因，其一是忽略有肾亏前提和有感受瘟毒病史；其二是一见严重贫血首先总是考虑补气补血。

在总结经验教训的基础上，认定本病是先有精气内虚的远因，又有感受瘟毒病邪的近因。由于瘟毒串入营阴，因而发生发热、贫血、出血症。必须改用清热解毒为主，补益气血为辅，使发热、贫血、出血得到控制，待病邪大部清除，再用益气补肾兼清余邪，方能使其病情得到缓解。

（李俊辉 整理）

呕 血 浅 谈 |陆礼然|

呕血是临床中常见的急危病证之一，尽管目前有较多的应急措施，但效果仍欠理想。

祖国医学对呕血的认识及对它的治疗有悠久的历史和丰富的内容。血从胃来，经口呕出，是谓呕血。正如《血证论》中指出，"吐血是血溢胃肠之间，随气上逆"所致。究其病因，常与饮食、劳倦、情志内外伤等有关，而其病变又与胃、肝、脾最为密切。如多食过饱，过食辛辣，肥甘厚味，嗜酒无度，致使胃气壅塞，脾胃升降失调，生湿蕴热，热伤胃络而出血；忧思郁怒，肝失条达，气郁化火，肝火犯胃，络脉损伤而出血；劳倦过度，中伤脾胃，气虚阳衰，不能摄血而致出血。由此可见，呕血之由多为火盛或气虚所致。《景岳全书》曰："动者多由于火，火旺则迫血妄行；损者多由于气，气伤则血无所藏。"

病机之要，当辨虚实，实者为胃热，肝火伤络；虚者为脾胃，虚弱，气不摄血。根据历代医家著述及笔者的临床实践，对本证一般多以胃热、肝郁、脾虚三型论治。但病程中，各型又往往转化，如胃热，肝郁型病人出血过多，血去气伤，则气虚阳衰，不能摄血而表现出脾虚脉证，甚则出血量多如涌而成气血暴脱之危候。而三型之间每有标本错杂，如热郁尚未清解之时，已见气血两虚之证。诸如此类，必须随机善变，灵活掌握。

呕血之治，因出血为其主症，病情危急，按《血证论》提出"以止血为第一要法"的原则，首当止血。所谓"存得一分血，便保得一分命"。这也是"急则治其标"之应急措施。但当避免见血止血之法，忌单纯使用固涩或寒凝药物，以防发生血止寇留之弊。必须审因辨证，法因证施，药随法用，才能收到理想的治疗效果。胃热者用泻心汤加减；肝郁者以柴胡疏肝饮加减；脾虚者施归脾汤加减。至于出血过多，气随血脱之证，当用独参汤或参附汤急固其气。由于呕血，血色紫暗或有血块，是为瘀血。瘀血阻络，血不归经，以致出血不止或反复不已，所以笔者认为，治疗上除按清热止血，疏肝止血，益气止血三法施治外，还当配用云南白药、三七、茜草、虎杖等活血化瘀药物，止血与活血两法同用，相得益彰。既可加强止血之效，又无留瘀之弊。总之，呕血之治疗，应本着辨证严谨的原则，同时尽量做到循常规而不拘泥于教条，善变通又不失其法度。一言以蔽之，知常而达变也。

肝 火 吐 血　|韦公朴|

吐血一证，最宜细辨，因血虽从口而出，但有吐血、呕血、咯血之不同。《医学入门》说；"成盆无声者曰吐，成碗有声者曰呕。"《金匮要略》说："烦咳者，必吐血。"因此后世每每将呕血、咳血统称为吐血，实易混淆。余数十年来，对此等证颇有体会。从病因上说，吐血有胃热、肝火吐血之别。如果胃热壅盛而吐血，多伴呕吐食物，且有呕吐上逆之感。若肝火犯肺吐血，常有血痰相混血色鲜红，并常有咳嗽病史。若肝火犯胃则吐血鲜红，而伴胸胁闷痛。必须详审。

如郭某，女，35 岁。平素精神抑郁，形体消瘦，某夜于睡前觉咽干、口渴，饮热开水 1 杯后，随即就寝，至深夜觉口苦，胁痛，心烦，胸部灼热，背部疼痛，随即吐出鲜血数口，吐后觉头晕心悸，未能入睡，晨起来找我诊治。视其舌质红绛，脉象弦数。此证既无呕吐食物，又无咳嗽，血从何来？细审其证，有咽干口渴，胸部灼热，又见心烦胁痛，心悸头晕，实属肝火犯胃所致。

《济生方》说："血之妄行也，未有不因热之所发，盖血热则淖溢，气血俱热，血随气上，乃发吐衄也。"即予：青黛6g（冲服）、诃子10g、炒栀子10g、瓜蒌仁12g、海浮石12g、血余炭5g、阿胶9g（烊化），童便半杯冲服。

此方以青黛、山栀子清肝泻火、凉血止血，栀子炒炭更能增强其止血之力；血余炭乃止血消瘀之神品，使血止而无留瘀之弊；诃子苦涩，收敛以止血；阿胶滋阴养血而兼止血；瓜蒌仁、海浮石清热化痰；童便滋阴降火；且血余炭、阿胶、童便三药，用于止血。王肯堂在《证治准绳》中备极推崇，近代用于各种出血，亦屡有报道，诸药合而为方，则火降热清，而且血自然就止了。此例仅服药1剂即效。

（黎耀彬　整理）

消斑青黛饮治紫癜 陈清泉

血小板减少性紫癜属祖国医学"发斑"的范畴。发斑的病因，临床上多以阳毒热邪为主，病机主要为表虚里实，热毒乘虚出于皮肤而发斑，从脏腑看，因脾胃为中土，与其他各脏关系密切，因此，发斑虽多为胃热，但亦有受其他各经阳热之火的影响。临床症见全身紫癜、或伴牙血、发热或低热、烦躁、疲倦、纳差、口干苦、喜冷饮、尿黄、舌红、苔黄、脉细弦数。

消斑青黛饮出自明·陶华《伤寒六书》，其组成为：青黛、黄连、犀角、石膏、知母、玄参、栀子、生地黄、柴胡、人参、甘草加生姜、大枣煎，入苦酒（白醋）1匙和服。方中犀角、石膏清胃火为主药（如缺犀角可用10倍水牛角代）；辅以青黛，黄连清肝火；栀子清心肺之火；玄参、知母、生地黄清肾火；柴胡透肌表为引药；生姜、大枣和营卫；人参、甘草和胃补虚；苦酒（醋）酸收；合而有清热解毒，止血消斑的作用。

笔者用此方加减治疗多例血小板减少性紫癜，均获良效。

（陈庆全　整理）

紫癜病治验琐谈 盛国荣

紫癜是皮下出现紫色瘀点或瘀斑的一种症状。祖国医学虽无这种病称，但有类似紫癜症状的记载。如《金匮要略》阴阳毒有"面赤斑斑如锦纹"的记述；《诸病源候论》说："毒气熏发于肌肉，而赤斑起，周匝遍体。"；《医宗金鉴·外科心法》葡萄疫云："此症多因婴儿感受疫气郁于皮肤，凝结而成大小青紫斑，状如葡萄，发于遍身，惟腿胫居多，齿龈腐烂，臭味出血，久则虚。"不仅描述了紫癜证候，而且指出其发病原因。

我认为此病大多属阴虚血热，热毒瘀结所致。患者表现为全身衰弱，食欲不振，头晕，四肢无力，皮下有大小出血斑，黑便，齿龈出血，妇女则有子宫出血等。我曾以清热凉血、养阴止血为主要法则，配合草药金线莲，系统治疗观察14例，结果12例获愈，1例好转，1例无效。其中9例小儿均获痊愈。如陈姓男孩，11岁。来诊前6天，两下肢发现出血点，逐渐增多，双膝关节痠痛，行走尤甚，脘腹胀闷疼痛，大便呈褐色。视患者面色苍白，可见散在红色出血点，双手臂内侧、双下肢及腹部有密集出血点，尤以下肢为甚，无痛痒不隆起，压之不退色，舌苔滑腻，脉细弱。束臂试验阳性，血小板 0.068×10^9/L，出血时间3分30秒，凝血时间2分，粪便检查：隐血（＋）。西医诊为血小板减少性紫癜；中医辨证为脾不统血，肝不藏血，乃阳盛阴虚之证。虽经用维生素 K、维生素 C，并先后输血2次（每次150ml）等治疗，未见显效。我先处以滋阴凉血、清营止血之剂。药用：玄参、生地黄、白茅根、仙鹤草、地榆炭各9g，牡丹皮、阿胶、蒲黄炭各6g。日服1次，连服5剂，并嘱每天配以金线莲7叶炖瘦肉服食。复诊时，诸症明显减轻，血小板升至 162×10^9/L。再予上方略事加减，并续服金线莲，经匝月，诸症消失，多次复查血象，均在正常范围，病告愈。

我治疗紫癜病，常用的清热凉血药物有：知母、玄参、栀子、川黄连、黄芩、龙胆草、犀角、生地黄、牡丹皮、地骨皮、金银花、紫草、连翘、白茅根、藕节、紫花地丁、天花粉等。常用的养阴止血药有：仙鹤草、侧柏叶、茜草、地榆炭、槐花炭、熟地黄、何首乌、阿胶、丹参、川三七、蒲黄炭等。

金线莲系木本植物，学名叫金边桑，为大戟科灌木。其性凉味微苦。功能清热、凉血、止血。

此类患者还可配合饮食疗法。如用黑稽豆30g、红枣10枚、花生仁（连衣）100g煮服；或用花生衣、龙眼肉各15g，水煎服等。

有一点应该提及的，小儿的疗效明显优于成人，这可能因与小儿稚阴之体，即《内经》所说的"阴生阳长"的生理发育过程有关；或与其生活和情绪等因素的干扰较成人为少，亦有一定关系。管见所及，聊供同道参考。

（柯联才　盛云鹤　蔡少美　整理）

祛瘀、理肺治紫癜 |李俊辉|

紫癜是以皮肤、黏膜及内脏有出血倾向为特征的疾病，属于中医血证的范畴。一般治疗之法，对血热妄行者，用清热凉血法；阴虚内热者，用养阴宁血法；气不摄血者，用补气摄血法。我于临床中采用活血祛瘀，理肺之法取得良好效果。现举两例就教于同道。

患者傅某，女，29岁，妊娠7个月。头昏、乏力，伴发热、鼻衄、齿衄而住院。经骨髓检查，诊断为：急性早幼粒型白血病并妊娠。并发播散性血管内凝血（DIC）。临床除以上见症外，尚有汗出，口干苦，双目视力不清（眼底有出血），胸背、四肢、口腔有散在出血点，舌质淡红、苔薄白，脉滑数。证属热入营血，瘀血内阻，血不循经所致。治以清热凉血，活血止血，用犀角地黄汤加丹参、红花、鸡血藤、紫草，另用三七粉吞服，服十余剂，热势渐退，出血渐止，弥散性血管内凝血纠正。

此证酷似温病热入营血、耗血动血之候。由于邪热内窜，迫血妄行，血溢于外，即成瘀血，瘀血阻络，血不循经，故出血增剧，治疗不仅需要用清热凉血之法，更当化瘀才能止血。

又例，刘某，女，14岁，学生，半月前因高热，喉痛，继之胸背、腹、四肢、黏膜均出现紫癜，口干渴，大便干结，诊断为过敏性紫癜。选用清营汤加茜草、紫草、白茅根、生大黄治疗，热势稍退，紫癜减少，但皮下出血点仍有反复出现，服药10余剂未能清除，再于前方加入黄芩、桑白皮，不仅喉痛消失，紫癜也全部治愈。此乃肺热得泻，瘀热以行，百脉通利而取效。

治贫血需探虚实 |李俊辉|

医家常将贫血归入"血虚""血枯""虚劳"等范畴。究其病因多责之于心、脾、肝、肾虚损所致，治疗上亦多着眼于补。常用益气补血、养肝补血、补肾生精养血等法。殊不知贫血之证亦颇为复杂，有虚实之别，往往血虚当中夹有实邪，亦或因病（实邪）致虚。对于虚中夹实，或因病致虚者，则当祛邪为先，或攻补兼施。无论温热毒邪或湿热之邪，进入营血均可造成瘀血，瘀血留滞影响血液之生成，故于临床，除调补脏腑，养血补血外，还常以清热解毒为主，再配凉血补血；或化瘀兼补血；或清热利湿等法治疗。总之，务需在辨清证候基础上除去病因，再予补虚，方能收到良好的效果，否则徒劳无功。仅介绍3例如后。

例1，王某，女，24岁，已婚，工人。因进行性头昏、心悸、乏力2个月多入院。入院前无明显诱因，自觉头昏、心悸、乏力，经检查为贫血。考虑为妊娠所致，以硫酸亚铁、维生素 B_{12} 等治疗无效。症状不断加重，伴鼻衄、汗出、口干渴、大便秘结、舌质淡红、苔薄黄、脉洪大鼓指。查血：血红蛋白25g/L，白细胞 3.8×10^9/L，原始及幼稚细胞34%，骨髓检查诊断为急性淋巴细胞白血病并妊娠7个月多。中医辨证为热毒侵入营阴，损伤造血功能所致，以大剂清热解毒，凉血止血兼补血药治疗，选用水牛角、石膏、知母、地骨皮、银柴胡、大青叶、青黛、大黄、生地黄、牡丹皮、当归、黄芪、白茅根等，经治1个多月，自觉症状明显好转，至临产时血红蛋白升至正常范围，输血很少，分娩一正常女婴，母女平安。

根据多年临床观察，急性白血病贫血，多系温热毒邪损伤造血功能，若单以补气补血之法进治，往往失败而告终，需要在祛除病邪前提下，结合补养气血，方可取得良好效果。

例2，刘某，女，39岁，已婚。因贫血头昏、乏力6年多，加重半年入院。查血：血红蛋白70g/L，红细胞 2.04×10^{12}/L，白细胞 2.8×10^9/L。骨髓检查诊断为铁粒幼细胞性贫血，本病属于难治性贫血。入院后西药曾用大剂量维生素 B_6、鲨肝醇、叶酸、苯丙酸诺龙等，中医以益气补血等药治疗5个月余，病情未见好转，血红蛋白反而下降至50g/L。余询问其病史，自觉骨关节疼痛，小腿胫骨如刀刮样痛，舌质紫暗，脉细涩，故认为本证是虚中夹实，以瘀血内阻为主，故采用攻补兼施治法，以活血化瘀、清热解毒兼以益气补肾药治疗。选用：生地黄、赤芍、当归、丹参、红花、桃仁、牡丹皮、地骨皮、龟甲、青黛、白花蛇舌草、半枝莲、黄芪、太子参、桑椹、何首乌、黄精，经过4个月治疗，自觉症状逐渐好转，甚至消失，血红蛋白上升至正常范围，完全缓解出院。

以活血化瘀法治疗贫血，不仅《血证论》中指出过"瘀血不去，新血且无生机"，而且现代医学也证实，此法有利于细胞的发育、增殖、分化、成熟和释放。活血化瘀药物的运用，对血液的生成是有益的。

例3，王某，男，14岁。因皮肤、巩膜黄染1个多月，加剧20多天入院。伴有口唇及指甲苍白，双上肢内侧及胸部可见针尖样散在出血点，面色暗晦，口干，脉滑数，舌质淡，苔薄黄。查血：血红蛋白65g/L，红细胞 2×10^{12}/L，白细胞 2×10^9/L，血小板 30×10^9/L，转氨酶350U，黄疸指数90U。诊断为亚急性型重症肝炎并再生障碍性贫血。先以激素及保肝药治疗，无明显效果，请余会诊，认为是湿热内蕴、污秽之血阻于肾，使血生化失常，故以清热利湿兼活血补肾法治疗。选用茵陈蒿汤加车前草、滑石、茯苓、泽泻清利湿热；生地黄、赤芍、当归、牡丹皮、丹参凉血活血；女贞子、枸杞子补肾。在此基础上加减，经过 2 个多月治疗，黄疸消失，肝功能、血象、骨髓象恢复正常，痊愈出院。

本病由于湿热留恋而致贫血，此为因病致虚，故先以清利湿热、化瘀为主，补血、补肾为辅，因补血补肾之药，其性多滋腻，不宜用之过早，以免湿邪留闭，有碍于血的生成。

虚劳（再生障碍性贫血）一得 ｜陆礼然｜

虚劳者，乃因五脏诸虚不足而呈现的多种虚弱证候。本病症状繁多，牵涉面广，辨证应溯本追源，审因归属，治宜权衡。

陈左，22 岁。云贵石油勘测指挥部工人。于 1966 年 8 月无明显诱因而头昏心悸，气短乏力，时有鼻衄，皮下有出血瘀点。西医诊为肺结核。同年 10 月 22 日，因突然昏仆呕吐而急诊住我院。血象检查：血红蛋白 50g/L，红细胞 1.4×10^{12}/L，白细胞 2.3×10^9/L。骨髓检查确诊为再生障碍性贫血。给予强的松、丙酸睾酮等及每周输血 2 次治疗 2 个月后，血红蛋白为 105g/L，红细胞 3.28×10^{12}/L，病情好转出院。后因病情反复发作，曾到省外求医，多次住院。中药曾服过大量熟地黄，何首乌、龟甲胶、鱼鳔胶、枸杞子、阿胶等补血养阴药，血红蛋白始终维持在 $30 \sim 50$g/L 之间，输血则可回升至 70g/L，但数日后又下降。治疗 8 个月余，效果不显，患者绝望，返回贵阳。于 1968 年 7 月再次入我院。采用中西结合治疗 2 个月余无改善，遂邀余会诊。

症见面无血色，精神萎靡，疲倦乏力，胸腔闷胀，纳呆食少，大便稀溏，头昏眼花，耳鸣如蝉，心悸失眠，潮热盗汗，手足心热，腰痛遗精，舌质淡，苔黄腻，脉虚大无力。血红蛋白 30g/L。辨属心脾肝肾气血俱虚，湿热蕴结中焦，法当清热除湿先治其标，再以调补脏腑气血后治其本，方用：苍术 10g、黄柏 9g、法半夏 9g、陈皮 9g、茯苓 10g、薏苡仁 30g、广藿香 6g、黄芩 9g、黄连 3g、栀子 9g、甘草 3g。以此为基础方，随症加减，每日 1 剂，连服 1 个月，胃纳增加，胸脘闷胀已除，大便成形，舌苔由黄厚腻转为薄黄。湿热之邪，十去八九，病有转机，不再输血。以滋阴补血为主，佐以清热除湿。方用：熟地黄

15g、白芍 12g、当归 12g、川芎 6g、何首乌 15g、阿胶 12g、青蒿 9g、鳖甲 15g、知母 6g、苍术 10g、薏苡仁 15g、茯苓 10g、栀子 9g。阴虚内热加银柴胡、地骨皮；心悸失眠加酸枣仁、五味子；遗精加金樱子、莲须。经 4 个月的治疗，患者面色红润，精神大振，饮食倍增，临床症状基本消失，舌质红润，脉细缓。血红蛋白 110g/L，红细胞 4.2×10^{12}/L，白细胞 4×10^9/L，血小板 120×10^9/L。病告痊愈出院。出院后停服中西药物，加强营养和体育锻炼。经 10 年多追访观察，一直正常工作，未见复发。患者体魄壮实，容光焕发，体重 80kg（原 60kg）。1979 年 6 月检查：血红蛋白 145g/L，红细胞 4.8×10^{12}/L，白细胞 8.1×10^9/L，血小板 146×10^9/L。

本病从表面上看是一派虚象，似应大补，但追溯分析，致虚之因乃为湿热所致。盖脾居中焦，能运化水谷之精微，是气血生化之源。今脾被湿困，运化失职，气血生化源绝，故气血亏虚，累及心肝肾而致三脏俱虚。治之当以清热除湿为法。前医投以滋腻大补，势必碍脾助邪，更伤其正，导致脏腑气血更虚，病情恶化。清代名医徐大椿先生说："人非老死即病死，其无病而虚死者，千不得一，况病去则虚者亦生，病留则实者亦死，如果元气欲脱，虽浸其身于参附之中亦何所用。"又说："邪之所凑，其气必虚，补正即可驱邪，此大谬也。惟其正虚而邪凑，尤当急驱其邪，以卫其正，若更补其邪气，则正气更不能支也，即使正气全虚不能托邪于外，亦宜予驱邪药中少加扶正之品，从助驱邪之力，从未有纯用温补者……。"前贤所言正是，临床中应引以为戒。

虚劳证治一得　　|吴水清|

虚劳之证，为精血、元气虚损所表现的证候。其发病与心、脾、肾关系密切，而肾虚又是致病的根本。因肾藏精，肾精是五脏气血之精华。肾精可化气、生血，肾精足则气血充，肾精亏则气血衰。

再生障碍性贫血（以下简称再障）属中医虚劳范畴，除有面唇、指甲苍白，少气懒言等气血虚亏的症状外，多有头昏、耳鸣、遗精，腰膝痠软等肾虚证。再障是由于骨髓造血功能衰败所致。肾藏精，主骨、生髓，肾精盛衰与骨髓的造血功能关系密切，故治疗时应以补肾为主，填髓补精尤为重要。但本病在初发时，往往以心脾亏损证候多见，多数患者肾亏证候也随之出现。我们掌握了这一规律，就可以在肾虚证候尚未出现之前给予补肾，这样取得了在治疗上的主动权，可大大提高疗效。但肾虚的病变多种多样，补肾药物的功能亦各有别。治疗再障的补肾药物总的原则应是温而不燥，滋而不腻，而应用填髓补精药物又甚为重要，其中以鹿茸疗效最佳。

1974 年曾治江左，30 余岁，因再障反复多次住院，经中西药治疗效果不显，红细胞下降至 0.9×10^{12}/L 以下，白细胞 25×10^9/L 以下，血小板 30×10^9/L 以下，常需输血维持。症见头昏眼花，心悸气短，神疲乏力，时有齿衄、鼻衄，体温 38℃ 左右，但自觉畏寒，喜�卧，面色淡白而两颧潮红，舌质淡嫩，少苔，脉细数无力，考虑为心脾两虚、肾阳不足，治以补心脾、温肾阳，而以补脾为主。方用归脾汤加补骨脂、巴戟天等治疗月余，衄血虽有好转，但余症不减，且又出现耳鸣、遗精等症。于是改为补肾为主治疗，以菟丝子、枸杞子、女贞子、生地黄、熟地黄、补骨脂、巴戟天、鹿角霜（或鹿角胶）为主，再随症加减。治疗半年，症状好转，但血象改善不明显。患者要求出院。出院时嘱其服用鹿茸。3 个月后患者来院复查血象，形如常人。患者诉说，出院后前 1 个月每日服用鹿茸粉 1g，后 2 个月每日服用 0.5g，另外未服任何药物，精神日益好转，无自觉不适。查血象红细胞达 2.2×10^{12}/L。半年后恢复工作，随访 3 年，情况良好。

以后相继治疗 2 例少年再障患者，皆于辨证论治服用中药的同时，加用鹿茸粉，均获显效。

《本草纲目》记载，鹿茸具有生精补髓，益血益阳，强筋健骨的作用。现代科学研究证实鹿茸具有增加红细胞、血红蛋白的作用。临床观察其治疗再障确有独特效果。但鹿茸针剂不如鹿茸粉效果明显。

治外感如将，治内伤如相　|俞长荣|

"治外感如将，治内伤如相"，吴鞠通的这句名言，对临床具有一定的指导意义。

所谓"治外感如将"，是指外感病大多邪盛，应当用峻药驱邪，务必速去；去之不速，留则生变。正如大将用兵，兵贵神速，克敌制胜。观张仲景治疗伤寒病，或以麻黄汤峻发其汗，或以承气汤峻下其实；即是其例。我临证也有类似体会。李某，外感 3 天，鼻塞，流涕，喷嚏，头痛，咳嗽，痰白而稠难咳，便结溲赤，舌润苔薄白，脉沉弦。初诊为风寒外袭肺卫，郁而化热。以《温病条辨》上焦宣痹汤加味，服 2 剂无效。复诊时，诸症仍在，但痰白而稀，时唾清涎，小便转清。本例显系风寒外袭，因其痰稠便干溲赤，初诊偏重于邪郁化热，而忽略风寒外束，故收效甚微。殊不知风寒袭肺，邪阻肺络，故痰稠难咳；肺失清肃，治节失司，故便干溲赤。察其痰尚白，舌质润苔白，遂改用散寒肃肺法，拟小青龙汤化裁，服2剂，诸恙显减，上方增减续进2剂而安。又治江某，素体壮实，因淋雨而发热恶寒，头痛身痛，鼻孔烘热，微咳胸痛，烦躁无汗，口不渴，舌质红苔白润，脉浮紧。诊为风寒外束，里有郁热。病始1日，邪气正实，当大剂峻解。拟大青龙汤双解表里，合葛根汤截邪入阳明之路。服1剂，头痛恶寒胸痛解除。继以苦辛宣泄法，续服2剂痊安。

所谓"治内伤如相"是指内伤病多属七情所伤，气血乖违，阴阳失调，往往寒热虚实错杂，用药必须宽猛相济，刚柔相顾，补泻有度，正如宰相划谋，主次得当，详略合宜，知常达变，从容不迫。如张景岳治疗内伤，主张"气虚者宜补其上……精虚者宜补其下……阳虚者宜补而兼暖，阴虚者宜补而兼清""无虚者急在邪气……多虚者急在正气……微实微虚者但治其实……甚实甚虚者所畏在虚……"。对我们临证治疗内伤病很有启发作用。曾治张妪，胃中苦冷，时唾清涎，头晕心悸，口干，虚烦难眠，自汗，二便少通。初拟苦辛甘化合法治疗无效。1周后再诊，诸症如故，大便8日未解。细辨之，脉虽小数，然重按无根。舌虽绛无苔，但滑润不干。口虽燥，但漱水而不欲下咽。因悟此证乃真火衰微，虚阳浮越，脾胃失职所致。治应首重培土，尤须益火。无如病将1个月，纳少，汗多，不仅阳微，而且液亏，若进辛温则伤阴，若与滋润则碍阳。拟取和胃理脾之品，另加炮制，意在"以火益气"，又使诸药存其性而变其气，庶几温而不劫阴液，柔而不遏中阳。处方：白术（土炒）、怀山药（炒令黄）、白扁豆（炒黑）、半夏、姜炭、山楂炭、左金丸。2日后复诊，诸症均减，惟大便不通，再步前法，去温涩之药加温润之品，服4剂而安。又治李某，因跌伤后治疗失当，而致下肢瘫痪，时作痉挛。曾经某医院治疗无效，而主动要求出院请中医治疗。诊时有不能随意排大便之症，并伴有小便短少，面部微浮，下肢浮肿且知觉消失等症，舌质暗苔白较厚，脉弦略数。拟诊肝肾阴亏，湿热阻络。治疗分3个阶段（均以滋肾益阴为主）：第1阶段辅以利尿消肿，通畅血行以缓其急；第2阶段大小便通畅，则佐以活络通瘀；第3阶段标证已缓，故应大剂滋养肝肾。服药50剂，步履基本如常，随访10年尚好。

当然，治疗外感也并非皆用辛温峻剂，根据病情，有时也取轻以去实，或扶正解表；治疗内伤也必须做到当补则补，当攻则攻，或竟以攻为补。正如有勇有智始可称名将，能谋能断始可称良相一样。

（俞宜年　整理）

谈"有表证，无表邪 | 杨春波 |

　　寒热并作是表证的主要特点，这是医所周知的。不同的外邪可引起各异的表证，也是医所熟悉的。但表证皆因表邪所致，则实不尽然！1973年春我下放农村时，晚间来一畏寒壮热的患者，诉起病已2日，自服解热药汗出而寒热未已。今热甚寒增，口渴无汗，咽痛溲赤。查其舌红苔黄，六脉俱数，咽部潮红，两侧扁桃体Ⅱ度肿大，见有脓点。此为乳蛾病，虽热毒蕴伏肺胃，但表证仍在。用辛凉解表法，予银翘散加减，日进2剂，每4小时1服。结果诸症依旧，反添心烦。此证治相合，药量亦不轻，不仅无效，且里热更炽，扰及心神？后想起《寒温条辨·表证》之说，"在温病，邪热内攻，凡见表证，皆里证郁结，浮越于外也，虽有表证，实无表邪""温病以清里为主，里热除，而表证自解矣"。遂改用大剂清热解毒药，方以五味消毒饮为主，也日进2剂。药后反见汗微出，热锐减，寒作罢。照原方稍增损，续服3日而愈。此后凡治热淋、肺热、暑热等里热见表证者，我均用直清里热之法，效较循先表后里或表里同治尤捷。当然，所谓凡表证，皆里热之说，亦有所偏，但它提出了表证有因里热所致的新观点，为前人所未备。由于里热怫郁，游越于外，而使上气不能达表的表证；与外邪郁表，卫气被遏的表证，病机截然不同，治法当然有别，切勿从证不辨证，循旧不知新。然里热与外邪所致的表证，临床究何鉴别？里热怫郁与里热外感，又何审别？我的经验全在舌脉辨之。里热表证，必舌红苔黄脉数；外邪表证，则舌淡红或尖边红，苔必白，脉多浮象；里热兼感，则苔常黄白相夹，脉数兼浮。清·喻昌说："医之为道，非精不能明其理，非博不能至其约。"诚是。

湿温病表解可否 | 陈启汉 |

　　1963年8月，我院同时收住6个患者，病程都在1周左右，中医拟诊为湿温病。在查房介绍病历时，有人提供了上海某医院用中药柴胡、葛根、黄芩、川黄连等治疗肠伤寒的经验。肠伤寒一般属中医湿温病的范畴，所以有关领导要我们观察、验证这一经验。当时我提出，葛根、柴胡系解表之药，湿温病忌汗，用之不妥。但有人指出这是上海某西医院的报道，可以观察。遂按照其介绍的经验，每个病人每日2剂，药取回病房自煎，分4次口服。

然1周后，热势如故。服药虽得汗出热减，旋又逐渐上升，且其中3人反增耳聋、谵妄、咳喘、腹痛。病症加重，改用湿温病常法辨证论治，乃愈。

吴鞠通说，湿温病"汗之则神昏耳聋，甚则目瞑不欲言"。上述之变，证其所戒。湿温病系湿热两种不同性质的邪气同时侵入体内，盘踞中焦，湿热蕴蒸。治宜清热祛湿，视其湿或热的轻重，而采用清热为主，祛湿为辅；或祛湿为主，清热为辅；或清热祛湿并重的不同治法，务使热清湿除。就是病之初起，往往湿重热轻，郁遏卫阳，而出现恶寒，少汗之症，治亦应芳化祛表之湿，湿去则卫阳不受遏则寒自罢，汗亦出则解。由于不是寒邪，所以不能直接用解表发汗之法，用之必生他变。古人经验，应该重视。

柴胡、葛根虽非属辛温解表之药，但都有升阳解表之功。柴胡主和解，适用于半表半里之证，葛根主解肌，适用于阳明表病，这对湿温病初起之表里同病都不合拍。药不中病，虽解热而热不除。至于上海取得疗效的经验，我们应该相信。但地域不同，季节的差异，再加肠伤寒虽属中医湿温范围，但毕竟不能相等。这就需继续探讨。学步邯郸，"吃一堑，长一智"，录此自戒。

感冒临证辨　　|徐富业|

感冒是最常见的多发病，一年四季均可发生，其发病多见风与热配，风与寒合，风与湿凑，风与暑遇。正如临床上所诊之风热表证、风寒表证、外感夹湿、外感夹暑。风为阳邪，其性开泄，邪风外袭，腠理疏松，卫外不固，邪侵为病。《证治汇补》说："有乎昔元气虚弱，表腠疏松，略有不慎，即显风症者，此表里两虚证也。"故体虚为发病之本，邪为病始之因。风寒者，多自皮毛而入。风热者，多从口鼻而侵。风湿者，常犯肌表经络。肺主呼吸，开窍于鼻，外合皮毛，职司卫外。故邪风外袭，肺卫首当其冲。朱丹溪曰："伤风属肺者多。宜辛温或辛凉之剂散之。"此论道出了邪从外出，必须驱其于外之理。故善治风者，皆以"祛风"为要。如疏风散寒、辛温解表、疏风清热、辛凉解表之常法。

本人在临床上组方用药与惯用方同中有别。风热轻证可用桑叶，菊花、金银花、连翘、薄荷、枇杷叶、荆芥、防风等。桑菊息内风、外风更合拍。前人或云，枇杷叶秋天才可入药，这是错误的，凡肺气燥热者，不论春夏秋冬皆可用。肺为娇脏，风伤肺，肺为咳，咳者加杏仁、桔梗，有痰者加川贝母、天竺黄；痰涎稠者加蛇胆川贝末（冲服），喘甚加莱菔子、桑白皮、蜜炙麻黄；川贝母甘寒，天竺黄亦属寒，风热始可用；头汗多者禁用薄荷；喷嚏者加葱白数根；发热甚者加生石膏、黄芩。余长子1983年春外感风热，热重寒轻，体温39℃以上，头痛，脉浮数有力。先予复方阿司匹林及速效感冒胶囊等药，高热稍缓，病情反复，体温达40℃。夜半执方：荆芥、防风、生石膏、桑叶、菊花、金银花、连翘、薄荷等，水煎急服。药后半小时，体温开始下降，1小时许，高热已退，次日照上方去石膏，再进1剂，诸症悉除。有人认为，表热入里，才用石膏，其实石膏是甘寒之药，配荆芥、防风疏风清热，用于风热表证效果极佳，未发现寒凉冰伏之弊。又治陈某，高热数日，咽喉作痛，吞食困难，烦躁，昼夜寐不宁，手足时或抽掣，经口服抗生素治疗，症状有增无减。诊见：乳蛾糜烂，体若燔炭，舌尖红赤，苔黄略干，脉浮数有力。辨为风热外感。即投荆芥、防风、生石膏、金银花、连翘、蝉蜕、牛蒡子、甘草等，并配合用生大黄浸开水，冷却含漱，进药1剂，热退津回，服完3剂，诸症悉除。

风热治疗不及时，或用药不当，可以传里，入阴分者，则下午身热，入夜即退，当予四逆散主之。如入夜身热不退者，选用地骨皮、银柴胡、胡黄连、白薇、牡丹皮，其次可加入竹茹、丝瓜络。热甚不退还可加鼠妇或地龙。有呕，唇舌红，肺已积热者加川黄连、紫苏叶、法半夏，取其气，不要其味。如呕不止者可加藿香、竹茹。

辛温解表治风寒，香苏杏桔加荆、防。这是治疗风寒表证的概括。一般地说，属外感风寒者，当用辛温药治之。本人惯用自拟方：香附、紫苏叶、杏仁、桔梗、荆芥、防风、甘草，每效。如恶寒头痛较甚，肢体疲痛，无汗者，为风寒较重，肌腠闭塞，可用荆防败毒散加减。体虚必加人参（倍量党参代亦可）。若身热已退，但咳者用枇杷叶、前胡、紫菀、款冬花、百部等。气喘甚者加莱菔子、紫苏子、白芥子。若夜间三五时咳甚者加黛蛤散。此为寅时为金气旺时，故咳甚。黛蛤散清肝火，故能止咳，而寒未化热者忌用。如痰鸣者加蛇胆陈皮末（冲服）。寒咳用干姜、细辛、北五味子。曾治岑某，男，50余岁，体弱之躯，常易感冒。此次症见恶寒发热，无汗头痛，项背疲痛，清涕不止，咳痰清稀，脉浮紧。选用上述自拟方加党参30g，服药2剂，诸症悉除。

外感夹湿，多因感受雾露之湿，或汗出受雨淋湿，其湿邪外受，病在表，其症以恶寒，身热不扬，头胀如裹，骨节疲重疼痛为特点。治宜疏风散湿，方用羌活胜湿汤化裁，服药见汗而止。如服药无汗，表湿不解，羌活、独活宜加大倍量。亦可加入荆芥、防风协同祛风之力，往往才达到治疗的目的。若兼见口淡无味，胸闷，或恶心呕吐，腹胀便溏，舌苔滑腻，脉沉濡，可用芳香宣阳止呕，苦温淡渗祛湿。处方：藿香、佩兰、紫苏叶、川厚朴、法半夏，苍术，若呕甚加生姜 3~4 片。

夏令外感，多夹暑邪，暑伤元气，多夹湿邪。其症多见头晕身热，有汗不解，甚则汗出较多，心烦口渴，胸闷乏力，小便短赤，舌苔黄腻，脉濡数。治宜解表清暑，芳香化湿，苦甘以折热。处方：藿香、佩兰、芦根、川厚朴、竹茹、六一散、薄荷等。若口干欲饮较甚者，加生石膏 30~60g。若呕甚者加玉枢丹 1~2g 研末冲服，生姜汁 2~5 滴。若汗出不止者加生黄芪、红参以益气敛汗。若汗多阴津受损者，可用生脉散加石斛、葛根、生地黄等甘寒增液之品，以复其阴，兼退虚热。

外感病辛凉解表为先 ｜蒋日兴｜

古人曾有"南方无正伤寒"之说。广西长年气候温和，地属亚热带，因环境气候的影响，人们的肌表多较疏松而易出汗，又习惯喜食辛辣香燥食物，虽感风寒，亦多易化热。因此，外感病中以温病居多，临证尤以风热，风温多见。表现以发热重、恶寒轻、头痛流涕、身倦、唇干、溲黄、舌红、脉浮数为主。数十年来，我临证习以辛凉解表为先，治外感初起，常用桑菊饮加减，咳嗽痰稠加桔梗、浙贝母；咳剧加北杏仁、炙枇杷叶；颈项不舒加葛根。薄荷、荆芥同用，风热重者薄荷 9g，荆芥 6g，恶寒重者则反之，荆芥重于薄荷。且宜轻煎，药后多饮开水，盖被取汗。

当今有些年轻医生，读《伤寒论》后，遇外感病，动辄麻桂，大、小青龙之类，殊不知邪分寒热，地分南北。诚然《伤寒论》是一部论述外感病的专著，但其中有不少论述也超出外感病的范畴而系内科杂病。总的说来，《伤寒论》所述，大都由外感风寒所致，外感风热，论述不足。迄至明清，温病学派之苗起，才弥补了这一不足，是中医学发展的一大突破。解放后，运用温病学理论治疗诸如流行性乙型脑炎等传染病，取得了显著的疗效是一例子。至今治疗外感病的成药中，只有银翘解毒丸、桑菊感冒片，而少麻黄感冒丸或桂枝感冒丸，其中道理很值得深思。另外，如冒然使用麻、桂等辛温发汗峻剂，易于大汗伤津亡阳，险象丛生，不能不予以重视。

老年感冒与寒痰食湿 ｜谭学林｜

老年性感冒的中医诊治，往往有一定的特点。病因上除正气不足外，同寒痰湿食有密切的关系，病机上易从寒化，多兼夹痰食湿诸邪，易虚易实，虽错综复杂，但治疗上应据其特点，而循针对性的方药治之。

忆其几年前带学生实习，曾见当地一老中医诊治老年感冒病人，开方遣药，多用荆芥、防风、羌活、独活、山楂、神曲、陈皮、苍术以及藿香、枳壳、酒大黄之类，方多固定，最多只在一二味上出入进退，或剂量上做调整变化。特别是酒大黄一味，每剂必用，用之多能获效，一二剂后症减良多。问及该老先生，其口头禅曰："寒火不清，食裹气，气裹食。"对此开始百思不得其解，后仿用于临床，逐渐领悟其含义，用之也多能获效。

老年人感冒因阳气虚衰，故易从寒化。张从正说："少壮气实之人，宜辛凉解之；老者气衰之人，宜辛温解之"。(《儒门事亲·立诸时气解利禁忌式》)。老年气衰之人，机体多为阳气虚衰，正气不能与邪气抗争，多易感受寒邪，病理上易从寒化，故多用辛温解之。其症状多见恶寒无汗，发热而热度不高，口多不渴，溲多清长，就是易从寒化的表现。故多用荆芥、防风、羌活、独活，从辛温解之，则外邪易除。如用寒凉或过用辛凉，势必戕伐阳气，阳气益衰，病邪更难于祛除。所谓"寒火不清"，是重在寒字上，寒字在前，火字在后，有主次之分。从用药证之，说明是从寒化。

"老年人脾胃气不足，易虚易实，虚实兼夹，故多生痰湿食之邪，易致中焦困蔽阻塞，气机阻滞，所谓"食裹气，气裹食"，"食"实指痰湿食而言，故用药必兼用化痰消食祛湿，山楂、神曲、陈皮、苍术、藿香、枳壳、酒大黄可随症用之。酒大黄每剂必用，意在推荡中焦积滞，有中焦一畅，全身皆舒之意，凡有此等兼夹，用之必症减过半。兼夹总归在一个"气"字上，故"气裹食，食裹气"之言，可谓切中要害。

上述治法能与老年感冒的特点相吻合，虽然如此，但此病仍有其复杂性的一面。如果感冒热化伤阴，又当别论。但就一般而言，热象不显或很轻者，可加一二味凉药，如连翘、栀子之类，有热清热，或以防热化，可谓灵活应用，所谓"寒火不清"，即有此种考虑，可以说是懂得治疗此病的辩证法。

上述治法用之多人，择举 1 例验之。李姓患者，男性，62 岁。年初门诊时，因外出不慎受寒，而见头痛全身痠重无力，恶寒无汗、鼻涕多而黏，口干不欲饮，脘闷呃逆、不思饮食、大便不爽、小溲正常、舌微红苔薄黄腻、脉治。师前法而用：荆芥 12g，防风 12g，羌活、独活各 10g，藿香 12g，苍术、神曲、山楂各 10g，莱菔子 12g，陈皮、枳壳、连翘、制大黄各 10g，2 剂。服药 1 剂后，诸症悉减，全身顿觉舒畅。再剂，诸症悉除，纳食正常而愈。

防感验方琐谈　|俞才钧|

祖国医学健身祛病思想源远流长，医籍早有论述。《素问·刺法篇》指出，五疫之至不相染者，是因"正气存内，邪不可干"；又《素问·评热病论篇》曰："邪之所凑，其气必虚。"至历代医家莫不重视对正气御邪之认识。

正气虽有卫气、中气、元气等之分，但归根结底关系到肺、脾、肾脏腑之正气。温病学重视卫气，并对"肺主气属卫"之意义有所阐发。仲圣《伤寒杂病论》中提出"四季脾旺不受邪"。中气为化生气血养生之本。元气根于肾，内至脏腑，外达肌腠至为重要。故肺、脾、肾脏腑之正气为御邪之本。

本人曾得病人献方，研究其内容可取，并经笔者试服并施治多例，确有良效。方如下：党参 24g、黄芪 30g、白术 24g、扁豆 24g、淫羊藿 30g、枸杞子 30g、牡蛎 60g、制黄精 24g、陈皮 12g。1 剂服 4 天，水煎服，每日 2 次。

方药精简，为实效治本之方，方中选药有合正气学说，以补养肺、脾、肾脏腑正气，取法补肺护卫、培土生金，补火生土之意。相生为用，以气有本（脾气），阳有根（肾阳），立法用药以养气育阴，壮阳益精，阴阳结合，乃"善补阳者，必于阴中求阳"。刚中有柔，温补不助火，润养不碍气，扶阳坚阴，调中转输，气机调畅。组方精炼，可谓良方。

余年逾六旬，体质日衰，每因形寒饮凉则感冒染身，服药方休，得方试服 2 剂。近两年受凉感冒仅鼻塞清涕等症状，半日自已。若有体弱无感邪者皆宜服用。

"夹色伤寒"治验　|张志民|

我国民间流传有"夹色伤寒"（又称"夹阴伤寒"）之病名及其治法。笔者诊治过此病。"夹色"指性交，"伤寒"指外感风寒。"夹色伤寒"指男女性交前或后，感风寒而发的病。

综合文献所述及笔者临床所见，"夹色伤寒"之证型不是固定不变的，多是寒热虚实错杂。因其起病多与外感有关，外感初起多为实邪，又因其病与性交有关，中医认为性交后肾阴或肾阳必受损，则其病必有虚的一面；故此病多虚实错杂，有时也会涉及到血虚或血瘀。本文所附各案所呈现的证候虽各有特点，但多含3个主要症状：①头重抬不起来，多兼有眩晕感；②少腹拘急，牵引生殖器拘挛；③全身酸楚或疼痛，困倦嗜卧。其治法亦不固定，视证型、地区、时令、体质等因素而定。从《伤寒论》方剂来说，运用机会较多的方有：桂枝加附子汤、桂枝加龙骨牡蛎汤，麻黄附子细辛汤、真武汤、四逆汤、白通汤等方。

余以寒热药并用治验1例。

符某某，男，42岁。因连日工作，深夜归家，饱餐后就寝与妻性交。次晨其妻来电话邀余急诊。余诊之：面苍唇淡、脉迟弱、舌淡滑质红、苔薄白。病者自诉：头重不欲举，眩晕不止，如在舟中转动，干呕，仅能吐出少许涎沫，不渴，少腹急结，引及阴部。测其体温37℃。血压正常，恶寒，不喜揭其衣被，大小便正常，语声低沉而慢。处方：吴茱萸30g、生姜30g、党参15g、大枣12枚（切开）、黄连9g。立即取药煎服。药后不久患者入睡。次日未来邀诊，余电询之，患者亲自接电话，答谓："昨下午服2剂药后，全无其他不适，惟倦乏耳。"2日后，闻其已上班工作。

按：余之用吴茱萸汤治此证，据《伤寒论》第378条："干呕吐涎沫、头痛者，吴茱萸汤主之。"患者之证及病机与此方证合，故用此方。因其舌尖红属有热，故加黄连。

"夹色"质疑 ┃刘惠纯┃

广东民间及走方游医有所谓"夹色"病者，其一般所指的内容是经期行房后出现发热、腰痛、沉倦、眼花等症状，或原有外感疾病而又行房，使各种外感症状加重，有的又称为"夹色"伤寒。谓此病非常险恶，可令人丧生。常见一些文化水平较低的男女有罹此者，身体稍有不适，便与"夹色"病联系起来，惊恐万状，无知少识的亲属或邻居则推波助澜，或教去找民间游医，治之失当，以致延误病机。治之不愈而日趋沉重甚至死亡者有之，则民间更据此绘声绘色，似乎"夹色"死人确有证据。

经期行房或有病行房不合卫生之道，应竭力避免。但"夹色"病是否如此险恶？笔者限于见闻阅历不敢妄断。但曾遇到 2 例所谓"夹色"病例，录之供存查研究。

例 1，男，30 岁，船民。高热 29 天，自诉病前 1 日与妻经期行房，自谓此病夹色无疑。曾求治于西医，西医斥其无稽，故来穗求中医治疗。病人呈急性重病容，高热不退，头晕头痛，腹胀，舌苔厚，脉缓不数，中医辨证为湿温，检查血象及肥达氏反应确诊为"肠伤寒"，经用中药而愈。

例 2，女，28 岁，工人。自诉经期行房后即觉阵寒阵热，全身酸痛无力，头昏鼻塞，眼冒金星，突然想起"夹色"之说，越想越害怕，自觉病情也越来越重，其母亦惊惶失措，求助四邻，弄得街坊哄动，循民间治"夹色"套方煲苦瓜干等内服，并禁绝谷气，只吃芥菜煲番薯。来诊时已是起病 12 天后，病人软弱无力，气息奄奄，两人搀扶而来，声低言微，谓医生救救我。四诊所见，除消瘦，气怯声低外，六脉尚属调匀，不迟不数，舌苔薄白有津。西医详细检查，无发热，血象正常，胸透及心、肺、肝、脾无异常发现。分析此病人：一则可能惊恐过度成病，二则断绝粥饭已 10 多天，饥饿过度，神疲气衰。即给静注高渗葡萄糖 60ml，并开益气养阴中药 2 剂，嘱即日恢复吃粥饭，不得再吃苦瓜干煲水及芥菜煲番薯之类。第 3 天病人自行来告谓已无事矣。

"夹阴伤寒"名虽不妥
"夹色风"症却非虚构 ｜朱清禄｜

近代名医家张山雷在《病理学·陆九芝夹阴伤寒说》篇中，极力痛斥俗医杜撰"夹阴伤寒"这一病名的不通和祸害。文中引用徐灵胎、吴有性、刘松峰，周扬俊诸家的论述，认为"夹阴伤寒"本是房事后的风寒感冒，只此医者误认为夹阴二字，而误药致死者不可胜数，所以深有感慨地说："岂知用药一差，生死立判……，而寡人之妻，孤人之子，独人之父母，盖亦不啻恒河沙数点！"殊不知"夹阴伤寒"（夹色风），却确有是证，妇女也可发生，治法也并非辛温不可。张、陆二医，对此过于主观，未免千虑一失了！

闽南将房事后感受风寒，或饮食生冷引起的头眩腰痠，小便不利，小腹剧痛，甚则男子阴囊内缩，妇女乳头缩陷，牙紧气绝等，均称"含色风"或"夹色风"。笔者初学医时，邻居一青年理发师，春初房事后伤寒，症状如上述。邻翁说可能是"含色风"，但病者诡称是在露天厕所小便当风所引起的。给他诊治的某医也说："哪有什么'含色风'之症?"只按常规治疗，不料2日后则逝。病家和医者还摇头叹息："本来就是不治之症，难怪也无能为力!"

后来，我从先师吴瑞甫先生获得治疗此病的方法，即用蝉蜕、凤凰衣、鸡内金、马蹄金、炒枳壳、菜豆壳各9g，水煎内服；另用孵蛋未破壳的鸡胚1只，用新瓦焙干研成细末，以酒冲服。先师说："药可下咽，便可转安。"一位饮食店的营业员得了此病，我按照吴师的方法治疗，果然药到病除。

考"夹阴伤寒"这一病名，是明代陶华在《伤寒全生集》里首先提出的。《景岳全书》、沈金鳌的《杂病源流犀烛》、何廉臣的《重订通俗伤寒论》等，也均论及，用药皆主张温散寒邪。但这种病证的治疗，并非全用辛温之法。上面介绍的先师验方和新近收到新加坡中医学研究院院长陈占伟学兄寄赠的《诊余漫草·卷三》举述张氏妇"夹色风"一案（方用竹茹18g、淡豆豉9g、白薇9g、白鸽尿9g、人中白3g。水煎服。另用囫头鸡子，即母鸡所孵之卵死在壳内者1具，焙为细末，取少许和酒内服，2剂霍然）。及民间验方如鸡炖矾石散（鸡内金6g、煅明矾24g、麝香0.15g，共研细末，开水送服），以及用淡豆豉、生葱、生姜，茶叶，煎汤送服蛋壳未破的鸡胚末等，都是行之有效之良方。

所以"夹阴伤寒"这一病名，确有商榷的必要。因为冠以阴寒二字，在治疗上往往会顾名思义，认为非用辛温不可，如治吴姓小商贩，房劳后继发冬温。初用辛温解表无效，渐至四肢厥冷，目瞪神呆，二便短涩，舌强、质红苔黑，睾丸上缩，脉细如丝。急用大承气汤加紫雪丹急下救阴。下后神清厥回，睾丸复位。调治近20天，逐渐康复。倘若误认为"夹阴伤寒"，妄投温热，或认为真阴已绝，诿弃不治，病者也就没有指望了。由于南北气候的不同，素体阴阳偏胜的差别，仍需遵循辨证而施治。所以谓之"夹阴伤寒"实为欠妥，可称之为"夹色风"。

治少阴寒化一得 甘美芳

少阴为水火之脏，故有寒化热化之不同。少阴寒化，乃心肾阳虚，寒邪乘虚直中，阳气被阴邪阻闭所致，故必见脉沉细而微或沉迟无力、四肢厥冷、恶寒不渴、神倦欲寐等症。此外，患者多有阳虚受寒（如房事后受冷）的病史，男性患者尚可有阴茎厥冷的症状，亦可作为临床诊断之参考。盖肾藏精，主生殖，开窍于二阴耳。四逆汤逐阴回阳，为治疗少阴寒化之神方，惜今人多畏其力峻而未敢遽用，我的体会，若确系少阴寒证，则舍是方而莫属。

曾治某男，24岁。冬月某夜房事后，清晨下河劳动，河泥淹没至大腿部整整1天，至半夜即觉恶寒不发热，神倦但欲寐，四末不温（上肢厥至腕、下肢厥至踝），检其阴茎厥冷，头不痛，口不渴，面色微红，舌质淡红苔薄白，脉沉细迟（每分钟42次），体温38.6℃。即予四逆汤加大枣治之。药用熟附片9g，炮姜、炙甘草各3g，大枣5枚。2剂而愈。盖病人在冬天严寒地冻，肾已现虚，又在房事后水中作业，少阴肾经居于极下，其脉起于足趾，寒邪乘虚直中而为少阴寒证，药中肯綮，故效若桴鼓。

发热不远热 | 俞长荣 |

一些医生常套用寒凉药治疗发热。其实，发热，即使是高热，也有不宜用寒凉药的。如阳虚发热须用甘温除热法，风寒外束的发热应宜辛温解表法。

1974年秋，有一患者以恶寒，发热来诊，伴自汗，恶风，鼻塞，头晕，心悸，小便短赤，舌淡白，脉缓弱。诊为阳虚风湿相搏，仿仲景桂枝附子汤、甘草附子汤方意，服2剂而愈。1975年春，某老妇以发热，上腹部疼痛求诊。患者虽发热而喜着厚衣，腹痛而喜抚按。且舌质淡，苔白滑。病发于淋雨感寒之后，显系阴寒内盛，浮阳外越，治应温经散寒，方用附子理中汤加白芍而愈。又钱某患感冒，初仅觉周身疼痛，继即畏寒，历数小时后发热，2天后，热尚未撤，仍头痛，周身肢节疼痛，微微汗出，而喜盖被，舌苔薄白，脉细缓。症见颇似桂枝汤证，但病者素体较弱（系医者同事，故知），且脉细缓。此不仅营卫不和，且表里俱虚，单用桂枝汤，虑药力不足，遂用再造散加减（桂枝、附片、人参、黄芪、川芎、生姜、防风、白芍、甘草、大枣）实其表里，服2剂而愈。

5年前治一女性，低热持续1个多月不退，伴见洒淅畏冷，口干而不喜饮，食欲不振，耳鸣，大便时干时溏，月经过多，白带频下，脉细。诊为中气下陷，卫外不固，用补中益气汤调补脾胃，甘温除热，服6剂。1年后以他病来诊，询知服前药诸症痊愈。又曾以金匮肾气丸（改汤）加肉苁蓉治一长期低热患者。证系阴阳两虚，虚火上浮，故用滋阴益阳，引火归原，而奏良效。

"发热不远热"属于"热因热用"的治则。这种发热，它的病理实质为寒。以上数例由于抓住了疾病的本质，用温热药达到了退热效果。可见中医治疗发热不是见症治症，而是审证求因，辨证论治，或清之、温之，或泻之、补之，似乎全无定法，其实却是法度井然。借用前人的话来讲，就是"法无定法，然后知非法法也。"

（俞宜年　整理）

长期发热，中医效验　｜陈炳忠｜

　　在临证工作中，我深感辨证、辨病与所选的方药合拍，常可收到很好的治疗效果。而当方药宜于辨病而与辨证不符合时，当调整以符合辨证为准，从下列病案中，对此体会颇深。

　　丁某，33 岁，女，已婚，小学教师。1 年来间歇发热 3 次，每次持续 2～3个月，共发热约 8 个月。体温 38～40℃，热型不规则，发热前畏寒，热退时多汗，伴头痛、双膝关节与双肩关节痛，纳差。有时伴右上腹隐痛及腹胀，与进高脂食无关。转氨酶曾随发热出现 2 次轻度升高。无黄疸、呕吐；无咳嗽、咯血、盗汗；无明显消瘦；无皮疹、紫癜；无心悸、气短、咽痛；无腰痛、尿频、尿急等。先后在县医院、专区医院、贵阳医学院、遵义医学院诊治，多次作血培养、尿培养、查狼疮细胞、抗核抗体、肝肾功能、肥达－外裴氏反应、OT 试验、抗"O"滴定度、X 线等，均未能明确诊断。A 型超声检查见胆囊有"毛波及高反射波"，暂考虑为"非典型性胆道感染"。对青霉素过敏，先后用过红霉素加氯霉素、卡那霉素、庆大霉素、大蒜素、复方新诺明等，曾辅以去氢胆酸及阿托品均无效。于 1982 年 5 月 1 日就诊于余。时已发热近 2 个月，血红蛋白 120g/L，白细胞 10.8×10^9/L，中性 0.86，淋巴 0.14。尿常规、肝肾功能、血清总胆红质、肝胆 B 型超声等均无异常。查血压正常，无皮疹，巩膜不黄，咽（－），心肺（－），肝脾不肿大，莫菲征阴性。

　　余见患者身热面赤，目赤多眵，气粗多汗，体温 39.4℃，口干苦，渴喜凉饮，饮而不多，纳差倦怠，大便干燥，苔黄腻，脉滑。证以胃肠津伤与肝胆湿热并见，宜肝胃同治，拟方如下：生石膏30g、知母10g、生甘草8g、茵陈30g、泽兰15g、杏仁 10g、橘红 10g、薏苡仁 15g、豆蔻仁 9g、生大黄 9g、蒲公英24g、金银花4g、龙胆草9g。服 3 剂，热度渐降，至 5 月 4 日体温即正常，续服 3 剂，连续观察 17 天未发热而返原单位。至今 3 年未复发。

　　该例表现符合阳明经证，故用白虎汤，但其目赤口苦，苔黄腻，倦怠纳差，脉滑数，又考虑兼有肝胆湿热，故用茵陈、龙胆草清利肝胆湿热，加蒲公英、金银花加强清热之功，生大黄荡涤热结。薏苡仁利湿，豆蔻仁芳香化湿浊且开胃，其温燥之弊可为上述寒凉药所克。因湿热可生痰，故用杏仁、橘红以助去湿。肝藏血，泽兰"通肝脾之血"，可引药入血，且湿热生痰，痰阻血络，辅用活血药则瘀热易清。

该患者因有时右上腹隐痛及腹胀，转氨酶曾随发热出现轻度升高，A 型超声波检查见胆囊有毛波而考虑有"非典型性胆道感染"，从现代医学的观点来看，控制胆道感染也须利胆，若引流不畅则感染也不易清除，可见用茵陈、蒲公英、金银花等于中医辨证及西医辨病均宜。又大黄具抗菌作用，其抗菌有效成分蒽醌类衍生物在体内的分布以肝、肾为最多，服药后 4～8 小时在胆汁及小便中的排出达最高峰，故用之亦不悖辨证辨病之理。

通便能退热　　|戴献钧|

外邪化热传里，或过食辛燥，致热结中焦，临床上常见发热恶寒，蒸蒸发热，汗出热不解，大便秘结，腹满痛等。此时若用汗法则益增其热；若用清法则杯水车薪于事无补；只有用下法，疏通腑气导热下行，尤如釜底抽薪，方能退热。例如：李姓男孩，8 岁。因流涕、咳嗽 10 天，发热半天住院。查：体温 38℃，咽红（＋＋），扁桃体Ⅱ度肿大，左侧表面有黄白色脓点，心肺无异常，肝脾未触及。血象：白细胞 $29.6 \times 10^9/L$，分类：中性 0.80，淋巴 0.18，酸性 0.02，诊为乳蛾（急性化脓性扁桃体炎）。入院后经用银翘散加石膏、板蓝根、一点红内服，肌注鱼腥草针 2 天，疗效未显，体温反而升高达 39.5℃，头痛，汗出热不解，2 天未大便，尿短黄，舌质红，舌苔黄厚稍干，脉数。此属肺胃蕴热，热结中焦，邪无出路，热毒上犯咽喉所致。治宜通便泻火，导热下行，方用：大黄 10g、玄明粉 8g、枳实 10g、厚朴 6g、蒲公英 15g、紫花地丁 15g、金银花 15、山柳菊 10g、甘草 5g、新雪丹 1 瓶。2 剂，每日 1 剂，水煎服。药后泻下 4 次，体温降至正常，舌黄苔退，扁桃体脓点消失。观察 3 天无发热而出院。

凡外邪传里，热结中焦之里实证，运用下法可收立竿见影之效。惟对年老体弱者，或婴幼儿则药量须灵活掌握。因药量不足则无以祛邪安正，过量则又极易伤阴耗液，酿生他变。故用时应胆大心细，药量要足，可少量多次分服，但求便通热解即可，不必尽剂。

蛔厥后高热 |汤宗明|

昔曾治一蛔厥后高热病者，疗效甚捷，今录供参考。

某妇，37 岁，患胃脘痛反复 20 载，曾作 B 型超声波、胃镜检查，诊为"反流性胃炎""胆道蛔虫"。迭进中西药罔效。近月余发作频繁，胃脘时灼痛或冷痛，痛引两胁，呕吐苦水，甚则吐蛔，寒热往来，或痛甚则厥，大汗淋漓，舌淡红，苔薄白，脉沉细微数。此乃上焦有热，脾胃虚寒，迫蛔窜动上扰，气血逆乱所致。于是诊为蛔厥，乌梅丸温脏安蛔治之。服药 2 剂，排出蛔 5 次，少则几条，多则 50 余条，2 日共排出蛔虫 50 余条，胃痛顿减，其疾若失，患者甚为欣快。效不更方，又踵前法 2 剂，图以巩固，但事与愿违，服完 2 剂，体温骤然升高（39℃），发热畏风，胃脘隐痛，虽未再吐蛔，亦无昏厥之苦，仍有全身不适，汗出浸衣之虞。

余踌躇良久，转而细察病者，时节虽正值立夏之日，仍穿棉加被，恶风畏寒，踡缩而卧，体弱形瘦，大便溏薄；观其神色，精神萎靡，困倦疲乏，面色㿠白；闻其音，虽近在咫尺，亦难听到对答；其脉沉而虚数；舌质淡略胖，舌苔薄白而润，窃思其因，病者多年痼疾，耗伤元气，虚阳浮动；加之蛔在肠中，吸吮水谷精微，耗伤气血，损伤脾胃，导致中气不足，清阳下陷，虚阳外越而发热也。乃悟出甘温除大热法，稍佐清虚热之品，宜补中益气汤加青蒿。一俟中气充足，清阳得升，何热之有？遣方于后：黄芪 45g、当归 15g、白术 12g、陈皮 12g、升麻 12g、柴胡 12g、党参 18g、甘草 6g、青蒿 15g。水煎 1 剂，体温正常，再剂，胃痛遂止，纳食增加，毋庸更方，如此服用 10 余剂，诸症俱除。

略谈发热疾患辨证 |王德玉|

外感初起，病邪袭表，卫阳被遏，肺失宣肃。治疗当用宣肺解表法。邪从表解，邪有出路，则不致由表入里，蕴结热毒，产生种种变证。

外感不解，病邪如传半表半里，则出现邪伏少阳的特殊证型。此时，正邪相争中，正气既无力抗邪外出，邪气也未入里，致病程迁延，可缠绵 10 数日不解，惟有小柴胡汤最效。

　　外感病邪，在表未解，复内犯入里，则出现表寒里热证或表里俱热证。此时病情表里俱急而又互相影响，使病势日增，壮热不已。治疗须疏表清里，表里双解。余治患儿房某，女，1岁半。壮热、咳嗽2周不愈，用多种抗生素罔效。诊见：发热，烦啼，神疲，萎黄消瘦，多汗，咳嗽，痰鸣，稍气急，纳呆，肠鸣，腹泻。体温起伏于37.7~40.3℃之间，舌质红，苔黄腻，指纹浮、紫、滞，脉浮数。西医诊断为"病毒性肺炎"。证属表里俱热，治以清肺疏表法，方用白茅根60g，白花蛇舌草、板蓝根、竹柴胡、紫花地丁、地榆、山楂各10g，连翘、大青叶各8g，青蒿、栀子、重楼各6g，甘草5g，增损应用6剂而愈。

　　外感病邪，由表入里，常致蕴蓄生热，邪热炽盛，燔灼煎熬，势必消耗津液，影响胃肠，使大便燥结，大便秘结；腑气郁闭，热无出路，则发热更甚。此时，一般治法，均不济急，必须釜底抽薪，通腑泻热。余治患儿江某，女，11岁。外感发热，月余不解，鼻塞，口渴，牙痛，咽痛，颈痛，此起彼伏，右颈部蚕豆大痰核成串，痛不可近，大便秘结，多次服清热散结药和静脉输入抗生素无效。体温38.1℃，舌红，脉数。西医诊断为"上感""急性颈淋巴结炎"。证属热结胃腑，治以通腑泻热法，凉膈散方重用芒硝、大黄作汤剂煎服。3剂热退病愈，颈部痰核完全消散。

　　外感病邪，由表入里，还能蕴结成毒。邪毒不清，发热难平。此时，可选用清热解毒法。余治余某，男，40岁。烦热咳嗽月余，加重1周。咳嗽频频，涕泪俱出，略喘，痰稠难出，胸中痞满，口渴索饮。体温38.5℃，舌红、苔黄，脉来弦数，西医诊断："右上肺节断性肺炎"。证属热毒蕴肺，治以清热解表法。方用：金银花、蒲公英、紫花地丁、重楼、大青叶、板蓝根各15g，栀子、前胡、牛蒡子、炙款冬花、甘草各10g。增减4剂痊愈，X线透视，肺部病灶完全消失。

　　辨证论治，须反复分析病机、辨别证候，再确定治法、选择方药，确实颇费思索。仅以外感病为例，其证型就很多，单独使用某一两种治法，往往难以做到药证相符、迅速取效，只有辨证论治，才能切中病情、药到病除。余曾系统治疗观察呼吸系急性感染性发热，包括上呼吸道感染、流行性感冒、支气管炎、肺炎等病人50例，辨证属于表寒证7例，表热证10例，半表半里证7例，表寒里热证14例，表里俱热证10例，里热证2例。分别使用宣肺解表、和解退热、表里双解、通腑泻热、清热解毒等法进行治疗，绝大多数病人均在一二天内退热，除肺炎1周左右痊愈外，其余均在5天内治愈，其中30例2天内治愈，说明按辨证论治原则处理外感病，确有良效。

足心热治验 　|李仲稻|

一中年妇女，患双脚足心热 3 年有余，夜间为甚，寒冬两脚不需盖被至天明，发热甚时，则痠胀难受，影响睡眠，精神苦恼。

诊见两脚底无异常，面色憔悴，困倦乏力，精神不振，纳食无味，身体消瘦，口干不多饮。

足心系涌泉穴，属足少阴肾经。肾为"先天之本"，水火之脏，分为肾阴与肾阳。肾阴是肾精作用的体现，全身各个脏腑都要依靠肾阴滋养，肾阳亦是推动人体各个脏腑的生理活动，是一身阳气的根本，肾阳不足，则影响各个脏腑生理活动而发生病变。虚而有热为阴，虚而无热为阳。

前述病者，由于久病耗伤肾精，肾阴虚损，阴虚生内热，故见足心热，夜间为甚，阴证可见，属五心烦热之一。法以滋阴补肾，泻其无名之火，选方知柏八味丸，改为汤剂，连服 6 剂，果获显效。愈后 2 个月复发，继用原方选进，现已 4 年，其病未再发作。

汗证从气阴两虚论治 　|萧　熙|

汗来源于水谷精气，乃津液所化生。人们在正常的生理情况下，当气候炎热、衣被过厚、劳动、运动、进食，以及服食辛辣之品，由于机体内的生理调节，一时间的汗出，这是正常的现象。如果当汗出而无汗，不当汗而汗，都是反常的病理状态。

病理性出汗，从全身而言，有自汗与盗汗之分；就局部出汗而论，则有头面汗、心胸汗、腋窝汗、手足汗、阴股汗以及半身汗等的区别；根据出汗的性质和病情轻重而分，有微汗、大汗、冷汗、热汗、黄汗、黏汗、战汗以及脱汗等的不同。

汗出的辨证施治，前贤总结了极其丰富的临床经验，如牡蛎散、补阳汤、参附汤、当归六黄汤等方剂，都为各种病理性汗出而立，如能把握病机，确能取得良效。但是余数十年来的临床实践体会，不少汗出之证属于气阴两虚，尤其是患者素体虚弱或病后汗出，如未及时治愈，常导致气阴两虚。因为汗出太多，不但耗损阴津，也能伤及阳气；如原为气虚自汗，日久未愈再耗阴津，于是形成气阴两虚；原为阴虚盗汗，汗出未已再损阳气，亦即转归气阴两虚；即使是邪热内灼迫汗而出之实证，由于汗出之甚或日久不已，势必损伤卫气并耗阴津。可见各类汗出之症，在许多情况下都可能导致气阴两虚。因此，重视气阴两虚这一病理特点，有助于对汗证的诊治。

气阴两虚汗证的治疗，应以养阴清热，益气敛汗为主。余自拟处方仿生脉散合二加龙牡汤加减，经临床验证，疗效可靠。药用：黄芪、麦冬、石斛、白芍、鳖甲、白薇、五味子、煅龙骨、煅牡蛎。方中重用黄芪益气固表，麦冬清心，石斛养胃，取其养阴生津；鳖甲与白薇益阴泄热，配白芍退阴分之虚热；煅龙骨、煅牡蛎收敛止汗，配合五味子加强止汗守神之功。气虚甚者加重黄芪用量，再加党参、怀山药、甘草；阴虚甚者重用麦冬，加北沙参、生地黄、阿胶；阴虚火旺者，龙骨、牡蛎改为生用，加生石膏、黄连；口渴不已者加天花粉、乌梅；阳虚者加入人参、附子。

吴某，男性，花甲之年，体质虚弱，兼有宿疾，近因外感发热，经治疗发热虽退，然而时时汗出不已，连续10天之久，逐日加重，尤其入睡之后汗出更甚，醒时则减，面容憔悴，色萎黄，神疲肢倦，食欲不振，口渴思饮，舌体胖，舌质红，苔薄黄而中剥，脉细数无力。揆度病情，详辨脉症，分析其病机乃由阴虚热郁，卫气亏虚，形成气阴两虚之证。治以养阴清热、益气敛汗，仿用生脉散合二加龙牡汤加减：生黄芪20g、石斛10g、麦冬10g、白芍12g、白薇10g、五味子6g、生鳖甲6g（先煎）、煅龙骨24g、煅牡蛎24g。每日1剂，水煎服。药过2剂，出汗即止，诸症改善。当巩固疗效，在原方的基础上随症加减续服3剂，效果更显，精神大振，饮食增进，汗出之证，已告痊愈。

气阴两虚汗证，病情处于虚证，正虚须防他变，尤其在疾病过程中出现此类汗证，有可能进而导致亡阴、亡阳或阴竭阳脱之危候，不可不慎。

阳 虚 盗 汗 | 戴锦成 |

1975年我出差去同安县，校友李某来访，谈起曾治一位慢性肝炎的盗汗证，初服当归六黄汤加减收效甚著，嗣后再服此方不但无效，反而汗出更甚，约请会诊。

患者形体稍胖，舌质暗红，舌胖苔薄白，问其病况，诉有肝炎病史，经治疗肝功能已基本正常，惟数日来稍动即汗出，睡则更甚，醒则汗收，每晚湿透内衣，需更换两件，并伴见肠鸣、便溏、食少、腹胀、手足欠温、易得感冒，脉弦缓，此乃阳虚盗汗之证。给与党参、黄芪各15g，干姜6g，炙甘草3g，炒白术、五味子、麻黄根各9g，浮小麦、牡蛎各30g。翌日晨，患者迎面喜笑告之："服上方1剂则见显效，昨晚盗汗仅胸窝部少许。"嘱再服2剂，以固疗效。

李校友问："前人有自汗属阳虚，盗汗属阴虚之说，为什么此患者盗汗服上药能效呢？"我说："汗虽属阴液，必须阴阳和调，表里通达，始能外透于皮肤。故无论阴虚、阳虚，皆可引起自汗、盗汗，诚如《景岳全书》所说：'以余观之，则自汗也有阴虚，盗汗也有阳虚。'据临床所见，尚有盗汗之甚，阳随阴泄；或自汗不止，阴随阳损，往往呈现气阴两虚，或阴阳俱虚，可知自汗与盗汗都各有阴虚、阳虚或阴阳两虚之证，不能一概而论。本例系脾阳不足，卫表不固，肌表疏松，腠理不密，津液外泄而致阳虚盗汗之证。故用理中汤以温中健脾，温之则中阳振奋，阳生阴长，阴有依附，汗不外泄；更用牡蛎散加五味子，益气固表，敛阴止汗；方中又得党参、白术、炙甘草，益气固表敛汗之力，故能奏效。后用香砂六君子汤加减调理收功。"

头顶汗与食滞 |彭格非|

头面部出汗是临床常见的症状之一，但头顶汗出并不多见。余在1984年春节期间则遇见头顶汗出的王姓小儿，时年7岁，其母发现患儿3日来，每于进餐时头顶心处汗出很多，似将一匙水淋灌于头顶之状，其他部位则无汗。但见患儿时作嗳腐酸臭，大便臭秽，腹胀而拒按，舌苔淡黄而粗，结合春节期间恣食油腻史，考虑乃因食滞中宫，蕴郁化热，胃热上炎巅顶，迫津外越所致头顶汗出。遂投保和丸方加川黄连。2剂，水煎服，日1剂。服完后头顶心汗止，大便正常。

《中医症状鉴别诊断学》虽然认为头汗一症，常人也可出现，如进餐或小儿睡眠时，但无任何症状，俗称蒸笼头，不应视为病变征象。但该小儿仅头顶心汗出，且又有饮食不节与食滞诸症，故应视为食滞汗出，遵循辨证论治原则，以实事求是的精神，探究罕见的头顶汗出的病因病理，认识食滞与头顶汗出症的内在联系。

谈苏杏蒌贝二陈汤 | 陈慈煦 |

苏杏蒌贝二陈汤是余自拟方，即二陈汤加上紫苏子、杏仁、瓜蒌、贝母而成。用以治疗咳嗽气喘，咯痰不爽，痰稠胶黏，胸膈痞满，恶心欲吐等症。方中紫苏子降气平喘；杏仁宣肺下气，化痰止咳；瓜蒌、贝母清热化痰，润肺止咳；二陈汤燥湿化痰、理气和中。合用之，具有降气平喘，清热化痰，润肺止咳，理气和中之效。临床可视其症状，于苏杏蒌贝二陈汤的基础上灵活加减，若痰湿者可加苍术、白术；痰热者可加生石膏、知母；顽痰可加枳实、海浮石；食积可加神曲、谷芽、麦芽、山楂。

余用于临床，疗效满意。举2例，以供参考。

例1：郭某，男，59岁，1977年12月20日初诊。发热，体温38.3℃，咳嗽气喘，咳痰不爽，恶心欲吐，胸痞满，不思食，苔黄腻，舌红，脉细滑数，肺失宣肃，痰热内扰，拟宣肺化痰，降气平喘，清热和中之方：炙麻黄9g、炙紫苏子9g、杏仁12g、瓜蒌12g、川贝母12g、陈皮9g、法半夏9g、云茯苓15g、生甘草3g、生石膏15g（先煎）、炙枇杷叶15g、厚朴9g、车前子9g（布包）、葶苈子5g、大枣3枚，3剂。

1977年12月24日二诊。热退，咳嗽气喘大减，痰易咯出，胸闷痞满亦著减，惟欠思饮食，苔微黄稍腻，脉细弦而滑，再以前法，上方去车前子、葶苈子，加谷芽、麦芽各9g。此方服4剂，咳喘，胸痞愈，食亦甘味，诸症痊愈。

例2：杨某，男，45岁，1979年11月2日初诊。咳嗽气喘，痰多黏稠，黄白相兼，胸闷痞满，不思食，苔微黄而腻，脉弦滑，证属肺失益肃，痰湿内恋，拟方肃肺降气平喘，化痰清热止咳：炙紫苏子9g、杏仁9g、瓜蒌12g、贝母9g、陈皮9g、法半夏9g、云茯苓15g、白术12g、炙枇杷叶9g、炙紫菀9g、厚朴9g、葶苈子6g、大枣3枚，6剂。

药后诸症均减，上方加减进5剂而愈。

（陈继婷 整理）

治咳喘当详审虚实错杂 |刘普希|

论治咳喘，首辨虚实。何故？盖咳喘之证，外感时邪杂气而引起者有之，然大多由于咳嗽日久，或数年，数十年，经年累月，肺气耗伤，或肺痨宿疾，气阴两虚；肺虚气不布津，影响于脾；脾虚失运，湿浊不化，成为生痰之源，痰浊内生，又伤脾气，互为因果，脾则益虚；久病及肾，终致肾气亏惫；肺气虚弱，尚可影响于心，因心血运行赖宗气之推动，肺虚则宗气不足，运血无力故也，且肾阳虚惫亦能影响心阳，导致心阳虚衰；故肺脾心肾多虚。此虚证咳喘之所由生也。其虚实错杂者，多因本虚之体，复感外邪，其袭也深，加之七情、饮食痰浊相干，每致虚中夹实。其证较单纯实证、虚证复杂难辨，施治亦难。因此，审虚实之孰轻孰重，定治则之标本缓急，或以治标为急务，或以扶正为先着，或标本兼顾为稳妥，审慎定夺，确是成功的关键所在。倘以实为虚，益有余而邪势更张，以虚为实，损不足而危险立至。临证于此，确需详审。

肺脾心肾素虚之人，新近感染时邪，恶寒发热，咳嗽气逆，痰黏不易咳出，或咳逆倚息，夜不着枕，口唇微紫，舌苔满布，脉象浮数，重按尚有力，四肢逆冷，适用急则治标者，则以祛邪为先，邪去正安。治与外感咳喘相类；所不同者，须予顾及；肺气素虚者，宣肺需防发散太过，伤及津气，每以宣敛配伍，如麻黄辛温，佐五味之酸敛以制之，或再与细辛相合增平喘之效，或参《外台秘要》复杯汤方意加小麦 30g 以敛阴液；肺阴不足者需防伤阴，故宜与甘润配伍，如葳蕤汤方意，或取辛宣轻剂，如蝉蜕、薄荷、淡豆豉、芦根等；脾胃虚者须防苦寒伤胃，可加护胃之品，如陈皮、生姜；肾虚水泛、水气上凌，可加茯苓、桂枝、防己、车前子等通阳化饮，引水下行。

对正虚邪实者，不任专事攻邪者，宜标本兼顾。如肺肾气虚，复感风寒袭肺化热，除有咳喘症象外，喘促不任少动，汗多脉虚数，不任重按，宜益心肾，宣表邪，化痰平喘，方用《古今录验》投杯汤加减颇效。此方由麻杏甘石汤合人参、肉桂、半夏、生姜、大枣组成。如气逆重者，可加细辛、五味子，散敛合用以增平喘之功；阳虚较重，加附子，即寓麻黄附子细辛汤方意。如阳虚水气夹痰浊上逆，并见短气不足以息，下肢浮肿，痰声漉漉，可用木防己汤加减以温阳利水，平喘降逆。如表邪已去，转以温阳化痰平喘，可用《外台秘要》射干煎（制附子、干姜、炙甘草、细辛、射干、款冬花、紫菀、竹沥、桑白皮、饴糖、炼蜜），其方大体上是由射干麻黄汤去麻黄合四逆汤，加清化痰热之品组成，随症用之颇效。如心阳虚兼心气不足，痰热壅肺，其证既有咳逆喘急抬肩，舌红不泽，苔黄少津，脉细数而结，又有口唇发绀，肢冷浮肿，心下痞坚，宜扶阳益气，清化痰热平喘，可用参附汤、生脉散加葶苈子、瓜蒌仁、贝母、鱼腥草、黛蛤散、竹沥、细辛、半夏、五味子等。若肺肾阴伤，痰火上逆，则又须滋阴清化降逆，方如猪苓汤加黛蛤散、瓜蒌霜、葶苈子、鲜竹沥、西洋参等。

正虚为主，或正虚邪衰者，根据肺肾心脾虚损的轻重，或宜扶阳，或宜养阴，随症选用。心阳骤损者宜参附汤，但用量不宜过小，附子必须先煎1～3小时，心气心阴不足者宜生脉散，目前有注射液供静脉滴注，可救偏于急需。脾为痰源，非温不化，故宜温化。肾为气根，补肾填精，贵乎温煦，《外台秘要》气嗽方（生地黄、山茱萸、茯苓、泽泻、五味子、肉苁蓉、丹参、肉桂、钟乳石、甘草）加减，每为常用。肺肾两虚者，补脾每与补肾纳气药合用，如补肺汤加怀牛膝、补骨脂、桂枝、附子、山药等；阴阳两虚，又宜补肾益气，阴阳两顾，可用地黄饮子加减，药如怀牛膝、熟地黄、山茱萸、肉桂、附子、红参、炙黄芪、巴戟天、丹参、石斛、麦冬、五味子、龙骨等药。

大肠咳嗽与小水灌入大肠 | 张志豪 |

20世纪50年代初期，某老大夫谓："遇一老人咳嗽，每咳嗽时，常伴随流出少许稀粪。"此病中医称大肠咳病。系出自《素问·咳论篇》"大肠咳状，咳而遗矢"，多见于气虚久咳之人，大肠括约肌功能松弛所致。我曾治过这种病人，用中药补中益气汤加罂粟壳或诃子肉等，常可治愈。

在一次为名老中医整理医案时，有一稀泻病例，作者傅老自加按语曰："此小水灌入大肠也"。这句话是出于清代汪昂《汤头歌诀》大橘皮汤的注解。现在的《汤头歌诀白话解》把原句"小水"二字改为"水湿"，但我查阅汪昂《医方集解》利湿之剂大橘皮汤的小注仍载有此语："小水并入大肠，故小便不利而大便滑泄。"临床上也常遇到这类濡泄证。洞泄如水，肠鸣漉漉，小便甚少，治疗常以胃苓汤加减，使之小便清长，水湿不再并入大肠，则清浊泌别二便分清，不复稀泻矣。

二岩虎果汤治咳喘 饶天培

本方由岩豇豆、岩白菜、虎杖、果上叶组成，专治肺热咳喘证，以岩豇豆、岩白菜养肺化痰；虎杖清热祛痰止咳平喘；果上叶养胃生津、润肺化痰。全方配合精当、效果确切。笔者常用本方鲜品各30g或单用岩豇豆60g炖肉内服，治疗急性支气管炎、大叶性肺炎、小儿哮喘等无不应手取效。

余曾诊郑某，女，13岁。咳喘已十载，曾在本院确诊为"支气管哮喘"，经多方治疗，均未获效。症见喘促气急，喉中有哮鸣声，夜间加剧，不能平卧，咳呛阵作，痰稠色黄，胸闷如室，面色苍白，口唇爪甲青紫，舌胖质红，苔白腻，脉细数。脉症合参此为风热犯肺，肺失清肃，痰涎壅盛，痰热内蕴。治宜清热化痰，宣肺平喘。投二岩虎果汤，服3剂后症大减，继3剂喘平如常人，3个月后其症又作，仍按上方施治，3剂亦愈，追踪观察10年未见复发。

岩豇豆：苦苣苔科吊石苣苔属植物肉叶吊石苣苔的全草。

岩白菜：苦苣苔科马铃苣苔属植物岩桐。

虎杖：蓼科蓼属。

果上叶：兰科石豆兰属植物麦斛。

暑天补阳愈哮喘 罗致强

丘君，已古稀之年，患支气管哮喘已20余年，每届秋冬，务必发作，每次发作断断续续2~3个月，发病时采用多种中西药物治疗可以缓解，否则需入院治疗。余思病发才治，治之晚矣，故宜治其本，治本必早，治早应治未病。治未病应从何时开始？忆《内经》有"春夏养阳，秋冬养阴"之说，患者年迈体衰，正气虚损，宜补益正气。遂嘱患者于每年小暑，大暑节令之间，即公历7月7日至8月7日之间，连续30天，隔天1次红参6g，1次鹿茸2g，交替炖服。患者遵嘱服用3年，哮喘发作便逐年减轻，至今数年未再发作。余疑是否属于偶合？又以同样方法嘱年幼之病孩（一为7岁，哮喘已3年；一为9岁，哮喘已2年），按上药量减半服用，同样取效。故证明中医学的理论，确有指导实践之价值。

（陈庆全　罗斯馨　整理）

穴位外敷治哮喘 |罗冬秀|

哮喘是以呼吸困难、喉间痰鸣，严重时不能平卧为特征的肺部疾病。《证因脉治》曰："哮喘之因，痰饮留伏，结成窠臼，潜伏于内，偶有七情之犯，饮食之伤，或外有时令之风寒，束其肌表，则哮喘之证作矣。"故哮喘之因主以痼疾内伏，复为六淫所侵，或饮食生冷酸咸肥甘，或情志抑郁而触发。发作之时，痰随气动，气因痰阻，相互搏击，发为气促喘呼，喉间痰鸣。

余等根据哮喘发作之因，遵《内经》"春夏养阳、秋冬养阴"之旨，对寒喘在夏天采用辛温的附子、细辛、干姜、桂枝……等辛温之药合甘遂、大戟、芫花、白芥子等逐痰之品，制成软膏，在三伏天或哮喘发作时敷贴膻中、肺俞、天突、大椎、定喘等穴，以图温复阳气、驱除潜伏之痰饮，达到阳复痰除气行的目的。

取穴：发作时取膻中、肺俞、定喘、大椎，每次 3 或 4 个穴位，可交换使用。缓解期取膻中、肺俞、脾俞、命门、肾俞等，痰多加丰隆，咽痒加天突。根据辨证取穴，每次 2 或 3 个穴位，在一伏、二伏、三伏天敷贴效果最佳。

方法：先选好穴位，指压得气后，取药膏如拇指大敷于穴位上，固定。贴后有痒痛时可取去，次日再敷，每日 1 次。

1984 年余等随访小结 50 例，疗效如下

痊愈 6 例，占 12%；临床控制病情 10 例，占 20%；显效 13 例，占 26%；无效 6 例，占 12%。总有效率为 88%。诊断及疗效判断标准均根据"中华全国中医学会内科学会哮喘病诊断、疗效评定标准试行草案"。

现略举 2 例，以资明证。

陈某某，女，45 岁。哮喘反复发作 15 年，每遇寒冷、劳累或遇棉絮粉尘即发。发作时胸闷气促，喉中痰鸣，满屋可闻，不能平卧，汗出，舌红，苔白，脉滑。15 年来采用中西医多种方法，如"死卡""脂多糖""激素""扶正固本丸"等治疗，虽可临时控制，但仍反复发作。1981 年来门诊，给予外敷肺俞、膻中、定喘、命门等穴，交换敷贴半月，哮喘缓解，全年未发，1982 年以来，夏季均继续用上法巩固治疗。每年 15～30 天，历时 4 年有余，哮喘一直未发。

沈某，女，12 岁。自幼哮喘，发作时气急不能平卧，经西医治疗效果不显，1984 年到门诊治疗。症见面色萎黄，消瘦，喘息痰鸣，咯吐白痰，脉弦

细无力，舌淡紫，苔白腻。予膏药敷贴膻中、肺俞。用后喘止。继用 10 次，哮喘整个冬季未发。经随访，患者体质增强，饮食好转，面红润，哮喘一直未发。

动静结合治久咳　　|徐富业|

黄某，男，年近古稀，素有咳嗽，连绵数载，屡治罔效。1979 年 8 月，突然高热，体温 39℃ 以上。当时检查，两肺均有干湿性啰音，心律不齐，期前收缩 6～7 次/min。西医诊为：慢性支气管炎并感染。经用抗生素及中药治疗 1 周，热清，但咳嗽仍昼夜不止，两肺啰音减少。邀余前往诊治。按其脉两寸较弱，关尺部脉尚有力，并见结脉。视其舌质淡红，苔黄。咳嗽夜间频作，咳则胸胁不舒，偶有心慌，大便稍秘结，小便黄。此证咳嗽连作，乃因外感余热未清，加之原有痼疾，久咳伤肺，气虚复感外热，新旧交蒸，肺气失宣，肃降失常，故咳嗽频作。治宜清其标，益心肺之气。若只清肺止咳，只是图功一时，若只顾补气不清其标，则咳不已。思前人选方用药，根据药物性味、功用组成方剂，针对疾病的属性，在处方时注意药物的"走"与"守"的特性，防止药物的偏胜，故疏方选药，采用益气清热的原则，实为运用"走"与"守"，"动"与"静"的配伍方法，用生脉散合泻白散两方化裁治疗。生脉散中人参用党参代，取其甘温，功在益气，具有"守"与"静"的作用，麦冬甘寒清热养阴，五味子酸收敛肺颇具"静"的功能，故本方治疗久咳肺虚，津伤气耗者尤为适宜。泻白散泻肺气之热，桑白皮泻肺化痰，地骨皮退伏热，实具有"走"与"动"之功。粳米（怀山药代）与甘草合用，清中兼补，寓补于宣，服药数日，奏效甚捷，旬余，咳嗽大减，气力渐增。

此法凡气虚外感风热，余热未清者，选择用之，颇合机宜。嗣后用此法治疗十余例，均效果确切。但需辨证得当，临证变通。若气虚兼风寒引起咳嗽或喘咳不宜使用，恐邪气稽留而渐成劳怯之证，或虽兼有热邪，气阴未伤者，不可妄投。

风热咳嗽为何难愈　　|荣远明|

南疆气候炎热，外感咳嗽之中，风热咳嗽十居七八。咳嗽痰黄，黏稠难咯，口渴咽痛，喉痒而干，伴有恶风身热，鼻塞头痛，苔薄黄或薄白而干，脉浮数等风热表证，是其证候。疏散风邪，清热宣肺，化痰止咳，是为治疗之常法，桑菊饮加减是为主方。医者悉知。风热挟湿、挟暑、化燥，佐以化湿、解暑、润燥，亦易辨识。愈而复感，更易辨知。

然而，罹患风热咳嗽者，每每缠绵旬月不愈，越季而咳嗽不息者，亦不少见。故俗有"良医难治咳嗽病"之说。笔者每遇此类缠绵不愈之患者求诊时，留心细察其候，多为早晚作咳，日间少咳，痰少或无痰，舌红或舌质黯淡，苔少，脉细或细数。恶风、身热等症全无。可知风热表证已除，肺中伏热未清，气阴已伤。肺有伏热则清肃之权失司，可致咳喘。肺气伤则肺主气之功能失常，清肃无权，亦可导致咳嗽、气短等症。肺阴耗伤则肺失清润，气逆于上而作咳。加之，夜间阳入阴，阴气盛，平旦时阳气生而未盛，均为肺之功能较弱之时，故早晚咳嗽不止，缠绵不愈。此时，如仍一味以疏散风热之法，由于耗散太过，使气阴益伤，何能止咳？

故治疗此证，应一面清泻肺中伏热，一面滋养气阴，辅以宜肺止咳。热去正复，咳嗽自平。笔者自拟泻热养肺汤：桑白皮10g、地骨皮10g、北沙参15g、百合15g、桔梗10g、北杏仁（打）10g、前胡10g、百部10g、甘草6g。若肺热较甚者，可加黄芩10g、鱼胆草15g。若肺气耗伤明显者，可加太子参15g。若阴伤明显者，可加麦冬15g、天花粉15g。若咳而胸痛者，加瓜蒌壳10g、郁金10g。小儿药量酌减，水煎分2次服，复煎再服。一般服药3~5剂咳嗽平息。以桑白皮泻肺清热，且能消痰而定喘咳；地骨皮泻肺中伏火，尤能退虚热；北沙参、百合、北杏仁、百部养肺阴润肺而止咳；沙参尤能补益肺气；桔梗、前胡、甘草可宣肺除痰以止咳。各药合用，正中病机，故可获效。

如黄某某，女，30岁。诉其咳嗽2个月余未愈，初始发热恶风，全身痠痛，日夜咳嗽，痰黄而稠，口渴欲饮。经服中、西药数天后，恶风、发热、身痛等症已除，咳嗽亦减，但转为夜寐即咳，晨起亦咳，痰少而黏，数更其医而罔效。至今干咳无痰。查其舌红而干，苔黄少，脉细略数。再问之，更伴有口干不多饮，大便干结，二日一行等症。可知肺中伏热伤阴无疑。肺与大肠相表里，故肠中亦少津便结。治以泻热养肺汤，加麦冬15g。3剂，嘱其每日1剂，水煎分2次白日服，复煎分2次夜间服。服前药2剂咳止，诸恙随之而愈。

其女亦如此咳嗽，十余日未瘥，晨起为甚，午睡及夜寐时亦咳，未闻痰声，食欲减退，小溲短黄，舌质黯淡，苔少，脉细。拟诊肺中余热未清，气阴已伤，且有子病及母之势。予以泻热养肺汤，剂量减半，去地骨皮，加太子参10g、怀山药10g，以益气养阴健脾，服药3剂亦愈。

肺痨证治经验谈 ｜方以正｜

余治肺痨，多以补气血、养肺阴、行气化热痰为主，临床遣药习用乌梅、山茱萸、山楂肉、木瓜、马齿苋等酸味药以化阴生津，调和阴阳；以白芷、葎草花、夏枯草等药抗痨；以广陈皮、川楝子、瓜蒌壳、香附健胃行气化痰；以潞党参、北黄芪、怀山药等补气健脾，培土生金；以阿胶、鱼鳔胶等血肉有情之胶质药养血填精、补空洞。现略举数例以证。

刘某某，女，37 岁。作胸透显示：活动性浸润型肺结核 $\frac{上}{上}$。食少脘阻，疲乏，尿少，便结，头昏，胸痛，痰多，眠差，舌淡红多珠点，苔根淡黄薄腻，脉细弱而数，而寸脉尤弱。诊为心肺两虚、阴血不足、内热气滞之肺痨证。药用生地黄 15g，麦冬、沙参、潞党参、怀山药、百合、蛤粉各 12g，白及、紫菀、鳖甲、乌梅、山茱萸、山楂、鱼鳔胶、白芍、当归、瓜蒌壳、枸杞子、广陈皮、夏枯草各 9g，5 剂，水煎服。川贝母粉（另包）9g，分 3 次吞服。

进前方后，食增，睡眠转安，惟感头痛，头昏，疲乏，便结，舌质多红点，苔薄黄，脉细数。拟前方加胡黄连 4.5g 以清虚热，夏枯草清热散结，继进 5 付并以天王补心丹调养而瘥。

王某某，男，74 岁。多次胸透 $\frac{上+中}{上+中}$ 浸润型肺结核，活动性不大。月余来发现左睾丸肿大而软，诊为左附睾结核。脉弦，舌无苔。中医诊为：阴虚肝郁之肺痨，兼睾丸肿结。药用柴胡、当归、乌梅、阿胶（烊化）、木瓜、荔枝核、玄参、葎草花、香附各 9g，薏苡仁 21g，牡蛎、紫菀各 15g，马齿苋、夏枯草、何首乌各 12g。3 剂水煎服。药后见脉弦数，舌无苔，睾丸肿消。原方去葎草花加川楝子 9g，3 剂后睾丸软小至正常者 4/5（年老萎缩），去香附加北黄芪 9g，补脾益气以固本，巩固疗效。

韩某某，男，46 岁。患浸润型肺结核，双侧胸膜增厚，两胸上部疼痛，喉间如有物阻塞，脉虚，苔白，气血亏，属阴虚痰滞之肺痨，药用：百合、生地黄、怀山药、马齿苋各 12g，生薏苡仁 15g，北黄芪、夏枯草、潞党参、广陈皮、贝母、乌梅各 9g，白芷 4.5g，3 剂，水煎服。补天素 1 瓶同用。药后脉虚弦数，舌红多珠点，苔薄白，胸胀闷，痰阻喉间，食少。上方去白芷加丝瓜络、莱菔子各 6g，知母、山楂炭各 9g 以增强通肺络、消痰滞之功，补天素续用。方后膺闷，多白稠痰，胃脘热，阴虚肺燥继以瓜蒌壳 12g 清肺化痰，利气宽胸。

前后服药近 1 年，做胸透显示肺部正常。

古云"万病无如痨症之难"，而肺外之痨较肺痨更为难治，特别人处中壮年时，气血充沛，津液充足，若不能保养元气，顾护胃气而房室无度，饥饱无常，日夜忧虑，不注意劳逸，必致精液阴血耗散，咳痰吐血，骨蒸潮热，口燥咽干，遗精盗汗，饮食难进，乏力短气，最终火乘金位。若进大寒药则虚其脾土，更进大热药愈竭其精血，怎不为难治？

（杨抗生　整理）

用左归饮治疗咳血的体会 　|李淦芳|

咳血临床常为火热灼肺，迫血妄行；或阴虚生内热，热伤肺络，使血不循经，溢于络脉之外所致。临证用药每多偏重于清热泻火及凉血止血。

家父行医多年，对咳血一证，治验甚多，有其独特见解。他认为，临证时须分清新病久病。新病咳血，则属热毒内盛，迫血妄行所致，病势较急，必须重用止血、和血通络之品，即"白虎""清营"之属，用药如石膏、生地黄、牡丹皮、三七等。而久病咳血，则属阴虚内热，热伤肺络，导致咳血，应当选用张景岳的左归饮为主进行治疗。

左归饮原方是熟地黄、山药，枣皮、枸杞子、茯苓、炙甘草。此方本为纯甘壮水之剂，即滋肝肾之阴，使水旺以制火；同时又能滋养脾胃之阴、养肺阴，达到"阴平阳秘"的目的。

从家父几十年的治验中，对阴虚咳血的病例，就是用左归饮辨证加用北沙参、何首乌、麦门冬、白芍等加强滋阴之力，取效卓著。少则二诊，多则六诊，即基本控制症状。所治方中，均未用一味止血之品。他认为，治病必求于本，阴虚咳血，其本在于阴虚，即有阴虚证的主症，如潮热，盗汗，舌红或淡红，脉细数，以及胸痛、咳血时轻时重、反复发作，血量不多等。只要将阴虚纠正，就可止住出血。切忌一见咳血不是按火热灼肺诊治，就是按"木火刑金"用药，或大剂使用止血药物，有时或可取效，多会事倍功半。更忌妄用燥散、升提药物，导致"虚虚实实"之误，出现不可收拾的局面。

对于古方的应用，除了深思熟虑，了解原方的本义及适应范围外，必须与临床见证密切结合，进一步发现它的更深用途，更广的含义。将古人的东西变为自己的知识，临证才能运用自如，达到出神入化的境地。若每见一证只知按其常规处方遣药，不敢越雷池一步，处处谨小慎微，势必收效甚微，无所建树。

慢性支气管炎治标从痰治　　|康良石|

慢性支气管炎（以下简称"慢支"）的病因病机较为复杂。本病乃"标实本虚"。本虚易受邪，招致标证；标证反复，则加重本虚。标证见证中的痰、咳、喘，又以痰为主。多年来，我们根据《医宗金鉴》提示的湿、燥、寒、热痰的辨治方法，结合临床实际，制订了"慢支"标证辨痰指征，从"痰"论治，从而提高了治疗急性发作期和慢性迁延期患者的临床控制率，取得较满意疗效。

《医宗金鉴》总结前人经验，指出"稠浊是热痰，沫清是寒痰，少而黏连咯不易出是燥痰，多而易出是湿痰"，是从痰的性状进行辨证。在此基础上，我们结合患者临床症状、体征，定出四个证型。

热痰：痰色黄或黄白或绿，质黏稠呈脓状或痰中有血丝。症见咳嗽气粗，口干，腹满，大便干，小便赤，舌质红，苔黄或白而燥，脉弦滑而数。

燥痰：少痰或无痰，不易咯出，色白或青或灰白色。症见干咳气促，口鼻咽干燥，或口渴欲饮，大便干，小便赤，舌质红而少津，少苔或无苔，脉细弦或数。

寒痰：痰量多色白或清，呈泡沫状。症见咳嗽气短，动则喘甚，喜热饮，小便清白，舌质正常或胖淡，苔薄白滑润，脉沉紧或细缓无力。

湿痰：痰色灰白或稀或稠，易于咯出。症见咳嗽，气喘或气短，口淡发黏，胸脘满闷，肢体困重，大便不爽，舌质胖嫩，苔白腻，脉濡滑。

辨证为论治指明方向，立法组方为论治提供措施。从客观指标的反映，将湿、燥、寒、热痰作为"慢支"标证的辨证是具有相当的科学性，各个标证与标证之间具有不同的病理生理特征，又有相互的联系。例如，热痰与寒痰是一对矛盾，它们是对立的，但是在一定的条件下，也可以互相转化。

从唯物辩证法的角度看，"慢支"的本证是矛盾的主要方面。但标与本能够转化，在某种情况下，标证可以上升为主要矛盾。在有标证存在的情况下，一定要先解决标证，待标证基本消除后再治本证，而治标的关键在于治痰。对于个别体质虚弱者，有时有标本兼顾的必要，但不能过早治本，也不能不分主次地标本兼顾，避免助长邪气，招致邪恋而影响疗效。

在选方用药方面，除遵循中医理论体系，继承传统治法外，还应结合现代医学知识，扩大治疗思路，如杀菌、抑毒、改善分泌障碍、微循环灌流不足等，可以提高疗效。例如，治热痰，在清化痰热的基础上，再加入金银花、连翘、鱼腥草、沙参、麦冬、桃仁、赤芍等解毒、养阴、活血药，效果就更好。又如寒痰，一般应用细辛、干姜、半夏、五味子、天南星、陈皮等温化寒痰的药物，若再加入通窍的石菖蒲和活血的桃仁、赤芍等，疗效就提高了。

痰饮病误治案 | 谈发建 |

"前事不忘，后事之师"。余治一痰饮病人，未仔细审证求因，仅凭表面症象而用药相反，其证反剧。

何姓患者，女，56岁。胃脘胀痛12年，加重2个月，形体消瘦，头昏乏力，心悸盗汗，睡眠差，五心烦热，皮肤干燥，食欲不振，每日只能进食50～100g面食，口干渴，喜热饮，饮食后胃脘部胀痛加重，恶心，嗳气，胃脘部灼热感，大便干燥如羊矢，5～7日1行，长期须服火麻仁泥才能便出，舌质鲜红，苔黄厚而干，脉弦大。

始按胃阴虚论治，以麦门冬汤加沙参、石斛、当归、火麻仁、枳壳、竹茹等治疗。服药12日诸症不减，而失眠、心悸、心慌加重，脉率增数，夜间平卧时尤甚，知辨证有误。

患者口渴喜热饮，饮后脘部痞塞，饮后2小时胃中还有明显振水音。《金匮要略》曰："其人素盛今瘦，水走肠间，沥沥有声，谓之痰饮。"始悟本病为饮停心下，津液不布所致，当以温药和之。改用苓桂术甘汤加味健脾化饮：桂枝10g、茯苓30g、生白术60g、甘草5g、党参20g、苍术15g、佩兰20g。

上方2剂，精神稍振，口渴减轻，心悸停作，大便已畅。加入山药15g以顾脾阴，连服十余剂而诸症渐愈。

清热利饮法治疗悬饮 | 沈柏台 |

悬饮，为四饮之一。《金匮要略·痰饮咳嗽病脉证并治》云："饮后水流在胁下，咳唾引痛，谓之悬饮。"又曰："脉沉而弦者，悬饮内痛。"《诸病源候论·悬饮候》说："悬饮，谓饮水过多，留注胁下，令胁间悬痛，咳唾引胁痛，故云悬饮。"根据文献所述，此因饮邪停留于胸胁所致。其症胁下胀痛，咳唾痛剧，甚而呼吸转侧，均牵引作痛，脉多沉弦。类似近代医学的渗出性胸膜炎。

《金匮要略》对悬饮治疗，提出十枣汤主之。但我惧十枣汤药性峻猛，未敢轻用，而遵"病痰饮者，当以温药和之"的原则，改投以温药，而疗效终未令人满意。继乃深思，虽饮为阴邪，但悬饮病人临床所见，起病之初有发热；或平素阴虚，阴虚生内热；或合并痨瘵肺燥热；因之，不能忽视热这一方面。且悬饮都有胸胁胀痛，咳嗽呼吸牵引痛的主症，脉多沉弦。《诸病源候论·诸饮候》说："诸饮者，皆由荣卫气痞塞，三焦不调，而因饮水多停积而成痰饮。"总的来说，本证有热，其邪为饮，病于胸胁，荣卫痞塞，三焦不调。为针对病因病机，治疗应清热利饮，以肃肺金。盖肺居胸胁之内，喜清肃，主呼吸，能通调水道，主表统荣卫。三焦者，决渎之官，水道出焉。水道通调，其饮自去。自拟"清热利饮汤"：葶苈子10g、桑白皮12g、鱼腥草15g、桔梗9g、薏苡仁30g、沙参16g。以治此证。

组方选药以葶苈子辛苦寒，泻肺利水，祛痰平喘；桑白皮、鱼腥草甘寒，清肺热兼利水祛痰；薏苡仁甘淡渗湿，桔梗苦辛平，开胸膈滞气，止胸膈刺痛，二药为排除脓疡积液要药；沙参清肺火，止咳祛痰，补肺阴以益气，可防葶苈子泻肺之过伤，六药均入肺。元气虚弱者，加党参；食欲欠佳者，加黄精；胸闷者，加橘络；喘咳较剧者，加百合、七枝莲、杏仁；合并痨瘵者，加百部、白及、平地木等，并根据病情，酌为加减。此方用于临床，取得比较满意的效果。

20多年来，我每遇悬饮，则以清热利饮法，用上方治疗，均获痊愈。有农民王某，女，1979年9月患悬饮，初起发热恶寒，咳嗽气喘，右胸胀痛，咳时胸痛加剧。西医透视检查右胸膜积液，诊断为胸膜炎，治疗7天，胸痛咳嗽如故，请余治疗。当时患者眠食欠佳，舌质红，苔白略粗腻，痰白而稠，小便黄，脉弦细。以清热利饮法，按上述处方为主，并照加减用药，3剂咳嗽减，6剂胸痛轻微，9剂胸胀痛基本消失，服至15剂后停药，透视复查右胸积液消失。至今未复发。去年春，有女职工范某患悬饮，左胸胀痛如刀割，经西医透视有胸膜积液，患者不愿打针服西药，乃延我诊治。我按清热利饮法依前述处方用药，初痛剧加延胡索等止痛药，3剂而痛减轻，继守上方按病情略为加减，治疗3个月而愈，现健康如常。这是我用自订清热利饮法方剂，多年来治愈许多悬饮症当中的案例。

《金匮要略》对痰饮咳嗽病论述颇详备，为后世指导临床，其功非小。但其用药，一以温药和之，一以逐水峻药攻之，两者均有所偏，似不能尽善。因在临床中订出清热利饮法，用治悬饮症。经过多年实践检验，行之有效。或可为法外之法，供同道参考。

肺　积　│罗冬秀│

肺积为五积之一，又名息积，息贲。《素问·大奇论篇》曰："病胁下满气逆，二、三岁不已……病名曰息积，此不妨于食。"《难经·论五积》曰："肺之积名息贲，在右胁下，覆大如杯，久不已，令人洒淅寒热喘咳，发肺痈。"《济生方》曰："积者，生于五脏之阴气也……，在肺曰息贲，喘息贲溢，是为肺积，诊其脉浮而毛，其色白，其病气逆，背痛少气，喜忘目瞑，肤寒，皮中时痛，如虱啄或如针刺。"以上所述咳嗽、气喘、胸闷、发热、消瘦、乏力、胸背肩项疼痛不适、咳血等症酷似今之肺癌。

肺积之形成，可以虚、痰、瘀、毒四字概之。临床所见，壮人无积，虚人则有之。脏腑之虚，常由饮食不节，起居失调，劳逸失度，情志不遂，暴受惊恐等所致。上述诸因，导致肺、脾、肾虚。久咳伤肺，肺脏愈虚，气机不运，血行不畅，津液枯竭，痰、气、瘀互相搏结，聚而成积，乘肺之虚而潜留，肺积乃成。积停胸中，阻塞气道，气机不畅，痰瘀愈甚，积块愈大。诸症蜂起，正气愈衰，病情危笃。故积多因虚而得，因虚而致实。虚乃积之本，实为积之标。虚以肺气虚、肺阴虚、脾气虚、肾阴虚为主；实以气滞、痰凝、血瘀、毒聚为主。故肺积乃本虚标实之证。

临床所见，肺积证情复杂，虚实寒热互见，治宜扶正、祛邪，根据虚、痰、瘀、毒之孰重孰轻，据证而施以补虚，利湿祛痰，清热解毒，行气活血，化瘀消积等法。但首当顾护正气，若专事攻邪，徒伤正气，积不但不去，正气反亏，疾则难愈。而大积大聚，不搜而遂之，专事补药亦可助邪。临床当分初、中、末三期辨治。初期以攻为主；中期攻补兼施；末期以补为要，此时攻之，胃气先伤，愈攻愈虚，故宜用缓削之法，不可急于求成。补虚亦不可用大温燥或滋腻大补之品，以免助邪、恋邪，只宜平补。除扶正攻积外，尚须断厚味，戒辛辣烟酒、节色欲、抑暴怒、少思虑、慎起居。若能配合导引吐纳，则可缓缓图功。

余治肺积，分型、治则及方药如下。

肺脾两虚、湿热瘀滞

主症：咳嗽，痰稀白而量多，或痰中带血，胸闷气促，面色苍黄晦暗，神疲乏力，头目眩晕，食少消瘦，胸觉气陷，口不渴或渴不欲饮，舌质淡胖或淡紫，苔白厚腻或黄腻，脉弦或滑。

治则：健脾补肺、清热利湿、解毒消瘀。

基本方：黄芪、党参、柴胡、升麻、当归、白芍、砂仁、茯苓、半夏、陈皮、白术、蒲公英、猪苓、黄芩、半枝莲、甘草。

热毒痰浊壅肺

主症：发热恶寒，咳吐脓血或痰中带血，口臭，胸中灼痛，牵引肩背，甚则皮中痛，形体消瘦，多汗，面萎黄或潮红，舌质红，苔黄少津，大便干，尿短赤，脉滑数或弦大。

治则：益气养阴、清热解毒。

基本方：鲜芦根、薏苡仁、冬瓜仁、桃仁、太子参、沙参、瓜蒌仁、天冬、麦冬、海蛤粉、大青叶、杏仁、百合、黄芩、蒲公英、鱼腥草、猪苓、白花蛇舌草、大枣、生甘草。

饮停胸胁、气血瘀滞

主症：胸胁胀闷刺痛，咳嗽或转侧时加剧气促，甚则不能平卧，腹胀纳减，神疲乏力，形体消瘦，舌淡红或有瘀斑，苔白腻或黄腻，脉弦或细弱无力。

治则：健脾逐饮、导滞消积。

基本方：体实者可用十枣汤加减，体虚邪实者可用人参、白术、茯苓、葶苈子、大枣、赤芍、猪苓、泽泻、蒲公英、瓜蒌壳、薤白、半夏、陈皮、白茅根、车前草。另用龙葵50~100g煎水代茶。

饮邪消退后可转第1型方案治疗。

阴虚火旺、痰浊瘀滞

主症：面色不华或潮红，形体消瘦，干咳或痰少，胸灼热刺痛，眠差纳少，潮热盗汗，口干咽燥，大便干结，尿短赤，舌红，苔少或黄厚干燥，脉细弦或沉细无力。

治则：滋阴清热、活血化瘀。

基本方：沙参、麦冬、玉竹、天花粉、生地黄、白扁豆、白薇、黄芩、杏仁、丹参、蒲公英、全瓜蒌、猪苓、赤芍、郁金、甘草、法半夏（用量宜轻）。

虚劳型

主症：大骨枯槁，大肉已去，肌肤甲错，咳嗽咯痰不甚，心悸短气，自汗盗汗，食少，舌质淡紫或干红开裂，无苔，脉细欲绝或浮大无根。

治则：补益气血或回阳救逆。

基本方：生脉散、大补元煎、真武汤随证选用。

除辨证外尚可配合下列药物治疗：

三七粉：不论何种证型，每日可用三七粉10g，分2次服。

复方草珊瑚：我院自制中成药，有补益气血、抗癌止痛、活血化瘀、清热解毒之功用。特别是病情缓解后的巩固治疗有效，本品须长期服用。

膏药穴位敷贴：胸痛及咳嗽痰多者可用膏药。亦为我院自制，有通阳止痛、涤痰消痞、抗炎通络之功。局部穴位敷贴。

加味乌贝及甘散的临床运用 ｜袁家玑｜

加味乌贝及甘散是自拟的治疗胃及十二指肠溃疡病的常服散药方剂，由三七粉30g、乌贼骨30g、川贝母30g、白及30g、甘草30g、黄连30g、砂仁15g、延胡索30g、川楝子30g、佛手30g、广木香15g、生白芍45g组成，将其研为极细末，每日早、中、晚饭后各吞3g，常服，可获较满意的疗效。

胃及十二指肠溃疡病属中医的"胃脘痛""嘈杂""便血""呕吐"等范围，多因长期的饮食不节，或精神刺激损伤脾胃而致。我认为本病的发生，病位虽在胃肠，但与肝脾有十分密切的关系，由于肝失疏泄，或肝火犯胃，致肝胃不和，胃气郁滞，失于通降；或由于长期饮食不节，或禀赋不足致脾失健运，胃失和降；又久病可损伤脉络，故临床常见脘痛、泛酸、呕吐、黑便、呕血等症。由于肝旺犯胃，气郁化火，久之致肝胃阴液耗伤，脾虚胃弱，化源不足，日久伤阴耗气，气血俱损，故而迁延日久，发作频繁，缠绵难愈。临床用调理肝脾、调理脾胃之汤剂，常能缓解症状，但远期疗效不理想，易于复发，且汤药难于坚持长期服用，故以柔肝和胃、调气活血为法，拟制本方。又因初病在经，久病入络，病程较长，非短时所能治愈，只能缓攻徐图，以期根治，故而应用散剂，便于常服、久服，以促进溃疡愈合。

本方以三七粉为主药，《本草纲目》谓三七能"止血、散血、定痛……，亦主吐血、衄血、下血。"；乌贼骨收敛治酸、止痛、止血；川贝母化痰、散结消肿，与乌贼骨配伍，有很好的制酸止痛作用；白及收敛止血，消肿生肌；芍药、甘草酸甘化阴，柔肝缓急止痛；黄连清热燥湿；川楝子、延胡索行气活血止痛；佛手、广木香行气止痛；砂仁理气健胃，合而既能柔肝和胃、理气活血，又能制酸止痛、止血生肌。用后，症状能较快得到缓解，但溃疡未必能愈合，如不继续服药治疗，促进溃疡愈合，则多有复发，所以应连续服用本散 3 个月或半年以上，疗效才能巩固。多年来，使用本散治愈的病例不少，兹举 2 例介绍如下。

例 1，某女，18 岁，脘痛 2 年余。1973 年 7 月 10 日来诊。自述脘痛阵作，入夜加重，辗转难眠，上腹及两胁胀满，时有反酸，嗳气频频，苔薄白，脉弦，经贵州省人民医院 X 线钡餐透视检查，发现十二指肠球部有 1cm×1.3cm 龛影，诊断为十二指肠球部溃疡。嘱其服用加味乌贝及甘散加制香附 18g，每日早、中晚饭后服 3g，坚持服用 3 个月，诸症好转，X 线钡餐复查，十二指肠球部龛影消失而痊愈，至今已 12 年未复发。

例 2，宋某，女，43 岁。1978 年 10 月 23 日来诊。述胃痛 11 年，隐隐作痛，以夜间尤甚，嗳气反酸，食少便溏，短气乏力，怕冷汗多，头昏心慌，面色不华，脉细弱，舌淡紫，边有齿痕，据 X 线钡餐透视检查，诊断为胃及十二指肠溃疡，于加味乌贝及甘散中加入肉桂 6g、潞党参 30g，服法如前，连续服用半年，诸症痊愈。

例 1 属肝胃不和，气滞较甚，故于本散中加入制香附，以增强疏肝理气，和胃止痛之力。例 2 主要是脾胃虚寒，肝胃不和，故于本散中加入上肉桂、潞党参，以增强温阳益气，健脾和胃之力，针对患者不同情况，适当加减，久服，取得了稳定的疗效。

（袁金声　整理）

慢性胃部疾患的中西医治疗　｜王兆清｜

近 10 余年来，我采用了中西医结合来诊治消化系统的疾病，尤以胃脘痛病例更为多见。

我所接触到的胃脘痛病人，很多是饱尝痛苦的慢性病人，他们的共同特点是病程长，都经过西医、中医的治疗，而病情不见明显好转，因而对他们的诊治需要更加细心、全面，力争抓住导致疾病长期不愈的各种因素，例如精神负担过重者，要进行耐心的说服工作；工作过于劳累者，劝其适当休息；有饮食不节及烟酒嗜好者，向其介绍良好的饮食习惯及戒除烟酒的重要性等等。并在此基础上，有的放矢地充分利用现代医学的诊查方法，尽可能了解病变状况，如 X 线胃肠钡餐检查、纤维胃镜检查、B 型超声检查、五肽胃泌素胃酸分泌功能试验等，作出正确的西医诊断。同时应用中医学的诊断方法，采用脏腑辨证、八纲辨证，三焦辨证等，以确定病变的证型，分清主证和兼证，最后立法遣方。中医的胃脘痛一病包括了现代医学的慢性胃炎（浅表性、萎缩性等）、消化性溃疡、胃黏膜脱垂、慢性十二指肠炎、慢性胰腺炎等疾病。按中医辨证，病在中焦，涉及的脏腑主要是脾、胃和肝，病变性质有寒热虚实之分，根据多年的临床观察，我们将胃脘痛分为以下四个证型：肝胃不和型；肝郁脾虚型；脾胃虚弱型及胃阴不足型。可以兼有气滞、气逆、血瘀、血虚、湿阻、食滞、热郁及胃寒等，对于这些兼证，都必须分辨清楚，才谈得上立法遣方。对于初诊者，可给予汤剂，便于根据证型变化及治疗反应加减药物，待病情稳定后则改为丸药治疗，以巩固疗效。根据我院已故名老中医陈慈煦教授的拟方，我们请同济堂中药店制成胃康Ⅰ号、Ⅱ号，Ⅲ号及新加乌贝散，分别用于脾胃虚弱、胃阴不足、肝郁脾虚及有明显反酸症者，兼证明显者，则分别据证给予有关中药煎水，吞服丸药。药物的加减则立足于中医的辨证，并兼顾西医疾病的特点，例如胃液分析呈高酸者，不管有无反酸症状，均加服新加乌贝散；胃镜检查有明显胆汁返流者，均加入和胃降逆的中药；X线胃肠钡餐检查见有胃平滑肌张力降低或胃蠕动减弱者，则加入补中益气、调理气机的药物。多年来，我们一直坚持按以上的方法对胃脘痛进行诊治，其效果优于单用中医或单用西医的方法诊治，足见采用中西医结合对胃脘痛的诊治，是一种非常可取的方法。

对胃与十二指肠溃疡病的认识 | 陈慈煦 |

胃与十二指肠溃疡病（以下简称溃疡病），祖国医学文献里没有这个病名，但从溃疡病的临床表现和体征来看，属于祖国医学中的"胃脘痛""肝胃气痛""心痛""嘈杂""吐酸""噫气"等病证的范畴，其中以胃脘痛、肝胃气痛、心痛与溃疡病的关系尤为密切。溃疡病的形成，余认为有三种因素，即精神、饮食、体质因素。

精神因素是指情志方面的刺激，如忧思恼怒伤肝，肝气郁结，横逆犯胃，气阻胃络而形成溃疡病。饮食因素，是指暴饮暴食，饥饱不匀，或嗜食肥甘厚味，恣啖生冷辛辣之品，伤及脾胃，以致健运失职，湿浊内生，壅滞胃气而形成溃疡病。体质因素，是指患者素体脾阳不振，或病久损及脾阳，阳虚则寒自内生，兼之复感寒邪，或饮食不慎，或劳累过度，或精神刺激等诱因，以致中阴不运而形成溃疡病。可见，"气机不调"是本病病理的主要方面，因此，理气是治疗本病的关键。有些在治疗上虽未明显标出"理气"一词，但在处方用药方面都有理气的药物，即使是火郁伤阴，也用理气而不耗气、不伤阴的佛手、绿萼梅以达到调理气机之目的。因为不论血瘀、火郁、湿阻、痰凝、寒结，都可影响胃气的和降而作痛，而化瘀、清火、祛湿、除痰、散寒都必须参以理气，始可达到止痛的目的，从而促进溃疡病的愈合。

余认为溃疡病出血的原因，主要有两点，即"热"与"虚"，故治法以"清热""补虚"为主，止血为辅。

若气郁化火而致的出血，症见疼痛急迫，出血势猛，面红，口干，苔黄，脉数。治宜清热降火，凉血止血，拟方用泻心汤加味：大黄炭9g、黄连9g、黄芩9g、生地黄15g、白及12g、白茅根30g、侧柏炭12g、地榆炭12g、藕节炭12g、三七粉9g（吞服）、玄胡索9g、川楝子9g。

若气不摄血而致的出血，症见隐隐作痛，面白气短，肢体倦怠，舌淡苔白，脉弱。治宜补气摄血。拟方：

1. 独参汤：吉林人参30g煎汁吞三七粉9g。

2. 归脾汤加减：党参15g、黄芪15g、炒白术9g、醋炒当归身12g、白及12g、地榆炭12g、侧柏炭12g、阿胶珠9g、炙甘草3g。

溃疡并幽门梗阻者，症见食入不化，食后脘腹胀满，朝食暮吐，暮食朝吐，馊腐难闻，腹中雷鸣，吐后即觉舒适，舌淡苔薄，脉细弦或沉弦。余认为治法有二：

温下法：适用于体质尚可，脉沉弦而大便秘结不通者。温药为主之方：生大黄9g、熟附子9g、干姜4g、人参3g、法半夏9g、炙甘草3g。

温中降逆法：适用于体虚，脉弱者。宜附子理中汤为主方：潞党参9g、炒白术9g、干姜3g、炙甘草3g、熟附片9g、代赭石30g（布包）、炒莱菔子12g、法半夏12g。

此外，治疗溃疡病，余认为应注意以下几点。

1. 胃痛剧时，虽虚不宜即补。若进人参、黄芪，则壅更甚，其痛益剧。因"通则不痛，痛则不通"，胃痛多是"气机郁滞"，治宜先调畅气机，待痛势渐缓再进补剂。

2. 苔腻者，虽虚亦不可进人参、黄芪。否则痞胀、疼痛亦将增甚。但有一种苔，粗看似腻，细看则松浮，此种苔则宜补，但亦只以人参、白术为宜。

3. 阴虚胃痛，滋阴不可太腻。如熟地黄、阿胶之属不便随意使用，否则可致胃痛加剧，大便溏泄。应以沙参、麦冬、石斛、玉竹等较为适当。

4. 阳虚胃痛，扶阳不宜过温。如干姜、附子之属用量不宜过大，用时须密切观察其舌质变化，如舌一露红，即逐渐减量或易方，否则辛燥之品可以伤阴，阴虚生内热，热迫血妄行，可致出血。

5. 溃疡病胃酸多者，即有胃痛灼热之感，非火郁胃痛之症。此宜用制酸的药物治疗，则其灼热感即可减轻或消失。

6. 兼有"食积""便秘"，不宜用硝黄攻下。因溃疡病病程多较长，"久病多虚"，故不可妄用芒硝、大黄攻下，以免犯"虚虚"之戒，尤其是脾胃虚寒的患者，兼有食积宜以保和丸加减；大便秘结者宜用火麻仁、郁李仁、枳壳、枳实、炒莱菔子之属。

（陈继婷　整理）

溃疡病浅识　|魏善初|

这里谈及的仅限于胃及十二指肠溃疡病，它是一种慢性疾病，属于祖国医学胃脘痛的范畴。

已故秦伯未老先生认为，本病的发生与发展，自始至终都存在着木乘土的因果交替。肝属木主情志，脾胃属土主运化饮食。不少病例证明，溃疡病发生前，病人追忆常有情志波动和饮食失调史；临病时，常由情志或饮食不节诱发疾病；在发病过程中，病变轻重程度又常与情志、饮食的波动成正相比的关系。因此，本病的发生发展与转归和情志异常及饮食所伤有着密切关系。

胃脘部（上腹部）是胃及十二指肠的投射部位。各种病邪导致胃及十二指肠腑气不通，必然在胃脘部引起疼痛。由于胃和十二指肠部位有上下之分，脘痛发生也有先后之别；胃连接食管，下接十二指肠，食后饮食入胃，胃内充实，胃气不通，出现食入即痛；十二指肠在胃下方，食后饮食入胃，经胃腐熟消磨，排放才能进入十二指肠，导致胃虚肠实，肠气不通，疼痛才能发生，出现空腹或饥饿性疼痛。更由于胃及十二指肠的病因性质不同，其疼痛性质亦各有差异，气滞者胀痛，热郁或阴虚者灼痛，虚寒者隐痛，血瘀者刺痛。

胃脘疼痛一症，仅是胃及十二指肠溃疡病的病位反映，而病因性质引起整体反映的症候更多，更具有综合诊断的价值。如胃肠腑气不通，腑气失其和降而上逆，便可出现恶心、嗳气、呕吐、流涎、失眠等症状；脾胃湿热内蕴，或肝郁化热，或脾不运化，湿浊内生，则见吐酸、嘈杂等；胃热炽盛，迫血妄行，或脾虚不能统血，或脉络瘀滞，血溢脉外，均可见吐血、黑便等出血症状。

理气止痛为溃疡病的常规治法，常用方剂为柴胡疏肝散。服用剂型以丸药、片剂或散剂为佳，这是为减轻胃肠充盈、缓解脘痛的缘故。

　　临证时须审证求因、辨证施治、灵活加减。气滞无寒热者，全方进治；气郁化热者，去陈皮、木香，加黄连、知母等以泄热和胃；脾胃虚寒者，加白术、党参、干姜以温中散寒；吐血黑便者，加桃仁、红花、三七等以止血化瘀；阴虚内热者，改用一贯煎加减治疗。

　　前面谈到，本病的主要诱因为情志与饮食，在上述药物治疗中，必须配合情志与饮食疗法，使病人情志安定，心情舒畅，饮食调匀，才能缩短疗程，提高疗效，治愈病人。

气虚而津无以化，阴亏则液难于生

——话胃酸匮乏的中医治疗　|杨春波|

　　胃酸缺乏常见于慢性萎缩性胃炎的患者。由于胃黏膜炎症的长期存在，致使胃的腺体受破坏，而失去泌酸的功能，形成胃酸缺乏。中医如何认识？又如何治疗？是一个新的学术问题。有的认为纯属阴虚，有的认为是虚寒，也有认为是气滞。而在我们慢性萎缩性胃炎的中医证治研究中，却发现有脾气虚和胃阴亏两种，需分别采用健脾益气或益胃育阴等法治疗，可使胃泌酸功能得以恢复。如施某，患慢性浅表并萎缩性胃炎6年多，临床表现头晕肢乏，脘痞纳少，肠鸣便溏，舌淡苔白，脉细无力等脾气虚弱证。游离酸测定为零。经服党参、黄芪、白术、茯苓、炙甘草、当归、红枣等益脾气药近1年，复查游离酸已提高到100U，症状也基本消失，体重增加3kg，胃黏膜活检已转为浅表性胃炎。陈某，患慢性萎缩性胃炎已10年，症见头晕耳鸣，心悸腰酸，脘闷口干，手心热，溲淡黄，舌红少苔，脉细数而弱等胃阴亏损证。游离酸也是零。服太子参、怀山药、桑椹、五味子、麦冬、北山楂、石斛、甘草、牡丹皮等养胃阴药64天，复查游离酸恢复到40U，症状显著好转，胃黏膜活检已转为浅表性并萎缩性胃炎。

　　胃酸，中医属于津液的范围。脾得津方能运化，胃获液才可烂谷，共司消化、吸收之功能。然脾津要靠脾气来化生，胃液需赖胃阴来滋养，若气虚而津无以化，阴亏则液弗能生，则出现不同性质的胃酸缺乏。健脾益气可以化津，益胃育阴可以资液，所以能使胃酸得以恢复。这种同病异证，异治同效之妙，正是中医学术之所长。

慢性萎缩性胃炎胃酸匮乏，所以有不同的中医病理变化，除与患者的素体等有关外，我们还观察到胃黏膜萎缩的程度也是一个因素。其中脾气虚者萎缩常较轻，胃液多较清稀；胃阴亏者萎缩多较重，胃液常较黏稠。经验表明，健脾益气似有促进胃酸分泌功能的恢复，而益胃育阴好像有利于胃黏液细胞的再生。此外，血瘀也是值得重视的问题。我们在益脾气和养胃阴的同时，都加入相应的活血药。这些有趣的理论问题，有待科学研究的深入。

中医治病贵在辨证。只有遵循中医理论体系进行认识和治疗，才能发挥中医学术的优势，把病治好。

逍遥验方治胃痛　　|周德丽|

逍遥散是河池地区医院已故老中医黄惕生临床运用治胃脘疼痛，吞酸嘈杂的一个常用方剂。经我临床加减运用 20 余年，获效甚著。现介绍于下，供同道参考。

验方组成：海螵蛸、白芍、柴胡、茯苓、党参、白术、甘草、薄荷、陈皮、半夏、神曲、鸡内金。

适应证：凡属肝郁脾虚之胃脘疼痛，嗳腐吞酸，或虽无吞酸而有饥饿时脘痛，每于夜间及午后 3 时左右发作者，舌质红，苔白黄或腐腻，脉象弦滑者均可用之。

加减法：吞酸多者加煅瓦楞子；饥时疼痛而兼呕吐清涎酸咸者加干姜；疼痛甚者加川楝子、延胡索；脘痛兼腰背疼痛者加沉香。

如陈某，男，56 岁。胃脘疼痛 20 余年，初时脘痛伴反酸，嗳腐食臭，经 X 线钡餐透视确诊为十二指肠球部溃疡，曾反复服用胃舒平、陈香露、百露等中西药均未彻底治愈，于 1979 年冬就诊。此次发作胃脘疼痛，伴呕吐大量清涎（约 800ml），带酸咸味。呕吐完则脘痛稍得缓解，伴见嗳气，胁痛，口干苦，大便结，小便夜尿多，舌质红，苔黄白腐腻，脉象弦滑。诊为肝郁脾虚胃脘痛。用验方加煅瓦楞子 30g、干姜 10g，服药 2 剂。二诊时呕吐清涎已大减，疼痛减轻。再服 2 剂痛止，追访 5 年未复发。

又如朱某，男性，44 岁。患者胃脘疼痛 3 年，伴反酸嗳气，疼痛时须进食食物始得缓解。近来反酸，口干苦，大便结如羊矢，睡眠梦多，舌质红，苔薄黄白，脉象弦滑。诊为肝郁脾虚胃脘痛。用验方加川楝子 10g、延胡索 6g。服 2 剂而痛止，追访无复发。

黄惕生老中医自拟之逍遥散验方，是逍遥散去当归、干姜，加海螵蛸、陈皮、半夏、神曲、鸡内金、党参而成。黄老认为："逍遥散本用于肝郁血虚之妇人诸疾，然前贤汪切庵用逍遥散推广运用治呕吐吞酸、胸痛、胁痛，加减出入无不获效。今胃脘痛之吞酸，是由于木旺；酸属木，木旺故酸多。土虚故得食则痛减，胃酸多，得食则痛缓，是木旺土虚。土虚血不曾虚，故去当归以海螵蛸易之。海螵蛸有平肝制酸的作用，呕酸而大便结者用之。如呕酸而大便溏者，用龙骨。"黄老又说："脾土一虚，水湿停而为痰为饮，宿食易于积滞，故于方中用陈皮、半夏化痰利气，神曲、鸡内金消食积、肉积，加党参扶土以抑木。"黄老之理论可谓精辟，遣方用药可谓丝丝入扣，切合病机，正符《金匮要略》之所言"上工治未病"也。本人将黄老之逍遥散验方运用于临床治胃脘痛，鲜有不效者。

脾胃运化与麦、谷芽 ｜赵 棻｜

忆昔学医时，业师曾谆谆以重脾胃为训。所谓"有胃气则生，无胃气则死"。盖脾胃为元气之本，元气又为一身之本，所以复元益气的根本措施是扶助脾胃功能。余服膺斯旨，垂50年，而先师遗训，始终未敢忘怀。临证以来，略有心悟，爰将一得之愚，以就正于方家。

脾胃学说，滥觞于秦汉，在中医历史上绵延一千多年，直至近代，更有新的发展。脾胃为人体气血产生之源，脾胃虚弱则化源潜伤，五脏之气血阴津皆衰，导致元气不足，而百病丛生。因此，重视脾胃的调理，是为治疗疾病的一种重要手段。调理脾胃的原则，叶天士总结为"脾宜升则健，胃宜降则和，太阴湿土，得阳始运，阳明燥土，得阴始安"。然不论补虚泻实，皆当以扶脾为先。扶脾者，惟"运化"二字。而运化之品，首推麦芽、谷芽。我认为麦芽、谷芽最具生发之气，是调理脾胃的要药，尤具"运化"之妙。

所谓"脾主运化"。"运"者，营运周行也，"化"者，变化发生也。脾胃功能旺盛，方能受纳水谷，吸收精微，化生出人体后天之气即"胃气"。胃气上而淫及心，溢于肺，下而散之肝，归之肾。心得此气，才能主血充脉，化生神明；肝得此气，便能疏木泄郁，赞化气机；肾得此气，始能化生元精，涵育诸脏；脾胃之气自旺，才能纳、运、输、布。脏气既充，始能运行于外，以濡养筋骨、皮毛、血脉、九窍。在这心肺气降，肝肾气升的气机升降过程中，脾胃实为枢纽。脾胃居中央而运四维，机体气机必藉脾胃升降干旋之力，才能运行无阻，生化无穷。若中气式微，则枢机不转，运行无力，最易形成清气不升、浊气不降的阴阳痞隔之局。且因中气衰馁，无以资生诸脏，则五脏之气亦衰，而百病蜂起矣！当此之际，惟有补益脾胃，使之健运有恒，才能恢复机体正常的生理功能。而补益脾胃，首重"运化"，而"运化"，惟以麦芽、谷芽为首选药物。缪仲淳说："麦芽功用同谷芽……咸能软坚，温可通行，其生发之气，又能助胃气上升，行阳道而资健运。"王海藏谓："胃气虚人，宜服麦芽、神曲二药，以化成已，腐熟水谷。"足见二药健运之功不浅。我用麦芽、谷芽已数十年，从临床实践中体会到，二药实是甘和健运良药。

麦芽与谷芽，性皆甘平无毒，是"五谷为养"的上品，且又蕴着生发之机。可以借五谷生发人体之胃气。现代医学研究，麦芽含有维生素 B_1、脂肪、卵磷脂、糊精、麦芽糖、葡萄糖。由麦芽根须提纯精制的复方磷酸酯酶片，是一种多酶制剂，含有磷酸二酯酶，磷酸单脂活性，还含有少量生物碱等物质。可以促进人体的正常代谢。谷芽含有淀粉、蛋白质、脂肪等。两者都含有生物催化剂——多种消化酶。麦芽入脾，健运消食，兼能生发气机；谷芽入胃，促进消化，且善滋润养胃。两者合投，可使脾胃和合，升降有序，运化自如。且二药隽永平和，老幼咸宜，除妇女哺乳期禁用麦芽外，可视为健运脾胃良药。故我对各种病证都大量使用，颇收宏效。

（蒋远征　整理）

挤眉眨眼与脾虚　|刘尚义|

患儿徐健，6 岁，本院家属。因饮食不节并偏食，双眼睑时时眨动 2 个月而就诊。西医诊为"眼干燥症"，给鱼肝油、多种维生素，眼药膏等治疗；中医认为属脾虚夹风，予健脾祛风法，均无效，双眼睑仍频频眨动不能自主，于 1983 年 9 月邀余诊治。

症见：患儿形体消瘦，双眼睑频频眨动，面部及白睛可见虫斑，饮食偏嗜，舌淡少苔。此为脾虚肝热，疳积上目所致。治宜健脾消疳驱虫。处方用：焦白术 12g、山药 12g、黄精 15g、槟榔 12g、榧子 10g、使君子 12g、枳壳 10g、广木香 9g。药进 3 剂后，驱出蛔虫 6 条。患儿食量增加，已不眨眼。

五轮学上说眼睑在脏属脾，脾主肌肉，脾与胃相表里，故挤眉眨眼与脾胃有关。李杲《兰室秘藏》说："夫五脏六腑之精气，皆禀受于脾，上贯于目……。"中医认为脾为后天之本，主运化水谷之精微，故为生化之源，若脾运健旺，目得所养，则目光有神，如脾虚不运，则目失所养而致视物昏暗，双目连眨等。

方中用补脾益气之要药焦白术、山药、黄精以健运脾气；驱虫药中舍苦寒有小毒的苦楝根皮、鹤虱、雷丸，而用较为温和甘平的使君子、榧子、槟榔，再加枳壳、广木香理气消积，故药到病除。

（罗国隆　整理）

饥而畏食症　|林毓文|

1973年春，治一黄姓女，年17岁。初起发热，尿道涩痛，尿色茶黄而少。4天后尿痛渐愈，但疼痛渐移至上胃脘部，持续隐痛，绵绵不已，腹胀痞满，但无恶心、呕吐。食后则感腹胀不舒，隐隐作痛。至今已20余日，虽饥而不欲食，甚则畏食。经多方求治未效。日渐消疲乏力。

诊见其形体消瘦，面色苍白，精神萎靡，懒言，舌质淡红少苔，脉细稍数。患者家属所煮食物放于其面前，仍无食欲感。经劝说方勉强进食少量。余初不以为然，认为乃一般胃脘痛。治以消食导滞，先予保和丸数剂无效，即给平胃散加味，亦未见转机。再加思索改四君子汤加丁香、莱菔子、山楂之类，均未奏效。患者益见咽干口燥欲饮水。遂将其病从发生到现症进行逐一分析。

1. 起源为热淋，热病去后始生此症。两者之间有否联系呢？想其素体虚弱，很可能原有阴虚，发热数天，热虽除，但津液耗损所引起之后遗症一时难以恢复。热邪伤阴，五脏六腑之阴精均受损耗，亦有可能产生胃阴虚之症状。《诸病源候论·淋病诸候》说；"诸淋者，由肾虚而膀胱热故也……膀胱热则水下湿。"其病之根源在肾虚，其变化关键在热淋。

2. 胃脘隐隐作痛，绵绵不休，提示无实邪，非实证。为何知饥而畏食？是脾能运化而胃不能受纳，加之胃脘隐痛，食之尤甚，使患者对食物产生一种恐惧心理，故终日不思食或饥而畏食。说明其病在胃。

综合分析：此病由于肾虚，热邪乘虚侵入而成热淋，邪热伤阴，表现为胃阴不足证。病根本在肾虚，其标在胃。胃脘隐隐作痛，饥而畏食是一种伤阴的后遗症。急则治其标，缓则治其本。吸取上述屡治胃而不验的教训，决定改弦易辙，着重治其肾，培其根本。通过治肾而达到养胃，以麦味地黄丸加肉桂：生地黄12g、山茱萸6g、山药6g、泽泻3g、牡丹皮3g、茯苓3g、麦冬3g、五味子3g、肉桂1g。水煎服，日1剂。

方中以生地黄易熟地黄，与麦冬、五味子、山药配合滋阴补肾，润燥养胃；茯苓、山茱萸补肾健脾；泽泻入肾、膀胱以利湿热；肉桂少量用于反佐，以制寒凉又温命门之火。

药投 2 剂，病有好转，腹痛渐减，食欲稍增，再投 2 剂，胃脘疼痛消失，饮食正常而愈。

阴虚胃痛治验一得 |俞才钧|

阴虚胃痛（萎缩性胃炎）论治甚多，治效不易，辨脏腑不离脾、胃、肝脏失调。辨虚实有脾阳、胃阴、肝郁及气滞血瘀、寒热夹杂之分。治法上重在调理脾胃脏腑。且以甘温健脾柔润养胃并调为首务，余如调气和血、权衡升降、调整纳化为今临床所习用。

阴虚胃痛（萎缩性胃炎）多为虚证，临床见胃脘隐痛绵绵、灼痛作胀、无嗳气泛酸、纳呆食少，甚则厌食不饥，大便时稀或便秘、倦怠肢困，久则面色无华、消瘦无神等，舌淡红、少津少苔、脉沉细。大凡阴虚胃痛，灼痛胀满为胃失濡养，脾失温煦不运。应以补脾养胃。余常用党参、太子参、白术、白扁豆、炒山药、制黄精、石斛等以健脾益气养胃，重用山药能补脾养胃，醒脾和胃。用药润燥并调，另如柔肝养胃的白芍、甘草、乌梅、绿萼梅等酸甘化阴之品，佛手、枳壳、延胡索、香附等药调气和血。其他如补肾暖脾、助运消滞也是常用方法。总之，脾胃兼顾，阴阳不偏，柔肝调气是治疗阴虚胃痛应重视的治则。

金某，女，45 岁。1 年来胃脘隐痛，并见灼痛，无嗳气泛酸，口苦咽干。近 2 个月，胃脘隐痛无定时，厌食不饥，或食后饱胀，大便时稀，形体日渐消瘦，倦怠无力。曾作胃镜检查确诊为萎缩性胃炎。查舌淡红少苔，脉沉细。证属阴虚胃痛。法以健脾养胃、疏肝理气。处方：党参 10g、炒白术 12g、太子参 18g、炒扁豆 12g、炒山药 20g、白芍 15g、乌梅 3g、绿萼梅 12g、制黄精 12g、枳壳 10g、甘草 6g、制香附 9g、鸡内金 10g、补骨脂 10g，6 剂。

药后，胃脘隐痛、灼痛有减，食欲稍有改善。连续服药 15 剂后胃脘隐痛已止，食欲渐旺，大便正常，精神好转，嘱继续服前方去乌梅 10 剂。复诊时述已能停药 3～4 天未感胃痛，偶发胃痛仅服药 1 天即止。

此方用药平淡，但经临床观察效果显著，也为临床一得。

临证辨误举隅 　|汤宗明|

余临证以来，所遇疑难急重之证较多，若能洞察秋毫，药到病除，实属寥寥，而因辨证不细，遣方用药不活，临证奏效不显，再从中汲取教训，获得成功之案则较多。兹择病例 2 则，供同道参考，或许于临证者，少有裨益。

血虚寒凝胃痛，肝脾论治无效，当以养血散寒。

关某，男，27 岁。患胃脘痛反复四载，常便血。一次偶因进食冰棒 3 根，旋即胃脘剧痛，终日不休，或胀痛，或刺痛，呕吐清涎，日约2000ml，形瘦体弱，面色㿠白，唇甲少华，四肢不温，脉沉细无力，舌质淡，苔薄白，辨属脾胃虚弱，肝郁气滞，胃失和降，予健脾和胃、疏肝理气法，服药不显。又以理中、大建中化裁，诸恙依然。窃思用药不效，乃辨证之误也。遂细诊之方醒悟，此血虚寒凝胃脘之候。盖病者脾胃素有宿疾，脾阳不充，寒邪内生，又常便血，致阴血亏虚，加之本次饮冷冰凉，寒凝胃脘，胃阳大伤，安有不痛之理？反复推敲，《伤寒论》当归四逆加吴茱萸生姜汤于此最为适宜，遂书方：当归 18g、细辛 4g、桂枝 9g、白芍 18g、大枣 6 枚、通草 12g、吴茱萸 12g、生姜 15g、甘草 3g。连服 2 剂，胃痛顿减，吐涎停止，后用香砂六君子汤调治。

此例初诊，囿于一般胃痛病机，见脾治脾，见肝治肝，故未中要害。须知长期胃痛，反复便血，本次加剧，又添呕吐，乃全身疾患，未有全身症状不瘥而胃痛止者。当综观全局，洞察主因，联想《伤寒论·厥阴篇》第351条"手足厥寒，脉细欲绝者，当归四逆汤主之。若其人内有久寒者，当归四逆加吴茱萸生姜汤"，映照本证，得以启迪，旋即投之，既可调和厥阴，温经复营，又能驱除陈寒久冷，使胃阳复苏。

既中焦有寒，初诊曾投附子、干姜何以不效？盖阴虚血弱，病在厥阴，大辛大热，反耗烁阴液故矣！

头痛如劈，肝阳论治无功，通腑气一剂而瘥。

头为诸阳之会，五脏六腑之精气皆上注于此，故凡六淫外袭，上犯巅顶，阻抑清阴，或肝阳上亢，气血亏虚，痰阻瘀血，脑海不足，均可发生头痛。但临证肝阳为患，最为多见，平肝潜阳，当为常法，然也有例外者。曾治潘某，男，60 岁。因中风住院治愈，准备出院，猝然头痛如劈，呕吐频频，时有抽动，颈项强直，视物昏蒙，神志或明或暗，脉弦滑，舌红紫，苔黄，血压29.3/13.3kPa（220/100mmHg），西医诊为高血压脑病。脉症合参，断为肝阳头痛，先后以平肝潜阳、和胃降逆、镇肝熄风及辛凉开窍等法收效不显。转而细思，平肝潜阳，乃治头痛常法，投之不效，恐诊治之误。细加询问，得之大便7日未行，口出秽臭，胸腹痞满，脉弦滑，苔黄腻而干。细详辨之，始悟其真，风阳之气，化燥伤津，致痰热腑结，热浊上扰清空，故头痛如劈。尤恐再有卒中将至，当急下存阴；阴津得存，风乃自消。辨证既明，书方于后：大黄9g、芒硝10g、瓜蒌壳12g、胆南星9g、天竺黄12g、郁金12g。以通腑涤痰开窍，每2小时1剂，恐进药呕吐，并针刺内关。4小时后大便盈盆，臭不可闻，其疾若失。

此例辨证之误，在问诊之粗，一遇头痛，徒泄厥阴，大便情况，舌苔变化，如此重要明征，却视若无睹，仍沿袭常法，施治焉能奏效？由此观之，急重之证，必四诊细察，辨证详析，方能一击中的。

水　逆　|汪济美|

水逆病名见《伤寒论·太阳病脉证并治篇》："中风发热，六七日不解而烦，有表里证，渴欲饮水，水入则吐者，名曰水逆。"后世凡吐清水，渴欲饮水，水入则吐者，均称"水逆"。此随饮随吐之水，与素有里饮停聚胸脘者不同。柯琴曰："此因表邪不解，心下之水气亦不散，既不能为溺，亦不能生津，故渴。及与之水，非上焦不受，即下焦不通，所以名曰水逆。"张仲景主用五苓散，通阳行水，和表里，散饮邪，效果甚验。方用桂枝而化膀胱之气，白术健脾燥湿，泽泻、猪苓、茯苓甘淡渗湿，畅利通道，且白术得桂，则上升通阳之效捷，泽泻得猪苓、茯苓，则下降利水之功足。合而用之，水精四布，上滋心肺，外达皮毛，溱溱汗出，则表里和，烦热除，水饮通调，不复为逆。然此服药方法，乃是关键，重症水逆以大剂备用，少量频服，才能使药达病所，胃口渐安。若操之过急，成杯整碗强服之，则一吐必倾囊而出，如此失误，则医之咎也。

1968年9月间，诊一男性青年赵某。自诉发热心烦，渴欲饮水，饮后即吐，每饮每吐，愈吐愈甚，以至汤药、茶水点滴不敢与之。门诊治疗1日未效，即转县医院补液。补液过程中复频吐清水，病情加剧，病家忧虑不安，次日来邀诊。余以此为水逆病，盖中焦运化失职，水饮内停不渗，格拒于外，反顺为逆，既不能外输于皮毛，又不能上输于口舌，亦不下输于膀胱，乃至渴、吐、烦、热均作。初拟小剂五苓散，服药方法忘其所嘱，病家不知，乘其口渴，一饮而尽，顷刻大吐。后服大剂（小剂的3倍量）煎汤，少量频服，冀水精布达，转逆为顺。初服药仍吐，再服少吐，渐服渐止，服至半剂，呕吐基本停止。以后药量逐渐增加，间隔时间亦相距2~4小时。完全尽剂，烦热，吐水均瘥。照原方减半，再进1剂，分2次服，诸症悉愈。

噎　膈　|万茹萍|

1981年盛夏，七旬孤寡老妇田某来诊，见其身着棉衣，面目萎黄且极度消瘦，站立不稳，摇摇欲坠。据悉，其夫10年前无辜被迫害致死，膝下无子女，长期独处，生活十分艰难。以致忧、思、悲、愤萦系一身。时时发出干咳并伴有喘息声，舌面红绛，光滑如镜，脉弦细。西医诊为慢性支气管炎，中医亦按哮喘治疗。自述喉咙梗塞近1个月，水米难进，食则吐，常泛白沫，胸部似重物压迫，大便如羊矢，六七日一行，腹隐痛。诊属肺胃气阴两虚，加之长年肝气不舒，气机不畅则津液不能上承下润。内火一煎熬，痰气两交阻，铸成噎膈一病。当开郁润燥为治，书方：沙参、玉竹各30g，麦冬、郁金各20g，贝母7g，砂仁壳5g，桃仁15g，甘草3g，白蜜30g（兑药冲服）。连进3剂，即见精神略振，进食改善。但大便仍不通，咽部不适尚存。又于上方中加大黄5g，令服1剂，只取微泻。并嘱以牛奶、梨、藕等辅以食疗。继而再服用中药：沙参21g，茯苓10g，丹参15g，川贝母7g，郁金15g，砂仁壳3g，天冬、麦冬各21g，玉竹21g，玄参15g，生姜3片，桃仁10g，白蜜适量。又以针刺天突、膻中以利咽膈。治后病情大为好转，自述知饥饿，能饮食，吞咽不感阻塞，大便已通且软，胸腹感松快，不咳不喘，仅觉咽部轻度不适及消化不良，予上方中加消食导滞之谷芽、麦芽各15g，山楂10g，以旋覆花3g降上逆之胃气。历时月余，病遂告愈。追访年余，见其身体康健，谈吐慰悦，自述上次病愈后，即使感冒亦未引发哮喘。

噎膈与哮喘本为两种病，若医者不识前者为伤害其身之主病，而以哮喘治之，则何愈之有？

宣开治呃逆　|萧子精|

呃逆多系胃气上逆，或精志失调，或脾胃阳虚所致。但临床上因上焦清阳膹郁、肺气失宣，而气反上逆的也不少见。治疗则宜宣开肺气，调达气机，则呃逆可止。我曾治一女青年，因患风湿性心脏病，经西医治疗病情好转，但气逆上冲，呃逆连声，平卧时呃声加频，端坐则减，历3天而不止，伴胸脘闷塞，额汗自出，服西药解痉镇静剂无效，遂邀我会诊。察其形体略胖肿，舌淡红苔薄白，脉弦细，动作迟钝。证属上焦清阳膹郁，肺气壅阻，气逆而呃作。治宜轻宣上焦。方用上焦宣痹汤，药用枇杷叶、郁金、射干、通草、淡豆豉，水煎服，服药1剂，呃逆顿减，再服2剂，则告愈。宣开治呃逆，与和降胃气止呃，有异曲同工之妙。

谈慢性泄泻属肝旺脾弱证的治疗　|王祖雄|

　　慢性泄泻属肝旺脾弱证的治疗，方书常用刘草窗的痛泻要方，以泻木补土，方证固属相符，但验之临床，此方药面较窄，尚嫌其力不逮，用后疗效往往不显。我在治疗时，常再加上清代费伯雄制订的抑木和中汤和扶抑归化汤中的厚朴、青皮、木香、蒺藜、牛膝等抑肝下气之品，并配以山药、扁豆等健运脾气，增强其效力，其疗效尚佳。如病延日久，并脾气下陷，症见泄泻有坠胀感者，可酌加少量升麻、葛根在内。我用上述方药治疗肝旺脾弱之慢性泄泻，通常连续服用10剂左右，并在治疗过程中劝导患者心情开朗愉快，适当参加文娱活动，其疗效尚可，泄泻得以自平。若遇此证，有肝郁化火而乘脾之象，症见口苦咽干，急躁易怒，胁腹灼痛，泻下酱色之物，且有热臭，解时黏滞不畅，脉弦数，舌红绛。则改以清医王旭高治肝病的经验，以泄肝为主，疏肝为辅之法治之。方以金铃子散、左金丸（黄连、吴茱萸按6：1的比例使用），再加上柴胡、黄芩、栀子、木香、郁金等品进治。患此证者通常连续服用上方10剂左右，并在治疗过程中同样劝导患者注意上述事项，其疗效亦可。

　　综上所述，对于慢性泄泻属肝旺脾弱之证，应注意药物疗法与精神疗法并重为宜。

急开支河治泄泻　|崔淑荣|

　　中医药治疗婴幼儿泄泻，辨证准确，药物煎服得当，常可收到满意效果，

1969 年 11 月，治一 2 岁兰姓男孩，其母告曰："病已 3 日，日泻下七八次，乃至十多次不等，全是清水。"其父为医务工作者，连日输液加抗生素无效。诊视患儿，神疲倦怠，面色㿠白，时时泻下，呈清水样，不臭，小便极少，指纹青紫。仔细询之，得知患儿 3 日前因减衣受凉，旋即腹泻，累用抗生素无效，由于感受六淫之邪，首犯太阳，在经之邪不解，随经入腑，影响膀胱气化功能，水蓄膀胱，故小便短少，水走肠道，故泻下清水。病已 3 日，素体脾胃不健，急治之。仿古急开支河法，投五苓散加味，小便利则大便实，即所谓"利前阴实后阴"也。方用：云茯苓、泽泻、猪苓、白术、黄连、肉桂、罂粟壳、煨诃子。

药进 2 次，果然小溲如注，大便戛然而止。此病例肠道全无感染之征象，投用抗生素，宛如隔靴搔痒，全无用处。

去岁，余侄郦健，半岁。其病酷似兰姓男孩，泄泻亦因感冒而起，投用上方，桂枝易肉桂，1 剂而泄泻顿止。此方此法，临床每用之，只要辨证准确，灵活变通，每每收效。

谈　泄　泻　|郑源庞|

泄泻之因不外乎外感与内伤二途。其一为六淫之邪皆可致泄，然与泄最有关系的是湿邪，故《内经》有"湿胜则濡泄"的论述；其二为饮食失调最易伤害脾胃，而脾胃所以易受伐伤，乃脏腑功能虚弱之故。正如《景岳全书》中指出："泄泻之本，无不由于脾胃。"盖胃为水谷之海，脾主运化精微，脾胃功能不健，则水谷消化、精微吸收都成障碍，从而导致清浊不分，混杂而下，并走大肠，则成泄泻。笔者宗前辈之明训，从调治脾胃入手，曾治一例慢性泄泻 8 年余的郑姓患者，男，29 岁，浙江余姚某厂工人。据述 8 年前因胃溃疡穿孔而行胃切除术，嗣后经常腹痛，大便溏泄，次数日益增多，且夹黏液，初为淡黄色，渐变粉红色，而今多为胶冻状血性黏液，每日泄便十余次。经钡剂灌肠和结肠镜检查确诊为慢性结肠炎伴黏膜脱落。患者慑于病痛之苦，虽千方百计求治于上海，杭州等地大医院，亦未能断绝根株。

漫长岁月，终使患者思想苦闷，食而乏味，体重渐减。后经熟人介绍，来杭州邀余诊治。根据上述病情，余又细察舌质红而苔白，边缘齿印满布，脉息细数而无力。病由阳损及阴，气阴俱伤，权衡邪正，即拟运脾益气，调中和肠以固摄津血。方用四君子汤、新定吴茱萸汤（《金匮翼》方）、芍药甘草汤等复合化裁，药如西洋参（米炒）、焦白术、茯苓、生黄芪、乌拉草、升麻、石莲肉、生地榆、炒川黄连、杭白芍、淡吴茱萸、炙甘草、焦山楂炭等。

投药 3 剂，即见日便次数及血性冻状物锐减其半。服完 10 剂，病恙已去十之六七。此后再守前方调治半月，症状基本控制。患者高兴回原籍并随带方药 10 剂以资巩固。后来信称，在当地又续服 10 余剂，终获全功。

本例患病 8 年余，虽经多方悉治，终究药不中病，以致迁延日久，耗损中阳。阳气不足，脾之升运受阻，肠膜随之脱落；气虚则又摄附失权，血津随便而下。由于前医投药，不是苦寒燥湿坚阴之剂，便是一味温中散寒涩肠之品。前者更杀脾胃之气，后者反有留寇之虞。病邪不去，则正气难安。不言而喻，日久失治或治之不当，必然更耗正气。故当务之急，应以扶正为主，姑拟益气运脾调中和肠之剂，连进 3 旬而获全功。方用四君子补气健脾，加黄芪、升麻、石莲肉、焦山楂炭以升提固摄之，又左金丸之辛开苦降，芍药甘草汤之养血柔肝以扶土，配乌拉草以和中止痛，合新定吴茱萸汤意以舒肝调气，且芍药配地榆之养血凉血以敛摄津血。这样，既能益气健脾以升运中气，又能调中固摄以和肠道。如拘于"炎症"，而以火立治，必致变证蜂起，弊端百出。

治泻当固不固则沧海将竭　|黄仕沛|

泄泻用止涩法，在传统上似觉其应用范围并不广泛，仅限于久泻滑脱不禁之症。甚至片面地强调涩法的不良反应，提出诸多禁忌，致使后人畏而不用。本人认为，要提高本病的中医疗效，除了必要进行丝丝入扣的辨证施治外，应该重新评价"止涩"一法。

张景岳谓："当固不固则沧海亦将竭，不当固而固则闭门延寇也。"然而，时人所犯不当固而固者少，当固不固者反多，主要是胸存定见，以为泄泻用固涩必致他变。盖泄与泻病因虽同而病势上是有所区别的。《丹台玉案》指出："泄者如水之泄也，势犹纾缓，泻者势似直下，微有不同。"即泄者量少而势缓，泻者量多而势急。每当势似直下之时，阳气阴液最易损伤，张景岳也认为："五夺之中，惟泻最急。"本来是实证，泻下不止，在顷刻之间便会转为虚证。标本是可以互相转化的，在治疗上应该采取先发制人的手段，避免病情的转化，如果只是局限于清热、分利、甘缓等法，恐有缓不济急延至虚脱失水之虞。因此，运用止涩之法的指征，不能着眼于病之新久或邪之寒热，而是取决于病势之缓急。临床上凡是泻下如水样，次数明显增多，无论病之新久寒热均及早使用止涩之品以塞源止流，免阴阳二气失脱，否则待阴液已伤，阳气已损才追用止涩，虽则亡羊补牢亦投之已晚矣。

止涩之药可分三品。

1. 温涩：药性偏温，如肉豆蔻、炮姜、益智仁、补骨脂等。方剂如桃花汤、真人养脏汤、四神丸等，用于虚寒泄泻。

2. 酸涩：与温涩不同，适用于有伤阴倾向的或已伤阴者。药如：诃子、石榴皮、乌梅肉、五味子、五倍子、山茱萸等，其中五味子、山茱萸性稍偏温外，皆是酸平或酸寒之品，味酸能敛阴、益阴，止涩效果亦好。此外，京柿、椿根白皮、樗白皮、秦皮是苦涩或甘涩之品，更不碍于热证。

3. 吸附：此类药物如海螵蛸、煅龙骨、煅牡蛎、伏龙肝、赤石脂、禹余粮以及炭类药如栀子炭、山楂炭、地榆炭、枳实炭等，有些药物经用赤石脂炒制后吸附止涩作用亦好，如：土炒白术、土炒葛根、土炒白芍等，吸附之品，犹如西药之活性炭，能吸附肠内化学物质中的毒物及气体，阻止肠内异常发酵。减少对肠黏膜的刺激。中药中炭类是煅后存性的，尚存药物本身的作用，故可以用于多种类型的泄泻。

上述三类收涩之品，有温里补虚的；有敛阴固阳的；有清热燥温的；有消食导滞的；有理气健脾的。在辨证施治的基础上如能适当选用，临床疗效是可以提高的，不必囿于一般教科书上所言："泄泻初起，不可骤用涩法，以免固闭邪气"。

我院老年病专科门诊最近曾接诊一60岁患者，高热40℃，恶寒、头痛、腹泻日十余次，如蛋花样夹有黏液，量多，昏昏然形神倦怠，口渴，苔黄舌红，遂用解表清热化湿法，翌日高热未退，腹泻仍存。我认为，如果仍一味采用苦寒清肠法，恐不能遏止泻下之势，有伤阴之虞，讨论后仍用原法加石榴皮30g，次日腹泻止，发热减退，并无腹胀邪留之弊。

近代名医章次公先生，是一位不拘于正统观念，只求治疗实效的临床医学家，用药不拘一格，在《章次公医案》中可以看出，泄泻门共载15案，有13案中用了涩药，痢疾门31案，用涩药者21案，或先清后涩，或先涩后清，或清涩并进，灵活至甚，正如其门人朱良春在按语中说："治痢泻腹痛，用石榴皮、艾叶、藕节等单宁酸类药，以保护肠道黏膜，用百草霜、山楂炭、枳实炭等炭剂，以吸收肠内毒素。"又说："用大量山楂炭，于消导之中寓收敛之意，为先生治泄泻，痢疾常用之药。"这些案例和论述，给予我们启发很大。

自制休痢丸治疗阿米巴痢疾 　|王聘贤|

　　西医诊断之阿米巴痢疾，由阿米巴原虫所致，常反复发作，迁延不愈，时缓时急，时停时止，患者甚为痛苦。此属中医"休息痢"范畴，《赤水玄珠》曾有如下描述："休息痢者，愈而不愈，时作时止，积年累月，不能断根，因此始得之时，不曾推下，或因涩药太早，邪不尽去，留恋肠胃之间而作者；或痢后肠胃虚弱，复为饮食所伤而作者。"颇与本病相似，中医治疗痢疾，要分寒热表里虚实，但均不能"涩之太早"，故古人曾有"痢无止法"之说。吾以为本病迁延日久，邪气留恋而正气已虚，寒热错杂，断不可妄投攻伐之剂，必须邪正兼顾，攻补兼施，寒热并用，涩中有行方可奏效。故吾自拟"休痢丸"一方治之，处方为：鸦胆子仁（去油）15g、乌梅肉15g、诃子15g、委陵菜15g，共研细末，炼蜜为丸，每丸3g，早晚空服2丸，5～7天为1个疗程。经治患者甚多，得愈者不可胜数。现举2案介绍如后。

　　例1：李某，男，43岁。患痢年余，迁延不愈，西医诊为"阿米巴痢疾"，经中西医治疗日久，只可取效于一时。近10天来病情转剧，赤白相兼，里急后重，窘迫难下，腹痛绵绵，强忍常秽衣。患者痛苦异常，经人介绍来诊。见其形体消瘦，面色萎黄，表情痛苦，舌质红，苔白而厚腻，脉细弱而滑。此乃湿与热黏着，缠绵不愈，正气已虚，寒热错杂之证。即予"休痢丸"治之，仅服6天，诸症尽除，精神大振，饮食增加，舌脉正常。经医院大便检查寻找阿米巴，已转阴。

　　例2：10岁男孩丁某，下痢赤白年余，经某医院大便化验检查诊断为"阿米巴痢疾"，中西药服之甚多，皆未见效，故家长特来求治。患儿形气衰弱，面色无华，舌质淡红，苔薄白腻，脉细而濡。家长述其纳谷不香，下痢发作越来越频繁，里急后重，时腹隐痛。予"休痢丸"治之，药量比成人减半，仅治疗5日，赤白痢完全停止，腹痛消失，食欲增加，大便化验转阴。后经饮食调养，遂健康无病。

　　此方药物组成简单，涩中有行，攻中有补，清中有温，实为治痢良药。其中鸦胆子、委陵菜味苦性寒，清热止痢之力颇强，且有凉血解毒并止血之功；乌梅、诃子酸温无毒，有收敛涩肠，养阴生津及行气之能。前2味近年药理研究对阿米巴原虫有较强的杀灭作用，后2味亦对多种痢疾杆菌有效。故临床应用此方，不仅对西医诊断之"阿米巴痢疾"疗效确切，对其他慢性痢疾、肠炎，只要辨证得当，用之亦有良效。如 35 岁颜君，患慢性痢疾年余，时发时止，赤白相兼，以赤为多，秽臭异常，伴恶心呕吐，腹痛纳差。几经诊治，服中药 50 余剂，均药不对证，未曾见效。吾诊其症，舌质红而苔微黄腻，脉细数而稍滑，乃正虚邪恋，寒热并见之证，投"休痢丸"治疗，仅 6 天，诸症悉平。

（丁启后　吴元黔　徐学义　整理）

消渴病治肾当阴阳两顾　|刘普希|

消渴病虽与肺、胃、肾密切相关，但以肾为主，故《金匮要略》有肾气丸主之的条文。一般认为上消，中消治在肺胃，上、中、下三消并见，其治在肾，然临床证治，多偏滋阴。拙见则以肾虚为病发之主要原因，推崇《外台秘要》"肾气虚不能蒸于上，谷气则尽下为小便者也，故甘味不变，其色清冷，则肌肤枯槁也"的论述。临证对于用滋肺肾，养胃津，清热泻火不应者，法取《外台秘要》宣补丸、苁蓉丸、消渴无比方、补虚煮散、填骨煎等方意，宗补肾（阴阳两顾）为主，佐以养肺益胃，屡收效验。如治一徐姓船员，68 岁，患消渴病十余年，经某医院用胰岛素等西药，后又加用中药，结合饮食控制，病情不减，尿糖（＋＋＋）～（＋＋＋＋）。后经依法处方，取肉苁蓉、巴戟天、菟丝子温煦肾阳，配生地黄、山茱萸、怀牛膝滋养肾阴，佐人参、黄芪益气，石斛、天花粉、麦冬滋肺以添水源，知母清相火。1 周收效，3 个月后病情稳定。至今已 10 年矣，患者尚健在。盖肾之精气为一身之本，在功能上又有阴阳的不同表现，贵乎保持动态平衡。肾阴充养，须得肾阳温煦。肾阳蒸腾肾阴，则肾气冲和，如釜中蒸物，必赖火源充足。此喻本病补阳配阴之妙理，故治肾需阴阳两顾，滋肾须配温煦。至于本病日久，尤当防其阴虚及阳，若肾阳偏衰，则恐消渴未已，而水病复生矣，故消渴病后期成水肿者有之，此属心肾阳气偏衰，阴损及阳之征，立法又当于温煦益阴剂中酌加防己、葶苈子等利水。

中药治疗消渴症　|贺若芳|

聂某，男性，年甫半百，口渴多饮，日饮水 10 磅，上消主症也；消谷善饥，日食 5～6 餐（每餐进食约 200g），中消症也；形体消瘦，心烦易怒，咽干口燥，头晕耳鸣，大便干结，数日一行，舌质红干，舌苔黄燥，两手脉数，尺脉尤沉，尿糖（＋＋＋），血糖225mg%，为消渴症。嘱其勿精神紧张，节制性欲，饮食有节。《医学心悟·三消篇》谓："三消之证，皆燥热结聚也。大法，治上消者，宜润其肺，兼清其胃，……治中消者，宜清其胃，兼滋其肾，……治下消者，宜滋其肾，兼补其肺，……夫上消清胃者，使胃火不得伤肺也；中消滋肾者，使相火不得攻胃也；下消清肺者，滋上源以生水也。三消之治，不必专执本经，而滋其化源，则病易痊矣。"本例脉症合参，兹因肺胃燥热，肾精亏损，惟治以清热生津，滋阴固肾，遂予黄芪汤加减。处方：知母15g、麦冬12g、生地黄15g、天花粉20g、黄精30g、怀山药30g、山茱萸15g、黄芪30g、沙参15g、玉竹10g，水煎服，日1剂。方中生地黄养阴增液；知母清肺胃燥热，配麦冬、天花粉生津止渴；怀山药益脾阴摄精微；山茱萸肉收敛肝气、不使水谷精微下流；重用黄精补脾润肺；黄芪益气升阳，乃为治消渴之佳品。用药12剂后，查尿糖早上阴性，下午饭前（＋），症状明显改善，知用药各得其宜，无所差误，病机相符，不再更方，继投9剂，尿糖转阴，血糖降至正常值，惟见舌红苔黄，继续服上方10剂巩固疗效。注意饮食节制，停药4个月余，复查尿糖仍为阴性，血糖正常，舌转淡红，苔薄润，身体康复如常。

驱蛔治消渴　　|陈子清|

消渴一病，多因机体燥热偏盛，阴液亏耗。《医贯》指出："治消之法无分上、中、下，先治肾为急，……白虎与承气，皆非所治也。"驱蛔治消，似乎亦非其治也。然临床确有蛔虫生而消渴显、蛔虫去而消渴愈之实例。

忆5年前，诏安县有一男孩患消渴，口渴多饮，多尿已4年，每日饮水约3000ml，排尿昼夜达20~30次。经厦门、漳州，汕头等地区医院检查，均无异常发现，服中西药物未获满意效果，又来福州求治，在省市多所医院检查，亦无异常发现，曾求治于多位名中医，但众说纷纭，莫衷一是。有的认为属于胃火炽盛，投以清胃泻火；有的认为肾水不足、津液亏耗，投以滋肾润燥，养阴保津之剂，服药数十剂，症状均未见改善。一天患孩突然伴发脐周阵发性剧痛，并呕吐蛔虫一条，察其肢瘦腹大，舌苔浊有花点，拟为蛔虫内扰、阻滞气机，不通则痛，以急则治标之义，先予治蛔，俟蛔安再议治消之法。即处苦楝根15g、槟榔15g、使君子9g、乌梅5枚、北山楂9g、川花椒4g、杭白芍9g。服药1剂，腹痛止。翌日排出蛔虫数十条，排虫后，口渴、多饮、多尿诸症悉愈。

四载沉疴，一剂而愈。当时笔者何曾有想安蛔之剂能治愈消渴之症？细揣之，患儿口渴多饮，多尿诸症，乃为蛔虫作祟所致。因虫积内蕴、郁久化热，必伴灼伤津液，故口渴多饮，引水自救；蛔虫内扰，影响化源，水不生津，直趋膀胱，故小便频多。这合乎病理变化，也是偶然中之必然也。

谈糖尿病的中医证治 | 潘子祥 |

糖尿病是一种常见的有遗传倾向的代谢内分泌病。其基本病理生理为绝对或相对的胰岛素分泌不足所引起的以糖为主的、脂肪及蛋白质等代谢紊乱。其特征为血糖过高及糖尿，甚者可发生酮体酸中毒，或致昏迷而死亡。

中医认为本病的成因与七情、房劳、厚味、饮酒等因素有关，在上述诸因素的作用下，引起肺、脾（胃）、肾元阴虚，阴虚则阳旺，两者互为因果，相互作用而致本病。前人对本病的辨证与治疗，一般取滋阴清热法，从肺、脾（胃）、肾三脏着手。本病的病因病机是气阴两虚，阴虚而致燥热。治法上采用清热、滋阴、益气的药物组方，称为"降糖基本方"。组成：苍术15g，玄参15g，黄芪30g，山药10g，党参10g，丹参10g，五味子10g，生牡蛎30g，生地黄、熟地黄各15g，茯苓10g，葛根10g。水煎服，每日1剂，日服3次。3个月为1个疗程。并根据病人活动情况，控制饮食。所有病例治疗前均做空腹血糖，24小时尿糖定量及四段尿糖定性，以后每半个月到1个月复查1次。

笔者于临床中收治观察48例病人，根据其临床症状分为四型。即气阴两虚型、燥热入血型、气滞血瘀型和阴阳两虚型。治则及方药亦因型而异，但都包括降糖基本方。燥热入血型加黄连解毒汤；气滞血瘀型加血府逐瘀汤；阴阳两虚型加桂附地黄汤。治疗前48例均有"三多"症，治疗后90%以上的症状消失或好转。空腹血糖，治疗后平均数由225.55mg%降为97.22mg%，24小时尿糖定量由51.30g变为7.38g。

本病虽有上、中、下三消之分，肺热，胃热，肾虚之别，但临床上往往三焦俱病，不易划清，"三多"症状往往同时存在，仅有程度上的轻重不同，各有偏重而已。正如叶天士在《临证指南医案》指出的"三消一症，虽有上、中、下之分，其实不越虚阳亢、津涸热淫而已"。在治疗上，不离清热、滋阴、益气。降糖基本方则宗此而立，以增液汤、生脉散加味而成。

麦冬甘寒，生津清热，润肺养胃；生地甘苦寒，滋阴清热，补益肝肾，玄参苦咸寒，增液清热。三药配合，能养肺、胃、肾三脏之阴，清上、中、下三焦之燥热。党参益脾、肺之气；麦冬养肺、胃之津；五味子敛肺、脾之气。三药合之，收到益气敛汗、养阴生津之功。茯苓、苍术健脾燥湿，葛根止渴生津，丹参凉血活血，清血中之伏热，牡蛎咸寒收敛潜阳，与五味子配合即敛脾、肺之气，又固肾脏之精。

本方加减运用于临床，不仅在消除"三多"症状，降血糖、尿糖方面效果显著，而且在防治并发症上也取得满意效果。

黄疸与补法 ┃章柏年┃

黄疸治疗，医家常以发汗、利尿为法，而将补法作为禁列，不敢轻试，故俗语云："黄疸用补，十医九惧。"由于立法偏颇，致使缠绵日久，正气疲惫之黄疸重症，失之交臂者，不可胜数。

宗于此法者，或据于《内经》"湿热相交，民当黄疸"；或据于仲景"黄疸所得，从湿得之"；这些均不无道理，且临床亦多有良效。然据此而立"治黄疸不利小便，非其治也"之论，则作茧自缚矣。温热固然系黄疸之成因（其实也非所有黄疸均属湿热），若脾气旺而能散精于肺，通调水道，下输膀胱，何热邪而生湿之有？若肾气壮而火能生脾土，中州运行，何寒蓄生湿之有。经曰"正气存内，邪不可干"，黄疸奚独不然？故黄疸亦有标本虚实，治亦当辨证施之。昔俞震氏云："医宗循规矩以为法，常者生焉，变者死焉，转眼立法未备也；不知要在乎操纵于规矩之用，神明于规矩之外，靡不随手应之。"此论于黄疸，确可细细体味。应知"诸病黄家，但利其小便"乃仲景之"规矩"，他如温、清、消、补、吐、下诸法，及以补为消，塞因塞用等均为"巧"。若专事渗利不能愈者，急当改弦易辙，另辟蹊径，即神明于规矩之外矣。

明代医家王肯堂、张景岳大倡补法治黄疸，宗之者不乏其人，如清代汪文绮氏。上溯灵素诸经，熟研诸子百家，尤以《景岳全书》窥其秘钥，观其会通，宗古法而弗苟同，变古法而非立异，引伸触类，起斯人于险危，跻生民于寿域。大凡黄疸新病初起，多以消导攻泻，久病脾胃受伤，气血虚弱，必用补法，庶可收功。不过"新"与"久"属模糊语言，当以《金匮要略》"黄疸当以十八日为期，治之10日以上瘥，反剧者为难治"之论为准则。可理解为十日内者为新，10日以上不瘥者为久。"久"者并非长年累月之意。新病如用渗利退黄之剂不应，就该警惕，慎防变证，即当考虑补法。若误认为病重药轻，徒增渗利退黄之品，病必殆。

余临证数十年，运用补法治黄疸，屡起沉疴，似有所获，要者不外乎熟研古人之书，辨认阴阳虚实，同中有异。若脾虚发黄者补脾，胃阴伤者养胃，肾元不足者壮肾，力戒胶柱鼓瑟。

曾治一患者，80高龄，病黄疸，经余诊时，家属已环绕病榻，商议后事，症见全身浮肿如泥，前医曾用利水退黄药多剂，黄疸如故，神志不清，脾肾大亏之候，仿张介宾法，急进大剂熟地黄、人参、黄芪、枸杞子等温肾实脾之味1剂。翌日，神志转清，浮肿见退，黄白厚燥之苔亦化。原法调治，不数日已能起坐，谈笑自若。

又治一中年妇女，因建造住宅，忧思劳伤过度，发为黄疸，面目色黄，悉身浮肿，不思饮食，精神困顿异常，舌红光如镜，股细少神，脾胃之阴大伤。西医诊断为急性传染性黄疸型肝炎。此时若用渗利，必当伤阴坏病，乃投大剂益气生津，养胃清热之品。连服7剂，黄疸浮肿消退大半，舌红转淡，苔光稍复，渐思饮食，以原法增损数剂而愈。

上2案虽方药不同，一从养胃生津，一从调理脾肾，然均为补法治黄，能获如此之效，益信补法于黄疸，确大有用武之地。本文意为阐明黄疸发病，非热一端，补法实可佐渗利之不足，而神明于规矩之外也。即苏子云："善师者不阵，得鱼者忘鉴，得心应手，不违乎法而不拘于法也。"

黄疸7个月治验 |陈忠仁|

患者某媪，82岁。卧床不起，全身黄疸，巩膜黄染。已诊治多次，服药不少。其子亦说："中医治黄，疗效非凡，但我母黄疸7个月不退，恐属难医也。"余诊之，脉弦，舌苔黄腻，质红，黄疸，腰痛不能转侧，腹胀不思饮食，溲黄，因食少不大便。西医B型超声检查为肝管内沙样结石。拟以温化除湿之法。药用柴胡、草果、干姜、石菖蒲、漏芦、当归、丹参、太子参、白术、云茯苓、薏苡仁、石韦、茵陈等药3剂。3日后又来邀诊，进药后黄疸渐退，已能进食，腹胀大减，欲下床，惟腰痛甚，原方加续断、台乌药2味，再进3剂，6剂药后黄疸大退，腰痛大减，患者已能下床活动，举家大喜。其子云，家中备有金钱草很多，可用否？家母欲食油，肉可否？余曰："但用不妨。"三诊给以参苓白术散加减。进药后病情大减，已能食排骨汤及瘦肉等，且能上街一游，高兴万分。四诊时黄疸退尽，睡眠、食欲正常，惟觉有些疲劳，给予补中益气汤3剂，诸症消失。患者仅觉腰部时有疼痛，给以四物汤加狗脊片、苦参，全病治愈。

急 黄 |雷日钏|

急黄，发病急骤，过去死亡率很高。但近年来，有关治愈急黄的报道，在一些中医刊物中时有介绍。笔者应用中医中药治疗此类病人亦收到满意的效果。

覃某，男，壮年。因发热，双目及全身皮肤黄疸，小便黄如浓茶，右肋隐痛，纳呆，精神倦怠。发病3天后，诊为"重症黄疸型肝炎"，在某医院留医。经治疗，热不退，黄疸日益加深，精神烦躁，口渴，尿如酱汁，大便3天未解，时有谵语，鼻衄，进而昏迷，腹部稍胀，医院下病危通知。家属带一线希望求救于余。

症见：壮热，昏迷，皮肤及双目深度黄疸，黄染呈橘黄色，唇干，舌质红，苔黄厚，腹稍胀，脉弦数。心肺未见异常，肝在右肋下3cm，脾未扪及，诊为急黄。乃热毒炽盛，湿热内蕴，予清热解毒泻火为主，佐以利湿开窍。投茵陈蒿汤加味：茵陈100g，栀子20g，板蓝根、丹参各15g，大黄、车前子、滑石粉各10g，甘草4g，熊胆0.7g（冲服），日1剂。2剂药后，大便通，热渐退，神志渐清，能进食米粥少许。守原方去大黄又2剂后，去熊胆再服3剂，黄疸渐退，食欲增加。文予处方：茵陈30g，栀子15g，板蓝根、丹参各12g，车前子10g，郁金8g，甘草4g。每天服1剂，又连服10天，诸症悉除而愈。身体日渐康复，4个月后相遇，见他已能挑数十斤重担赶集。我仔细观察，但见其面色红润，精神奕奕，体格健壮，大家均甚慰然。

此类病人特点是发病急骤，毒剧热盛，故在治疗上，使用大剂清热解毒药，重用茵陈，并以熊胆，伍以板蓝根，加强药物的清热解毒能力，并保持二便通畅，故加用车前子合六一散，利其小便，用大黄以通腑泻火。二便通畅，邪有去路。正是《金匮要略》"诸病黄家，但利其小便""病黄疸……一身尽发热而黄，壮热，热在里，当下之"之意。

肝炎护理杂感 |杨干潜|

现今所谓肝炎者，其本质多为肝肾阴虚，其标则多为脾胃湿热，属中医内科"胁痛""黄疸"或"痞证"范畴。急则治其标，人每以鸡骨草防治，但此药苦寒伤脾，渗利伤阴，不如以大豆芽菜煲汤，甘寒清热利湿而不伤津更好，黄疸者尤宜，以其能利湿祛黄也。"肝炎"又不宜多劳，郁怒以伤肝阴，《内经》云，"肝者罢极之本"，"罢"即为"疲"，每见多劳疲极易得肝病，故防治肝炎宜适时休养生息。

"肝主怒"，忧郁嗔怒，当非所宜，均应怡情达意。余曾患此症，得学生邀以郊外游泳，议论医学为乐事，晨饮牛奶，夜饮怀山枸子鳖汤，日啜金针鸭蛋汤而愈。金针即黄花菜，又名萱草，古云"萱草忘忧"，性味甘寒，功能去瘀止痛，鸭蛋滋肾水，不少病人吃后腹胁胀痛竟消失，有一些病人还反映说，"胜过打针"。煎时放些青葱、盐少许亦可。

肝炎热证者切戒鸡、酒。对酒，中西医均称不宜；戒鸡却甚少知，有些持西医说者甚或哂之，曰："鸡，营养品也，今君言不宜，无乃欺罔乎?"不知《内经》云，"（肝）其畜鸡"，《金匮浅注》亦称"木畜为鸡"，鸡为甘温补品，燥咳者食之，则"木火刑金"，湿热者得之，则误补益疾。故莫以少事而哂之，此即辨证施护宜忌，医者父母心，父母爱子之心自当无微不至也。

肝气（阳）虚证刍议　　|赵志瑾|

肝之虚证，如肝血虚、肝阴不足，已为广大医者所熟悉，但对肝气（阳）虚证却往往忽略。笔者在治疗 40 例西医诊为慢性肝炎患者的过程中，发现胁痛、腰胀、下肢软者颇为常见，其中胁痛 36 例，腰胀、下肢软 25 例。然而，一般认为胁痛作气郁，血虚、瘀血治疗，而腰胀、下肢软作肾气不足治疗。实际该证可能均是肝气虚造成的。五脏皆有阴阳，肝脏也是如此。肝气宜升阳疏泄，散布春阳之气，若生发之气不足，不能布于胁，同样可产生胁痛，非独郁也。腰胀，下肢软，不为休息所缓解，也是肝气虚的表现。《素问·上古天真论篇》中有"七八肝气衰，筋不能动"。说明不能一见腰胀、下肢软就是"肾虚"。腰部是人体持重最关键部位，肝气虚，筋软无力，腰胀、下肢软更属常见。笔者在此理论指导下，根据"肝为刚脏"，取阴中求阳之义，用一贯煎加黄芪、淫羊藿、杜仲、巴戟天等治疗，有效率达85%，且肝功能也有好转。所以临床不要忽略了肝气（阳）虚证。秦伯未先生说得好："肝……也有气虚而不强的……懒怠、忧郁、胆怯、头痛、麻木、四肢不温便是肝气虚和肝阳虚的证候。"

欲治乙肝，须明病机 | 康良石 |

乙型肝炎，从中医临床角度看，其病机主要为肝郁。常见有气机郁结与湿热积滞相因，邪火炽盛与气阴耗伤相因，以及痰凝血瘀与正气虚损相因等演变规律。

气机郁结与湿热积滞相因，表现为肝气郁结，气津失宣，致使湿热积滞。而湿热积滞，血行受阻，又加重气机郁结。如肖某，29岁，发黄已半个月，肝肿大，肝功能明显损害，且表面抗原阳性。目前身黄如橘子色，肢体困重，纳呆，呕恶，脘腹胀满，胁胀串痛，便溏不爽，小便黄赤，舌苔黄厚腻，脉弦滑。诊为气机郁结，湿热积滞证，治宜疏肝行气清热利湿。处方：栀子根、郁金、白花蛇舌草、田基黄、金钱草、积雪草、鬼针草、绵茵陈、大青叶。每日服1剂。服药后，小便清长，黄疸日渐消退，治疗30天，症状大部分消失，肝功能基本正常，表面抗原转阴。

邪火炽盛与气阴耗伤，病变由肝及肾，乃气机郁结、湿热积滞进一步演变而化火。其相因方式为火盛耗伤肝肾气阴。气阴耗伤，又促使邪火炽盛。临床主要表现为烦躁、少寐或不寐、口苦、咽干或痛、咽红、尿赤、舌红、脉弦数。如林某，37岁。病情迁延7个月，肝功能重度损害，肝肿大，经保肝等治疗未效，邪火炽盛证明显。采用清热解毒、凉血降火治法。处方：黄连、黄芩、龙胆草、重楼、败酱草、板蓝根、蒲公英、水牛角、玄参、白芍，送牛黄清心丸。服药4周，诸症明显改善，肝功能好转，表面抗原阴转。

痰凝血瘀与正气虚损的相因方式，亦由气机郁结，湿热积滞，久而致痰凝血瘀。痰瘀积久不消，升降失司，传化失常，肝脾正气更伤，乃至迁延不愈。临床表现往往标本夹杂，虚滞相兼。如陈某，45岁。平素嗜酒，既往有肝炎史。此次发病已年余，胁痛如针刺，痰多，面色晦暗，舌见瘀斑，舌苔厚腻，脉弦涩。可见蜘蛛痣、血丝缕，肝肿大在肋下7cm，质偏硬，脾亦肿大。肝功能严重损害，表面抗原阳性。治以消痰化瘀，益气养肝。处方：黄芪、茯苓、白术、菝葜、砂仁、何首乌、黄精、白芍、鳖甲、橘叶、郁金、丹参、三七粉。治疗4周，表面抗原阴转。续治12周，症状悉见改善，肝回缩2cm，脾刚触及，肝功能基本正常，表面抗原阴性。

痰瘀并调话"慢肝"

| 翟随华 |

临床上慢性（慢性迁延性、慢性活动性）肝炎常有胁下痛固定不移，甚则结有癥块，胸腹易见青筋突起，手及面、颈部易见赤丝红缕（蜘蛛痣、小动脉曲张、肝掌），舌常紫暗，黄疸等瘀血表现；亦每伴有泛恶、纳呆、便溏、黄疸、苔腻、腹胀、尿少等痰瘀互结、水湿不化之象。故痰瘀并治、虽无方可寻但有法可据，有证可辨。

大量临床资料表明肝炎病毒对肝细胞并无直接致病作用，肝炎的转归和机体免疫功能状态有关。这与中医"正气存内，邪不可干""邪之所凑，其气必虚""不得虚，故邪不能独伤人"的认识是一致的。

实践和临床还表明，能调节全身免疫功能状态的中医治法如活血化瘀、清热解毒、益气健脾等用于传染性病毒性肝炎的治疗已为广大临床工作者所接受。化痰或痰瘀并调则鲜为人所问津。偶有之也多在肝炎恢复期少用则止。理论依据是"肥人多痰"，遣药也多从近代医学证明有降脂作用者，然常叹鞭长莫及，岂知病后腹满大，体胖乃湿热疫毒，水饮瘀血胶固不解，三焦阻滞，水湿横溢，已成汪洋之势。杯水车薪，无济于事。

湿邪既易使中（脾）虚不运，热邪又灼液生痰，初即投予少量化痰之味，少佐活血之方，常有"发于机先"之妙。

又"血生化于脾，总统于心，藏受于肝，宣布于肺，施泄于肾"，水（津、液）总统于肾、运化于脾，宣发于肺、通行于三焦，故是病迁延的结果，必然影响到心、肝、脾、肺、肾及与之相表里的各腑，切不可执一方以应万病。

近报道，慢性肝炎活检20.3%有脂肪浸润，可见痰瘀互结的危害之大。

"痰瘀"有十分广泛的中医病理演变内容。这里指的"痰瘀"指因感受湿热疫毒，引起脾（胃）肝（胆）为病变中心的时行疾病（即病毒性肝炎）的迁延性慢性病变过程中，气血、津液运行障碍所致的病理产物。

肝藏血，体阴而用阳。肝病（病毒性肝炎）体病也，即血病。

脾乃至阴，为全身水谷精微（后天之化液）和水湿运化的枢纽。肝病传脾或湿邪困脾均可导致脾虚不运。不运则如李中梓所说，"清者不升，浊者不降，留中滞膈，瘀而为痰"。痰瘀互结、湿热疫毒阻遏不通则气机逆乱，胶固不解则易致时行疾病（病毒性肝炎）的迁、慢性变。

基于以上认识，笔者拟以青黛、明矾、参三七组方，得名"青七矾石散"，随症加减常能应手取效。急性期重用明矾、青黛；慢性期重用青黛、参三七。

方中三药均入肝经，明矾燥湿化痰，青黛清热解毒，大泻肝经湿火，消膈上热痰，近代研究还表明能改善机体免疫功能状态（用所含之靛玉红治血癌不损伤正常机体），参三七活血化痰兼可益气（近代医家经验），为厥阴要药并走阳明，补而不热，三药合用，集清热解毒、燥湿化痰，活血化痰、益气生津于一方，标本兼顾，用之得当，大有裨益，倘能临床稍加辨证并随证纠偏，常能左右逢源。

治疗臌胀的经验方

——猫人参汤 | 朱炼之 |

治疗臌胀，有主张攻补兼施，或先攻后补，或先补后攻。治法较多，方药亦富。笔者认为在实证明显之时，即使正气虚馁，亦当先治其实。但臌胀是由积渐而成，非一朝一夕之候，切勿轻用峻泻之方，以求速效。若强攻之，则不仅实邪未去，而正气益受戕伤。笔者经验，臌胀之属于水气瘀阻，湿热锢结而形成者为多，一般均具有虚实夹杂之特征。然其实是真实，虚乃因实转化而致。诚如徐灵胎所说："胀满之病，即使正虚，终属实邪。"笔者每从"实"字着眼，在辨证明确的基础上，以治实为先，但在运用治实的方剂时，必须注意祛邪伤正之弊。笔者常用自拟猫人参汤治疗。每获良好疗效。是方以猫人参、茵陈、过路黄、石见穿、半枝莲、泽泻、车前草、郁金、延胡索、大腹皮、山楂等组成，旨在分消其湿热锢结之实，待其湿热化清，肝胆疏泄复常而遂条达之性；脾胃运输得健而中州干旋有权，使得壅滞去而木郁升，则臌疾可瘳。诸凡速攻求快，蛮补助壅，均不足取。《格致余论·臌胀论》说："此病之起，或三五年或十余年，根深矣，势笃矣，欲求速效，自求祸耳。"确为有见地之言。猫人参汤因势利导，清泄而不伤阳，疏利而不伤阴。如能坚守本方，随证增损，自能使臌胀渐消而症积渐化。

桐乡县农民王某，男，49岁。1973年患臌胀年余，日益加重，渐至形瘦不支，肤色黯黄。经浙江医科大学附属第一医院检查，诊断为肝硬化，属晚期。返乡后来院求诊。症见：腹部膨大，右胁下臌积坚硬，按之觉痛；纳食沓然，口苦且腻，大便细软，小溲浑赤；面色晦黄，形容憔悴，舌苔薄黄糙腻，脉细而迟。久病正虚，勿庸置疑。但胁下臌积拒按，口苦，溲赤，腹笥膜胀，显系邪气壅滞。若骤用壅补扶正之方，势必愈补愈壅，积重难返。毅然投予清化疏泄之剂，以自拟猫人参汤为基本方，加减出入，服药3个月，始获胀满渐消，臌积明显缩小。后以益气健脾，养血调肝而告康复。迄今已逾十载，未见再发。

紫金锭消臌胀　　|刘绍安|

　　紫金锭，成药也。方出《太平惠民和剂局方》。成品原由贵州遵义板桥镇廖仁和堂制作，国内驰名三百余年而不衰，今时北京同仁堂仍有制作出售。文献及成药仿单皆谈能疗诸毒邪气，疗疮痈肿，于外用者多。1974年春，余在肝炎病房会诊一40岁妇女臌胀患者，症见面目黄晦，腹胀如鼓，腹围98cm，腹肤黑，青筋外露，项有绿豆大一粒红缕赤痕，纳呆滞，大便难，小便少，舌光绛，脉细弦。西医诊为"晚期肝硬化"，多次投利尿剂而腹水时伏时起，不易巩固。会诊时，余思此病已至晚期，证候虚实俱见，尤以腹水之标实较急，其治攻补两难，然若腹水不去，其病始终难愈。思虑良久，难于决治，忽忆紫金锭药物配伍，方中千金子味苦辛温，入肝脾肾三经，功能行水破血、利大小肠、善下恶滞物，能消癥瘕痞块，用于臌胀实证较贴切；大戟味苦性寒，功专泻脏腑水湿，引膀胱水下行，臌胀腹水似亦相适；朱砂甘凉，入心肝二经，能清肝镇心祛邪；文蛤平寒，功能软坚消痞，止渴而利小便；雄黄苦温，入肝脾二经，能散结行气，兼逐水邪；麝香辛温芳烈，善走经络、肌肉、关节、肤窍，无处不到，水气风邪闭结之症，历代医家无不用此以开关引邪，自内达外；山慈菇苦寒，功能清热解毒，开郁散结，消肿止痛；上七味相互配合，共奏通利二便，排除病邪（腹水）之功。思此决治后，便用北京同仁堂所制之紫金锭1粒（重3g），研极细末，用水冲服试用。服后观察，3小时内大便得利1次，小便亦渐增多。喜见效后，如法继服1粒，大便得利4次，小便日三四解而畅快，腹水减去至半。后减量，每日用1粒分3次服，并配以六君汤健脾调气，扶正固本。调治2个月，腹水消尽未犯，精神饮食好转，治愈出院。经试用证明，紫金锭内服消臌胀腹水，重用实有斩将夺关之能，轻用似有潜移默化之妙。且亦说明，此治之能射幸，是因患者正当中年，正气不甚大衰，尚能胜攻，故用之获效；若遇老年而正气大虚者，贸然用此峻利药，恐偾事矣。

自制消水丹治疗肝硬化腹水 | 李昌源 |

　　肝硬化腹水多由湿热留滞、情志郁结、饮食不节等因素损伤肝、脾、肾三脏的功能，造成气滞、血瘀、水停所致。前贤虽有气臌、血臌、水臌之分，然气、血、水三者往往互为因果，兼而有之，故愚意以为臌胀概属本虚标实之证，无非偏气、偏血、偏水不同罢了。

　　肝硬化一旦出现腹水，则病属晚期，治疗甚为棘手。就临床所见，无论何种证型，皆以腹水为阻碍气血运行、危害脏腑功能的突出因素，因此余宗《素问·标本病传论篇》"先病而后生中满者治其标"之训，以自制消水丹为基础，根据证候、病机和病人体质进行辨旺治疗，取得了较为满意的疗效。

　　自制消水丹方：甘遂10g、枳壳15g、沉香10g、琥珀10g、麝香0.15g，共研细末装入胶囊，每次服4粒，平旦用大枣煎汤送服，间日1次。

　　本方以甘遂攻水破血为君，枳实、沉香行气导滞为臣，佐琥珀利水活血以破癥积，麝香走窜利窍而通经络。以大枣汤平旦送服，乃仿仲景十枣汤方义，旨在缓和药性，顾护脾胃。全方有逐水、行气、活血之功，收祛邪以安正之效。使用时要遵循"中病即止"的原则，不可过服、久服，免伤正气。

　　临证之时，无论寒热虚实，只要出现腹水，即可"急则治其标"而酌用本方攻逐，并根据病机所在酌用健脾疏肝、补益肝肾、益气养血等法以治其本，巩固疗效。现举数例，以供参考。

　　王某，男，42岁。患肝硬化5年，腹水2个月（腹围86cm），腹胀胁痛，尿少便秘，舌红，苔黄腻，脉弦缓。证属肝郁气滞，瘀水内停。以自制消水丹逐水以治其标，柴胡疏肝散合平胃散疏肝理气而治其本。服药半月后，腹水大去，诸症缓解。停用消水丹，以逍遥散加减调理肝脾，然后再以香砂六君子丸巩固疗效。随访20年来见复发，至今仍坚持工作。

　　孙某，男，42岁。患坏死性肝硬化并腹水3个月（腹围96cm），身目俱黄，其色鲜明，烦躁，食少便秘，小便不利，舌红，苔黄燥，脉弦数。证属湿热蕴结肝胆，三焦水道不利。治以消水丹行水消胀，茵陈蒿汤清热解毒。腹水、黄疸消除后，以逍遥散、香砂六君子丸合四物汤等巩固疗效。随访8年，未见复发，目前仍在驾驶汽车。

　　袁某，男，46岁。患肝硬化腹水3个月余（腹围96cm），右胁刺痛，四肢瘦削，面色黧黑，肌肤甲错，小便不利，舌紫红有瘀斑，脉细涩。证属肝郁脾虚，血瘀水停。治以消水丹行气逐水，桃红四物汤加味活血化瘀。腹水消退，诸症缓解后，再以养血柔肝、益气健脾善其后。随访 8 年，未见复发，仍坚持工作。

徐某，男，48 岁。患肝硬化腹水 5 个月（腹围 92cm），形体消瘦，面色萎黄，精神疲惫，语声低微，食欲不振，四肢不温，尿少便溏，舌淡苔白，脉沉细。证属脾肾阳虚，气化不利。曾投消水丹以折其水，并以茵陈附子理中汤合五苓散以温阳化气行水。连治 1 个月，腹水全消，饮食大增。再以益气健脾温肾等法调治 3 个月，体重增加 15kg，面色红润，康复上班。追访 7 年，未见复发。

以上数例，连年 B 超复查，肝脾不大，肝功能等各项检查均正常。

肝硬化腹水验案 　　|李昌源|

肝硬化腹水是西医病名，属祖国医学的"臌胀""单腹胀""水鼓""气鼓""血鼓"等范畴。古今医家对本病的辨证论治，积累了丰富的经验，笔者数十年来对该病用中医辨证论治之法，有一些粗浅体会。特举肝硬化腹水验案数则，供同道参考。

例 1：钟某，男，52 岁。贵州省建四公司干部，于 1976 年 4 月发病，住某职工医院，确诊为"坏死性肝硬化并腹水（晚期）"。1977 年 6 月 14 日邀余会诊。

症见神识不清，不欲食，目肤身黄如橘子色，腹大如瓮，腹皮绷急，脐心突起，腹水明显（腹围 96cm），腹壁青筋显露，小便短少如浓茶汁，日量 300ml，大便秘结，舌质红，苔黄燥，脉弦数。

肝功能检查：血清谷丙转氨酶（SGPT）550U，黄疸指数 60U，TFT（＋＋＋＋），麝香草酚絮状试验（TTT）20U，总蛋白 6g，A/G：2.2/3.8，尿三胆：强阳性。西医诊断为晚期肝硬化腹水。

中医辨证为湿热蕴结，腑气不通。治以清热泄腑，逐水化瘀。方用茵陈蒿汤合胃苓汤加减。药用茵陈 20g，栀子 10g，大黄 15g 以清热通腑；川厚朴、青皮、陈皮、猪苓、泽泻、滑石各 15g 以行气消胀，化湿利水；佐以安宫牛黄丸清热宣窍，另用甘遂粉、沉香、琥珀、枳实各 10g，共研细末，装入胶囊内，早晚空腹各服 2 粒。上方连服 2 剂。

6 月 18 日复诊，药后腹胀大减，大便泻下如水样，日三四次，腹水减退，神清合作，小便量多至每日 1600ml，余症明显好转，但病情仍笃。仍照上方减甘遂加白术 10g、茯苓 15g，健脾渗湿；大青叶 15g、板蓝根 20g、车前草 20g，清热解毒，连服 6 剂，以观后效。

6 月 25 日三诊，药后精神渐复，生活能自理，食欲增加，腹水基本消失，目肤黄染退尽，仍有肝区刺痛，尿微黄量少，大便溏，舌质淡，苔薄白，脉弦缓。

肝功能检查：SGPT65U，黄疸指数 10U，TTT6U，TFT（＋），白蛋白与球蛋白比例不倒置。

症情好转，正气尚未恢复，余邪尚存。改用益气健脾，疏肝理气，佐以活血化瘀。方用香砂六君子汤加丹参、郁金、当归、赤芍、鳖甲、莪术、三七等以蜜为丸，缓缓图之，以善其后。

前后共服药 60 余剂，两次复查肝功能基本正常，已恢复工作。追访 4 年，一直担任繁重的行政工作，未见复发。

本例肝硬化腹水，证属湿热内蕴，腑气不通，治以清热泻腑，逐水化痰，使病情转危为安。张仲景云："阳明居中主土也，万物所归。"王孟英谓，"胃为藏垢纳污之所。"在湿热壅盛，腑气不通的情况下，首当通腑泄浊，导湿浊水邪从前后分消，所谓"陈莝去而肠胃洁"。由于本病多为邪实正虚之证，尤当遵《素问·五常政大论篇》"大毒治病，十去其六……，无使过之，伤其正也"之旨，待腑气一通，即应及时转入调理。本例二诊即去甘遂，加强健脾渗湿之品，以期扶正祛邪。吴鞠通谓："表里经络脏腑三焦均为湿热所困，最畏内闭外脱。"治当急以安宫牛黄丸"宣窍清热而护神明"，继以"利湿分消"（见《温病条辨》中焦篇 56 条注）。本例访其意，佐以安宫牛黄丸，谨防肝昏迷之变。待病情缓解，又以健脾调肝善其后，故疗效巩固。

例 2：林某，男，56 岁，贵阳轮胎厂干部，因肝硬化腹水于 1979 年 12 月住某医院传染科，病情日趋严重，同年 12 月 19 日邀余会诊。

自诉一向身体尚可，1 个月前疲倦乏力，腹胀，肝区痛，不欲食，嗳气不舒，牙龈、鼻衄，小便短少，色如茶汁，大便难。患者发育营养中等，慢性病容，神识欠清，面色黧黑，目肤深黄，其色不鲜，颈项部有蜘蛛痣 2 颗，肝掌明显，腹胀如鼓（腹围 90cm），腹壁青筋暴露，舌尖红，苔黄腻，舌边有瘀紫色，脉弦数，肝脾触诊不满意。

肝功能检查：SGPT65U，黄疸指数 40U，TTT24U，TFT（＋＋＋＋），总蛋白 5.8g，A/G 为 2.8/3.0。西医诊断为坏死性肝硬化腹水并肝昏迷先兆征。

中医辨证：以肝区胀痛，腹胀如鼓，目肤发黄不鲜为主症，证属肝郁化火，瘀血内阻，治以疏肝理脾，清热解毒，化瘀逐水。方用四逆散合胃苓汤加减，药用枳实、赤芍、郁金、青皮、川厚朴疏肝理气，除胀消满；茵陈、猪苓、泽泻清热利尿；丹参、牡丹皮、羚羊角、大青叶、板蓝根、车前草清热解毒，凉血化瘀。另用甘遂粉10g、沉香10g、琥珀10g，共为细末，装入空心胶囊内早晚各服2粒，连服上方3剂。

12月22日复诊，药后大便泻稀水，日三四次，腹胀大减，小便增多，每日约2000ml，无不良反应。肝区仍有胀、刺痛，精神食欲均有改善，但正气未复，余邪未尽，仍拟上方加茯苓、白术健脾渗湿，减甘遂粉，再进6剂。

次年1月2日三诊，病情大有好转，目肤发黄消失，食欲增加，神识清楚，谈笑如常。超声波检查：无腹水，肝大肋下2cm，脾大肋下1cm。肝功能检查：SGPT180U，黄疸指数12U，TTT12U，TFT（＋＋），总蛋白正常。

再以调理肝脾，佐以活血化瘀，善后调理数月，身体逐渐恢复，3次复查肝功能均属正常，恢复正常工作，追访至今已6年多，来见复发。

本例肝硬化腹水，证属肝脾不和，气结水裹血凝，重在肝郁气滞，治以疏肝理脾为主。气血水火，在生理上互相倚伏，病理上互为因果。气能致血瘀，气滞能致水停，气郁亦能化火。肝硬化腹水的病理演变过程，多先有气滞，继致血瘀，终致水湿停聚，肝硬化腹水以气滞为主的情况下，当以行气为先，气行则血行，气行又可致水行。本例始终以疏肝理脾为主，配合清热活血化瘀逐水散结，使气血水源流俱治，收效甚捷。

例3：袁某，男，48岁。因肝病复发，于1977年12月住某医院治疗。

自诉于1956年在部队时患急性黄疸型肝炎，在部队医院住院治疗3个月症状消失出院。近2个月来疲乏无力，纳差，腹部膨胀，齿衄，口干喜饮，小便短少，每日仅约300ml，色如黄柏汁，大便黑，两胁刺痛。患者呈慢性病容，形体消瘦，腹大如瓮，腹筋起，面色晦暗，脐心突起，有明显腹水征，腹围96cm，颈部有蜘蛛痣1颗，舌质瘀紫，脉细涩，肝脾肿大，各在肋下二指，质硬（中等度）。

肝功能检查：SGPT63U，黄疸指数8U，TTT20U，TFT（＋＋＋＋），总蛋白6.4g，A/G为3.0/3.4。西医诊断为坏死性肝硬化腹水（晚期）。

因病情危笃，日益加剧，于1977年12月16日邀余会诊。

患者以食差、腹胀满、按之坚硬、腹壁青筋显露、面色晦暗、肝掌、蜘蛛痣为特征，证属瘀血阻滞，水积气结。治予活血化瘀，行气逐水之法，方用桃红四物汤加味，药用当归、川芎、赤芍、桃仁行气活血；姜黄、鳖甲、莪术、三七粉祛瘀止痛；猪苓、泽泻、茯苓、车前子、桂枝化气行水。此例邪气实为主，正不甚虚，故另加行气逐水之品，用甘遂粉、琥珀、沉香、枳实各10g，共为细末，装入空心胶囊内早晚空腹各吞服2粒，上方服2剂。

12月20日复诊，药后肠鸣矢气，日泻清水三四次，腹胀大减，腹水消退，小便量增多，食欲好转。仍拟上方减甘遂粉，加白术、怀山药、黄芪益气健脾，再进6剂。

12月28日三诊，诸症明显好转，每餐能进食100g，腹胀大减，腹围减至72cm，面目红润，精神渐佳，小便日量2000ml，大便正常，能下床活动，生活亦可自理。改用健脾疏肝，佐以活血化瘀，予逍遥散加味以善其后。服药共80余剂，肝功能恢复正常，恢复正常工作。

本例肝硬化腹水，证属瘀血阻滞、气结水蓄，治以活血化瘀为主，佐以行气逐水。关于瘀血致胀的病机，王肯堂曾说："气血不通利，则水亦不通利而尿少，尿少则腹中水积而为胀。"血瘀气滞，气滞血瘀，互相影响，致水亦不行，水血之间相互转化，瘀血亦能化为水积，随着瘀血范围的扩大和程度的加重，终可致脏腑功能受到损害。用活血化瘀法治疗肝硬化腹水现已日益受到重视，临床必须据证而辨，须确是血瘀为主者方可用此法，俾"癥瘕尽而营卫昌"。因气、血、水互相影响，互为因果，治疗时又当适当配以行气逐水之品，则收效更捷。

通过上述案例的治疗，我体会到：

肝硬化腹水多属正虚邪实之证

正虚者重在脾肾之气血阴阳亏损；邪实者，喻嘉言曾概括为"气结水裹血凝"六字，虽曰"虚者补之，实者泻之"，但肝硬化腹水患者多因邪实而不受补，反致"补而增满"。而正虚又不堪泻，泻有致阴竭阳脱之虑。因此，明清医家对本病之主攻主补颇多议论。笔者认为，早期多实，当以攻邪为主，治之得当，预后良好。以上所举3例，均获良效。而本病晚期，已是邪实而脾肾两败，酿成不治。因此，争取早期诊断、早期治疗是关键。补法多用于缓解期，切忌呆补，又当佐以行气血、淡渗利水之品，我常以疏肝理脾收功。

攻邪不外行气、活血、逐水诸法合用

临证须据证分清主次。以腹中积水为主者，古人称之为"水鼓"，当以逐水为主，如例1；以气滞为主者，古人称之为，"水鼓"，当以行气为主，如例2；以血瘀为主者，古人称之为"血鼓"，当以活血化瘀为主，如例3。此3种证型又可互相转化。初诊时，多以腹中积水为主要矛盾，水去其六，肝脾气机失调又转化为主要矛盾；须调整气机；最后瘀血蕴结去，又当缓中补虚等等。总之要"谨守病机，无失其宜"，有是证则用是方，不可拘泥，勿守成方。

小议慢性胆囊炎　　|张世玉|

　　慢性胆囊炎属中医胁痛范畴。《灵枢·五邪》"邪在肝，则两胁中痛"，《素问·缪刺论篇》云："邪客于足少阳之络，令人胁痛不得息。"其病因病机与肝胆气机郁结，湿热阻滞，瘀血停着，肝阴不足，经络失养有关。临证中，除胁痛外，扪及右胁下胆囊区有压痛或明显肌卫，或胁痛加重。其诱因常为饮食不节，情志不畅。经 B 型超声波检查，证实为慢性胆囊炎患者，我均以疏肝利胆，化瘀止痛，兼以消导和胃，清利排石等法，选择相应中药配方治疗，疗效满意。举例如下。

　　张妇，49 岁。1984 年 8 月中旬来诊，述反复右胁下绞痛 2 年余，近 3 个月加剧并伴恶心呕吐，食少，稍进油腻食物则加重，嗳气，呃逆，只能进食半流汁食物。形体日渐消瘦，乏力，面色苍黄，口苦，舌质淡，苔薄黄，脉弦。证属胁痛，肝胆郁滞，胃失和降。经 B 型超声波检查，诊为结石性胆囊炎，建议手术治疗。当时值暑热炎夏，患者不愿手术，求治于中医。拟方为，茵陈 15g，栀子 10g，香橼 10g，郁金 10g，延胡索 12g，川楝子 10g，赤芍、白芍各 10g，山楂 12g，莱菔子 10g，鸡内金 12g，怀山药 15g，金钱草 15g，海金沙 12g，茯苓 10g，泽泻 10g，法半夏 9g，甘草 3g，水煎服。共服 18 剂后疼痛消失，诸症明显好转，惟晚餐后脘腹作胀，再服原方 20 剂后诸症消失，饮食增加，面色红润，舌脉正常，随访 5 个月未发。

　　余治慢性胆囊炎，常用以下药物：

疏肝利胆：佛手、香橼、郁金、柴胡、茵陈、泽泻、山楂；

化瘀止痛：延胡索、川楝子、赤芍、川芎、丹参；

清利排石：山栀子、黄芩、金钱草、海金沙、鸡内金；

消导和胃：莱菔子、法半夏、陈皮、厚朴、山楂、鸡内金。

　　此外，凡脾胃虚弱者，加山药、炒白术；肝郁化火者，加黄柏、夏枯草；肝阴不足者，加白芍、枸杞子；湿浊阻滞者，加白豆蔻、石菖蒲。

引火归原法举隅　　|俞长荣|

　　"引火归原"是针对肾火妄浮（即"浮火""浮阳"）而设的一种治法。

肾火妄浮引起的病变是多方面的，如引动肝阳，常致面红、头晕、耳鸣；夹胃火上浮，常致口糜、齿痛、消渴；扰及心神则为惊悸、怔忡、失眠；不能温煦膀胱气化，则为小便频数、失禁或癃闭不通；封蛰失职，肾气不纳，可出现动则气喘等等。

"肾火妄浮"之"火"，既非实火，邪火，其治法就不宜苦寒直折。由于它既有阴虚，又有阳衰的一面，故不同于阴寒内盛、格阳于外之证，也不同于一般阴液亏损、虚火上炎之证。若一派滋润，不顾温阳；或大剂温阳，不兼养阴，则均非所宜。所谓引火归原法，即于滋阴药中加附子、肉桂之类以引火下行，使阴阳平衡，虚火不升，亦即《医学心悟》所谓"肾气虚寒，逼其无根失守之火浮于上，当以辛热杂于壮水药中，导之下行，所谓导龙入海，引火归原，如八味汤是也"。

我在临床中，运用引火归原法（以金匮肾气丸为基本方），治疗肾火妄浮所致的病证，获较满意效果。如 1977 年，治一女青年，低热持续半年不退，伴口干不喜饮，食纳不佳，月经后期。舌苔白厚而干，脉弱尺涩。本例脉象弱涩、月经推后，乃肾气不充，无根之火浮越，故低热持续不退。正因其火无根，故口虽干而不喜饮，舌虽干而苔白厚。用金匮肾气丸（改汤）益阴壮阳而引火下行，使虚阳不致僭越为患，故不治热而热自平。

又曾治一男性，小便频数已 2 年，屡治不效。近来每日小便竟多达 30 余次，淋沥失禁，溲色黄赤，伴大便努责时津液自出，唇红赤，舌质红，中有小裂痕，舌根苔薄白而滑，脉沉弦滑。本例小便频数失禁，据《张氏医通》引王节斋曰："盖火邪妄动，水不能宁"，此说可从；伴滑精，乃火扰精关所致；唇舌红，脉数，都可作为火动佐证。然病已两载，且舌虽红而润，苔薄白而滑，可知此火并非实火，乃是龙火妄动。故于大队阴药中，少佐肉桂引火归原。处方：熟地黄、玄参、莲子、天冬、知母、黄柏、淡竹叶、肉桂、甘草。本方增减服 15 剂获愈。

（俞宜年　整理）

急性肾功能衰竭治验 ┃童明舫┃

曾用中医中药治一例西医诊为急性肾功能衰竭的患者，几经周折最后治愈，小记如下。

患者赵才菊，女性，31 岁。因患"室上性心动过速"，于 1984 年 9 月 19 日急诊入院治疗，9 月 21 日起，出现浮肿、尿少、恶心呕吐等症，当时诊断为尿毒症，病情危重，第二天转宁波市第二医院治疗，住院 5 天，虽经各种抢救措施，但病情仍进一步恶化，生命垂危，于 9 月 28 日自动出院，第二天下午邀余诊治。患者面色萎黄，神困嗜睡，恶心呕吐，尿闭 5 天，腹胀脐突，大便 3 天未行，苔白腻，脉濡弱，证属元气虚衰，湿浊壅滞中下二焦，急予益气扶元，和中化湿，通利两便为治。处方：红参 6g、五味子 10g、丹参 20g、橘红 6g、半夏 10g、枳壳 12g、竹茹 10g、茯苓 15g、枇杷叶 10g、甘遂末 6g（分 3 次冲）、车前子 15g。

投益气扶元，和胃化浊，佐以泻下之剂，药后当夜得尿约200ml，次日复排尿约400ml 左右，浮肿虽有减轻，但同时出现语言错乱，烦躁不安，并见牙龈渗血，皮下瘀斑，恶心仍留，舌质淡而泛紫，舌苔白腻偏半，显见肾气不足，但痰瘀作祟，蒙蔽心窍，阻塞络脉，急予益气扶元，和胃降浊，化痰消瘀。药用：红参 10g、五味子 10g、橘红 6g、半夏 10g、竹茹 10g、生大黄 10g（后下）、枳壳 12g、三七粉 2g（分冲）、茯苓 15g、石菖蒲 5g（后下）、郁金 12g、辰灯心 1 束。

服上方 1 剂，当晚尿量达 800ml 左右，泻红色黏液便 3 次，并彻夜胡言乱语，至次日晨神识渐清，满口血迹，腹胀虽减未平，苔白腻，脉濡。予原方加金银花炭 12g、紫草 12g。

药后腹泻数次，全为黏液血便，伴有里急后重，尿量倍增，日夜达1600ml 左右，唾血已瘥，腹围显减，面目虚浮，苔腻脉濡，脉症合参，证属脾肾两虚，湿浊壅滞，虽说邪有出路，未能清澈，再予益气扶元，化湿导滞之方：红参 5g、半夏 10g、黄芩 10g、枳壳 12g、炒莱菔子 12g、当归 10g、白芍 10g、木香 10g、马齿苋 30g、车前子 15g、金银花炭 12g、甘草 6g。

时逢不慎受凉，日起咳呛频作，大便色黑，小便量多，泛泛恶心，口有咸味，肾气内伤，湿浊不化，复感外邪，一波未平，一波又起。投用化湿解表，待感冒痊愈后，再用益气固肾，和胃通腑，活血化瘀之剂：红参 6g、麦冬 10g、五味子 10g、当归 10g、枸杞子 10g、橘红 6g、三七粉 2g（分冲）、白茅根 39g、半夏 10g、茯苓 12g、生大黄 10g（后下）、甘草 6g。

3 剂药后，诸恙已平，惟见神倦乏力，心悸耳鸣，肢冷纳差，苔薄白，脉虚细，拟归脾汤加五味子 10g、鸡内金 10g。

服 5 剂后，用上方加减，服 2 个月余，尿素氮化验正常，始告痊愈。

以急性肾功能衰竭的发生、发展和临床症状来看，一般可分为少尿期、多尿期和恢复期三个阶段，而其病变，则主要累及脾肾心三脏。如肾气衰微，不能蒸水化气，水液排泄障碍，则出现尿少尿闭；水湿犯胃，胃气上逆，则恶心呕吐；水湿泛滥，则全身浮肿，甚至出现腹水；如脾气不足，则运化失司，水湿滞留，而为胀满，为水肿；如心气不足，则血运无力，而为瘀血，为吐衄，为便血，痰湿瘀血蒙蔽神明，则为昏迷，为谵语。从治疗上看，少尿期宜着重扶元益气，和胃泄浊，方用温胆汤加人参、大黄；多尿期宜扶元固肾，和胃泄浊，宜参脉散合温胆汤出入，以上两期如出现血瘀出血倾向者，宜加三七、丹参之类以化瘀止血；如痰瘀蒙蔽神明，出现神昏谵语者，除重用人参益气养神外，宜加石菖蒲、郁金、丹参、桃仁，以活血化浊开窍；恢复期则宜益气养血，调补五脏，选用方剂，亟需随时应变，方能中鹄。

治肾盂积水应重视肾虚　　潘文昭

一般说来，结石在肾盂、输尿管中段以上容易引起梗阻而造成患侧肾积水。中医虽无肾积水的病名，但积水初期多表现湿热实证，采取攻下通淋、排石的治疗方法常可取效。而肾积水一个月以上，则病情比较复杂，此时若一味攻下通淋，排石，不仅难以收效，且易发生肾虚之弊。

在肾盂积水较久的病例中，我常碰到因久病及肾，或过用清热利湿药而出现肾阳虚的，尤其是45岁以上的患者明显，而且容易出现下焦湿热或夹瘀等虚实夹杂的症状。类似这补病例单用温肾利尿难以取效，仅化瘀，清热通淋也不行，必须温肾、通淋、化石并举；或温肾为主，佐以通淋化石；或通淋、化石为主，佐以温肾利尿。

肾盂积水常由于肾虚影响结石下移或排出，结石梗阻又易造成肾虚积水，给治疗带来困难。但是，只要不忽视肾虚，遵循中医辨证施治的法则，疗效还是满意的。现举1例说明之。

一患者1983年患右侧输尿管结石，经用金钱草、木通、海金沙、滑石、冬葵子、瞿麦等大量苦寒通淋攻伐药物治疗2个月后，曾排出结石，然身体不胜疲乏，腰痠腿软，头晕耳鸣，畏冷等肾阳虚之证已露，又自服蛤蚧酒以图补肾，又酿成湿热。1年后经X线检查又发现左肾膀有1.1cm×0.6cm大小1粒结石，同位素肾图检查提示结石梗阻并积水。西医外科已下非手术取石不可的结论。我根据其临床肾阳虚、下焦湿热的表现，以温肾利尿，佐以清热通淋治疗。处方：熟附子10g，鹿角霜、金钱草、牛膝各30g，泽泻、虎杖、薏苡仁、党参各15g，川花椒、桂枝各4g。每日1剂，另配服礞石滚痰丸6g，分2次服。服近10剂后肾虚症状消失，X线复查见结石下移至输尿管，见腰痛剧烈，舌苔黄腻、脉滑数等下焦湿热之症时，改用通淋排石。处方：金钱草50g，鸡内金、王不留行各15g，海金沙、甘草各10g，牛膝30g，琥珀粉3g（冲服），并酌加黄芪、党参、鹿角霜、石菖蒲、穿山甲（炮）。连续服30剂后，结石终于排出，肾盂积水消失而告愈。再以牛膝15g，薏苡仁30g，煲猪腰（肾）饮食疗法调理善后，随访1年，未见结石及肾盂积水复发。

心肾不交与阳痿　｜卢时杰｜

阳痿，《内经》称"阴痿"，乃指阳事不举或临房举而不坚之证。《类证治裁》云："伤于内则不起，故阳之痿，多由色欲竭精，斫丧太过，或思虑伤神，或恐惧伤肾。"故多选用温补下元之赞育丹或大补元煎乏属。间或有从"湿热下注，宗筋弛纵"论治者，则选用川草薢、木通、薏苡仁等，亦有一定效果。然清代叶天士《临证指南医案》28岁仲案却别出心裁，谓"阳事不举，此先天禀弱，心气不主下交于肾，非如老年阳衰，例进温热可比"；清末黄兑楣《寿身小补》亦有谓"火不甚衰，而阴气薄弱者，或一时难举，或举而不甚久者，亦为阳痿，不宜过服热药"。综观叶、黄之说，可知阳痿之因，决非肾火虚衰或湿热下注之说可以囊括，其中心肾不交之病机，不容忽视。

余临证20年，观青壮年阳痿患者，多有先天禀弱，肾阳不足而心火上炎之表现，何故？查《慎斋遗书》有云："肾属水，水性润下，如何而升？盖因水中有真阳，故水亦随阳而升至于心，则生心中之火"。换言之，心火旺，肾阴虚，水不济火，固属心肾不交。但若肾阳虚，无火蒸腾肾水上交于心，亦可产生心肾不交的种种证候。盖青壮年患者，假若先天禀弱，肾阳本虚，再加上后天不慎，心火妄动，则心肾亦发不得交通。故婚后临房之际，君火虽动，却由于心火不能下摄于肾，阳事岂不痿乎？其治法者，必清心火、补肾阳、交通心肾可也。诚如《慎斋遗书》所云："欲补心者，须实肾，使肾得升。欲补肾者，须守心，惟心得降……乃交心肾法也。"据此，余多选用交泰丸合六味地黄丸，以黄连清上，肉桂温下，再加六味地黄丸滋补肾阴，令阴生阳长，肾阴充、肾阳复而心火平。随症可酌加远志、夜交藤交通上下，有遗精滑精者加金樱子、莲须；怔忡、心悸、健忘、失眠者加党参、柏子仁、龙齿；腰痛肢冷者加淫羊藿、杜仲、刺猬皮；精少不育者加覆盆子、菟丝子、枸杞子；即使患者潮热盗汗，舌红脉数，证属心火旺而肾阴虚，水不济火，心肾不交，亦可以本方加知母、黄柏、浮小麦、阿胶之属，令心肾得交，阳痿之疾得愈矣！

多年来，余遵此法治愈青壮年阳痿者众。如颜某，男，29 岁。患者年少误犯手淫，婚后阳痿，至今 2 年余。自诉性欲淡薄，阳事不举，偶有勃起，但举而不坚，临房即痿，夫妇均感苦闷。患者家长视其婚后无子而责怪女方，其妻羞于明言，满腹委屈。虽不乏延医诊治，但服壮阳补肾方药每觉口干苦，效果亦不显著。现症见夜寐不佳，偶有梦遗，尿黄，面色晦暗，精神萎靡，畏寒肢冷，舌质淡红，苔黄滑，脉弦略数。四诊合参，证属心肾不交，肾阳虚，心火上炎。肾阳亏虚故畏寒肢冷；心火上炎故口干苦；上下不得交通故阳痿不举。乃选用上法治之，令上炎之君火平，虚损之肾阳复。服药 3 个多月，患者性欲大增，阴茎勃起正常。嘱节制房事，并续服六味地黄丸巩固善后。

阳痿从心肝论治 　|张小如|

阳痿即阳事不举，或临房举而不坚之证。其病固多为命门火衰，治疗多从补肾壮阳入手。对于因惊恐所致之阳痿，方书亦多从"恐惧伤肾"立论，恒用益肾宁神之法，其理论根据乃基于《内经》"恐伤肾"之说。付诸临床，有效有不效。细思《内经》尚有"惊则气乱""恐则气下"之明训，乃改弦易辙，从调治心肝入手，竟获捷效。盖"心藏神""为五脏六腑之大主"；"肝主疏泄"能助心调节情志活动，心肝气机调畅，阳事自能恢复正常。一孔之见，不敢自秘，特举例说明于下。

施某，男，45 岁，患阳痿 2 年。就诊时，症见腰膝痠软，失眠，心悸不宁，精神苦闷，舌淡苔薄，脉细。以温补肾阳，宁神定志之法治之不效。细究其因，获悉此病系因行房时，猝受惊恐所致，此后每同行房则疑虑重重，阳事不举。拟从心肝失调论治。投以百合地黄汤合甘麦大枣汤，药用：百合 24g、熟地黄 15g、浮小麦 30g、粉甘草 9g、大枣 5 枚，服 2 剂，阳事恢复正常，病获痊愈。

从痄腮谈到阳痿 　|章柏年|

痄腮好发于小儿，若成人患此，则见症尤重，并每续发睾丸炎，继成阳痿后遗症。

初学医时，邻居增桂患痄腮，高热颐肿，家父以普济消毒饮加减治之，2

剂后肿消热退，效若桴鼓。不意 2 天后突然睾丸肿痛，热势又增，其家长转请西医诊治，经用抗生素加热敷，病情愈重，医家、病家均感束手无策，乃专程请俞经邦医师（已故）往诊，诊毕特来我家闲叙曰："该病愈后，续发睾丸炎。非普济消毒饮所能治，亦非寻常治疝药所能效，当用甘草、桔梗、丹皮、当归、玉竹、首乌。在杭开业期间，由一老医传授，用之百发百中。"我侍听于旁，将信将疑。3 日后，增桂病证果痊，始信其效，但仍不知其所以然。方中既乏清热解毒之品，又无治疝消肿之药，方药平淡无奇，何以得此神效，百思不得其解，后遍查方书，未能得其出处，心中介介不宁。直至某年在杭州，偶于书店中捡得汪蕴谷著《杂证会心录》一书，竟详载是方。汪蕴谷氏云："该病误用发散药，体虚者不得大表，邪因内陷，传入厥阴脉络，睾丸肿痛，耳后全消。盖耳后乃少阳胆经部位，肝胆相表里，少阳感受风热，邪移热于胆经，若作疝治误矣！"据汪氏论述，此实属表邪循经相传，乃本虚标实之证，当扶正祛邪，方为正治。后每于该病即用此方，多获良效。

　　至于后遗阳痿之证，亦非寻常。当时增桂病愈后，不数日果得阳痿，该病迁延难复，甚为棘手，真是一波未平一波又起。邀家父再诊，即仿费伯雄法，予服八珍加淫羊藿、鹿角、巴戟天、枸杞子，3 剂才得复常。阳痿虽属阳虚，但不能单用壮阳之药，必以益气养血为首务，合助阳之品为辅佐，此活法灵机，实治阳痿之要诀，不然虽纯阳之品迭进，难图良效。孟河费氏医案载：一官人病阳痿，妻 50 岁无子，自服鹿茸，阳痿更甚，费氏加用熟地而愈，问曰："阳痿多阳虚，何以加用滋阴药始愈？费氏喻之曰："古人谓七八月之间旱，则苗枯矣，天油然作云，沛然下雨，则苗勃然兴之矣"；岂非善补阳者，必于阴中求阳乎！

　　疝腮、阳痿、睾丸炎，虽一病而三歧，然只须证治得宜，丝丝入扣，亦无亡羊之虑矣。

梦遗治在心肾　　|林沛湘|

　　心藏神，肾藏精，肾主封藏，精充则神旺，神为主宰，神动则精摇。如有妄想，所欲不遂，心动神劳，则火动乎中，火动则心肝气火不宁。在上则见神魂不藏，在下则疏泄太过，故有梦遗精。此等证宜从心治，或从心肾论治。方如黄连清心饮之类（黄连、生地黄、当归、甘草、酸枣仁、茯神、远志、人参、莲子）。

无梦遗精，滑精频频，面色苍白，精神萎靡，舌淡脉虚者，此属阴精内竭，无阳衰虚之候。阳虚则气不摄精，阴虚则精不能藏，都能导致精关不固。在治疗上宜温养肾气，固涩精关，阴阳兼顾，以养阳为主，方如斑龙丸之类（熟地黄、菟丝子、补骨脂、柏子仁、茯神、鹿角胶）。

无梦遗精也有阴虚火旺、心肾不交的。症见遗精、头晕、目眩、耳鸣、腰痠腿软、形体消瘦、舌红少津、脉细弦数。治宜壮水制火，佐以涩精之品，如六味地黄丸加金樱肉、芡实之类。

如李某，男，26 岁，已婚。遗精数年，屡医未愈。近几个月来，无梦而遗，二三日一次，有时午睡亦遗。面色苍白，形神疲惫，形寒肢冷，膝上为甚，脉虚舌淡。数年遗精未愈，阴损及阳，目前以阳虚为主。宜温复肾阳，相应照顾肾阴。给服二加龙骨牡蛎汤加味。处方：

1. 白芍 9g、炙甘草 6g、生姜 9g、大枣 12g、生龙骨 18g、白薇 9g、生牡蛎 18g、熟附子 12g、熟地黄 15g、金樱子 9g、山茱萸 9g。3 剂，每日煎服 1 剂；

2. 老山姜 500g，捣烂酒炒，温敷两膝上，每日敷 2 小时。连服 20 剂而愈。

又如黄某，男，26 岁。慢性肝炎治愈已 1 年，近 2 个月来，因家庭纠纷，频频梦遗，二三日一次。诊得脉细弦数，舌红，少苔，口苦，精神未见衰退，能正常上班工作。忖思患者曾患慢性肝炎 2 年，结合现在脉症，系肝肾阴虚，复因家事操持，神劳精损，导致心肝气火不宁，神动精摇，疏泄太过。治宜滋阴降火，佐以收敛，仿六味丸导赤散意。处方：熟地黄 12g、怀山药 12g、山茱萸 9g、白芍 9g、金樱子 9g、牡丹皮 6g、川黄连 3g、淡竹叶 9g、莲子 15g、茯神 15g。水煎服，每日 1 剂，连服 15 剂而愈。

手淫过度遗精　　| 何泉光 |

遗精一症，其致病原因有劳倦过度，大病、久病不复致精气衰耗而遗者；有恣食醇酒厚味致湿热下注，扰动精室而遗者；有因七情过激，相火妄动而遗者，而青年患者多因恣情纵欲，肾精不藏而遗精。

如周某，男，21 岁。不知爱身，喜看色情影画，恣意情思，以手淫纵欲，日久成癖达 3 年之久，以致遗精，初则隔晚，而后每晚必遗，观看影视遇半裸体、接吻画面即阳事勃举，精液暗流，常见头晕体倦，腰膝痠软，潮热，虽寒冬下肢仍弃被不盖、心烦少寐，食少羸瘦，口苦而干，舌红苔薄，脉左关细数，尺脉浮。究其原因，由于梦遗失精经久，精液耗损太甚，诊为"阴损及阳"。

《金匮要略》指出："虚劳里急，悸，……梦失精。"初投桂枝加龙骨牡蛎汤 2 剂。并嘱戒手淫，服药后，梦遗未止，反而阳事易举，心烦、口干苦更甚。细推其理，证属肝肾阴虚，相火妄动。改投黄柏 10g、知母 10g、栀子 15g、桂枝 7g、白芍 15g、甘草 3g、生姜 3g、煅龙骨 21g、煅牡蛎 21g。泻其相火，降其炎上，俾心肾相交，火自平息。迭进 2 剂，效乃著，梦少能寐，守方出入，三四诊后遗精稍间，五七日一作不等，续投上方 21 剂后神旺体复，梦遗亦止。善后以一贯煎去当归身加知母、牡蛎。至今 2 年未见复发。

遗精效方谈　周国雄

遗精与滑精不同，滑精则纯属虚证。遗精则有虚有实。而遗精之虚者，一般治法不外养阴固摄；用此无效，则技穷矣。故遗精虚证有脉细神疲，形寒肢倦之现象时，医者用大剂育阴固摄之剂而不效，则推诿证属不同，而不究其所以不效之理，直至迁延时日，证转虚劳而成为痼疾难医。要知遗精初起，多由相火不宁，此即遗精之实证，治法当清其相火而佐以宁心之品，此即君火以明，相火以佐之义。遗精日久，多属气虚不固，一味育阴固摄，如二地龙牡，何以取效。龙牡之固摄，只能固其精，未能固其气，气已虚而固其精，精亦不能固也。故治法当固其气于无形之中，为第一要义。

古方妙香散治遗精、惊悸等症，即为遗精日久气虚之人而设。该方为：怀山药 60g，人参、黄芪、远志、茯苓、茯神各 30g，桔梗 10g，甘草 6g，木香 7.5g，麝香 3g，辰砂 6g。诸药研为细末，每服 6g，酒送下。

本方治疗原则，颇有深义，但参芪之固，终不敌麝香之开，余意以为宜减去而加沉香、琥珀为佳。此类方不治遗精，而遗精自止，余用之多矣。按上方原则，余拟创一方，用之对证常获良效。韭菜子 6g、枸杞子 6g、菟丝子 10g、党参 10g、白术 6g、鹿角霜 15g、桑螵蛸 10g、黄芪 10g、淫羊藿 4.5g、巴戟天 6g、炙甘草 3g、远志 4.5g、大枣 5 枚，煨姜 2 片，煎水服，每天 1 剂。一得之见，公诸同道，幸勿见笑。

不 射 精 症　区潜云

钟某，男，27 岁。结婚 1 年，每行房事皆无精液射出，惟以手淫，则恒有。

伉俪因而不睦，妻谓：若治半年不愈，将与之离婚。钟君于是多方求医，打针服药，中西并举，皆无寸功之效，沮丧颓唐，悲忧终日，求治于余。

诊其脉弦滑数，舌红苔微黄腻。乃曰：此湿热酿痰，郁于下焦，阳明受累，更兼多食动物之雄性生殖器官而增其火，湿与热搏，阳虽举而精郁，精不出而火炽，复以壮阳补火之药及温阳补肾之食饵更犯"盛盛"之戒。病者闻而讶曰："我未曾示先生以病历，何以得知其详者？吾服附子、熟地黄、锁阳、巴戟天、杜仲、肉苁蓉、淫羊藿过百斤矣，食牛鞭、猪鞭、狗鞭，其数无法计。众医一口，所嘱如是，服之无效，惟怨命苦耳。"吾曰："君勿恐，药到病除，并不为难，难在君需合作方可，从今日起，素食1个月，服药30剂，停止房事4周即能回春，君能持否？"病者欣然曰："前医劝我多食肉，我已食至厌腻，服药闲事矣，而房事本吉，无精则凶，停凶待吉，何乐不为？敬从先生命可也。"于是处方：柴胡、生地黄、白芍各30g，蒺藜、云茯苓各20g，牛膝15g，黄柏10g，大黄5g。加减为治，每日1剂，上午初煎，下午复煎再服。

时过两旬，仅及3周，钟君大喜告我曰：得之矣！吾之婚姻有救矣，先生大恩大德，没齿难忘也！实习医生责钟君曰："君爽约矣，何猴急之甚也！今幸获效，否则功败垂成……"余急止之曰："吾徒莫扫兴！钟君之疾，不过半月可瘳，吾知其望吉若渴，故意倍限其期，即守其半，功亦可成，今已20余日，吾是以知其报喜也宜时焉。"实习医生与病者相视大笑不可仰。

余嘱以素食为主，肉食为次，一生如是，可保康强。实习医生问余："柴胡疏肝解郁，用以畅达厥阴之气机，吾知其意矣，惟其用量何其大也？"余曰："伤寒论小柴胡汤柴胡之量为8两，考汉制8两约合之今之80g，仲师教人煮取3杯，每服1杯，日3服，即1次量为27g。本草经云：柴胡主心腹肠胃中结气，饮食积聚，寒热邪气，推陈致新，久服轻身，明目益精。现代药理学研究谓：柴胡日服量50g，可令发热之体温急速下降至正常。故吾所用量尚未至极也。更约束以素食，为免膏粱厚味，酿火生痰而拮抗药效也，药治食疗，相辅相益，钟君之疾，由是得瘳。"

不射精从湿热治　　｜赵志瑾｜

不射精指同房时不能排出精液而言。病者多隐疾不医或就医不直言，临床并不罕见。不射精，中医称为"强中"，阳强宜举，勃起坚而不泄，自然性交亦无快意，久而影响夫妻生活。此证亦是男性不育的病因之一。对此病中医大多从阴虚火旺、瘀血阻滞论治。笔者认为不射精亦有虚实之分，且以实证为多，常见于新婚后所得，同房时精神紧张，阳具勃起坚实，久久不泄，面色多正常或偏红润，此证属命门火与肝经郁火俱旺所致的阳实证。肝经绕阴器，可用龙胆泻肝汤治疗。如1983年秋，一青年教师来诊，诉不射精近2年，且因不孕而苦恼。前医多投滋阴、补肾之剂。余察舌脉，考虑用龙胆泻肝汤治疗，并作解释，消除疑虑，坚强治病信念，服药月余，病获愈。半年后，见其亲属，告之该教师与其妻性生活和谐，并已孕。

临床不射精与阳举不衰当区别，前者仅以同房时能勃起但不射精为苦，而后者为时时勃起，经数小时或数日不衰，甚者不时精自出。《本草经疏》称为"阳强不倒"。

不育症异治 　|龙志云|

"同病异治"是中医治疗法则之一，同一疾病，由于病人身体反应不同，所表现"证"有所不同，治法也不同，故称同病异治。

例如胡某，24岁，男。1978年9月来诊，自述结婚3年不育，心烦腰胀痛半年多，由于本厂生产酒故常以酒代茶，小便经常黄中夹白色黏液，尿痛，肛门及少腹胀，房事后病情加重，大便结，痛苦面容，舌苔黄腻，脉弦滑微数，经西医诊断为前列腺炎。化验检查精液95%以上是死精虫。曾服中西药无效。吾思饮酒过量，湿热内积，蕴于下焦，灼伤精液，水热则沸，液热则溢，故肾不能纳精，更无法化生精液。试以釜底抽薪法，用八正散加减，处方：车前子12g、滑石30g、甘草6g、生大黄6g、木通9g、生栀子9g、黄柏9g、牛膝9g、枳实6g、薏苡仁30g，服15剂后，尿已不痛，腰腹不胀，大便溏，日1次，舌苔黄，根黄腻，脉弦。舌根属肾，肾之湿热，宜清热利湿为治。方为：黄柏9g、牛膝9g、薏苡仁30g、茯苓15g、泽泻9g、车前子12g、木通9g、怀山药12g、苍术6g、甘草3g、滑石15g。服10剂后于10月26日化验检查精液，活精虫已上升为50%，其他症状消失，二便正常。后用补肾壮阳法，取五子衍宗汤，处方为：菟丝子9g、覆盆子9g、枸杞子9g、蛇床子12g、车前子9g。连服15剂，于当年11月报喜说，妻子已怀孕了。

又如唐某，男，28岁，1977年5月就诊时称，结婚二年半不育，经某医学院检查诊断为前列腺炎，化验检查精液，95%为死精虫，曾服中西药无效，现头昏盗汗，尿多，面黄，口干，夜间喜冷饮，腰膝痠软痛，身倦无力，咽喉痛，五心烦热，大便结，舌苔黄，脉细。

从两例证看，同属95%为死精虫，诊断均为前列腺炎。但仔细辨析，本例与上例却有不同，此属肾阴不足，虚火上炎，治宜滋阴补肾为主，故用知柏八味丸加减，处方：生地黄12g、怀山药9g、山茱萸9g、牡丹皮9g、泽泻9g、茯苓9g、知母9g、龟甲18g、鳖甲15g。连服36剂后得知其妻已孕。

以上两例虽患同一种病，但通过辨证，身体素质不同，年龄不同，表现的证候不同，故治法与用药也应不同，此乃中医辨证论治的特色。只有灵活运用，"同病异治"，方能收到预期的疗效。

对老年痹证及热痹的治疗体会 王祖雄

痹证，是指人体肌表经络遭受风寒湿等外邪侵袭后，气血运行失常，因而引起肢体、关节等处疼痛、痠楚、麻木、重着的一种疾患。是中医内科杂病中极为常见的一种病证。

根据个人多年来的临床体会，老年罹患的痹证，多属风寒湿痹，兼气血不足，特别是肾督阳气虚衰。我对此证，辄以清代名医喻嘉言氏《医门法律》中的三痹汤（独活、秦艽、防风、细辛、川芎、当归、熟地黄、芍药、桂心、茯苓、甘草、人参、杜仲、牛膝、黄芪、续断、生姜、大枣）祛风散寒除湿，益气血，补肝肾，强筋骨，和营卫，并加入温补肾督阳气之品，如补骨脂、巴戟天、鹿角霜、肉苁蓉、仙茅之属，进行治疗，效果较佳。

我对热痹的治疗，常以金代医家张元素氏《医学启源》中的当归拈痛汤进行化裁。当归拈痛汤是以羌活、防风、苍术、升麻、葛根等药透关利节，胜湿祛风；以苦参、黄芩、知母、茵陈、猪苓、泽泻等药苦以泄热，淡以渗湿；以人参、白术、当归、甘草等药培中土，理气血，而使上述苦寒药品不致伤胃。此方主旨，正如张氏自注所云："气味相合，上下分消，其湿气得以宣通矣。"（按：此"湿气"二字，含有风、湿、热三种病邪之意）我在使用上方治热痹时，其风胜而关节疼痛游走者，加海风藤、鸡血藤、络石藤等藤类药助其祛风通络；其湿胜而关节疼痛重着麻木者，则加滑石、防己、车前子等药助其清渗湿邪；其热胜而关节灼热红肿者，则加金银花藤、连翘、夏枯草、板蓝根等药助其清热解毒。实践证明，依据上述方药，加减化裁使用，治疗热痹，效果显著。

以上老年痹证与热痹，在病情和病机上，各有其不同特点。如老年痹证，往往是因年老阳衰，虚实错杂，病证连绵不已。治疗时，应耐心地掌握上述三痹汤等方药，并斟酌适当加入温补肾督阳气之品，化裁施用，注意守方久服，缓图取效，自不能因投药未久，效果不显而随意改弦更张。热痹多属风、湿、热邪偏盛，病势急骤，证候变化较速。治疗时应速以上述当归拈痛汤等方药，视其风、湿、热三种病邪孰轻孰重，而进行随证加减，并且药量宜重，投药及时，才能较快地挫其病势，稳定病情以取得疗效。

风湿热痹谈　　|俞才钧|

痹证指人体肌表经络为风寒湿邪所闭，使气血运行不畅而致关节疼痛等病证。虽风寒湿三气杂至为痹。但邪有偏胜，证亦各异，有行痹、痛痹、着痹之分。又因人体有素质不同，邪有寒热之变。如《张氏医通》指出："脉痹者，即热痹也，脏腑移热，复遇外邪客搏经络，留而不行，其证肌肉热极，皮肤如鼠走，唇口反裂，皮肤色变。"由此风湿痹证，可有挟寒、挟热二类，治法迥异。往年余从临床治疗热痹多例，效果良好，爰书介绍如下。

古谓热痹，实为风湿热痹。多为中青年患者，盖因阳气素盛，或阴虚热盛之体，脏腑移热，复遇外邪客搏经络，流窜关节而致风湿热痹证。状多发热、多汗、四肢关节游走红肿疼痛。病势急、证候剧，为风重、热重、湿重之候。往年余自拟一方名"风湿合剂"。法以疏风胜湿，清热通络。方取防风、薄荷以疏风退热。防风为退热要药。秦艽、桑枝祛风湿、通经络，但药量不宜过重，若过重反致关节红肿游走疼痛加剧。秦艽能除肢胀，桑枝能消肢麻（在风寒湿痹中可除胀消麻）。它如辛温助热煽风之品皆不相宜。清热通络燥湿药如黄芩、黄柏、连翘、金银花藤、海风藤皆可掺入。石膏、知母为必用之品。苍术、薏苡仁、白茄根除湿消肿，牡丹皮凉血且能降血沉。药用1周即见佳效。

如中青年患者阳气素盛之体，或阴虚热盛，或酒客者足踝膝红肿者累月不愈，此为湿热痹证。若以风药劫之，部分患者反致身热关节红肿不退。余治此证分湿重、热重。若湿重膝踝关节肿而不红疼痛者，用豨莶草30g、海桐皮30g。如红肿灼痛者，以医学正传三妙丸加味治疗，效果良好。

湿热痹冲剂治疗湿热痹杂谈　　|黄文凤|

湿热痹乃因人体正气虚弱，卫阳不固，腠理不密，营卫气血失调，风寒湿三邪乘虚侵入而正气不能驱邪，邪气滞留于经脉关节，气血运行不畅，湿邪易化热，故成也。我地处于南方海边，终年不得干燥，湿气之大，热气之盛，此痹并不少见。我用中华全国中医学会内科专业委员会痹证学组的湿热痹冲剂治疗 36 人，皆获良效。有一患者，陈某，男，35 岁，渔民，形体胖，双膝、踝及肘关节交替出现红、肿、热、痛，有沉重感，活动不灵，烦闷不安，夏热天起病，舌质红，苔黄腻，脉濡数，症延 14 天，曾多方治疗则反复无常。给予上方治 3 周，明显好转，6 周则好如常人，再服 3 周停药，至今近 2 年未再发。

在用湿热痹冲剂治疗湿热痹的过程中，我体会到辨证要确切，要抓住肌肉关节红、肿、痛、热，有沉重感，舌质红，苔黄腻，脉濡数或滑数这一湿热痹特点，并且病程较短，否则用湿热痹冲剂治疗寒湿痹、尪痹，久病有气血不足、肝肾亏虚患者均得其反，服药要待湿热退清，好如常人，仍需再服 3 周以巩固疗效；并加用清热祛风活络之中草药煎水外洗患处则可事半功倍。

顽痹治径漫谈 　　│赵国仁│

顽痹指慢性风湿性关节炎、类风湿性关节炎等病程较长，病情顽缠，久治不愈的肢体关节病变。其病往往虚实互见，正邪混淆，痰瘀胶着，气血阻滞，深入筋骨，如油入面，难解难分。病机复杂，治非一端。治宜扶正祛邪，标本兼顾，有下数途。

消散止痛。常用制马钱子，身兼通补，寒热咸宜。入煎剂可用 3g。药虽苦寒而不伤胃，且有强壮筋骨作用。此外，麻黄、川乌、草乌等也属常用之品。川乌、草乌用量 5～10g。先煎半小时，无毒性发现。

活血祛瘀。"久痛属瘀""治风先治血，血行风自灭"。痹乃气血阻滞，不通则痛者也。且风药多燥，易伤阴血。祛瘀止痛，和血活血之品必不可少。常用地黄、当归、芍药、丹参、鸡血藤、桃仁、片姜黄等。

通络止痛。"久痛入络"，顽痹日久，邪深入络，多用虫类。"虫蚁搜剔"有"钻透驱邪"之功。在治痹药中加入虫类药物可收通络止痛之效。且虫类血肉有情，更具滋补强壮作用。常用药有全蝎、蜈蚣、土鳖虫等。此类药物研粉吞服效佳。也可用蕲蛇干、乌梢蛇干、白花蛇干。可入煎剂，也可浸酒服。

清热凉血。"暴痛属寒，久痛属热"。或由风寒湿蕴遏化热，或温燥太过伤阴化热。因此多用清热之品。常用药有生石膏、知母、牡丹皮、地骨皮、玄参、忍冬藤等。

益气补肾。"久病多虚"。虚者，气血虚也，可用黄芪、当归等补之。"久病及肾"，症见筋骨萎弱，盖肾主骨，肝主筋。乙癸同源，母病及子，肝肾俱虚。阴不足者，用地黄、山茱萸、枸杞子、何首乌、女贞子之类。阳不足者，用淫羊藿、杜仲、桑寄生、补骨脂等。

治 痹 一 得 ｜陈济哉｜

治痹方剂甚多，诸如独活寄生汤、薏苡仁汤、乌头汤、桂枝芍药知母汤、苍术白虎汤等等，不胜枚举。

徐灵胎说，"一病必有一主方，一方必有一主药"，这确是有识之言。余据《素问·痹论篇》之说，运用专方专药治疗痹证，经过 40 余年的实践验证，反复摸索出一套用药经验，临床效果较佳，现简述如下。

选用防风、桂枝、苍术三味为主方，对痛无定处，日重夜轻的行痹重用防风；痛有定处，日轻夜重的痛痹重用桂枝；肢体沉重，关节麻木不仁的着痹重用苍术。上肢加桑枝、羌活，下肢加牛膝、独活为引经药。轻痛加威灵仙、白芷；剧痛加乳香、没药。寒甚筋急加附子，热甚筋疭加地骨皮。气虚加党参、黄芪，血虚加当归、熟地黄。

总结上述主症用药外，临床还应根据患者的具体情况，审因辨证，随证加减，方能提高疗效。

寒痹与"寒痹方" ｜李家增｜

寒痹的发生是因人体阳气虚，且阳不固，风寒湿邪侵入，寒邪偏盛，阻滞经络，痹阻关节所致。其辨证要点是肢节冷痛，患处不红不热，喜热畏冷，舌淡苔白，脉弦细或沉紧。针对寒痹的病因病机，仿仲景乌头汤及甘草附子汤之意，自拟寒痹方治疗，经多年临床应用，疗效满意。

寒痹方组成：制川乌 5～10g、淫羊藿叶 10～15g、粉背雷公藤 15～20g、黄芪 15～20g、当归身 8～15g、白芍 10～15g、炙甘草 10～15g。每日 1 剂，水煎 1 小时以上，分 2 次，饭后服。小儿用量酌减。

加减法：寒重加熟附子；气虚加党参、白术；肝肾不足加熟地黄、肉苁蓉；

挟湿加薏苡仁、苍术、木瓜；挟瘀加丹参、赤芍；腰痛加川杜仲；下肢痛加独活；上肢痛加桂枝。

方中川乌、雷公藤散寒镇痛之力甚强，为治寒痹要药，淫羊藿叶有助阳散寒除湿之功；三药合用有振奋阳气增强散寒除湿止痛的作用。黄芪、炙甘草益气，当归、白芍养血。《本草纲目》载黄芪去"诸证之痛"，当归治"一切风"，白芍"除血痹，止痛"，均能补气血，又能祛风湿，止痛痹。雷公藤、川乌有毒，除应先煎（半小时以上）外，取甘草同用，以和中缓急解毒，确保安全有效。寒痹患者，大都正气已虚，病势缠绵，尤其是病程已久的患者，抗病能力已低下，在治疗这类疾病时，应当随证加入益气养血，调补肝肾，活血通络的药物，更能提高疗效。

本方适用于慢性风湿性关节炎、类风湿性关节炎、增生性关节炎、坐骨神经痛等病出现有肢节冷痛，患处不热不红，喜热畏冷，拘急强直，屈伸不利，舌淡苔白，脉弦细或沉紧属寒痹范畴者，均有良效。

李姓患者，男，41岁。1977年开始腰痛，1979年6月病情加重，腰及左腿冷痛，转侧不利，步履困难，夜间痛甚，不能入睡，难以坚持工作，于12月入院。西医诊断为左侧坐骨神经痛、梨状肌损伤。曾用按摩推拿、针灸、电疗、维生素、抗风湿灵及活血化瘀中药等治疗近3个月，未效。转邀余诊治。患者腰腿冷痛，面色少华，四肢欠温，舌淡苔白，脉细缓。证属寒痹无疑。予寒痹方加熟地黄、川杜仲各20g，川芎5g。每日1剂，水煎服。服2剂后，腰腿疼痛减轻，连服上方20剂，腰腿疼痛大减，步态及活动功能基本正常，继续调治月余，症状消失，功能正常，治愈出院。随访1年，疗效巩固。

附：粉背雷公藤，卫矛科雷公藤属。

痛　痹　｜贺若芳｜

一妇素体健壮，但数月前感腰部及右腿疼痛，痛如锥刺，屈伸不利，步履艰难，夜间为甚，遇寒则痛剧。外科诊为"坐骨神经痛"，服西药及理疗等月余，病情如故。自找草医治疗亦罔效，痛苦呻吟，辗转难眠，邀余诊治。余思之：是病盖因感受风寒湿之邪，游走脉络，以致气血运行不畅，不通则痛，形成痛痹无疑。治当温通经络，祛风除湿，实宜乌头汤加减治之，但素体阳盛，用乌头之辈，过于辛燥，容易耗气助热，乃仿乌头汤之意，拟处方：独活、秦艽、桑枝、茯苓、白花蛇、牛膝、川杜仲、桑寄生、鸡血藤、赤芍、何首乌、姜黄。温通经络为主，配入鸡血藤、姜黄活血，即宗前人"治风先治血，血行风自灭"之意。服药 3 剂之后，腿痛大减，晚间已能入睡，要求继续开药。药已对症，嘱续服前方药。后来，余抽空到家探视，见患者面色红润，舌质淡红，苔薄白，脉弦紧，患肢无红肿热，自诉服此方药后，腰腿日见明显好转，惟偶有吃香燥之品，疼痛稍增，已能下床走动数步。吾曰：此为风寒湿邪侵袭筋脉经络留着不去所致，但素体阳盛，寒中挟热，用药宜寒热并用，即配以清热祛风通络之桑枝，继续服用。共服药 30 剂后，能自行数十步，服药至 60 剂能上下楼梯，行走自如，疼痛消失，再继续服药 12 剂，诸症尽悉，病告痊愈，先后共服药 72 剂，现患者已能骑自行车上下班，3 年以来病未再发。

"风湿三二汤" 治风湿经验谈 李仁溥

临床上每见有苔腻、痰多、咳嗽而又兼腰痛剧烈的患者，余每以自拟风湿三二汤治疗而获良好疗效。该方组织严谨，诚良方也。系由羌活、独活、苍术、白术、陈皮、法半夏、茯苓、甘草组成。本方内含二活二术及二陈汤故名风湿三二汤，具有祛风、化痰、燥湿作用。方中以羌活、独活祛风胜湿，能解少阴之表及足太阳膀胱经之邪；苍术、白术燥湿健脾利水，健运足太阴脾之湿邪；陈皮、茯苓、法半夏、甘草燥湿化痰，可治手太阴肺之痰湿。制方之妙在于简朴而不落俗套。临床上对太阴、少阴感受风寒湿邪症见周身骨节疼痛、腰痛、咳嗽、痰多、舌淡、苔腻、脉缓或濡细者，使用本方，常常获救。

加减法：咳嗽加北杏仁、前胡、桔梗；身痛加防风；头痛加蔓荆子；腰痛剧烈者再加威灵仙、怀牛膝；下肢痛加木瓜、薏苡仁。

李某，女，症见咳嗽、痰多、舌淡苔厚腻、口不渴、下肢微肿、腰部疼痛、全身关节痛、脉弦缓。起病已有 5 天，诊为太阴少阴感受寒湿，投以本方加薏苡仁、威灵仙。共服 10 剂。药后腰痛、痰多、咳嗽均获痊愈。

（邹志为　整理）

皮痹宗桂枝汤 戴永生

《素问·痹论篇》云："风寒湿三气杂至，合而为痹。"杂至的条件是正气先虚，虚在何处？虚在营卫。今三气客于营卫，致使营卫失调，不能发挥"温分肉，司开合，肥腠理"的生理功能，邪阻于皮则成皮痹，日久可侵及血脉，究其源乃营卫之行不畅。而《伤寒论》中的桂枝汤，具有调和营卫的功能，余借以治痹确有疗效，今录1例验明。

李某，女，37岁。初时双下肢有散在红斑，红肿热痛，继之出现心悸，行走困难，求诊于余，检视形体壮实，脉沉细，舌淡夹瘀点，证属皮痹，用桂枝汤加减20余剂而愈。

运用此方，若无表证，桂芍不用等量。"荣者水谷之精气，卫者水谷之悍气"，故汤中倍白芍，随症可加苍术解寒湿，或入金银花藤，茜草通络通脉。

皮痹调营卫，实为治本之法。

血 瘀 腰 痛 ｜陈伯勤｜

陈妇，32岁，腰痛数月，屈伸不利，辗转欠灵，痛处固定不移，按压后疼痛加重，月事不依时下，量少色暗，曾服独活寄生汤等方药，未效，求治于余。诊见唇舌暗红，脉弦而涩。此属瘀阻肾府，不通而痛，治当活血化瘀，佐以理气止痛，方用趁南散加川木瓜9g、桑枝15g、姜黄12g。水煎温服，服药2剂，腰痛减轻，活动较前灵活，药已中病，效不更方。继以原方加怀牛膝15g、丹参12g，服药9剂，疼痛消失，活动自如，病告痊愈。

中医治病，重在辨证，审证求因，治病求本，乃中医之特长也。

（陈国强　赖祥林　整理）

七五飞仙汤治疗骨节疼痛有奇效 ｜饶天培｜

笔者自拟"七五飞仙汤"治疗风湿、类风湿性关节炎、骨质增生、骨刺、陈旧性骨折、肩周炎等，常获满意效果。该方由七叶莲30g、见血飞30g、威灵仙15g、五加皮12g、细辛3g、万年荙6g、四方木皮30g组成。下录3案，以证其效。

詹某，女，61岁。患风湿性关节炎5年，每遇阴雨天则发，全身关节疼痛，上肢手指关节畸形如鹰爪，舌红苔白，脉沉细涩。投七五飞仙汤3剂，疼痛减轻，继服 10 剂症状缓解，追访 4 年未发。

张某，男，62 岁。1 个月前突感右脚跟跟疼痛难忍，不能触地，经门诊照片检查诊为"右跟骨骨刺"求诊于余，按上方加减泡酒服月余，疼痛消除，至今 6 年未发。

田某，女，50 岁。因反复全身关节疼痛 1 年，加剧 1 个月住院。诊为"类风湿性关节炎"，予强的松治疗效果不佳。诊见双膝关节疼痛，局部肿胀发热，活动受限，血沉 95mm/h，抗链球菌溶血素"O"（1∶160）阳性，舌红苔黄，脉弦数。余予本方加减治疗月余，症状消失，血沉及抗链球菌溶血素"O"转阴，生活已能自理，1 年未发。

七叶莲：五加科，鹅掌柴属植物鹅掌藤。

见血飞：芸香科，飞龙掌血属。

万年莦：凤仙花科凤仙花属植物野凤仙花。

四方木皮：无忧花属云实科（豆科）。

酒 湿 致 痿　｜何泉光｜

草木久无雨露或久被湿遏则萎。人之痿证，不独肺热叶焦、湿热流注筋脉可致痿，肝肾阴虚、气血不足筋脉失养亦可致痿。此外，南方地区群众嗜酒者多，嗜酒过度、蕴酿湿热也是成痿原因。

一滕姓男子，35 岁。平素嗜酒贪杯，1984 年夏患腰痛，自购十全大补酒 2 瓶饮服，3 日而饮尽，虽未醉，但下肢重着，不痛不痒，2 日后渐致软弱无力，步履艰难似痿。住院治疗 20 多天，诊为"多发性神经炎"，多方治疗罔效，遂出院到我处求治。但见形体消瘦，面色暗晦带油垢样，两下肢大腿肌肉松弛，犹如垂袋，痿软无力，足不任地，需两人扶持才能勉强坐椅，脉弦滑而数，舌质红，苔黄腻而厚，口气臭秽。综其平素嗜酒贪杯，近又暴饮，认为此乃酒湿郁伏化热酿成温热，湿困筋脉，气机阻滞，气不达于四肢所致。酒乃五谷之精，味厚甘辛，大热有毒，为助湿之物。《素问·生气通天论篇》云："湿热不攘，大筋缭短，小筋弛张，缭短为拘，弛张为痿。"这就明确指出湿热阻滞，筋脉失养，可发为"痿"之病。投予《秘方集验》的痿证方去当归治之。处方：苍术 7g、牛膝 10g、黄柏 10g、知母 10g、生地黄 15g、白芍 15g、栀子 15g、大黄 10g、葛花 10g、杜仲 10g。水煎服。方中苍术、黄柏二妙加栀子、大黄清热燥湿，葛花一味清解酒毒，杜仲、牛膝通络舒筋，服药 2 剂轻泻数次污物，病有好转，守上方去大黄加忍冬藤 15g、川木瓜 10g。又服 2 剂。药后舌苔黄腻厚明显减退，下肢重着减轻，病情大有转机。嗣后，每隔 3 天一诊，仍宗上方共治 45 天，诸症悉除，恢复健康。

适量饮酒可行血通脉，舒筋活络，但嗜酒成性或暴饮过饮则酿成湿热致痿者，不可取也。

痿 证 验 案　　|朱智惠|

辨证论治是中医临证工作重要一环，定要遵循祖国医学整体观念及辨证论治的基本原则，结合四诊，细心谨慎，不弄虚假，不图侥幸，脚踏实地诊治病人，可收到立竿见影之效。有痿证治验为证。

祖国医学早就有"痿躄""痿"的记载。此病极影响人体健康，重者丧失劳力。笔者曾治疗 4 例，疗效较佳，择其有代表性者记述如后。

杨姓女，22 岁，贵州籍，农民，住福建长乐县。因四肢痿软无力，脚不能着地，手不能握物，已 1 个月有余，于 1982 年 9 月 13 日入院。

患者 1 个多月前感冒，赴遵义某医院治疗，罔效。渐现四肢痿软乏力，继之脚不能步履，手不能握物，故于同年 8 月 17 日赴遵义某医学院，诊为"格林巴利综合征"收住院。查肌力 Ⅱ 级，四肢呈手套、袜套样感觉障碍，腱反射消失。经用激素、维生素等治疗 20 天，效果不佳。进行性双脚不能着地，连坐亦需家人扶持，双手不能握物。1982 年 9 月 13 日求治中医而转入我院。其时伴有四肢肌肉萎缩，头昏痛，心悸，口干苦不欲饮，手足心热，汗多，小便短赤，大便 2 日 1 次，少腹坠胀，舌淡紫，苔微黄腻，脉滑数。扪之，肌肤灼手，腰及四肢压痛，四肢呈对称性弛缓性瘫痪，肌力 Ⅰ 级强，肌张力减退，腱反射消失，痛温觉减，余无所苦。

格林巴利综合征属中医"痿证"，据其症、舌、脉，系湿热浸淫，瘀血阻滞致筋脉肌肉弛纵不收，阻碍气血运行所致。予清热利湿，活血通络之四妙散、桃红四物汤合方加减：黄柏 12g、苍术 9g、牛膝 15g、薏苡仁 30g、泽泻 12g、鸡血藤 30g、知母 12g、石斛 15g、沙参 15g、桃仁 9g、红花 9g、赤芍 12g、当归 9g、防己 12g、甘草 3g。配合维生素 B_1 200mg，维生素 B_{12} 0.5mg 穴位注射，隔日 1 次，取穴（双）：①曲池透少海、环跳、风市、承山；②外关透内关、承扶、阳陵泉透阴陵泉、悬钟；③三阴交、血海、殷门，交替使用。

住院 1 周，配合针刺四肢，取阳经穴如手三里、合谷等。10 月 20 日因人流术中断治痿半月，后继服前方 40 剂，获显著疗效，能自己行走，扶墙上下楼、自己梳头，肌肉 V 级弱。但不能拿筷进餐，肌肉萎缩，潮热汗出，手足心热，口干苦欲饮，舌红少苔，脉细数。细审之，湿热虽清，病未痊愈，乃病久阴虚于内。宗《景岳全书·痿》"元气败伤，则精虚不能灌溉，血虚不能营养"之意，乃肝肾精血亏虚，宜补肝肾，滋阴降火，用虎潜丸加鸡血藤、白豆蔻、白术，服 8 剂。再参景岳"善补阴者，必阳中求阴，则阴得阳助而升化无穷"之意，加巴戟天 15g、肉苁蓉 12g。服药 14 剂，诸症消失。自己能行走 500 ~ 1000m，可上街看电影，拿匙进餐，肌力 Ⅵ 级，基本痊愈出院。

半年后其丈夫专程从福建来遵义，要余开方取药，言患者能自理生活，每月织布挣钱二百多元，情况非常良好。

《素问·生气通天论篇》："因于湿，首如裹，湿热不攘，大筋软短，小筋弛长，软短为拘，弛长为痿。"《丹溪心法》："痿证断不可作风治而用风药，有湿热……瘀血。"综观患者起病夏令，外感湿热，失治邪留，湿热浸淫筋脉，气滞血瘀，气血运行不畅故见痿证。投四妙散、桃红四物汤，又虑患者病久阴虚，故方中加知母，石斛、沙参等养阴清热，益胃生津以滋渗并施；鸡血藤补气行血、活血舒经；和当归、赤芍补阴血之不足，防渗利伤阴；白豆蔻、白术取"治痿独取阳明"之意。后期患者精血亏虚，予补肝肾，强筋壮骨之虎潜丸，终获痊愈。可见重在辨证，配伍适当，故能收效。

仿活络效灵方义，瘫痪少女起沉疴 ｜刘绍安｜

有宋女，19 岁。1983 年 8 月因气候炎热，夜卧贪凉，脚露于外，受凉风吹袭，翌晨起床，便感双下肢麻木，活动受限，下床行走数步便欲坐下，未敢上街。隔数日，病情愈渐严重，不仅不能步履，且卧床转侧都感困难，历时半月，诊断未明，用药效亦不显。9 月中旬，其父托友求余登门诊治，盛情难却，允往试之。切脉，浮紧而略兼涩象，舌淡红少苔。余细思此证，病势险恶，似有瘫痪之虞。幸患者年轻，新陈代谢之力尚强，治之得法，恢复亦易；若属年老者，恐灵丹妙药，亦难图效。于是索笔处方：

当归 15g、川芎 9g、制乳香 3g、制没药 3g、丹参 15g、怀牛膝 24g、嫩黄芪 24g、白术 12g、防风 12g、土鳖虫 12g、络石藤 12g、木瓜 12g、薏苡仁 20g。水煎服，3 剂。

此方仍仿张锡纯"活络效灵丹"原意，以舒筋通络活血为主，祛风除湿为辅，套玉屏风散扶正以御外邪，取双向调节之义。

按上方服完 3 剂药后，其母告之曰："病人虽仍未起床，但感服药后轻快，麻木大减，请大夫再行一诊。"余欣然慰曰：药获效机，汝女起床指日可待，勿远虑耳。二诊原方不变，仅将当归、川芎用量增大 1 倍，以图增强活血之力，嘱再服 5 剂。患者续服 8 剂后，某日夜宋女竟由父搀扶来访，余甚感惊愕，便询问焉能步履至此？宋女嫣然笑曰："药过 8 剂后，双足有力，已能下床，故锻炼前来就诊耳！"余见药效速，仍守方不变，照原方书一纸，嘱再服 10 剂。前后治疗 1 个月，患者能偕女友游黔灵湖公园，翻山越岭，步履如常而愈。

事后，余窃思此病，症状消退极速，功能恢复较快，是否方药奇效？详究其因，并非药力可以回天，实赖患者年轻体壮，正能胜邪，故愈之较快。余施之方，无非巧遇机缘矣。

漫谈中医外科流派　|陈鳌石|

中医外科虽起自于周代，如《周礼·天官》记载的食医、疾医、疡医、兽医。而疡医专管医治肿疡、金创、骨折等病，相当于今日之外科和伤科医生。但其流派之形成，可以说始于金元，发展于明、清。

金元时期，由于刘、李、张、朱的四家崛起，他们的理论主张与临床实践相结合，开创了医学发展的新局面，对国内外均有相当的影响，对外科来讲也不例外。在病因上，李杲认为"内伤脾胃，百病由生"，及"富贵之人，不知其节，醇酒肥羊，杂以厚味，积久太过……"。而刘完素则主张"疮疡者，火之属，须分内外以治其本"。朱丹溪在"阳有余，阴不足"的思想指导下，在理论上认为"痈疽只是热性血毒""痈疽原是火毒生"。在论治上，刘完素以"治疮之大要，须明托里、疏通、和营卫三法"。李杲以"先受病为本，非苦寒之剂为主、为君，不能除其苦楚疼痛也"。朱丹溪分清阴阳，以"阳滞于阴，阴滞于阳；阳滞以寒治之，阴滞以热治之"的治则，实为医家外科消、托、补三大法的滥觞。

明代名医辈出，论著甚多。其中薛己提倡辨证论治的"内治法"，主张"邪在表宜汗，在里宜下，在营卫宜和解"及"疮不焮肿，不作脓者，虽未溃亦当温补，若疮已溃，而肿不消、痛不止者，仍宜清凉之剂治之"。陈实功则注重外治法，如敷贴、塌洗、熏照、腐蚀、结扎、刀针、手术器械的运用等。这些疗法在"列症最详，论治最精"的代表作《外科正宗》中也都有详细记载。

两说并驾齐驱，流派泾渭分明。

清代祁广生编著的《外科大成》一书，本着《外科正宗》的"重者删之，讹者正之，乱者绪之"的原则，"首列六脉，则邪正虚实若眉分，分列三因，则病源若犀照，再次则阴阳、善恶、顺逆之诀，辨之则吉凶立判，再次则肿疡、溃疡主治，则先后、内外、诸无不具矣"。而成为外科之主要流派。王洪绪的《外科证治全生集》创用阳和汤、小金丹、犀黄丸等著名方剂治疗阴疽，效果可靠，影响较大，通常被称为"全生派"。此外，异军突起的应是高秉钧的《外科心得集》，吸收了三焦学说，以风性上行、气火发乎中、湿性下趋的六淫与部位关系，以及"外疡与内证，异流而同源"的理论，并在临证上用犀角地黄汤、安宫牛黄丸之类方剂治疗疔疮走黄，取得了一定疗效，后人称之为"心得派"。

顾世澄的《疡医大全》汇集《内经》及历代外科论述进行分类编辑，并有编者按语及经验方药，资料丰富多彩。

近代中医精于疡科而较负盛名者，有王旭高（得其舅高锦庭之传）著有《王旭高外科医案》等。孟河马培之，精于内外科，而以外科为最著，其方案戛戛有声，不同凡响，著有《马批外科证治全生集》，对王氏有褒有贬，洞中肯綮。吴尚先主用外治疗法及膏药疗法，经验丰富，又本其心得，以"医者理也，药者瀹也"的意义，使内外治法殊途同归，著《理瀹骈文》行世，后也尊之为外治疗法的宗师。张山雷从疡科名医朱阆仙学习，并助朱氏讲学，编写《疡科纲要》，其中有许多阐述，颇中肯要。

近年来，致力于中医外科理论及临证经验整理者，有上海张赞臣《中医外科学简编》、北京《赵炳南临床经验集》，以及《朱仁康临床经验集》、许履和《中医外科概要》《临证一得录》等。此外，张觉人的《外科十三方考》、顾伯华《外科经验选》诸书，百花齐放，斗艳争妍，各有特色而别具一格。

由于我国地广人多，家传师授，学派不一，如何继承发展，还有待于医务人员的集思广益、共同努力。

习外科者不可不习内科　　陈鳌石

余听鸿，字景和，江苏宜兴人。曾随孟河费兰泉学医，精通疡科，并善内科，生平著作颇多，其中以《外证医案汇编》价值较大。书中认为"今时内外各专其科，外科专仗膏丹刀针，谙内症者少，内科专司脉息方药，谙外证者不多，病家每遇大症，或兼感冒寒热，短外科不谙内病，延内科用药主方，每致内外两歧，彼此相左，当表反补，宜托反清，内症未平，外症变端蜂起，攻补错投，温凉误进，贻害非轻"。主张"欲内外两科合而为一，得医术之全体，医者可以得心应手，病者亦受益多矣"。此外，还指出"外科之阴阳虚实，总归内科一般，虽云外症，实从内出，内科精明而不知外科，仅得医术之半，而习外科者，亦不可不习内科"。对余氏的论点，我是深有体会的。近来有业外伤科者，临床只是信守几张"家传秘方"，如生疔疮，即贴一张"千槌膏"，若"疔疮走黄"，高热神昏时，便诿是内科之事，而与己无关；对急性损伤内服"七厘散"则未为过也，然对慢性劳损，也同样用"七厘散"，则为虚其虚矣；况且不管新旧伤痛，同样膏药外敷，不辨虚实，不察阴阳，实是误人非轻。虽然"名医何必多识字"，但我总认为"凡学医者，不可不多读书"。凡业外科，首先对中医疡科渊源、流派（如正宗派、全生派、心得派等）必须熟谙，制药炼丹，应该掌握，而对于中医典籍也得略窥门径，遇及合并内科疾患，遣方用药，亦能得心应手，这样才不致如余氏所说"内外两歧，彼此相左"，学者可不慎欤！

万籁声伤科医话　　｜洪敦耕｜

　　万籁声老师不仅是一位中外闻名的武术家，同时还是一位高明的伤科医师。犹忆曩昔，万老师曾对余谈及姑嫂嬉戏，误伤穴道一事，至今记忆犹新，爰将回忆所及，整理成篇，以飨读者。

　　榕城某巷，有姑嫂二人，相处亲昵，小姑妙龄，性喜玩笑。春日晨起，其嫂站立床边，整理衣物，小姑轻移莲步，潜至其后，突然伸手抓其嫂腰胁，以搔痒取笑为乐。其嫂突然受惊扰，大叫一声，自此心悸怔忡，夜寐不安，数日后兼见腹泻，粪便中有油脂样浮于其上，自觉腹部不适，食欲不振。患妇曾到某医院诊治，未见好转，乃登师门求医。

　　万师细审病情，察其伤处，诊为"眼田"穴[1]受伤。于是万师凝神聚气，为患妇施行解穴手法[2]，并处以少林寺伤科秘传治疗"眼田"穴损伤汤方[3]，嘱每天1服，连服3剂，再来复诊。患妇遵嘱服药，复诊时面有喜色，诉诸症悉除，但恐留伤贻患，要求根治。乃处以内伤丸，以善其后。

　　万老师说："跌打损伤一症，应细察受伤部位。凡治穴位损伤，虽然药已对症，但非用专方不易收功，赵鑫洲先生传下少林寺治疗人体24大穴损伤秘方，我已载入《中国伤科》一书，可供你们临证参考。"

注：

[1] 眼田穴：即京门穴，位于第12肋骨游离端之下，属足少阳胆经穴位。

[2] 解穴手法：即先泻三阴交，再补合谷的手法。按"泻六补九"为原则，用大拇指侧缘下刮三阴交6下（泻法），然后再上推合谷9下（补法），双手同时进行操作，有疏通全身经络之气的作用。

[3] 少林寺伤科秘传治疗眼田穴损伤汤方：生地黄、红花、赤芍、乳香、没药、青皮、胡麻仁、柴胡、台乌药、槟榔、郁金各4g，煅自然铜4g（另包），水煎服。

治 伤 妙 诀 ｜邓兴贵｜

我收集的民间秘方，经20余年之临床应用，疗效显著。现整理于后，以供参考。

民间验方好，发掘是件宝。

跌打损伤药，临床疗效高。

归尾兼生地，槟榔赤芍药；

四味堪为主，加减随症意。

乳香加没药，红花桃仁施；

苎麻烧存性，血竭亦难离。

头上加羌活，防风白芷随；

胸中加桔梗，枳实茯苓皮；

脘下用枳壳，菖蒲厚朴治；

背上用乌药，灵仙妙可施；

两手用续断，加皮与桂枝；

两胁柴胡进，胆草紫荆医；

大茴与故纸，杜仲入腰知。

小茴与木香，肚痛不须疑。

大便若阻隔，大黄枳实推。

小便若癃闭，车前木瓜提。

假如见瘀肿，泽兰效最奇。

倘然伤一腿，牛膝木瓜支。

一旦有骨折，碎补蟹骨治。

全身有单方，饮酒最为宜。

此方主药是：当归尾 10g、生地黄 15g、槟榔 10g、赤芍 10g，或加制乳香 10g、制没药 10g；或桃仁 12g、红花 8g、血竭 0.5g、苎麻（荨麻科植物）炭 5g。每日 1 剂，水煎服。

因所伤部位不同，可选加其中一味作为引经药。头部：羌活 10g、防风 10g、白芷 6g；胸部：桔梗 10g、枳实 10g、茯苓 12g；腹部：枳壳 10g、石菖蒲 10g、厚朴 10g；背部：乌药 10g、威灵仙 10g；上肢：续断 10g、五加皮 10g、桂枝 10g；两胁：柴胡 10g、龙胆草 10g、紫荆皮 10g；腰部：杜仲 10g、大茴香 8g、补骨脂 10g；肚腹痛者：小茴香 8g、广木香 8g；若大便不通者：生大黄 10g（后下）、枳实 10g；小便癃闭者：车前子 10g、木瓜 10g；若瘀肿者：泽兰 10g；下肢伤者：牛膝 10g、木瓜 10g；有骨折者：骨碎补 10g、螃蟹骨 10g。若全身多处损伤者可在药液中加入少许白酒，以通络脉，使药到病所。

中药熏洗可促进创伤恢复 | 于焕明 |

外用熏洗法是祖国医学传统疗法之一，此法多采用辛温药物，利用其辛散温通作用以达到活血化瘀、通经活络、消肿止痛的目的。笔者用此法治疗 17 例创伤后遗症，除 1 例因颈部瘢痕不便熏洗而中止治疗外，其余病例均收到较满意之效果。实践证明，活血化瘀药不论内服外用，对跌打损伤所致的肿胀、疼痛、功能障碍均有效，但对瘢痕组织的软化吸收尚不理想，有待今后进一步研究。此外，笔者临床中常用局部熏洗法，治疗因肾虚所致的足跟或足底疼痛者，以及因生长骨刺而引起的疼痛，也取得一定的效果。

药物组成：苏木 30g、红花 10g、桂枝 30g、桑枝 60g、五加皮 30g、樟木 40g、川芎 25g、松节 60g、川花椒 20g。

用法：每日 1 剂，每剂加水 3000ml 至 4000ml，煎至 2000ml 至 2500ml，然后将药液倒入脸盆内，水温较高时采用熏法，适宜时则用洗法，手足可用浸泡法，熏洗浸泡时，可配合局部活动，每日 1 或 2 次，每次 20~30 分钟。

例：罗某，男，18 岁。左前臂上 1/3 处枪弹贯通伤病人。经外科处理后伤口愈合，但左肘关节不能伸直，屈成 130°角，屈指未及半握拳，诸指不能靠拢，且不能伸直，前臂内侧有麻木感。经用熏洗法 28 天后，左臂屈伸自如，诸指可以靠拢，能握拳，麻木感消失。

仙方活命饮治验录 |刘尚义|

　　《医宗金鉴》谓仙方活命饮为"疮疡之圣药，外科之首方"。通过临床实践，其清热解毒，消肿溃坚，活血止痛之力最著。余每遇疮毒初起，赤肿属阳证者，投用本方，皆收卓效。1977年6月在瓮安有患儿皮燕，4岁，左颈部生一4cm×5cm大小痈毒，炎症红肿范围颇大，周围组织浸润性水肿，紧张，有扩展趋势，压痛甚，尚未成脓，伴身热、烦渴等全身症状。每日肌肉注射80万U青霉素已3天，疮毒不见消散，且日渐扩张，当时为其疏仙方活命饮全方：金银花12g，防风6g，白芷6g，当归6g，陈皮5g，甘草3g，白芍9g，贝母6g，天花粉12g，乳香、没药各6g，穿山甲珠6g（炮），滇皂角刺6g。水酒各半煎，日3服，冀其作脓嘱云：若中途有变及时来告，小舟重载，幸勿轻视。药进2剂，其母背负患儿来找，述患儿乍寒乍热，颈上痈毒已成脓，有穿透之势，余启视，其痈已缩小，红肿局限，有如熟透柿子，中有南瓜子大小的小白点，大有一戳即溃之势，因手边无器械敷料，嘱速去外科切开引流，刚出门，其痈自溃，流脓200ml，塞凡士林纱条，盖敷料，1星期后平复如旧。说来也凑巧，4个月后，其叔皮高元也在左颈人迎穴位处生一痈毒，其势颇剧，约有8cm×6cm大小硬块，皮色红肿，充血，头偏右，颈项强直如落枕状，痛剧，专程来城治疗，疏方为仙方活命饮全方。仍水酒各半煎，日3服，2剂后，前来复诊，述说服药当晚即不感疼痛，第2天肿块渐消。余视病人颈项强直明显减轻，肿块已缩小一半，尚有4cm×3cm大小，且压痛减，继服仙方活命饮2剂，4日后肿块完全消失。偌大肿块，竟收效于4剂中草药，岂非快事？1974年在福泉牛场，曾治一兰姓缝纫工人，臀部生一4cm×5cm大小痈毒，服用本方6剂肿消痛止。尚有贵州省中医研究所一罗姓女孩，左大腿生一4cm×3cm大小硬块，不甚红肿，已肌注青霉素、链霉素1周，硬块未消，疼痛依旧，投用本方5剂，平复如旧。本方"验、廉、便"，被誉为"外科首方"信不诬也，值得推广使用，非那种"术贵药奇"方药所能同日共语。依予粗浅体会，若不加酒同煎，效力顿减，以酒代水煮药或水酒各半煮药效力相仿。

仙方活命饮加黄芪治疗指痈 　|李淦方|

中医治病历来强调"知常达变"。何谓"知常"？即指一般病证的治疗方法；"达变"则是疾病在异常情况下所产生的特殊病证，根据这些特殊病证，即"变证"，在处方中给予相应的加减处理。

余曾用仙方活命饮加用黄芪治疗指痈，收效颇著。

仙方活命饮由穿山甲、天花粉、甘草、乳香、没药、白芷、赤芍、贝母、防风、皂角刺、当归、陈皮、金银花所组成。具有清热解毒，消肿溃坚，活血止痛之功，是治疗阳证疮疡的主方。

指痈，属外痈的小症候。其成因，多是由脏腑火毒凝结于皮肤之间，留滞于经络之中，郁而发之。具有外痈红、肿、热、痛的特点。

其治法不外乎外治、内治两个方面。外治多以清热解毒药外敷；内治则以消、托、补三法随证治之。某些医生只知外痈必用清热解毒药，却不知随证加减之义。选中仙方活命饮而一服到底，导致病情缠绵，病者受苦多矣。

余曾于1981年诊治过1例指痈患者，先经某医院诊断无误，给予仙方活命饮也无可非议。但断续服用20多剂，病情反反复复，一拖就是月余。些许小症，何需如此漫长时日？余认为，医者用药太死，所用药物，全无加减变化；忌补品，恐邪恶。余当即在原方之中加用黄芪30g，3剂即愈。黄芪虽是一味补气之品，但于补气之中具有升阳、托毒生肌之力，有画龙点睛之妙。

从肝论治风热瘾疹 　|欧炳楠|

瘾疹、瘩瘤，大别之不外乎偏热偏寒，《备急千金要方》云："有赤轸者忽起如蚊蚋啄，烦痒剧者，重沓龙起，搔之随手起；又有白疹者亦如此。"且又均以"风"为特点，骤起骤退，奇痒游走。每遇风热瘾疹，鄙见认为除却外风，肝经血热而生内风亦系重要病机，反复日久尚可挟瘀挟湿。多以清肝凉血祛风，兼以散瘀清热燥湿论治。自拟"热疹汤"：柴胡10g、黄芩10g、荆芥10g、防风15g、薄荷5g（后下）、蝉蜕10g、牡丹皮15g、赤芍15g、苦参25g、黄柏10g、白鲜皮15g、地肤子15g、土茯苓30g、地龙15g、蛇蜕5g、钩藤25g（后下）、甘草5g。可消疹止痒，常有奇效。

如曾治钟某，男性，37岁，遵义县烟草公司采购员。3年前在本院皮肤科确诊为"人工荨麻疹"，反复施用西药不愈。又经省内务大医院中、西医治疗罔效，于1984年8月9日前来初诊。3年多以来，全身皮肤奇痒难忍，痒无定处，几无宁日。近日竟至需家属数人同时搔抓，犹嫌不及。凡着力搔抓处瞬即有红色条状风团隆起，状如蚯蚓。入夜痒尤甚，心烦易怒少寐，口苦溺黄便干。查皮肤划痕明显阳性，色潮红。双目现红丝，舌红略紫暗，苔薄黄，脉弦滑。系肝经血热生风，发为瘾疹。日久湿热化瘀，故缠绵难愈。乃用前述"热疹汤"治之。

连服13剂后，复诊发痒减轻，亦无烦怒，划痕征亦减轻。又间断服16剂，则由初诊前每日数次瘙痒大作，减至逾旬方偶发1次，且瘙痒日渐减至甚微，夜能安寐，已无口苦溺黄便干，查皮肤划痕征已显阴性。1985年1月2日，患者特来告知，已近2个月瘙痒未作，然心有余悸，求再检前方数剂备用。随访至今已过半载，未见复发，3年痼疾，遂告痊愈。

"热疹汤"中，入肝经之药占绝大多数，从肝着眼实系贯穿全方主线。概言之，应用指标总以热证、实证为宜，且若见端绪，贵在守方。

《素问·至真要大论篇》虽云："诸痛痒疮，皆属于心。"然肝病可传心，本方从肝论治以防母病传子，寓有釜底抽薪之意，不悖亢害承制之理。

因势利导，脓尽痛愈 ｜陈国信｜

肺痈是指肺部化脓性疾病，因风热犯肺，热灼津为痰，热、痰、血壅结，酿成痈脓，以发热、胸痛、咳吐腥臭痰，甚则咳吐脓血为主症。脓血痰为邪气，停积于体内，正气反伤，脓痰排出，邪去则正复。余在治疗时，常遵循《金匮要略》"呕家有痈脓，不可治呕，脓尽自愈"的原则，以排脓为宗旨，用千金苇茎汤为主方，收到满意效果。

千金苇茎汤，药味虽少，配伍严谨，方中苇茎，甘寒，清泄肺热；薏苡仁、冬瓜仁，排脓祛痰；桃仁，活血祛瘀，共奏清肺化痰，祛瘀排脓之效。临床验证，服此方后，能顺其咳吐脓血痰之机，大量排出脓血痰（多则24小时吐出1000ml以上脓痰）。由于脓血痰排出，脓尽邪去，邪去病愈，大大缩短病程，提高疗效，减少病人痛苦，实为治疗肺痈常用之良方。

浸 淫 疮　|周国雄|

浸淫疮谓浸渍淫溢于肌肤之皮疮（俗称黄水疮）。瘙痒难耐，搔破流黄水，蔓延迅速。《金匮要略》谓"浸淫疮，黄连粉主之"，意用黄连之苦寒，以清热燥湿为宗旨。余在临床恪守这一辨证原则，治疗顽固性皮肤病，常奏奇效，姑录一二验证。

1984 年之夏，我校中文系戴植秋老师介绍其归国学生邓某，约 50 许，得一皮肤顽疾，经在国外治疗无效。故从加拿大回广州求中医治疗。经询知患者之皮肤病，已得数年之久，常反复发作，每发则全身瘙痒，由小红疹而发展成斑疹，抓后浸淫糜烂渗液，由四肢皮肤可蔓延至全身皮肤，用西药肾上腺皮质激素可控制发作，但常诱胃病复发，故不敢妄用。这次发病是在 2 周前，不明原因两臂开始发生红疹，继之周身瘙痒。患者脸色晦黄，然舌质红而苔黄腻，脉象沉滑数。余乃按湿毒内郁，发为疮疹辨证，投以清热解毒，祛风祛湿之品。方用：忍冬藤 30g、蒲公英 30g、夏枯草 30g、连翘 10g、黄芩 10g、栀子 10g、防风 10g、泽泻 10g、车前草 30g、苦参 15g、地肤子 15g。

服药 3 剂，皮疹未见减轻，但舌质红苔黄已减轻，脉象亦不再沉，余辨为内伏之湿邪经治已由里出外，病证向好的方面发展，但热邪仍重，乃宗上方减去走表之药，增加清解之品，处方如下：

忍冬藤 30g、蒲公英 30g、紫花地丁 15g、连翘 10g、生石膏 30g、知母 10g、栀子 10g、苦参 15g、地肤子 15g、猪苓 10g、泽泻 10g、白茅根 30g。又服药 3 剂，患者自觉病症加重，四肢浮肿，肤疹增多，瘙痒明显，抓后渗液无脓点但夜间难以入睡，舌苔白腻，脉象弦滑。患者甚苦恼，自谓失去治病信心，余安慰曰，此属浸淫疮。乃湿热蕴日深，今热虽减轻，而湿邪缠绵，然湿无热援，其势孤矣，乘胜而进当渐入佳境，嘱勿多虑。

三诊处方如下：苍术 10g、厚朴 10g、陈皮 10g、藿香 10g、猪苓 10g、泽泻 10g、地肤子 15g、苦参 15g、忍冬藤 30g、蒲公英 30g、槐花 15g、地榆 15g。

四诊：服药 3 剂后，尿量增加，症状大减，浮肿消退，皮疹只在四肢远端散发，夜间已能安睡，舌淡红，苔薄腻，脉弦微数。虽病势大减，但余邪未尽，乃用下方：忍冬藤 30g、蒲公英 30g、黄芩 10g、地肤子 15g、苦参 15g、槐花 15g、地榆 15g、茯苓 10g、猪苓 10g、泽泻 10g、白茅根 30g。服药 5 剂，病情继续好转，除有时觉手部有少许瘙痒外，余无不适，脉舌同上，拟养血清热冀收全功。处方如下：丹参 30g、生地黄 10g、鸡血藤 30g、白芍 10g、桑寄生 15g、枸杞子 10g、蒺藜 10g、地榆 15g、槐花 15g、忍冬藤 30g、连翘 10g。经治而痊愈。

夏疮久不愈，参苓白术效 ｜罗亮光｜

夏季是皮肤疮疖多发的时令，缘气候炎热，湿热熏蒸，人体皮肤经常受汗液浸渍，常患痱子、脓疱疮、疮疖等病，一般经过适当处理，多能迅速痊愈。但亦有经药物治疗只能控制一个时期，又反复发作久治不愈的病例。这类患者以幼儿较为常见。

本人行医 30 多年，专于皮肤疮疡杂证，每遇这类病例，多从脾胃用药，选用平凡的参苓白术散，加减用之，多取得意想不到的效果。

幼儿对疾病的抵抗力较差，伤于暑湿，暑伤元气，湿积伤脾。而疮疖之患，一般多用清热解毒之剂，若反复使用，脾胃受其克伐，致使脾胃气虚，影响气血生化之源，因而机体日渐虚弱，病症日增，如消瘦，面色不华，汗多，纳呆，颈、耳后、枕后痰核（相当于淋巴结）增大等见症便会接踵而来，因而予参苓白术散加减，调理脾胃，改善其运化功能，增强其抵抗疾病的能力，此属治本之法，临床疗效颇佳，浅陋之见，供同道们参考。

普济消毒饮治疗痤疮并感染 ｜双安安｜

某男青年患痤疮并感染，面部红肿，痤疮密集连片，两颊化脓溃破，瘢痕挛缩，并有新成之皮下脓疖 10 余处，小如谷粒，大如蚕豆，触之有液波感，面容可怕。患者苦痛不堪，羞于行路。吾省之，痤疮喜发于男女青春期，盖青春期乃人生长最速之时，如天之春，其性生发畅达，若稍有抑郁，则血络不通，郁而化火，灼烧肌肤而成此疾。故其治疗，应清其热，解其毒，发其郁，升其性，通其络。故以普济消毒饮去芩连之苦寒，加桑叶、菊花、蝉蜕、金银花、丝瓜络，初服 2 剂，面部肿胀消退，痤疮渐没，后嘱其再进 3 剂，脓液吸收，痤疮消失，而面容焕然一新。

粉刺从心治 |倪大钧|

粉刺多发于颜面、胸、背等处，因挤之有米粒样白色粉质而得名。又名"肺风粉刺"，俗称"青春颗"，广州民间谓之"暗疮"，现代医学称为"痤疮"。本病多发于青年男女。

一般认为，本病是由于肺经风热，熏蒸皮肤而成，故以肺施治，多用《医宗金鉴》枇杷清肺饮为主方治之。余在多年临诊实践中，见本病有疮疹颜色鲜红、面部烘热或灼热感、溲黄舌尖红、心烦急躁之症者，并不少见，实系不同程度的心经火热征象，故从心施治，投以水牛角地黄汤（水牛角代犀角地黄汤中的犀角）加味治之，每获显效。余初用水牛角地黄汤时，囿于《千金方》治热燔于血分之说，药量偏小，继思地黄、芍药、牡丹皮三味是外科常用的清热养阴散瘀药。三药同见于一方中亦为多见，一味水牛角究能改变本方多大性能？于是渐增用至一般药量，甚至较大药量，未见明显的不良反应。

《内经》云，"心主血脉，其华在面""营气不从，逆于肉里，乃生痈肿""诸痛痒疮，皆属于心"。从经络分布及病因病机，说明心经有热，郁于肌肤，发为"粉刺"。至于本病反复发作，痼疾难愈，乃系心经伏热，恋而不去，每遇辛辣炙煿之食，或七情气郁化火之因，增加血热，疮疹则随之而起。加味水牛角地黄汤有清热解毒，凉血散瘀之功，用以治疗心经血热，血热去，瘀滞散，疮疹继之得解。

民族医药点滴 |罗俊儒|

吾常至少数民族地区，发现民族医药有很多独特的疗效，试举2例。

少数民族喜食牛、马、狗肉，爱喝酒，因此贵州少数民族地区有些病人鼻子红燥，俗称酒糟鼻，用猪胆汁兑酒，调硫磺末敷，半月即愈。分析鼻为肺之门户，由于饮食不慎，使肺经燥热，在鼻部形成红燥，少数民族用此清凉之法，花钱不多，病又痊愈。

某些少数民族居于山沟，常患一种皮肤病，当地人称为"疣子"，其病见满脸和肢体皮肤生粟粒状疹，不时发痒，颜色灰黑，并具有传染性。当地人用老姜一块磨陈醋频搽、日久自然脱去，皮肤不留痕迹。分析此病由于居处寒湿地区，因受寒湿结成"疣子"，这是一种顽固的皮肤病，法用老姜可以除寒，陈醋清热疏肝。这也是不花钱治大病的例子。

以上虽仅2例，但说明民族医药是有其疗效的，应当用中医药的理论来总结经验，用科学的方法来分析药物，使民族医药发展起来，更好地为患者服务。

全身皮肤瘙痒症　　|刘尚义|

全身皮肤瘙痒症是常见的外科皮肤病，求治于中医内科者不少。主要表现为自觉发痒，抓搔后出现抓痕、血痂、丘疹、色素沉着、皮肤肥厚等继发病变，《平脉法》云："风气相搏，必成瘾疹，身体为痒，痒者名泄风，久久为痂癞。"究其病因比较复杂，但临床常见不外乎两类：一为湿热蕴于肌肤，不得透发；一为血虚生风。前者为实证，后者为虚证。湿热型用二妙散（苍术、黄柏）加萆薢、生石膏、麻黄、百部、云茯苓、地肤子大多可以治愈；血虚型重用生何首乌合四物汤、蝉蜕、白鲜皮、牡丹皮、防风、刺蒺藜，每多显效。患者张明英，瓮安县人民医院内科病房护士，产后半月，恶露未尽，全身瘙痒，入夜更剧，服用扑尔敏，静注痒乐民苦、氯化钙，瘙痒仍在，服用强的松稍有缓解，停药瘙痒依旧。中医诊视，面色不华，神疲倦怠，四肢胸腹多现抓痕，自述瘙痒钻心，搔抓出血，痛苦才减。舌胖，舌边有明显齿痕，薄白苔，脉沉细无力。产后血亏，肌肤失养，血虚化燥生风，治宜养血祛风止痒，拟：生何首乌60g、桑椹30g、生地黄15g、白芍15g、刺蒺藜12g、白鲜皮9g、蝉蜕6克、珍珠母30g、红花3g。服药2剂，瘙痒全无。随访4个月无反复。3日后，同医院化验室小李亦来诊视，其患全身瘙痒症已数月，夜卧被热，瘙痒顿起，辗转搔抓，艰寐失眠，故面色苍白，体瘦，纳谷衰少，乏力，舌瘦尖红，脉细数。此属肝血不足，血虚生风化热，治宜养血育阴，祛风止痒，拟方如下：珍珠母、生何首乌、桑椹、生地黄、牡丹皮、地骨皮、白鲜皮、防风、蝉蜕、刺蒺藜，水煎服。3日后病者自诉瘙痒停止，夜间睡眠比较安稳，续进2剂巩固疗效。随访3个月，亦无反复。

以上两例均有良效，可见中药治疗全身瘙痒症有明显效果。中医认为"诸痒皆属于风""诸痒皆属于虚"。前面的"风"指风湿热，属实；后面的"虚"指精血不足，属虚。风湿热所致之全身瘙痒者治宜清热利湿，二妙散加味有效；精血不足，血虚生风者宜养血祛风，四物汤加减有效。值得提出者是珍珠母、生何首乌、桑椹，刺蒺藜、白鲜皮、蝉蜕，止痒效果很好，只要在辨证基础上加用这些药，往往能大大增强止痒效果。应当注意的是一定要重用珍珠母和何首乌，何首乌一定要生用，用制何首乌效果则差。

皮肤瘙痒刍言　　|陈汉章|

皮肤瘙痒，病机各异，风湿热所致、血虚风燥而发，证之常见者也。而证之变化者，则难以尽述。临证举隅，借以抛砖引玉。

曾见一名50岁男性工人，冬令下半身皮肤瘙痒，经医治近2个月，未曾减轻。阅其病历，或以养血祛风，或以固卫御风，此治疗之常法，应当有效；而其不效者，何也？查患者胃纳如常，二便调和，似无证可辨。思之，莫非其人嗜酒乎？询之果然，验之舌苔，苔黄白而腻，脉濡滑而数，证属湿热为患，乃予茵陈蒿汤：茵陈30g、栀子15g、大黄10g（后下）。3剂后症减，6剂渐愈，继以养阴清热以善其后。

本例乃因医者囿于冬令瘙痒，多为血虚风燥或卫虚表不固所致，然其不效，查之似无证可辨，但询其嗜饮，嗜酒者多湿，蕴湿生热，湿热熏蒸于皮毛，发为痒症，舌脉可证，病机即明，疗效可望，此变化之一例也，亦常中之变也。时令应凭而不可囿，常法可遵而不可固执也。

又诊一青年工人，秋令突感全身无汗，即使近煤炉良久亦不出汗，而全身觉痒且热，虽有风扇直吹亦不减，数更医而未效，翌年春夏之际来诊，证见患者形体壮实，饮食二便如常，无何嗜好，舌苔正常，脉缓。何以辨证？思之，病起于秋，乃以肺燥论治，给予清燥救肺汤3剂，无效果可言，舌脉如前。询其痒且热以何处为甚，答曰"上身为甚"。思之，肺主皮毛，此风热壅遏肺耶？试以麻杏石甘汤治之，6剂微有汗出，痒减，再进4剂，汗稍多，仍觉不畅，再三思之，皮毛疏泄不畅，尚当求之于肝，因肝主疏泄故也。乃于麻杏石甘汤中加柴胡、绵茵陈疏肝解郁，兼以清湿。6剂后，汗出畅，痒消，调理善后而瘥。

本例初诊囿于病起于秋而从肺燥论治，无效，继而抓住痒且热以上半身为甚，乃以肺主皮毛，风热之邪发于上而诊为风热壅遏肺经，用麻杏小效而未愈，再三思之，从肝的疏泄功能考虑，盖肝主疏泄，包括气血之疏泄，情志之条达，消化之疏泄，阳和布化，阴气乃随，生气淳化，万物以荣，故加疏肝之品后则获效也。

治瘙痒一得 　　|蓝心孚|

　　皮肤瘙痒之病因颇多，治法各异。常用者或散风、或清热、或养血、或除湿、或杀虫、或解毒，不一而足。临床上贵在辨证求因，审因论治。若证情有异，则常法又不可拘。我在临床上常见到一种因肝郁化火伤阴所致之瘙痒，每用疏肝解郁、泻火养阴而取效。

　　曾治一女性患者，年 38 岁，干部。自诉皮肤瘙痒难忍，抓痒后，引起抓痕、丘疹、血痂，多发于四肢背部，特别是坐下时，臀部受到压迫，则瘙痒更加严重，反复发作，时剧时缓。经西医诊为皮肤瘙痒症。但屡治不效。后转中医治疗，有的认为血虚风疹，多用当归、白芍加解毒止痒之品，服后，病情有增无减，徒增烦躁不宁；有的改用养血润燥，亦无寸效。究属何因而久治不愈？当时见患者形体瘦弱，面容憔悴，叹息频频，询知尚有偏头痛，眩晕，口苦干，口臭，喜呕，胸闷，心悸，心烦易怒，疲乏无力等症状，左脉沉细带弦，右脉弦细，舌质红，而苔薄白。综观脉症，显系属于忧郁所致的病理状态。细询其故，乃知夫妻素常不睦，长期以来，忧思恼怒，致肝郁化火，火邪伤阴，阴虚火郁，气血运行不畅，皮肤肌腠失养，发为瘙痒不已。因此采用疏肝解郁以散火，益气养血以补阴，少佐止痒之药，则瘙痒自止。方用生脉散合小柴胡汤加减：北柴胡 4.5g、枯黄芩 15g、陈半夏 6g、太子参 15g、麦冬 15g、五味子 3g、瓜蒌皮 12g、苏薤白 12g、赤芍 15g、黑玄参 15g、地肤子 12g。连服 3 剂后，瘙痒减轻。再服 3 剂，胸闷、心悸亦大大减轻，精神舒畅，瘙痒微乎其微，但口干依然如前。可见泻火易而复阴难，再按前法出入：北柴胡 3 克、枯黄芩 12克、太子参 15g、麦冬 15g、五味子 3g、川郁金 12g、京丹参 15g、黑玄参 15g、玉竹 15g、何首乌 15g、赤芍 15g、地肤子 15g。连服 3 剂，瘙痒基本消失。继用生脉散加减：太子参 15g、麦冬 15g、五味子 3g、川郁金 12g、京丹参 15g、黑玄参 15g、远志肉 3g，嘱服3～5剂，以资巩固。

加味神应养真汤治油风 　　|杨月波|

　　油风，俗称鬼剃头或鬼舐头，现代医学称"斑秃"。症见：头发突然成圆形或椭圆形片状脱落，不留一茎，患处皮肤光亮，无炎症，或有轻度发痒如虫行，或毫无感觉，严重者全部头发及眉毛均脱光。此病多由肝血不足，血虚受风，风胜生燥不能营养肌肤、毛发，或肝气郁结，气机不畅，以致气滞血瘀，发失所养而成。治以养肝消风，活血化瘀。方选加味神应养真汤，水煎服或泡酒服。

方药组成，熟地黄30g、当归15g、白芍15g、川芎10g、羌活10g、天麻10g、木瓜15g、菟丝子15g、红花10g、制何首乌30g、女贞子15g、墨旱莲12g、桑椹30g。为1日量，重症可适当增加用量。局部外搽生姜，每日2～3次。一般3～6个月可愈。笔者先后观察治疗21例均达治愈效果。举例证之。

夏某，男，42岁，干部。1972年5月来诊，述2日前晨起时觉头顶部有拇指大3处头发全部脱光，脱发处不痛不痒，脉细弦，舌质红，苔薄白。诊属油风，为肝血不足，血虚生风，风胜生燥，以致血滞不能营养肌肤毛发所致。治以养肝消风兼活血润燥。方以加味神应养真汤煎服。局部外搽生姜。

服药2剂后，新发不仅未生，原存毛发几乎全部脱光。当时患者精神异常紧张。笔者根据以往治疗中出现过类似情况的经验，告之其因有二：患者病情正在发展阶段，药物还未能制止其发展，此其一。方中活血化瘀药起了去瘀生新作用，应看作是生效的表现，此其二。故未更方，继以原方进治。当服药至12剂后，即见患处有细软淡黄色之丛毛生出，服药24剂后，丛毛逐渐变粗变黑增多，此后以原方泡白酒服，5个月后头发全部复生，至今已13年未见复发。

斑秃虽可憎，治疗终有法　|陈秀珍|

有些人昨天还是乌亮之发满布于头，一觉醒来却掉了一片。这种突然成片脱发的现象，俗称"鬼剃头"，医名叫斑秃。它虽然不是什么危险的疾病，但由于头发成片脱落，影响容貌的美观，带来精神上的烦恼。

此病目前虽然还没有什么特效药物，但笔者经过多年的探索，用益气活血，补肾养肝的方法治愈了部分病人，有了良好的苗头。如梁某，男性，48岁，1983年初夏突然出现头部铜钱大小的脱发，斑秃处皮肤光滑，肤色正常，而秃痕日渐扩大，舌质红，苔薄黄，脉细数。予养肝活血，益气养阴法。处方：何首乌24g，生地黄、桑椹各15g，女贞子、白芍、黄柏各9g，墨旱莲18g，黑豆30g，黄精15g，牡丹皮6g，甘草3g。水煎服，每日1剂。连服10剂，未再继续脱发，斑秃处见细小新发初长。守原方加知母9g，又服3个月后秃处已长出粗黑头发，舌淡红，苔薄白，脉平缓。停药追访近2年，发长如常。

发为血之余。《素问·上古天真论篇》曰："……肾气盛，齿更发长。"《金匮要略》曰："夫失精家发落。"由此可见发与血、肾、精有关。肝藏血，肾藏精。精血足，毛发长，精血耗伤，发枯脱落。所以用补肾益气，养肝活血之法。其中特用黑豆一味，补肾养血，益精。这病治疗时间虽长，但终究有法可治，只要坚持下去，是能把斑秃治愈的。

脱发亦当从活血论治　|黄自元|

脱发，中医称油风，时尚多从血虚生风立论，施以养血祛风之法。然血虚生风只为脱发病机的一端，尚不能概括脱发病机之全部，故以养血祛风治疗脱发，有时有效也有时无效。王清任说："皮里内外血瘀，阻塞血络，新血不能养发，故发脱落"（《医林改错·通窍活血汤所治之症目》）。其治当活血化瘀。余遵王氏之意，凡脱发见舌有瘀斑，概从活血论治，药用当归12g、赤芍9g、川芎6g、红花9g、桃仁9g、三七9g、生姜6g，每获奇效。

烫火伤外治随笔　|尹祖明|

汤浇火伤，轻则给人痛苦，重则终身留疤致残，甚则危及生命，岂能忽视？先贤提出清热、解毒、益气、养阴及补气养血等法。尤以外治之药物，它能直接达于伤处，发挥治疗作用，故备受历代医家的重视。笔者认为，火热烫伤，表卫受损，皮毛不全，灼伤经脉，营卫不和，患处焮红起疱，渗液流津，甚则创面干燥，皮焦肉熟烂。但凡火毒为患，必致气血凝滞，而出现疼痛；表卫损，经脉伤，则毒邪内侵；火热炽甚，易传脏腑。外治之法，应以活血定痛，解毒泻火之法为宜。尤应以止痛为快，解毒力强，修复皮肤，愈后不留瘢痕，而且药源易寻，药价低廉，易配制者方为上乘。言及此，笔者回顾数十年来在临床使用的"烫伤膏"，对不少轻伤及较大面积Ⅱ度和小面积Ⅲ度烫火伤患者数百例之治疗证明，确具上述各种优点，可谓屡用屡验。治愈时间短则一两天，最长为6周左右，一般10天即愈。尤可贵者，在经治患者中，仅见2例遗留瘢痕，且都属于Ⅲ度烫伤之幼儿患者，一在受伤时以手抓扒伤处，一是先在他处治疗中曾以器械在伤处边缘深部多次挖除脓灶点，为手术所伤之弊。其余患者愈后，仅遗留深浅程度不同之色素，与健康皮肤稍异，间有极少数伤处残留白色瘢，但都在 3 个月或 1 年后减退。

忆前曾治一患者，因抢救国家财产，捧持燃着的汽油箱，致使双手严重烧烙伤。诊时见患者神疲体倦，胸闷欲呕，发热烦躁，口渴引饮，双手从指、掌及前臂远端大部分布满焦痂、龟裂，压之有少许臭秽脓液溢出，小部伤面呈现苍白潮湿夹紫色黯斑点，剧痛，伸手震颤难支……此为毒热炽盛、气阴两伤而欲犯心包之候。乃以 5% 黄连水涤洗伤面，外敷"烫伤膏"，分指包扎，药到患处顿有清凉痛缓之感。并服清热解毒、益气养阴护心之剂。翌日再诊，自述夜来痛止睡酣，胸闷欲呕之症消失，热减神清思食。伤处色泽较活，脓秽减，焦痂如故。治如前法。凡数诊，发热心烦诸症悉除，眠可，纳增，二便调和，伤面渐小，小焦痂已陆续剥脱，苍白紫黯斑点亦转鲜活，水干，惟掌背连及前臂之大块焦痂未落，未足为喜，再守前法至第 16 诊（共 16 天），揭膏时异臭扑鼻，视为焦痂随药膏离去，伤处露出如珠嫩肉。停服中药，如法外治，二三天换药 1 次，为时 40 天，皮长无疤，皮色较深，除左小指微屈外，双手活动如常。

"烫伤膏"虽非登大雅之堂之品，然对临床烫伤堪称有效。列方于下：生石膏（选玉白色者良）为君，大黄、甘草为臣，梅花冰片为佐，凡士林膏为使。制法：生石膏研粉过 100 目筛；大黄、甘草水煎，过滤，半浓缩成液，待冷，拌入石膏粉，保洁，阴干或晒干；再入梅花冰片共研成粉；将粉与凡士林调成 50%～60% 软膏即成。用法：用 5% 黄连水洗涤伤面，有水疱者用消毒针穿刺二孔，引出疱液；若有焦痂欲离部分，宜先剪去；较重伤面每日换药 1 次，一般可隔二三天换药 1 次，按伤处大小，将膏摊于敷料上约大半分厚为宜，敷料厚薄则应以冬厚夏薄为原则。

烧伤治验　　|王德玉|

烧烫伤总属火毒损伤，轻者仅出现伤面红、肿、热、痛，重者常因毒热燔灼，伤阴耗血，并可进而伤损阳气，危及脏腑。但不论病情轻重，如能抓好伤面处理，轻者数日痊愈，重者亦可转轻。

近几年来，余以清火败毒为重点，选用一派寒凉药，拟制出"复方紫草油纱"一方，经治各型烧烫伤患者数百例，均获良效。

方用紫草、生大黄、生黄柏、生地榆、生石膏、寒水石、炉甘石、生地黄各20g，黄芩、黄连各10g，置入医用凡士林1000g中，文火煎炸至药物枯黄后，趁热过滤去渣，加冰片粉1g于滤液中，混匀，入消毒纱布块适量，制成油纱即成。

用时取单层油纱敷于清洁后的伤面上，包扎、暴露均可，视伤情一二日或三五日1换，直至痊愈。

本方有清凉止痛、防治感染、减少渗出和促进创面愈合等作用。油纱内的"药油"以稍多为好。

患儿黄姓女，3岁半。被沸油烫伤右侧面、颈、肩、胸、背等处，烫伤面积为14%，大部分为浅Ⅱ度烫伤。先经凡士林纱布、抗生素等治疗1周未愈，创面出现脓性分泌物，部分组织有坏死征象，患者头偏患侧，不能抬起。遂取用复方紫草油纱，取包扎疗法，经治5天，痊愈出院。

以一派寒凉药以寒胜热治烧伤有效，说明内经"热者寒之"的治则亦适用于外治。

骨性关节炎 |刘尚义|

骨性关节炎，临床上亦称骨质增生，是一种常见病、多发病，其病因尚不完全明确，但多数学者认定，骨性关节炎并不是由普通炎症所引起，而是由于生理退化作用所造成的结果。绝大多数人年过40岁以后，都有不同程度的骨性退行性病变，若再加上慢性劳损，就有可能罹患其他多种骨病，如化脓性关节炎、痛风、类风湿、关节畸形、骨折畸形愈合等，增大了骨性关节炎的发病率，现代医学证明本病在病理上的非骨性改变，病理变化始于关节和骨，中年后由于组织逐渐变性，软骨易被磨掉而使软骨下的关节皮质骨面显露出来，软骨下负重部分的关节皮质骨发生保护性骨质增生，所以严格说起来，骨质增生并非是一种疾病，但由于骨性退行性的改变，导致关节疼痛和不灵活，严重影响功能。近年来，根据中医"肾藏精，主骨""腰为肾府""风、寒、湿三气杂至合而为痹"的理论，运用补肾活血、祛风除湿、散寒止痛的方法，治疗经现代医学诊断确诊的腰椎骨质增生，有较好治疗效果。曾治患者李东君，男，45岁，广西籍，瓮安公路养护段职工，经县医院X线拍片证实为腰₃、腰₄明显骨质增生，自述曾有腰部慢性损伤史，近年来腰脊痠软，每于阴雨或气候骤然转变，腰痛如折，晨起之时站立疼痛最为明显，伴有头昏，乏力，倦怠，舌质淡，苔薄白腻，脉弦细，两尺无力，启视腰部，痛处有肿胀，肌肉有痉挛及萎缩，腰₂、腰₃、腰₄椎体有压痛，尤以第4腰椎压痛最为明显，俯仰转折腰痛增剧。根据中医"肾主骨""腰为肾府，肾虚则腰痛"的理论，天气变化腰痛明显，证属肾虚、风湿痹阻，治宜补肾脏，侧重治本，除风湿，着眼于止痛，拟用胡芦巴、杜仲、补骨脂、肉苁蓉、姜黄、威灵仙、防己、桂枝、豨莶草、蚕砂、丹参、蜈蚣等出入为方，水酒各半煎药，连服20余剂，腰痛得除，转动灵便。后变汤剂药为药酒方，巩固疗效。又一患者刘省凡，男，40余岁，瓮安永和食品站职工。腰痛日久，经县医院X线拍片诊为第2腰椎骨质增生，伴有畏寒肢冷，纳呆食少等一派脾肾阳虚征象，在辨为脾肾阳虚的基础上加用止痛药，亦收明显效果，用胡芦巴、补骨脂、仙茅、锁阳、豨莶草、防己、威灵仙、姜黄为方，水酒各半煎服。临床证明，补肾药加用镇痛力卓著的豨莶草、防己、姜黄、威灵仙，治疗骨性关节炎有很好的止痛效果。

附骨疽临证验谈 ｜林如高｜

附骨疽因附骨而得名，相当于现代医学的骨髓炎。常见于诸外科急性化脓性感染之后。由于邪毒内犯不得外泄，腐蚀筋骨，流注肌肉而成；或正虚卫外不固，风寒湿诸邪乘虚进犯并碍于筋骨之间，化热酿成脓毒所致；或骨折断端穿破肌肉，与外界相通，失却卫表之护，毒邪尤易趁机内扰并酿成脓血而成。

我从事骨伤医疗80多年，本病多见于男性少壮之年，与繁重劳动有关。附骨疽以胫腓骨、尺桡骨多发，经我治愈者颇多，显效好转者亦不少。愿将临证一得介绍出来，以供参考。

附骨疽病情复杂多变，治疗用药宜辨证施治。大体附骨疽以疮口经久不愈为主症，若兼胀肿，发热炽盛，疼痛不已，且脓液浊厚腥臭者乃毒热炽盛；面色苍白，少气倦怠，心悸健忘，眩晕纳呆，疮口渗脓清稀，肉芽苍白浮肿者乃气血双亏；若体虚畏冷，四肢不温，面色无华，倦怠懒动乏力，饮食喜温热，窦道或瘘管周围瘢痕肿硬无华，遇寒遇劳痛增，乃阳虚寒盛；倘兼腰酸腿软，眩晕健忘，心悸耳鸣，乏力懒动，男子遗泄，女子月信失常，属肝肾两虚。治宜内外并进，攻补兼施。内治：毒热炽盛，则以退瘀消肿汤化裁，而有泄热解毒之功；气血亏损，则以参茸大补汤，双补气血，扶正克邪；阳虚寒盛时，以托里定痛汤，补血温中散寒定痛；肝肾精髓亏损，则以补肾丸，滋益肝肾，填精补髓。外治有药捻引流抽毒排脓，骨疽膏蚀腐死骨，消炎膏外敷，以祛腐生肌，过皮膏以敛疮，促进愈合。经过以上辨证内外治疗，附骨疽多能治愈。

附方：

退瘀消肿汤：生地黄、地骨皮各9g，川黄连、防风、黄芩、黄柏、栀子各6g，知母、泽泻、土鳖虫、灯心草、茯苓、车前子、金银花各9g，薄荷3克。

参茸大补汤：制川乌、当归、补骨脂、白芍、杜仲、川续断、生地黄各9g，川芎6g，西洋参、鹿茸各3g，肉桂1.5g。

托里定痛汤：生地黄、白芍各9g，当归、川芎各6g，煨草果4.5g，制乳香、没药各3g。

补骨丸：茯苓、杜仲、补骨脂、枸杞子、熟地黄、酒当归各90g，白术、川续断、菟丝子各60g，党参、狗脊150g。上药为末炼蜜成丸，每丸重12g，早晚各服1丸。

药捻：煅石膏1500g，炉甘石60g，儿茶、血竭、黑蒲黄、川黄连、黄芩各30g，侧柏叶60g。共为极细末，以棉纸卷成火柴棒大小即可用。

骨疽膏：生地黄150g，五加皮90g，煅象皮75g，荆芥、木香、桃仁、当归尾、赤芍、青黛、白芷、蟾蜍各60g，穿山甲、红花各30g，樟脑45g，梅花冰片9g，松香240g，麻油1000g，净茶油1500g，炒黄丹1000g。炼成硬膏外敷。

消炎膏：黄连、朱砂各30g，炉甘石90g，蜂蜡500g，净茶油3000g。炼成软硬适中即可。

过皮膏：煅象皮、朱砂、儿茶各60g，龙骨90g，琥珀30g，珍珠3g，梅花冰片15g。

湿热型脱疽证治琐谈 ｜徐学义｜

脱疽一病较为凶险，如贻误病机或治不得法，往往以截肢为其归宿。此病多从阴寒辨治，然属湿热阻滞者亦非鲜见。笔者忆及曾治一陈姓男子，初时右足五趾趾端发黑，数月即延至踝关节，右踝至膝皮色紫黑，患肢痛彻心扉，入夜更剧，抱膝而坐，时有烧灼感，右小腿肌肉明显萎缩。西医诊为"急性静脉栓塞第三期（坏死期）"，确定自右膝关节以下手术切除，患者不愿截肢，转求中医治疗。

中医辨证：患者为乡邮员，不分冬夏常赤足涉水，致寒气侵淫于下，阳气不能下达，寒凝血瘀，不通则痛，急投温阳散寒、逐瘀活血之阳和汤、当归四逆汤，不中。思之再三，顿然省悟，患肢有烧灼感及肌肉萎缩乃寒湿久侵，蕴而化热，湿热阻滞而成斯疾，其脉濡数，左关弦，苔黄而腻，诊属"湿热型脱疽"。辨证既晰，治则亦明，法当清热利湿，活血化瘀。

方用：金银花30g、玄参18g、当归尾15g、甘草20g、生大黄6g（后下）、䗪虫10克，水蛭10g、虻虫10g、伸筋草9g、路路通15g、丝瓜络9g、牛膝30g、桃仁9g、红花9g、生地黄15g、黄芩9g。

服上方2剂后即下黑色污垢状溏便3次，臭秽难闻，自觉疼痛减轻，右膝以下、踝以上皮色开始转红，踝关节以下皮色未变，脉舌同前，上方已见效机，宜乘胜更进。上方去桃仁、红花、黄芩、生地黄、伸筋草、丝瓜络，酌加通脉利湿药卷柏、茜草各10g，制乳香、没药、血竭各6g，苍术、黄柏各12g，再进4剂。药后，疼痛已减其大半，膝至踝部已接近正常肤色，踝以下皮色转为紫红，脉数，苔黄不腻，已能扶杖缓行，仍宗原方方义加黄芪24g、延胡索15g再进4剂。

本病例前后用药10剂，患肢康复，弃杖自行，一如常人，后嘱以补阳还五汤常服，以资巩固。

本例方由四妙勇安汤与大黄䗪虫丸合方加减化裁而来。四妙勇安汤方见《验方新编》，为治疗热毒偏盛脱疽证的要方；大黄䗪虫丸方出《金匮要略方论》，乃活血祛瘀之祖方，更添二妙散以增强清热利湿功效，共奏清热利湿、活血祛瘀之功，故疗湿热型脱疽而能获此著效。

多骨疽治验 　　刘丽华

谭绍尧老师为贵州省名老中医，他曾介绍一多骨疽治验，回忆整理如下。

师曰抗战期间，有一男性，年20岁，因患多骨疽，患肢跛行，已丧失劳力，靠扶拐棍乞讨度日。余见患者右下肢臁疮年久，烂成数孔，不断有腥臭脓液流出，局部时有疼痛。查王洪绪《外科全生集》有推车散一方，可治该病，遂购其药，制好试用。令先用温开水洗净患处，然后将药粉撒入烂孔中。数次后，见腐肉渐化，而后退出碎骨数块，直至退尽，渐长新肉，乃至痊愈。从此自己劳动，再不乞讨。解放后分得土地，成家，生儿育女。1972年回老家随访，其人虽年高，尚健在。

推车散由推车虫（蜣螂虫）、干姜组成。将蜣螂虫炙研细末，每3g入干姜1.5g，再研成细末，吹入孔内，次日可见骨出。若吹入后，过时不痛，亦无骨退出者，则知已无多骨，不须再吹。查蜣螂性善退，配干姜性温能去沉寒痼冷，热则血行，血行气亦行，腐去新血生，此用方之理也。

尿路结石症 ｜刘尚义｜

尿路结石是泌尿系统常见疾病之一，结石多原发于肾脏和膀胱，尿石除非是手术摘除或自动排出，否则很难溶化。因此，易造成尿路梗阻或感染，若不及时处理，肾盂积水、尿毒症会接踵而来。近年来在治疗尿路结石上，中西医结合，运用中医排石方药，取得一定的疗效。根据体会，结石的排出，取决于结石的位置、大小及光滑度，若结石在肾下盏，或石块大，或呈鹿角形，排出均有一定的困难，反之结石位置好，在肾盂靠近输尿管处，或石块较小，表面光滑，在中医辨证论治基础上正确使用中医排石方药，因势利导，石块是容易排出体外的。曾治患者江万顺，瓮安县财政局干部，1977年9月下乡工作，腰痛突发，痛不可忍，明显血尿，服药打针效不显，即返城诊疗。视病人呈急性病容，面色憔悴㿠白，汗出。自述腰痛阵发如折，又向下腹及右侧腹股沟部放射。尿检：蛋白（±）、红细胞（＋＋＋＋）。舌苔黄厚腻，脉沉弦有力，考虑为右肾区结石，嘱去放射科联系拍片确诊，先拟服中药，中医辨证属肾虚湿热蕴结，先治其实，疏方：黄柏、金钱草、海金沙、鸡内金（河砂炒，研粉吞）、滑石、石韦、桑枝、王不留行、牛膝、草薢。冀收清热利湿，通淋排石之效。2日后病人复诊，欢欣之情，溢于言表，述及晨早排尿，突然阻塞，尿来中断，刺痛窘迫难忍，尿道似有物梗阻，奋然用力，豆粒大小石块随尿喷出，顿感全身轻快，腰痛渐失。当时为之预约的X线拍片时间，嘱患者仍去拍片，报告为双肾及输尿管未见结石阴影。随访半年，腰痛未发，小便化验亦正常。另有瓮安茅坡乡农民陈某，经X线拍片确诊为左侧输尿管结石，用治江万顺方出入加减，4剂后排出黄豆大小、绿豆大小结石各1块。建议再用X线拍片1次，报告为左侧肾及输尿管未见结石。中医对"石淋"的治疗积累了丰富的经验，其主要治疗原则为清热利湿，通淋排石，再根据病人情况酌加补肾健脾扶正药。每遇尿路结石症，均以三金二石桑枝根汤为主，堪称有效。考用桑枝根治疗石淋始见于王旭高医案，查桑枝根一名穿破石，民间俗方有用桑枝二层根皮30g煮甜酒水治淋证的习惯，可见其清热通淋的作用；鸡内金与河砂同炒研粉分吞，较之不炒同煎者，排石止痛力尤强；王不留行和牛膝同用，伍以金钱草、海金沙，可以解除尿路梗阻，凡结石嵌在狭窄处，似有推动往下的作用；滑石、石韦及时控制尿路感染，清热利尿，共奏清热利尿，通淋排石之功。近年来运用三金二石桑枝根汤治疗尿路结石疗效大抵可以肯定，今后应更进一步实践，筛选出高效速效的排石方药。为病人解除痛苦。

北芪五苓散加减治疗泌尿系结石 ｜罗致强｜

泌尿系结石属中医学淋证范畴，其成因为膀胱气化失调，湿热蕴结下焦，煎熬尿液，日久尿中沉浊之物结为砂石，或结于肾，或结于输尿管，或结于膀胱尿道。一般治疗泌尿系结石，多用清利湿热的方法如八正散、石韦散之类加减。余在治疗泌尿结石中多用北芪五苓散加减治疗，尤其对于那些年纪较大，体质较差，或结石日久，过服攻利之剂致虚的病人更为适用。此病如纯用攻利之法，不但结石难于攻下，反而有损正气，使病人更加虚弱，而纯用补益之剂又有助邪为患之弊，故选用五苓散温阳健脾，化气行水；然肺为水之上源，而统一身之气，故又加入北黄芪温补肺气，肺与三焦相通，故肺气强，则三焦通调，小便自利，可使结石随小便通调而排出体外。所以用北芪五苓散加减治疗尿结石，往往收到满意效果。在使用该方中，一般云茯苓、泽泻可用至30g，猪苓、白术用至20g，桂枝10g，北黄芪则在30g以上。加减之法：热毒内伏可选加金银花、蒲公英、紫花地丁；肾虚腰痛加桑寄生、川续断、菟丝子、骨碎补、仙茅、淫羊藿、补骨脂；结石不动可加鸡内金、枳实、海金沙；如结石下移则应因势利导，再加车前草、石韦等；发现血尿可加地榆、白茅根，并减去桂枝；若有瘀血选加桃仁、泽兰；阴虚有热者去桂枝加墨旱莲、白芍、女贞子。曾按此法治疗多例泌尿结石患者，均获良效。如1例何姓患者，诊为左输尿管结石（0.4cm×0.25cm），表现为左侧腰痛，口淡，舌边红苔白，脉沉细，拟方用北黄芪30g、茯苓30g、猪苓18g、白术18g、泽泻24g、桂枝9g、桃仁9g、鸡内金18g、车前草15g、石韦30g、川续断30g、川牛膝12g，服六剂后，加枳壳9g去石韦，再服2剂后即排出一黄豆大结石，腰痛遂解。

（李俊彪　陈庆全　整理）

滋肾丸治疗尿后刺痛 ｜刘丽华｜

滋肾丸又名滋肾通关丸，为《兰室秘藏》方，主治热在下焦血分，口不渴小便不通者。方中知母、黄柏滋阴降火，泻肾及膀胱之热，反佐少量辛热之肉桂引知母、黄柏入肾而奏其效。吾师谭绍尧老先生喜用此方加味治疗口舌糜烂、虚火牙痛、癃闭等。吾取其意，用此方治疗肾结核引起的尿后刺痛效果满意。曾治一患者，女性，35 岁。因血尿诊断为肾结核求治于中医，自述每因尿后，尿道口刺痛，持续 30～60 分钟之后，逐渐消失，颇为苦恼。医用清热凉血利尿之品，血尿虽有减轻，其尿后刺痛不解，查外阴不红不肿，无尿频尿急，观其形体消瘦，舌淡红苔薄黄，脉虚数，诊为肾阴亏虚，水不济火，命火无归，虚火浮游，肾与膀胱相表里，开窍于二阴，治拟滋阴清热，引火归原法，用滋肾丸加味：知母 12g、黄柏 12g、肉桂 9g、车前子 12g、白茅根 30g、猫爪草 30g。服药 6 剂，尿后不痛，方中白茅根凉血止血，猫爪草抗结核效最良。后用知柏地黄丸加二至丸徐徐治疗，终获痊愈。

尿 血 治 验　|杨仲昭|

尿血属中医血淋，其病证机制，《诸病源候论·血淋候》说："血淋者，是热淋之甚者，则尿血，谓之血淋，心主血，血之行身，通遍经络，循环脏腑，劳甚者则散失其常经，溢渗入胞，而成血淋也。"

尿血病人，常伴有头昏眼花，腰痛或尿急，尿痛等，也有单纯尿血者，但较少见。临床上我用五淋汤加味治尿血，疗效颇佳，谨介绍如下，五淋汤方为当归、赤芍（或白芍）、栀子、云茯苓、甘草。有腰痛头昏乏力者加川续断、杜仲、肉桂、台乌药、小茴香、益智；有尿急尿痛加萹蓄、瞿麦；单纯尿血则加大小蓟、白茅根、仙鹤草等。

患者秦某，男，40 岁，都匀人。州轻工局干部。1974 年出差途中突感腰痛，少腹灼热，小便色红，某医院诊为急性肾炎，治疗无效。后经遵义医学院附属医院、贵阳医学院附属医院等泌尿专科做各种检查，未查清病变，据述有三种可能：泌尿系结核、结石、肾炎。按各种方法治疗尿血仍不止，尿检红细胞（＋＋＋＋），并有恶心呕吐等消化道不良反应，遂改服中药，亦无效。由于病情缠绵，久治不愈，病人情绪悲观，家人一面劝慰病人，一面积极寻医求药，经人介绍来我处诊治，前后数诊，服中药仅 20 余剂，多年顽疾告愈。兹录于下。

1982 年 2 月 28 日初诊，主诉尿血 8 年，伴少腹灼热，腰痛，头昏，神疲乏力，口渴不欲饮，舌质红，苔薄黄，脉弦细无力，证属血淋（膀胱湿热），治宜清热止血，拟五淋汤加味：当归 12g、栀子 12g、云茯苓 24g、白芍 15g、川续断 18g、杜仲 18g、益智 15g、狗脊 15 克，淫羊藿 15g、白茅根 30g、仙鹤草 15g、黄芩 12g、甘草 6g。3 剂后症状无明显变化，虑其尿血日久，体阴大伤，化源告乏。在前方基础上加益气、滋阴之品：山药、女贞子、墨旱莲、山茱萸等，6 剂后尿色转淡红，余症亦减轻，病有转机，效不更方。又服 9 剂后尿血止，颜色正常，他症亦大减，后以六味地黄丸、补中益气丸固本善后，随访 2 年未复发。

五淋汤方，《时方妙用》曰："治膀胱有热，水道不通，淋涩不出……，热沸便血。"方中"栀芩治心肺，以通上焦之气，而五志火清；归芍滋肝肾以安下焦之气，而五脏阴复；甘草调中焦之气而阴阳分清，则太阳之气自化，而膀胱之水洁矣。"

肾与膀胱相表里，二者之间是水、气、火之间的气化关系，治尿血若不考虑到这种关系是不好处方下药的。我用五淋汤加温肾阳滋肾阴之药，圆机活法，不拘一格。陈修园说："五脏之水皆生于气，气平则为少火，少火生气，而气为水，水精四布，下输膀胱，源清则流洁矣；气有余则为壮火，壮火食气，则化源无籍，为癃闭……脓血，而水道为之不利矣，总由化源之不清，非决渎之失职。"而以"八正、舟车、禹功等剂治之，而五脏之阴虚，太阴之气化绝矣"。故我用五淋汤调理诸气，温肾滋肾调整阴阳，就可达到水、火、气之间的相互平衡的目的。只要肾与膀胱之间处于相互平衡，气化正常，以达到"源清则流洁矣"。

中药治疗水疝　　│万茹萍│

1965 年秋，有袁姓少年惊慌来诊，余察见阴囊连同阴茎包皮皆通明透亮，状如水晶，且口燥咽干，脉数，究其起因，乃近日支农抢收常坐卧湿地，水湿熏蒸，湿热下注而成水疝。现需清热利水，使邪热下达，以保阴液上承。拟八正散加减：萹蓄 10g、瞿麦 10g、木通 7g、滑石 20g、车前子 10g、栀子 10g、灯心草 3g、甘草梢 3g。共服 2 剂。该生因未曾服过汤药，竟将 2 剂 1 次煎煮，顿服约 500ml，余药倾去。可喜隔日来告：病已愈。余察之，果与常人无异。

1982 年夏，一中年妇女送 8 岁幼子来诊，言昨日忽然发现其阴囊迅速肿大，透明如水晶球，微痒，坠胀，不痛，脉弦数。诊为水疝无疑。此因气滞水聚，兼风热为患，除通阳行气利尿，尚需散风去热。除用车前子 12g、小茴香 10g、砂仁 5g、葱白 7 节，水煎服外，另包蝉蜕 20g 煮水熏洗，日 3 次。3 日后其母告之病已痊愈。

水疝一证，病势较速，患者常惶恐不安，只要施治得法，可取立竿见影之效。

治 疝 一 得 |刘惠纯|

有一6岁小孩，右侧阴囊肿大，经西医诊断为睾丸鞘膜积液。科内一青年中医辨属疝病，药用黄皮核（广东地区中药黄皮果的核仁）、荔枝核、橘核、小茴香之类，未效。转诊于余。余用泽泻10g、猪苓10g、薏苡仁12g、茯苓12g、木通10g、淡竹叶10g、荔枝核10g、小茴香5克，每日1剂。2剂后，肿消大半，再服2剂基本恢复正常。青年中医问教于余，中医一般以睾丸或阴囊肿大为疝气，此例中医辨为"疝"当无疑义。《中医内科学》载治疝总不离乎疏肝理气。我前用疏肝理气之各种核类，为何治之不效？余曰，据余多年临床经验，教科书上治疝总不离乎疏肝理气之说似不全面。不应为其囿。应当加以扩展。兹将余之体会分述如下。

对以睾丸或阴囊肿大为表现的疝气，临床实际要分下面三种情况辨证论治。

一是当患者站立或用力努责时则有物坠入阴囊之中，引起阴囊肿大，常常胀痛俱作，卧则回缩腹内，胀痛消失，古人对此种疝气谓其如狐之出入无常，称为狐疝。对照现代医学极似腹股沟疝。这种疝不是睾丸的肿大，俗称为小肠疝气。从病机分析，应属于气分病，治疗上奉疏肝理气为圭臬，常有良好疗效。

二是患者表现阴囊肿胀发亮，不痛，有坠胀感，用手电照之有红色透光现象，古人以此种疝气阴囊肿胀状如水晶，故称为水疝，疑似现代医学的睾丸鞘膜积液。从病机分析，它是属于水湿为患，治疗上单用疏肝理气往往少效或无效，要利湿为主，辅以行气才有效，如前列病例就是如此。

三是患者睾丸肿大坚硬，多觉麻木不痛，古人以此种疝气是坚硬麻木，故称为癫疝，疑似现代医学的慢性附睾炎和附睾结核之类疾病，从病机分析应属于血分病，治疗上单纯用疏肝理气也往往无效或少效，而要以活血化瘀，软坚散结，清热解毒，辅以疏肝理气才有效。

浅谈消瘰丸 |陈慈煦|

消瘰丸，又名三味内消瘰疬丸，是临床上治疗瘰疬的一个常用处方。本方来源于程钟龄所著的《医学心悟》。组成药物很简单，只有玄参、牡蛎、贝母3

味药。玄参苦咸寒，有化痰软坚的作用；贝母辛苦微寒，有清热化痰散结的作用；牡蛎有软坚化饮的作用。3 味药都分别有散瘿瘤瘰疬的记载。《药性论》云，玄参具有"散瘿瘤瘰疬"之功；《本草纲目》云，牡蛎具有"消疝瘕积块，瘿疾结核"之效；甄权云，贝母具有"治项下瘤瘿疾"之力。此方用治阴虚火旺，痰热凝结之瘰疬而有显效。

余尝以本方为基础。或加柴胡、香附、青皮以疏肝解郁；或加当归、赤芍、桃仁、红花以活血化瘀；或加昆布、海藻、穿山甲以软坚散结；或加半夏、瓜蒌、白芥子以豁痰通络；或加紫花地丁、蒲公英、黄药子、重楼以清热解毒，随症加味，治疗乳腺增殖和甲状腺结节，每多获验。兹录 3 案以供参考。

案 1，姚某，男性，65 岁。1975 年 9 月 23 日初诊，原有"冠心病"。近 3 个月来，右乳部生一包块，大如鸡卵，质较硬，按之可移。经某医院诊断为"乳腺瘤"，劝其手术，患者因年老兼有冠心病，不愿手术，乃转中医治疗。患者舌质暗红，舌边有瘀斑，苔黄腻，脉弦滑。证属痰气凝结，血络瘀阻，拟方疏肝理气，化痰软坚，活血通络。方为：玄参 15g，生牡蛎 15g，浙贝母 9g，海藻 12g，昆布 12g，海浮石 12g，炒白芥子 9g，炮穿山甲 9g，全蝎 4.5 克，制香附 9g，川柴胡 4.5g，青皮、陈皮各 9g，法半夏 12g，全瓜蒌 12g，桃仁 9g，茯苓 15g，共服 12 剂。

1975 年 10 月 26 日二诊：包块见小，质亦较软，惟头昏，胸闷刺痛，此与冠心病有关。前方加红花 6g，以增强活血通络作用，共服 10 剂。

上方出入加减，前后五诊，服药 60 余剂，包块消失，胸憋闷刺痛亦减轻，迄今未见复发。

案 2，刘某，女，20 岁。1973 年 6 月 14 日初诊。右乳房包块如鸭卵大，质软，明显疼痛，苔薄白，舌淡红，脉细弦。证属血虚肝郁，痰热阻络，拟方养血疏肝，化痰通络，清热解毒。方为：当归 9g、白芍 9g、川芎 4.5g、玄参 12g、牡蛎 15g、川贝母 9g、柴胡 2.4g、青皮 6g、穿山甲 4.5g、全蝎 4.5g、独脚莲 3g、夏枯草 9g。

复诊加紫草 9g，黄药子 9g。共服 36 剂，包块完全消失。

案 3，冯某，女，26 岁，1977 年 12 月 15 日初诊。因喉痛、咳嗽而发现颈部生 1 肿块，约 3cm×3cm 大小，苔薄黄，舌质红，脉细弦，月经期乳房胀痛，小腹坠痛，腰酸痛，经量少，色黑有热感。在某医院作同位素碘[131]甲状腺扫描，提示为"左下叶包块处凉结节"。拟方疏肝理气，化痰软坚，清热解毒。方为：川柴胡 9g、青皮 9g、制香附 12g、当归 9g、赤芍 12g、玄参 12g、贝母 9g、生牡蛎 15g、昆布 12g、海藻 12g、黄药子 9g、紫草 9g、桃仁 9g、红花 6g、全蝎 4.5g、炮穿山甲 4.5g，6 剂。

二诊 1977 年 12 月 23 日。颈部包块见缩小，苔脉无显著变化，原方加法半夏 9g，共服 10 剂。

前方出入共服40余剂，经检查，包块完全消失，至今未见复发。

（陈继婷　整理）

癥块治验　　|蓝心孚|

临床上，有辨证准、立法对、用药确，而未必奏效者，常由此而怀疑诊断和治疗，换方更药，这时需细心分析，如果辨证论治无误，则应遵法守方，否则会贻误病机。但要根究其因，有的是痼疾需缓治，有的是药轻不胜病，还有的是配伍失当等，需分别对待。

"用药如用兵，强寇须强兵"。这里我想谈谈用抵当汤治疗癥瘕的体会。一妇女，年45岁，闭经2年余，少腹结块如鹅卵大，时时作痛，推之不移。在外服过近百剂活血化瘀药（如蒲黄、五灵脂、三棱、莪术等）无效。因畏惧手术，特来我处求治。时患者久病，形体消瘦，面色萎黄暗晦，神疲力倦，纳呆食少，动则心悸气短。然按其腹皮厚硬，弹性尚强，脉沉细而涩，重按则弦。论治仍需活血化瘀，但应佐以扶正。选用四物汤送服化癥回生丹。1个月后，症状虽见好转，但积块未见缩小。因思病为癥瘕，证属气滞血瘀，虽屡以活血化瘀而无效者，乃病根深固，药不胜病之故。正如强寇负隅，非强兵难以夺关。拟进攻坚之法，遵《伤寒论》"少腹硬满，下血乃愈"之训，方用抵当汤：水蛭、虻虫各6g，桃仁12g，大黄9g（酒洗）。服2剂，觉腹内翻扰不适，但无物下行。对此，我颇有技穷之感因忆先贤有"行血须理气，气行则血行"之说，遂于原方加入小茴香4.5g、制香附9g，再服3剂，阴道下血块甚多，积块见消。继以归脾汤羊肉食补，调养月余痊愈。

癥块痼疾，诸药罔效，及初投本方（抵当汤），瘀血欲行未能，及加用理气，乃克全功，这说明病重药需峻，配伍要详明。

肉瘿治疗浅见　　|王德鉴|

肉瘿，相当于甲状腺腺瘤。古人认为脾主肌肉，本病因土气不行，湿痰逆于肉里，加上气血壅滞，积聚成形所致。

余用利湿化痰、活血解郁，扶正软坚等法治疗肉瘿取得良好的效果。其用于利湿的药有木通、泽泻、茯苓及川草薢；用于化痰散结的有生半夏、生天南星、法半夏、陈皮、葶苈子、瓜蒌实，而特别重视生半夏、生天南星（通常各用15g，煎煮时间要久一些）、葶苈子、法半夏、陈皮；用于解郁的有郁金、青皮、枳实、香附及佛手，而喜用郁金、青皮，用于活血的有三棱、莪术、桃仁、红花、当归尾等，而恒用三棱、莪术；用于软坚的有海藻、昆布、龙骨、牡蛎、玄参，而首选海藻、昆布；用于补益的有何首乌、党参、白术、枸杞子、熟附子、当归、沙参，而多用何首乌、枸杞子、党参、白术。

因湿邪缠绵，痰结难解。对本病的施治如抽丝剥茧，层复一层，医患双方必须通力合作，持之以恒，在严防恶性病变的前提下，如服药3个月后疗效不佳者，即不必强而为之，可进行手术治疗。

常用治"肉瘿"处方有2个，录之备查。

1. 何首乌30g，生半夏、生天南星、海藻、路路通各15g（生半夏、生天南星先煎），佛手、木通、枳实各12g。

2. 三棱、莪术、茯苓、法半夏、党参各15g，白术、瓜蒌实、郁金、青皮、木通各12g。

（林昭泰　整理）

瘰疬治疗小谈 ｜郑则敏｜

中医所称的瘰疬，包括现代医学的颈淋巴结结核。本病在未溃时，不易消散，溃破之后难于收口。我遵照师传，对素体虚弱者，则重在内服汤药并注意饮食调理，多吃营养之品，但忌食发性之物，如牛、羊、鹅、鸡等。如硬结未溃者宜散结软坚，可用化核膏。亦可选用升、降丹药之类的拔核方法。总之内服、外用均宜辨证施治，冀其速效。

李姓患者，右颈侧部肿物已二旬有余，经多方治疗未见明显效果。经省某医院行右颈淋巴结核活检，提示右颈淋巴结核并干酪样坏死。因患者不接受抗痨治疗，求治于余。经查：右颈结核数粒，大者约3cm×2cm，小者约2cm×1cm，质中等，推之活动，轻度压痛，皮色不变；面色苍白，胃纳、二便尚可，舌质红，苔薄黄，脉弦缓。此为肝郁气滞，痰凝络道，而成本病。用疏肝清热，化痰散结之法。方取小柴胡汤加减（浙贝母、柴胡、连翘各9g，黄芩、法半夏各6g，昆布、海藻各12g，夏枯草、海蛤壳各15g）。外敷化核膏。第2次来诊时，患处肿物已消过半，伴有头痛、发热、咳痰黄稠，苔根黄，脉弦数。此属外感风热。拟和解疏表，化痰散结为治。守前方加减（软柴胡、枳壳、法半夏各6g，黄芩、浙贝母、荷叶各9g，连翘10g，鸡苏散30g，鲜竹茹15g，瓜蒌10g），服2剂，继敷化核膏。第3诊时，自诉感冒已罢。仍照疏肝清热，化痰散结，调治1周，外敷化核膏，瘰疬获得消散。

疏肝治乳癖 ｜倪大钧｜

晚近出版的中医外科学教材中，习将乳癖分为肝郁痰凝和冲任不调两型。冲任不调型多见于中年以上妇女，单侧或双侧乳房发生多个大小不等的肿块，质韧实或有囊性感，边界不清，触之活动，每于月经前期胀痛加重，经后减轻或消失。可伴有腰酸乏力，神疲倦怠，月经不调，量少色淡或闭经等症。因肾虚证表现比较明显，一般治疗多予以调摄冲任，从肾虚施治，方如右归饮加减。

余在乳癖治疗过程中，偶然发现以疏肝为主要治法的患者，药后前乳部胀痛及癖块增大征象渐减，终至消失；继则有意识对冲任不调型病人，施以疏肝为主的治疗，效果甚佳。后经反复实践，分析归纳，拟定出疏肝理气，化痰散瘀，通经活络治则。从肝施治乳癖冲任不调型，多见效验。方用柴胡、夏枯草、赤芍、枳壳、延胡索、川楝子、郁金、王不留行、炮穿山甲、丹参、焦山楂、甘草等药为基础出入加减。或谓乳部经络分布，乳头属肝，乳房属胃，肝、胃与乳部均有解剖联系，乳癖何以不责阴明而责肝？盖因阳明胃土，最畏肝木，肝气条达，胃气自和之故。

余认为肝脉布于乳，冲任之脉系于肝肾，肝有藏血和调节血液功能，冲为血海，经前血海充盈，有赖于肝藏血和调节血液功能正常，此即冲脉与肝在生理上有互相联系的原因。今冲任不调，冲脉与肝在病理上亦必互相影响，冲脉病及于肝，则可致肝郁或肝郁加重，于是乳部亦因之胀痛加重，癖块增大。月经前期或平时即施以疏肝为主的治疗，俾肝不受冲脉不调之病变影响，肝无郁滞则经前乳部胀痛和癖块自可渐减，终至消失。

男性乳疬的治法 ｜朱卓峰｜

乳痈、乳疬、乳发、乳疬等病，一般多发生于女性。男性乳疬病，在外科临床上较为少见。近年来曾治愈 6 例，询问病史，患者多由于平素嗜酒及恣食甘肥辛辣之品，日久肝气郁结，胃热积滞，痰湿过盛而成。有些经过 1 个月或数月始见乳房一侧发病，初起结块，坚实隐痛，皮色不变，当化脓时肿块逐渐增大如鸡卵状，痛如锥刺，皮色微红，按之应指，约经 1 个月，脓熟穿溃，流出黄色脓液，先稠后清，溃孔较深，化脓期间，多有形寒身热，头痛口渴，脉数，舌苔黄腻或薄黄。其疗法为：

初期以疏肝理气和营清热消散为主。药用瓜蒌牛蒡汤合仙方活命饮加减：全瓜蒌 20g、牛蒡子 15g、金银花 20g、连翘壳 15g、蒲公英 30g、黄芩 10g、赤芍 15g、乳香 6g、没药 10g、天花粉 15g、土茯苓 15g。结块坚硬，可用红花 6g、栀子 20g、当归尾 6g、白芷 6g、甘草 6g、黄柏 15g、橙皮 20g，煎浓水熏洗，外贴金黄膏，一般可以内消。

成脓期以和营清热托毒为治。方用透脓散加减：穿山甲珠 15g、皂角刺 6g、连翘 15g、金银花 20g、荸荠 20g、生黄芪 20g、白芷 10g、桔梗 15g、黄芩 10g、天花粉 15g、当归尾 6g、甘草 3g。外贴清凉膏（自拟方：田七、川黄连、黄柏、金银花各 30g，甘草、红花、冰片各 15g，共研细末，先将凡士林 800g 煮溶后混入药粉，调成软膏）。

后期溃后气血两虚者，宜培补气血为治，方用十全大补汤加减。处方：党参 20g、白术 10g、茯苓 20g、炙甘草 6g、当归 10g、白芍 15g、熟地黄 20g、炙黄芪 20g、陈皮 9g、何首乌 15g、山药 15g、太子参 20g。溃口外贴黄连软膏，自可收口。自拟方：黄连 60g、木芙蓉 30g、白芷 20g、甘草 10g、珍珠粉 30g，共研细末，先将凡士林 400g 煮溶后，混入药粉调成软膏。

上法是按照病情发生的先后及疮势进展的不同，而结合内外施治，常可获效。此治法用于女性的乳痈、乳癖等病，同样可收到异曲同工之妙。

（陈秀勤 整理）

瘿瘤和乳癖的异病同治　|刘群英|

瘿瘤和乳癖，均为临床常见病，病名虽不同，但其病理均为肝气郁结，气滞血瘀，痰湿凝聚使然。如明代著名外科医家陈实功指出："瘿瘤之症，非阴阳正气结肿，乃五脏瘀血、浊气、痰滞而成。""乳癖，乃乳中结核。"又说："夫乳病者……乳头厥阴肝经所属……有忧郁伤肝，肝气滞而结肿。"

对瘿瘤初起的治疗，陈实功首选海藻玉壶汤：海藻、贝母、陈皮、昆布、青皮、川芎、当归、半夏、连翘、甘草、独活、海带。在先师的启迪下，笔者通过长期临床实践，反复探索，本着师其法而不泥其方的原则，拟就加减猫甲海藻玉壶汤，治疗上述两种疾病数十例，均获一定效果。

加减猫甲海藻玉壶汤的组成：猫爪草15g、炮穿山甲10g、海藻10g、昆布10g、橘络3g、半夏10g、牡蛎30g、玄参15g、莪术6g、夏枯草15g、甘草6g、香附10g。水煎分2次服，日1剂。症见内热心烦，去半夏加蒲公英，以清热解毒；体质壮实者，猫爪草可用至30g，增强化痰散结作用；肝气郁滞、乳房胀痛者，可加用柴胡、白芍、王不留行，以疏肝理气；体虚者可酌加黄芪、党参等。

如陈某，女，53岁。发现左颈部肿物如乒乓球大已半年，A型超声波测定：肿块大小为5cm×3cm×3cm，间质致密，诊为甲状腺腺瘤，扫描印象为热结节。中医诊断为"颈部瘿瘤"。自觉吞咽时有异物阻塞感，口干，心内烦热，诊见舌红，苔黄厚，脉细滑数。上方去半夏加蒲公英15g，坚持服药2个月后肿物消散。

又黄某，女，51岁。发现右乳房上方有2个肿物如栗子大已半年，每次月经前乳房胀痛并索引至腋部，扪其肿物压痛，边缘清楚活动，表面光滑，伴心烦，胸闷喜叹息，舌红苔薄，脉弦细。病为"乳癖"。方中加柴胡、王不留行、白芍等。以疏肝理气，解郁豁痰，使壅者通，郁者达，结者散。连服1个月后，肿消痛止而告愈。

瘿瘤与乳癖，病名虽各异，病位亦迥别，但临床均是以患处结块肿胀为其特点，故可异病同治；且均以软坚散结，化痰破瘀为其大法。海藻玉壶汤为陈实功治瘿瘤初起未破溃之良方，笔者在此方基础上，易除川芎、当归、独活等辛燥之品，针对性地加入一些攻坚之药，命名为加减猫甲海藻玉壶汤。

加减猫甲海藻玉壶汤方中，猫爪草能降火化痰散结；穿山甲性善走窜，搜风通络，攻坚散结破癥；昆布、海藻泻热散结，化痰消瘿；甘草本与海藻相反，但在治疗过程中病人并无不良反应；半夏化痰下气散结；夏枯草、玄参清热软坚散结；莪术消坚破积；香附调气解郁，善走能降，消积聚痰饮；重用牡蛎化痰软坚，治瘰疬痰核流注。治疗乳癖时还曾用王不留行，以取其性走而不守，善利血脉并引药至乳部，行血通经而消肿。以上药物味多属清淡而无异臭，故病者易于接收并长期服用，但方中绝大部分药物均是破散之品，体虚者久服可见头晕乏力、神疲等症，可加用补气药以减少本方的不良反应。

乳 泣 可 治 |曾莉梅|

何谓"乳泣"？"乳泣"者，乃指妊娠后期时时有乳汁自溢。《女科秘兰》

称之为"乳胎""鬼泣"。古人有认为无药可医。如《女科玉尺》曰："其有未产前而乳汁自出者，谓之乳泣，生子多不育，此无药可服。"

本病的发生，当责之于脾胃，因脾主统摄气血，脾胃为后天之本，气血生化之源，乳房为阳明所主，乳汁乃气血所化，若孕妇气血虚弱或孕后胃气上逆，脾统失司则可发生本病。临床多见孕妇于受孕 6~7 个月开始乳汁自出，泣出量可多可少，质清稀，乳房松软，纳呆，神疲，舌淡，苔薄，脉细滑无力。

本病虽为少见，但对母体健康及胎儿发育影响颇大。正常孕后血下聚胞宫以养胎，故无乳汁分泌。现气血反上化为乳汁，并随化随出，势必导致胎失所养，故曰"生子多不育"，但并非无药可医。笔者治疗本证，多予健脾固摄，益气养血，选用八珍汤化裁而取得良好的疗效。

例：甘姓妇，32 岁，3 年前因生一男儿，先天大脑发育不良，思虑过度伤脾，长期食欲不振，化源不足，气血虚弱。1984 年孕第 2 胎，7 个月开始乳汁自出，量较多（冬天穿 3 件衣服仍湿透出）质稀，乳房不胀，纳呆便溏，自汗，少气懒言，舌质淡，边有齿痕，苔薄白，脉细滑无力。显然病属气血虚弱，脾虚统摄无权。予大补气血，健脾固摄。处方：红参 10g、黄芪 45g、怀山药 30g、莲子 15g、熟地黄 15g、白芍 15g、当归 10g、白术 12g、芡实 30g，水煎服每日 1 剂，6 剂乳泣止而愈。届期产一男婴，母子无恙。

本方选用八珍汤去茯苓之利及川芎之走窜，方中当归虽为补血之良药，然也为血中之阳药，走而不守，不宜多用，而加大山药、芡实等健脾固摄之品的剂量，便气血化源足而脾气得健固，故乳泣得止而病愈。

乳　泣　| 翁充辉 |

妊娠期中乳汁自行流出，谓之乳泣，临床较为少见。考《景岳全书·妇人规》记载："未产乳汁自出者，以胎元薄弱，滋溉不全而然，谓之乳泣，生子多不育。"景岳仅述及病机、病名，却未提及治疗方药。据我临证所见初婚妊娠二三个月，或七八个月患乳泣者，倘若药不对症，恒致流产，即使足月而产者也多是死胎，患妇天天更换内衣实在痛苦。因此，我悉心研究，临床所见乳泣的主要证候多是面色㿠白，精神疲乏，或恶心呕吐，或四肢无力，或腰膝酸楚，肢体不湿，乳房软而不胀不痛，舌质淡，苔薄而滑，脉细虚弱等一派虚象，皆为胎元之气不足之征。此征则缘于冲任不固，冲任不固则脾胃、肾气皆虚而不能固摄，而致乳汁自行溢出，治法当以健脾胃，益肾气，补养固摄胎元为主，处方选择以资生丸为主方。《名医方论》罗东逸说："此方始于缪仲淳，以治妊娠脾虚及滑胎方剂。"我借用此方治脾肾阳虚、胎元不固的乳泣患者，在病机上是合拍的。方中党参、白术、茯苓、甘草补气健脾，和中调胃；怀山药、白扁豆、莲子、芡实滋养元气，补脾固摄；白豆蔻、砂仁、藿香、陈皮、神曲调畅气机、醒脾行滞；麦芽有回乳之力，与健脾益气诸药协同作用，促使乳汁加速回收，更有桔梗之升，引载诸药上达病所，取效甚捷，无湿热者除去川黄连，以免苦寒化燥伤肾。临床上采用资生丸为主治乳泣，使中阳一振，脾胃之气旺盛，气旺则血足，胎元得养，气旺摄津，乳泣自回，但脾虚乳汁自溢，非涩药无以固之，须加入金樱子等酸涩之品，以臻完善。尝治陈妇，农民。初婚妊娠5个月，两乳头乳汁外溢，日日淋漓不止，乳汁清稀，乳房不痛不胀，伴有神疲体倦，语声低微，舌淡苔薄白而滑，脉沉弱。证属脾气虚弱，胎元不足，统摄无权，方拟资生丸去川黄连之苦寒，加金樱子以收敛固脱，日服1剂，连服3日，乳泣控制，再予原方6剂，乳泣消失，足月顺产一男婴，母子均健。

乳泣证兼见肾阳虚弱，腰膝酸楚，四肢不温，乳汁自流者，非温补之药莫能固之，须加入巴戟天等甘温之品调其元阳，固充血海，温补脾肾二经，元阳充则能滋养胃气，诸虚自愈。又治钟妇，初婚妊娠2个月，每日两乳头乳泣淋漓不止，乳汁清稀，乳房软而不胀痛，患妇素体羸弱，面色㿠白，语音低微，四肢不温，腰膝酸楚，纳呆形瘦，时伴恶心呕吐，舌淡苔白灰而滑，脉细弱而滑，证属脾肾气虚，胎元不足，冲任不固，法当健脾益肾，固摄冲任以养胎元。方用资生丸去川黄连加金樱子、巴戟天。水煎服，日1剂，连服3剂，乳汁溢出锐减。效不更方，续进3剂，乳泣止，纳食增，再予原方3剂以巩固疗效。后足月分娩，顺产一女婴。

乳 衄 |张日华|

忆两年前，曾有一女工，自诉左乳不时流出红褐色分泌物，已有三载余，且嗣后不久又于右乳房发现一肿块（经确诊为"乳腺小叶增生"）。触诊见肿块有拇指大小，质较硬，但尚可活动。因无症可辨，不觉使我沉思。瞥见患者抑郁寡欢，神情淡漠，因思朱丹溪有"气血冲和，百病不生；一有拂郁，诸病生焉"之说，且询知患者中年丧偶，郁郁不乐，悠悠十载，度日如年。再察其脉有弦象，舌苔微黄，悟知此系肝郁化火，迫血外溢而致。治则清肝解郁为主，方用黑逍遥散加减：赤芍药、夏枯草、生地黄、熟地黄各15g，牡丹皮12g，郁金、当归、白术、香附各 9g，柴胡 6g，甘草 3g。服 10 剂，褐色分泌物显著减少。嘱续服原方以巩固疗效。半年后，患者以他病来诊，询知治疗后乳衄已除，肿块亦消。

黄芪大补汤治疗乳房渗水 ｜萧定远｜

乳房渗水一症，历代中医外科专书，均未记载，既不是乳癖、乳漏、乳悬、乳岩，也不是乳头风、乳上湿疮、乳头皲裂。虽然书中没有记载，怎能置之不治？何况辨证施治，贵在有理有法。理法合拍，治之也并不为难。一妇人，半年前左乳房下方晕白交界处的毛窍中，渗出白色带黏的水液，局部不红、不肿、不痛、不痒。经中西医多方医治，均未获效。后邀余诊治，察其左乳头，因长期渗水，肉色变白，似烂非烂，曾涂过软膏，因不能透气，反而助水浸淫，助腐变烂，以粉剂干撒，又觉疼痛难忍。因古医籍未见这种病名，暂以其症状之表现，取乳房渗水为名。又据经络学说，乳房属足阳明胃经，乳头属足厥阴肝经，而诊为病位在气，在肝脾胃。乃由肝郁脾虚，气不固摄，血不归经，湿邪浸淫所致。但体液外渗，非补气不能固摄；欲补其气，必以养血为辅。方宗《证治准绳》黄芪大补汤，药用党参、黄芪、白术、甘草、川芎、当归、白芍、熟地黄、五味子、麦冬、陈皮、升麻，意在大补气血，升阳扶正。每日 1 剂，服 2 剂后，渗水显著减少（未用敷料），续服 3 剂后，竟告痊愈。

乳头溢血，治用"逍遥" ｜孙坦村｜

中医认为乳房属足阳明胃经，乳头属足厥阴肝经，冲脉隶于阳阴，凡乳房之病，都在肝胃两经。一林姓妇女，左乳头每逢经期则溢血甚多，经净后逐渐减少。曾做乳房导管切除术，然未能根治，每于月信来潮，乳头溢血如故，伴见乳房胀痛，头晕胁痛，心烦多梦，口干食少，诊其脉细弦，舌质红，苔薄黄。此系肝郁气滞，火伤络脉。取丹栀逍遥散去姜加天花粉、麦芽、荔枝核、香附，经服 15 剂后，诸症悉除。逍遥散有疏肝解郁之功，佐以牡丹皮、栀子以清肝泄热，加大麦芽以回乳消积，天花粉入阳明，专治痈疡解毒排脓，荔枝核、香附皆入肝经，理气行血。方药配合得当，顽疾得除，翌月癸水至时，不见溢血之象，随访数月正常。

无粮之师利在速战 |章柏年|

　　肠梗阻发病多暴且急，病家每求西医诊治。余常苦思冥索，中医于此，岂真束手无策乎？欲求一方，以解患者之痛苦。温习《金匮要略》时，见"腹满寒疝宿食病证治篇"中有如此形象之描述："心胸中大寒痛，呕而不能饮食，腹中寒，上冲皮起，出见有头足，上下痛而不可触近，大建中汤主之。"其证颇似本病，深思该条文，有证有方，方证出于仲景之手，当无差误可言，后验证于临床，果得佳效。

　　近治患者张宝芹，年81岁，症见腹部阵痛3天，呕吐便秘，某医院诊断为单纯性肠梗阻，收住入院。因年高体弱，无法手术治疗，故以胃肠减压、灌肠等保守疗法，治疗无效而出院，势已濒危，家属一边准备后事，一边寄一线之望邀余往诊，见全腹硬满，高凸不平，形如头足，剧痛拒按，便秘7天，食入即吐，杂有粪水，脉沉细无力，舌淡红苔白，边尖紫瘀隐隐，此为高年气虚，寒气入腹之危证，若不急予温里攻下，断难复起，仿大建中汤法加减：西洋参15g、川花椒3g、干姜3g、白蜜30g、玄明粉20g（冲），2剂。药后泻下数次，呕止索食，腹中块状物全消，继用六君调理中州而收功。

　　老年阳气日衰，致肠梗阻者，临床屡见不鲜。因阳气虚寒，寒气入腹，凝塞气机，便闭不通，则腹痛阵作；胃气上逆则呕吐，故本病以"痛、胀、呕、闭"四大症状为主要特征。六腑以通为顺，本案80高龄，虚实互见，正如"无粮之师利在速战"，只宜急攻其邪，后图调理，方能冰溶雪化，转危为安。故肠梗阻虽属急症、重症，只要辨证得法，用药得宜，中药何尝不能力挽狂澜？

"结肠"浅议 |汪义强|

　　肠梗阻一病，属祖国医学"关格""结肠"症的范畴。关格者，三焦之气不通也。"关"者关闭，"格"者格拒，上见吐逆为"格"，下见二便不通为"关"。《平脉法》云："寸口脉浮而大，浮为虚大为实，在尺为关，在寸为格，关则不得小便，格则吐逆。"本病之因虽有寒热虚实之不同，但终以大小肠结滞不通腑气闭塞为患，故又称"结肠"。其临床表现以痛、胀、呕、闭为四大特点，通里攻下为治之大法。愚临证所见，以寒热互结中焦，气机升降失常者居多。盖本证之成，常先有脾气虚或寒留于中，复加食积、冷饮、暴食、蛔虫等聚结，壅塞肠道而为患。故其治疗当以苦寒泻下与温中行气并用。试附验案2则以证之。

王姓男孩，8岁。6天前突然腹痛，逐渐加剧，西医诊为"完全性肠梗阻"，外科意见立即手术，因患儿全身状况较差，故请中医会诊。症见：腹痛剧烈，辗转病榻，哭闹不宁，腹胀如鼓，拒按，大便闭，舌红少苔，脉数。本证名"结肠"，为寒热互结、腑气不通所致。急投温散行气、通腑降浊之剂。拟方：干姜10g、川花椒3g、芒硝10g、大黄10g、厚朴12g、枳实12g、槟榔片12g、川楝子12g、黄连10g、乌梅30g。因患儿不能口服，改为鼻饲，注入中药300ml，约10分钟后，大便即通，泻下甚多，腑气通而腹痛顿减，转危为安。再诊时腹胀已消，平静安卧，已能自行进食服药，脉转沉细，舌红苔薄白，原方去芒硝加使君子15g，再进1剂，下蛔虫数条而愈。

邱某，男，34岁。因阵发性腹痛并呕吐1天而来就医。证见：腹胀剧痛，上腹可见如蹄形包块突起，硬而拒按，触之痛甚，呕吐，先为食物后为黄水，大便2日未解，无矢气，面色苍白，额头冷汗，脉大而数，舌苔白腻。证属寒结于里，中阳不运，腑气闭塞所致的"结肠"证，方选温脾汤化裁：干姜12g、肉桂10g、川花椒3g、大黄10g、厚朴12g、枳实10g、广木香10g、木通12g、槟榔片10g、甘草3g。服药3小时后，得矢气而痛减，5小时后，排便甚多，原方继服2剂而愈。

纵观上两例，乃寒热互结，结滞于里，腑气不通之证，然滞甚则邪深，有急速恶化之变。有鉴于此，当不失时机，温散通泄并用，启上导下，速去陈莝。若仅昧于单纯苦寒峻泻，难达通里攻下之目的，反有导致损阳劫阴之变。

谈中草药治疗鼻咽癌的见解 | 朱卓峰 |

鼻咽癌和中医学论述的上石疽、控脑痧、失荣等症状相似，是一种常见的肿瘤病。此病多由忧思恚怒，肝气郁结，以致气血经络凝滞而成。其包块生于颈项两旁，或左或右，多单个发生。有些是初起结块，形如桃李，坚硬如石，不红不热，日后逐渐增大，如不消散，经3~5个月，局部疼痛加剧，肿块中心透红变软而穿溃。近十年来我观察肿块的变化，斟酌病情，经过辨证可分4个类型，使用自拟的中草方药，进行施治，在55例中取得一定的疗效，现介绍个人一些治疗心得和见解。

1. **热毒内蕴型**：其症状是发热烦躁，头痛剧烈，咯血鼻衄，口干气臭，大便结热，溺赤量少，脉弦或数滑，舌质红绛，肿物色红，或如菜花样，此是热毒炽盛，内郁不散，则以苦寒泄热，散坚解毒为法。内服药用：半枝莲15g、锈毛莓20g、石上柏20g、猫爪草20g、夏枯草20g、野菊花20g、金银花20g、连翘15g、苍耳子20g、钩藤20g、生地黄30g，煎水内服。

2. **痰浊积聚型**：症状是头重鼻塞，涕带血丝，恶心胸闷，咳嗽痰多，心悸肢倦，胃纳欠佳，大便稀溏，脉弦细滑，舌质暗青或淡白，肿物色淡，表面光滑，鼻咽轻度充血。治应祛痰化浊，和胃散结。内服药：用白花蛇舌草20g、葵树子20g、猫爪草20g、象贝母20g、胆南星10g、茯苓20g、僵蚕15g、夏枯草20g、绵茵陈20g、砂仁6g，煎水服用。

3. **气血凝结型**：症状表现为头部疼痛，耳内胀闷，涕中带血，胸胁胀痛，烦热不安，大便秘结，小便黄短，脉弦，舌质暗红，苔黄浊，鼻咽黏膜充血，肿物表面粗糙或溃疡。此是气结瘀阻，凝聚不消，必须以活血破瘀，攻坚解凝为主，内服药用：老鼠簕20g、猫爪草20g、鸡血藤30g、重楼15g、淡全蝎10g、天葵子15g、露蜂房20g、生牡蛎30g（先煎）、桃仁15g、甘菊15g，煎水服用。

4. **气阴虚损型**：主要症状为头晕目眩，面色苍白，形体消瘦，心悸气短，四肢麻木，口淡纳呆，睡眠不安，脉弦细，舌淡白，肿物已溃，排脓不多，仍觉坚硬。此属气阴两虚，毒积凝滞之故，以益气养阴，扶正祛积之法，自可逐步消除。内服药用：山海螺20g、党参20g、茯苓20g、炙甘草6g、当归15g、女贞子20g、猫爪草20g、浙贝母20g、何首乌20g、胆南星10g、生龙齿30g（先煎）。

外用药膏敷贴，分3个阶段进行。肿物未溃外贴阳和膏。肿物将溃，宜贴玉真膏。肿物已溃，应贴玉红膏（该药膏都是自制的）。内外结合，治疗55例中，计显效的21例，稳定的23例，无效的11例，有效率达到80%。在临床实践中体会到，治疗本病必须以整体观念为基础，既要祛邪，又要扶正，根据病情，或攻或补，攻补兼施，才能取得良效。方中的中草药，既无不良反应，又能清热解毒，健脾益气，滋养肝肾，使气血逐步充盈，病体则可望康复。

（陈秀勤　整理）

晚期癌肿，攻补兼施　｜黄永融｜

提起癌症，往往令人为之色变。尤其是晚期胰腺癌，预后很差。据肿瘤科专家认为，目前，仅作剖腹探查术，平均存活期约4.9个月；行胆道和胃肠吻合的内引流术，存活期约5~6个月，能存活2年者则为罕见。

但我却遇一晚期胰腺癌患者，经用扶正祛邪中药为主，治疗后存活期达两年半以上，特记述于下。

许某，男，56岁。因B型超声波提示胰头癌，于1983年4月在某医院进行剖腹探查，发现胰头肿块6cm×6cm×4cm，肠系膜静脉大部分为肿瘤浸润包绕，无法切除，仅行胆总管与十二指肠侧吻合术。术后病理检查证实为胰腺癌。曾进行过1个疗程的化疗（主药有丝裂霉素、5-氟脲嘧啶、阿霉素等）。并自服片仔癀（每2日服1片）。化疗中伴有头晕、疲乏、口干、纳减、舌红、脉弦等。我认为气阴两虚，热毒内蕴。治宜益气养阴，佐以清热解毒。处方：生晒参、生黄芪、茯苓、薏苡仁、麦冬、天花粉、北沙参、玉竹、半枝莲、重楼、白毛藤，续服片仔癀，并另自购西洋参炖服（每日4.5g）。经治月余，症减出院。以后未再化疗，仅服西洋参、片仔癀和以上中药煎剂，以及肌注肿节风注射液（每日4ml），此外，还配合气功疗法。1983年12月随诊，在此期间曾服过中药二百多剂，西洋参千余克，片仔癀120片，佛甲草20余斤，肿节风注射液二百多支，以及少量呋喃氟尿嘧啶、犀黄丸等，现自觉与常人无异。曾于1983年12月，1984年5月、10月作B型超声波复查，提示：未见占位性病变。仍按前法治疗巩固。随访至1985年9月，此人尚健在。

晚期癌肿，大多处于邪盛正衰阶段。此时攻之则恐伤正；扶正又虑助邪，惟攻补兼施，是为上策。如本例的治疗即遵循了这一原则，既用西洋参益气补阴，又辅以气功疗法以固其本，再配合抗癌祛邪的药物如片仔癀（这是我省肿瘤科医生最喜用的中成药）、肿节风、佛甲草以及西药化疗等，就能"攻邪而不伤正，养正而不助邪，则邪正相安"（《医宗金鉴·杂病心法》），与中医治疗积聚的基本原则契合。所以本例疗效之佳，绝不是偶然的。

血栓外痔治验　　|杨月波|

7年前一李姓女患者，因肛门肿痛3日来诊，检查时见肛门左侧生一葡萄大肿块，呈暗紫色，表面光滑，触之痛甚。诊断为血栓外痔，嘱其手术治疗。患者要求内服中药，我即用自拟"化瘀疗痔汤"。处方：地榆20g、槐角20g、苦参12g、制乳香12g、制没药12g、延胡索12g、桃仁10g、红花10g、牡丹皮10g、赤芍12g、鸡血藤15g、小血藤20g。3剂，日1剂，分3次服。

3日后，患者满面笑容来言："这几剂药真行，我服2剂后痔即不痛，3剂服完痔消大半。"于是按前方再进3剂，1周后复查，痔核全部消失而愈。

此后每遇此类患者，凡不愿手术者均处以此方，根据症状轻重略施加减都获良效。

笔者4年来曾先后治疗观察238例，除少数痔核较大（2cm×2cm×2cm）外，一般止痛时间在1~4天内，痔核消失时间在6~12天。

血栓外痔古称葡萄痔，病因病机责之于过食辛辣、饮酒劳累造成湿热下注大肠，致使血络损伤，瘀血栓塞于肛门皮下而成。化瘀疗痔汤具有活血化瘀，行气止痛，凉血止血，清热除湿作用，故对血栓外痔有较好效果。此法对治疗血栓外痔虽非特效，但对一些不愿手术的患者，仍不失为一种良法。

冻结肩治验　　|刘丽华|

笔者之兄，年61岁。曾在农场劳动数月，由于年龄渐长，正气日衰，风寒湿邪渐次浸淫，感肩痛不能转侧，多方治疗无效，异常痛苦。后求治于当地民间医生，服后痛定病除。其方药虽然无奇，但服法考究独特，发人深省。其药物为：桂枝12g，苍术15g，薏苡仁30g，生川乌、草乌各6g，生姜15g，甘草6g。用法：将6味药捣碎，用纱布包裹，放入锅内，加水5L，连续煮5个小时（不能低于4小时），然后再取煎好药汁的1/5煮米成稀饭。连续煮吃5次，早晚各1次。因生川乌、草乌毒性较大，也可以小剂量开始，逐渐增加，达到适当剂量，服后若有中毒现象，用甘草15g、绿豆60g煎服。后吾用此方治疗寒湿臂痛加姜黄、细辛；寒湿腰痛加川续断、狗脊片；寒湿腿痛加桑枝、牛膝、鸡血藤；兼湿热加黄柏、车前子。每每奏效，良方良法，应予广传。

中药外治急重症　　|陈素云|

古人云用药如用兵，治病如打仗，对于急重症，怎样更好地发挥中药的疗效，用药方法也是很重要的。余受家庭影响，对一些杂病常使用中药外治，每获良效。对某些急重症试用后，疗效也很满意。

吕姓患者，男，52岁，干部。其身高体胖，有冠心病，1976年12月23日因劳累，心绞痛发作，入我院心内科。入院后病情一时未能控制，发展为急性下壁心肌梗死并发心律失常。1977 年 1 月 1 日晨突发左上腹阵发性绞痛伴腹胀，腹部平片见横结肠积气明显，经各项检查排除胰腺炎及结石等疾病，诊为急性心肌梗死并发肠系膜动脉栓塞。给予低分子右旋糖酐、度冷丁静脉点滴，罂粟碱肌注，消心痛等口服，腹胀腹痛未见减轻，且辗转不安，痛苦呻吟，于当夜 23 点全院急会诊，讨论治疗方案，决定先用中药看是否有效，无效则考虑手术。余旋即开中药温胆汤加砂仁、木香、白芍等内服。同时开小茴香 60g、木香 15g、白豆蔻 15g，加葱须（葱白亦可）共炒香，布包外敷脐上，冷后可重新炒热再用。外用后半小时，特护人员即听到腹内有气体移动声，腹胀腹痛减轻，凌晨一时许腹痛明显好转，入睡，三时许恢复自动排气，腹胀腹痛基本消失。连用 3 剂痊愈。后每逢有腹胀腹痛即用此法均治愈。

此例腹痛病机，按中医分析则属气滞血瘀，以气滞不通为主要矛盾，因此虽用罂粟碱和度冷丁等止痛剂，气滞并未得通，故腹胀腹痛不减。用中药理气剂内服和外熨后，气机得以条达通畅，恢复排气功能，因而腹胀腹痛大减，连用 3 剂腹胀腹痛完全消失。内服改理气活血化瘀之剂，直至病愈。内外治法结合，特别是使用中药恰当外治，对此急重症的治疗起了重要作用，病人及其家属，特护人员都认为此法外治甚灵。

此法还可用于虚寒型胃脘痛，妇女行经腹痛等等。

中药外治已有悠久历史，清代吴师机云："外治之理，即内治之理；外治之药，亦即内治之药，所异者，法耳！医理药性无二，而法则神奇变幻。"中药外治与内治一样，均以辨证论治为指导，依疾病的本质确定治则和用药，只是用药的方法变了，它是按病位置药，药力可直达病所，弥补了内服药散而不聚的不足。外用药力专，收效快，对于治疗急重症以及不能服药，不肯服药者是一种很好的治疗办法。前人云"内外治皆是防世急，而以外治佐内治，能两精者乃无一失。"实践证明内外治结合确能提高疗效，临床医生不但应注重内治，一些适当的外治也不应忽视，特别是急重症应使用更多的方法和手段，为病人解除疾苦，这才是医生最大的快乐。

辨证施用灌肠疗法 |何静波|

灌肠疗法古称导法，在我国应用已久。中医灌肠疗法最初用于治疗"燥屎""脾约"证。《伤寒论》中首先记载了灌肠术，并用土瓜根及猪胆汁灌谷道以通大便。灌肠术经后人沿用至今，从蜜煎导法、猪胆汁导法，到制作各种栓剂直至清洁灌肠、中药保留灌肠等多种灌肠方法，为治疗各科多种病证提供了更丰富的疗法，实为祖国医学的宝贵遗产之一。

人体生理功能的维持，须赖于合理摄纳饮食及正常排泄糟粕，二者缺一不可。凡内伤疾病，脏腑功能失常，如病及大肠，无论证属寒热虚实，常可出现久泻不止；或痢疾，纳差，肢冷，腰痠；或便秘，便血，腹胀，痞满；或出现腹部包块；腹急痛，胀痛，隐痛；目赤，潮热，壮热，烦渴，呃逆，呕吐，咳喘，乏力；或肛门肿痛，坠胀，灼热，剧痒，脱肛等症。证候表现虽可有多种差异，然经仔细辨证，审证求因，皆可发现与大肠有甚为密切之因果关系。大肠之病，有由中气虚陷，湿热下注者；有由肺经遗热，传于大肠者；有由肾阴虚，不能润肠者；有由肝经血热，渗漏入肠者；乃大肠与各脏相联系。故临证治疗时，一般除常采用内服药物外，可根据"急则治标、缓则治本""虚则补之、实则泻之"的原则，合用或单独使用灌肠疗法，作为辅助或主要治疗手段，只要辨证准确，用后每获卓效。

灌肠疗法之可贵在于能异病同治。中药溶液成分多以生物碱及无机盐类为主，通过灌肠，药物不被胃肠消化液消化破坏，作用确切，而灌肠后体内产生的复杂神经调节、体液调节作用，能产生使人体内外环境协调统一的良好效果。灌肠药物常可直达病所产生作用，奏效迅速，缩短疗程，配方灵活。此法简便易行，尤适于边远地区及家庭病床开展，况且此法用药，不伤脾胃，尚能减轻肝脏解毒负担，对各种原因不能耐受服药者及服药困难患者（如噎膈症）尤为可贵。至于治疗肛肠疾患，更属本科基本治法范畴。目前随着医学不断发展，采用药物灌肠治疗疾病的范围亦趋扩大，如治疗下焦疾患、妇科杂症、外科急腹症等方面，屡有不少成功的经验总结。近年来发展为直肠灌注给药，在不少情况下，几乎可以替代静脉输液，且无须严格消毒。

灌肠药物配方不在繁而在精，临证时可参考以下常用药物选择组方，灵活使用。

清热通便：大黄、芒硝、玄明粉、食盐、番泻叶；清热解毒止痢：黄连、黄柏、白头翁、凤尾草、马齿苋；止血：明矾、五倍子、白及、墨旱莲、仙鹤草、海螵蛸、云南白药、锡类散、女贞叶、明胶；缓急止痛：白芍、炙甘草、食醋、台乌药、香附、细辛；行气消滞：厚朴、枳实、川楝子、砂仁、木香、莱菔子；活血化瘀：泽兰、红花、赤芍、鸡血藤、三棱、莪术；润肠通便：火麻仁、郁李仁、当归、食用植物油、决明子；疏风止痒：防风、荆芥、何首乌、冰片；温补脾肾：白术、茯苓、肉苁蓉、黄芪、补骨脂；滋阴益气：天冬、麦冬、生地黄、玄参、太子参、党参；清热解毒：芙蓉花、紫花地丁、大青叶、蒲公英、牡丹皮、金银花、夏枯草；涩肠止泻：乌梅炭、诃子肉、罂粟壳、石榴皮。

具体灌肠方法，视拟灌入药物种类，治疗目的不同而有所区别。中药煎剂一般煎2次，2次药液合并，纱布过滤，如需使用成药药末，加入药液中充分搅拌均匀。倘系直肠滴注给药，欲替代静脉输液，可让患者仰卧，略呈头低脚高位，药液盛入输液瓶内，远端接导尿管，涂润滑剂后插入肛门内约25cm以上，如插入过浅则须慢滴，否则易溢出肛外。胶布固定，调整滴数，以1000～1300ml液体在1小时左右滴完又无便意者适宜。药液温度接近体温，滴在前臂内侧不感烫即可。如为药物保留灌肠，一般每次用量150～200ml。灌肠前病人能自行排便最好，患者取膝胸位，用50ml保留灌肠器或30～50ml注射器连接导尿管，抽吸药液徐徐注入肠腔，切勿用力过猛，以免刺激肠管收缩，导致肠内药液不易保留。灌肠后病人卧床，保留药液4小时以上。

少数药性峻猛或刺激性较大的药物，药量可酌情减少，保留药物时间也可缩短为半小时左右。

治疗急性疾病，连用二三天即可，对慢性疾病，以10～15天为1个疗程，2个疗程间隔时间为1周左右。

本方法除孕妇忌用之外，凡有适应证均可采用，绝无出现意外危险之虑。

辨证施用灌肠疗法不仅有可贵的临床治疗价值，而且具有广阔的治疗前景。

右侧肢体早期麻痹震颤　　|潘静江|

1977年曾治一患者，因"右肢体早期麻痹震颤"，半年来曾求医于日本、香港等地，经治未效。现步履不稳，手不能拿书报阅读。于1978年5月来我院中医门诊治疗，诊时患者右侧肢体震颤，口干，多梦，舌边红，苔白干，脉弦滑，血压正常，血胆固醇偏高。根据脉症属肝阳化风，用平肝熄风法。方用：生白芍60g、甘草120g、麦冬240g、生牡蛎30g、麦芽30g。每日1剂。6月从香港回来复诊，患者诉震颤已减少大半，步行较前有力，仍口干、口苦，舌脉同前。上方加黄精120g、黄芩90g。回港服本方3个月，于9月再诊，此时患者已极少震颤，能拿起书报阅读，行路亦如常人，舌质淡红苔白，脉弦缓，继续以白芍、怀山药、麦芽、大枣、甘草等调养。

本例属肝阳化风，用平肝熄风法。重用白芍取其能泄肝火，配伍生牡蛎，加强熄风潜阳作用，麦冬具养阴清心除烦作用，配竹黄精、黄芩加强其清热作用，竹黄精能清热除痹，立法得当，用药合拍，所以疗效卓著。

（马翠玉　整理）

通窍活血汤治紫印脸　｜郑幼年｜

"紫印脸"，临床颇为罕见，虽不是危症，但外观不雅，也会给病人带来很大痛苦。我认为，这种病的原因，在于气血运行失常，脉络瘀阻。治则当以理气行血为主，可选用通窍活血汤。

曾见李姓妇女，面颊部两侧呈蝶状紫黑斑，额部及目眶黧黑。细询之后，知患者4年前突发寒热，周身发痒，继而出现"紫印脸"。曾经西医诊为"局限性皮肤型红斑狼疮"，经用激素、抗生素等治疗无效。患者伴有眩晕、胸闷、心悸、肢麻、纳少、疲乏，舌红边有紫斑，脉沉细涩。显系瘀血之症。此为久病入络，气血瘀滞。法宜活血化瘀佐以益气。方从通窍活血汤化裁：桃仁、红花、川芎、赤芍、党参、白芷、麦冬、老葱。服10剂（每日1剂）。复诊时，面部紫血斑明显减退。药既中的，无须改弦，照上方加黄芪、茯苓，续服10剂。药毕，面部黑斑消失，病人欣喜而去。10年后询知，诸证候未再重现。

蛇毒可怕，治疗有法　｜余培南｜

南方各省、区，蛇类繁多，毒蛇咬伤者，经常可见，是一种对人们危害很大的外伤病。轻者被咬处肿胀或麻木，疼痛难忍，重者肉烂肢残，甚至危及生命。近年来，笔者在临床实践中采用中草药治疗的方法，共治疗了金环蛇、银环蛇、眼镜蛇等毒蛇咬伤的患者223例，其中重危症58例，无一例死亡，初步摸索到比较有效的办法。

首先，根据不同类型毒蛇咬伤后出现的症状，按中医辨证分型为风毒型、火毒型、风火相兼型论治。金环蛇、银环蛇咬伤者以出现伤肢麻木、头晕、胸闷、四肢无力，甚至吞咽困难、语言不清、牙关紧闭、昏迷、呼吸微弱者为风毒证；竹叶青蛇、烙铁头蛇、蝰蛇等咬伤后出现伤口剧痛、肿胀、寒战发热、全身痠痛、肌肤血斑或尿血、便血，甚则四肢厥冷、呼吸微弱、唇绀、面色苍白者为火毒型；被咬后局部痛不可忍，麻木红肿并迅速出现肌肤血斑、坏死、溃烂、头晕头痛、寒战发热、全身痠痛、恶心呕吐、瞳孔缩小，甚则黄疸、四肢厥冷、呼吸微弱者为风火相兼型，多为眼镜蛇、蝮蛇、眼镜王蛇咬伤。

治疗以小叶三点金草[1]50～100g、红背丝绸[2]15～30g、通城虎[3]10～15g为基本方。风毒型加半边莲[4]15～30g；火毒型加东风菜[5]15～30g；风火相兼型加石柑子[6]20～40g。水煎，加蜂蜜适量服，每日1剂。危重病者加麝香0.5～1g，或安宫牛黄丸1丸送服。并伤口局部切开用拔火罐吸出毒液，外敷异叶天南星[7]、纤梗细辛[8]，则可取良效。如于某，男性，28岁，某日夜间于野外被一黑白相间的蛇咬伤拇趾，6小时后胸闷胸痛，腹痛，并进行性加重。来院急诊。但见伤处不红不肿不痛，全身痠楚，四肢乏力，头晕头痛，面色苍白，眼睑下垂，嗜睡，舌红，苔黄，脉弦数。经天然胶乳凝集抑制试验呈银环蛇毒阳性反应。即投小叶三点金草100g、红背丝绸25g、半边莲25g、通城虎根10g。水煎，入蜂蜜100ml，连进2剂。同时另投大黄20g，煎沸后3分钟，加芒硝15g、1次顿服。经上述处理后1小时，泻下大便5次，量多。诸症悉减，24小时诸症除，住院治疗3天痊愈出院。

蛇虽阴物，却为火口，毒蛇伤人，毒气留于肌肤，内传脏腑，毒气充斥，气血两伤，常夺人命。但若治疗及时得法，则可化险为夷。故曰：蛇毒虽可怕，治疗亦有法。

注：[1] 小叶三点金草，豆科山蚂蝗属。

[2] 红背丝绸，葡萄科白粉葛属，毛叶白粉藤。

[3] 通城虎，马兜铃科马兜铃属。

[4] 半边莲，桔梗科山梗菜属。

[5] 东风菜，菊科东风菜属。

[6] 石柑子，天南星科石柑子属。

[7] 异叶天南星，天南星科天南星属。

[8] 纤梗细辛，马兜铃科细辛属。

蛇毒腐肉，草药显能　　|邓兴贵|

毒蛇咬伤是农村常见的急性病，尤以南方山区为多见。据我蛇伤协作小组1977年在某县做回顾性调查，其发病率为万分之四左右，可见蛇伤严重地威胁着农民和野外作业者的生命安全，务必认真对待，搞好蛇伤防治工作。有的患者被咬伤后，因在基层处理不及时，或疗法不当，措施不力，而致出现呼吸麻痹或急性肾功能衰竭而死亡。有的被咬伤后，很快出现局部组织坏死，甚至造成终身残废。可见局部组织坏死的防治乃属蛇伤新课题之一。我们收治的163例（有资料可查者）中，被眼镜蛇咬伤54例，伤口组织坏死有22例之多；被竹叶青蛇咬伤61例，局部组织坏死仅1例；其他毒蛇咬伤者则没有发现组织坏死的现象。眼镜蛇咬伤者，局部坏死率高，疗程长，治愈慢。有的坏死后还易蔓延扩散形成"蛇漏"（窦道）；若不及时治疗，甚至易引起骨髓炎，造成终身残废者亦有之。在临床上我凡遇到有局部组织坏死的病例，就用草药雾水葛、葫芦茶各取300～400g，煎水冲洗患处，然后填塞白糖，以填满为度，敷上消毒棉垫，粘胶布固定，每日1换。在操作时要注意，局部已坏死的组织须清创剪去，但窦道即使很长，皮肤尚潮红者，切勿把皮肤剪去，可插入消毒之导尿管，灌进上述药液冲洗后，填塞白糖，亦以填满为度，如此三五次即长满肉芽组织，局部再敷撒白糖。这种治法可祛腐生新，大大缩短了疗程。

功能性子宫出血 ｜刘尚义｜

功能性子宫出血系由于妇女卵巢功能异常，引起月经周期紊乱，经期延长，经量增多，临床检查生殖器官无明显器质性病变的妇科病，属祖国医学"崩漏"范畴。祖国医学认为系由于内伤七情，外感热邪，最后导致冲任损伤、固摄无权所致。突然出血，来势急，血量多的称为"崩"，来势缓，血量少，淋沥不断的称为"漏"。临床所见每多先崩后漏，或先漏渐崩，虚实互见，治法亦随证应变，有活血化瘀，健脾益气，凉血止血，调理冲任，补养肝肾等不一而足。曾治患者罗显英，女，48岁，瓮安公路养护段炊事员。阴道出血已月余，经县医院妇科诊断为功能性子宫出血。自述开始月经量多，色黑有块，少腹胀痛，服用过中西药物后，月经量减少，但一直未干净，经血淋沥不断，色淡，间有紫黑小块，伴腰腹胀痛，舌胖，边有齿痕，舌质青紫，状如水牛舌，脉沉弦，证属瘀血内阻，肝气不舒，崩漏日久，治疗当以止血为首要措施。医谓"瘀血不去，出血不止，新血不生"。立法从活血化瘀、疏肝理气着眼，处方：佛手片、延胡索、川楝子、片姜黄、桂枝、桃仁、牛膝、红花。服药2剂后，病情稳定，舌质青紫骤减，腹胀痛消失，前方桂枝改肉桂，去桃仁、牛膝、红花，加乌贼骨、茜草、地榆、阿胶。连服3剂，出血渐止，嘱服当归片善后。此例患者虚中挟实，先去其实，再堵其流，后补其虚，得以治愈。又一患者系我院工人彭某之母，45岁，住瓮安玉山乡，20天前阴道大出血，在当地每日注射青霉素，出血不止，故进城求治。自述阴道流血，量多色淡，伴见面色萎黄，头晕，纳谷衰少，乏力倦怠，舌淡苔薄白，脉虚细无力，证属中气不足，脾不统血，经谓"血之失于前后二阴者，太阴之不升矣！"细审脉证，正合此例，遂予补中益气汤加味：黄芪30g，焦白术15g，党参30g，升麻9g，柴胡6g，当归9g，陈皮2g，龙骨、牡蛎各30g，乌贼骨12g，地榆30g。服药仅2剂，流血即尽止。续用养胃汤方：沙参、天冬、麦冬、五味子、木瓜、山药、白扁豆、薏苡仁。冀其胃强加谷，新血渐生，缘其"纳谷主胃""血化中焦"，且《仁斋直指方》云，"大抵血证当以胃药收功"，暗合"血去胃伤，法从中治"，故疏方若是。此例患者纯属虚证，用补中益气法，益气摄阴，加用止血药，急则治标，养胃阴而收全功，服药不过五六剂。两例患者，都属于妇女更年期功能性子宫出血，一属气滞血瘀型，一属中气不足，脾不统血型，虚实不同，治法迥异。再一例为青春期功能性子宫出血，患者陈媛芬，女，19岁，系瓮安县中坪区果水乡人，17岁月经初潮，两月或三四月一至，量多，每次月经来潮，都要睡卧少动，经量稍减，继则打止血针，如此缠绵20～30天方休，最为所苦。这次月经已行3日，量多色红，所喜胃口尚好，眠食二便如常，舌苔薄白，脉弦有力。有一偏方，窃思组织谨严，配伍合理，深得中医治方之妙，系用乌梅500g，陈醋250g，再加水同熬，俟水分蒸发大半，再加醋至原量，煎至极浓，用干净纱布滤去渣即成，开水加白糖冲服1汤匙。瓮安缺乌梅，病家愈病心切，专程去都匀买回乌梅，如法操作炮制，服用时，月经已是第8日，诚如偏方所言，"治妇女崩漏，效如桴鼓，屡试屡验"。日服3次，第2日经量渐少，3日全止，为调经计，嘱患者下月该行经时以焦山楂60g煎水加赤砂糖兑服，此为张锡纯氏"女子月信至期不来，方用焦山楂30g煎水加赤砂糖兑服"的经验，服三四剂后，月事行动，经行4日后，又开始服用乌梅醋煎膏，2日后经水顿止。下月再服山楂红糖煎，经三四日，再服乌梅醋煎膏，如此反复治疗3个月，月事渐调。随访4个月，月经正常。功能性子宫出血症，临床多见，除用人工周期外，中药调治殊属棘手。乌梅醋煎膏深得"酸甘化阴，阴生阳长"之妙，有尽剂血止的作用，此等"药物不取贵""下咽即能去病""山林、僻邑，仓卒即有"的"贱、验、便"的偏方，值得推广使用。

崩 漏 例 话　　|王聘贤|

崩漏为妇科常见病，崩谓之崩中，漏谓之漏下，西医称之为功能性子宫出血。崩中者，来势急，出血多；漏下者，来势缓，淋沥不断。患崩者治之不当常转为漏下，患漏者又有突然发生崩中的可能，二者互相转化。其病因病机颇为复杂。如薛雪曾说："崩（漏）之为患，或因脾胃虚损，不能摄血归源；或因肝经有火，血得热而下行；或因肝经有风，血得风而妄行；或因怒动肝火，血热而沸腾；或因脾经郁结，血伤而不归纳；或因悲哀太过，胞络伤而下崩"（见《薛氏医案·血崩治法》）。七情六淫，内伤外感，均有影响。肝脾肺肾，冲任督带，皆有牵连。因此临床辨证，尤须仔细分析，处方用药必须灵活变化，标本兼顾，方能切中肯綮。明代方广在《丹溪心法附余》中提出的"初用止血以塞其流，中用清热凉血以澄其源，末用补血以还其旧"三大原则，虽为后世诸家所推崇，对临床确有指导意义，但三者又不宜截然分开，总得随证圆机，视病者年龄大小，体质强弱，居处环境等各种因素的不同而采取各种不同的治法。兹举 3 例供同道参考。

例1，黄某，年 32 岁。素有偏食之癖，胃纳极差，近半年来月经淋沥不断，经多方诊治，诸药未效。吾诊视时，见其面容憔悴，精神萎靡，有心烦失眠之症，舌质淡，苔薄白，脉来细弱。此乃脾气虚弱，冲任失调，以致血不归经而致之漏下。血不养心，尚有邪火，故有心烦失眠之症，治当益气养血以止血塞流，并当酌加泻心火之品，以合朱丹溪氏"微加镇坠心火之药，治其心，补阴泻阳，经自止矣"（见《丹溪心法·总论证治》）之训。处方为：潞党参 15g、当归 10g、阿胶 10g、茯神 12g、禹余粮 15g、赤石脂 15g、煅牡蛎 15g、棕榈炭 12g、陈京墨 6g、伏龙肝 30g。其中潞党参补气健中以摄血；当归、阿胶滋阴养血，调和冲任；茯神既可健脾利湿，又可宁心安神。后六味均能收敛止血，其中伏龙肝性燥而平，气温而和，善主血失所藏，故予以重用，陈京墨止血力既强，又具泻心火去妄热之能，故特加之。药进 1 剂，漏下反增，病家惊慌，专程前来告知以求治法，吾断其为旧瘀之恶血，下之应为佳兆，遂告知不必惊慌，继服必愈。再进 2 剂，果然崩止。继以原方加黄芪 18g、山药 15g、生地黄 12g、山茱萸 12g 以培本还旧，药进 5 剂，诸症悉平，随访数年，经来正常，并生一子，母子均健。

例2，魏某，40 岁。1 年前经来量多，经常漏下，淋沥不尽。近日忽然暴下，势如山崩，送至某医院诊治，经用中西医止血药多种，均无良效，遂邀余诊治。吾见患者面色不华，形羸气弱，询及素有胃疾，消化力弱。察其舌质淡红，中有裂纹，脉细而微。朱丹溪曾云："夫妇人崩中者，由脏腑伤损，冲任二脉，血气俱虚故也"（见《丹溪心法·总论证治》）。此例正因脾气虚弱而伤及冲任二脉，以致气不摄血，久漏不止，冲任不固，阴血日耗，终成崩中之证。吾以益气健脾、收敛固涩、凉血止血为主治之，辅以滋阴养血。方用：党参 12g、山药 15g、莲子 12g、阿胶 12g、芡实 12g、当归 9g、山茱萸 12g、黄柏炭

6g、乌贼骨 12g、炒地榆 12g。前 4 味益气健脾，止血固本；阿胶、当归、山茱萸滋阴养血，调理冲任；后 3 味为止血药，黄柏性味苦寒，用炭剂，既可止血固崩，又能降阴火而救阴血，炒地榆凉血止血，乌贼骨收敛止血。诸药合用，标本兼治，气血兼顾，缓急适中。服药 3 剂，血崩尽止。再以原方去乌贼骨，加黄芪 12g、生地黄 15g。又进 3 剂，巩固疗效。后予黑归脾丸调理善后而收全功。

例 3，李某，53 岁。患者绝经已 5 年，近日忽然行经，遂成崩漏。曾用凉血止血收涩之剂治之，俱罔效。余视其面色苍白，形羸气弱，舌质淡白，六脉沉缓无力。前医应用凉血止血之剂，显然诊为血热妄行，故而罔效。吾忆及《傅青主女科·年老经水复行》中曾说："妇人有年五十外，或六七十岁，忽然行经者，或下紫血块，或如红血淋，人或谓老妇行经，是还少之象，谁知是血崩之渐乎！夫妇人至七七之外，天癸已竭，又不服济阴补阳之药，如何能精满化经，一如少妇。然经不宜行而行者，乃肝不藏脾不统之故也，非精过泄而动命门之火，即气郁甚而发龙燔之炎，二火交发，而血乃奔矣。有似行经而实非经也。此等之证，非大补肝脾之气与血，而血安能骤止。"此妇年过五旬，正合此训，乃因脾不统而肝不藏，血不归经所致之崩中漏下，故选大补肝脾之气之安老汤治之，气足自能生血而摄血，又兼补肾水，肾水足而肝气自舒，肝舒而脾自得养，肝藏而脾统，冀可中的。处方中以胎盘粉易贯众炭，因其味甘、大温、无毒，有补气、养血、益精之功，具反本还元之力，且能止血摄血。方为：人参 10g、黄芪 60g、大熟地黄 60g、白术 15g、当归 10g、山茱萸 15g、阿胶 6g、黑荆芥穗 5g、甘草 3g、香附 2g、木耳炭 3g，另胎盘粉 15g，以药汤冲服。药进 3 剂，血崩全止。再以黑归脾汤 3 剂调理善后而收全功。黑归脾汤方为：潞党参 20g、黄芪 30g、白术 15g、当归 12g、茯苓 12g、熟地黄 20g、远志 6g、酸枣仁 12g、木香 5g、龙眼肉 12g、大枣 6 枚、炙甘草 6g。

（丁启后　吴元黔　徐学义　整理）

止血莫留瘀　|陈慧侬|

1964 年深冬，余于妇科门诊临床。有一张姓少女，年刚 14 岁，因崩漏就医。经科内数月治疗，病情稳定，按病辨证用止血药病人回家。某晚适余值班，约凌晨时分，值班护士急呼，有一少女崩血如注，血压 80/50mmHg。余急披衣随往，患者竟是 2 天前经余诊治的张姓少女。其面色苍白，倦怠声微，但脉弦而涩，速针灸隐白、三阴交、百会穴等，病情稍缓，但仍腹痛阵作，阴道出血量多，色暗有大血块。余遂以通因通用原则，拟活血祛瘀达塞流之法。方取：益母草15g、阿胶10g（烊化）、田七3g（冲服）。药后2小时，腹阵痛，排出血块，而流血得以缓解，至天明出血已少。

事后深思，细察其病历，张姓此次崩血，从证治所见，血瘀无疑，血瘀之由此例有四，①病人久患崩血，医者多借收涩之品，经始得净，久用收涩为积瘀之机；②血崩病人本有离经之血，按唐容川所云"离经之血与好血不相合，是为瘀血"之论，患者本已有阻滞经络之瘀；③2天前余仅考虑，阴道流血已15天，因而止血心切，疏拟收涩为主之方，造成瘀上加瘀之弊；④崩漏之疾最易耗损气血，气虚血动无力，血运缓慢，也是瘀滞之由。

本例主因是肾气初盛，天癸未充，功能幼稚，而至冲任失调，酿成崩漏。而笔者在治疗上对塞流止血、澄源治因、复旧调理的治崩三法的运用中，对止血不留瘀考虑欠周，疏忽了瘀血成崩的另一机制，为本例失治之次因。《内经》云："血实宜决之。"唐宗海又曰："既已成瘀，不论初起已久，总宜散血。"故急诊止崩取通因通用取胜。后拟益肾治本及吸取止血不留瘀之鉴而治愈。

本医疗日记为总结经验教训，也谨告年轻医者：止血莫留瘀。

莲房、地榆治崩漏 杨毅森

崩漏一证，以青壮年妇女多见，医者多从实热、虚寒、瘀滞辨治，常用清热固经汤、胶艾四物汤、桃红四物汤治之，虽多收效，也有无效者。我对经上方治疗未效而来诊的病例仿蒲辅周经验，用米醋煮地榆炭冷服，确有良好效果。如庞某，38岁，崩证3个月，面黄神倦，多方治疗无效，来找我诊，除服胶艾四物汤外，另用米醋200ml煮地榆炭33g，煮沸待冷服，连服2剂后流血停止。又崩漏日久，证多属虚，故取健脾补肾，养血填精之法，用龟鹿八珍加莲房、地榆，多为有效。又治李某，28岁农村医生，崩漏证经中西医屡治不效，我用龟鹿八珍加莲房、地榆2剂而流血减少，再服2剂流血停止，随后每月来经正常，多年未见复发。

查阅《本草纲目》载："地榆治月水不止，血崩漏下，煎醋服。"近代研究，地榆有收敛止血作用。莲房在《本草纲目》上亦载："治经不止，烧研酒服，治血崩。"近代研究报道，莲房能缩短出血时间，有止血作用。从上可见地榆、莲房治疗崩漏之证是有悠久历史的，今用于临床也确实有效，且有药品简单易得的优点。

三子养亲汤治崩漏有效　|汪其浩|

1956年时，拙荆因久患崩漏症，迁延10余载，遍治无著效，一日症危，在万不得已情况下，试服了道友许君介绍的三子养亲汤，竟获意想不到的卓效。由是引起余之极大的兴趣，此后余在临床上，凡遇此证，辄以本方治之。20多年来，经治不下300例，每获良好的止血制崩之效，且取效甚速，安全可靠。

三子养亲汤方出《韩氏医通》，原治老年人食少痰多，咳喘之症，而查阅文献尚未见有止血治崩漏的有关记载和报道。余用该方治崩漏的服用法，系取紫苏子、白芥子、莱菔子各10g，共炒微黄（或炒至黑、盐水淬），杵细末，开水冲炖服，渣再炖服。大多可1剂见效，若2剂血仍不止，即应视为无效，须作进一步检查，以免贻误病情。

本方适用于一切崩漏（功能性子宫出血），有"塞流"止血之效果。但血止后，还应探本溯源针对病因进行治疗，如虚者补之，瘀者消之，热者清之等，使本固源澄以杜复发。

至于本方治崩机制，至今尚有不明处。《丹溪心法·妇人》虽有"痰多占住血海地位，因而下多者，目必渐昏……"之说，但笔者在全部治验中，则尚未观察到这种"痰多占住血海地位"的血崩例子，而大多却是属于血热、血虚、肾虚、冲任损伤者，故本方治崩原理尚有待于今后研讨。

仿叶法治崩漏　|吴树义|

崩漏一般多从血热、气虚、气郁、血瘀、外伤等论治，常用方有清热固经汤、补中益气汤、逍遥散、固本止崩汤、逐瘀止崩汤等。然我曾治一崩中病人，前医处以独参汤，出血量当即减少，继用归脾汤调治，反致漏下淋漓不断，持续月余不瘥，后又用过固气摄血，理气化瘀等法治疗，亦罔效。后忆及《叶案括要·崩漏症》治杨某妻案，遂用龟甲30g、何首乌24g、鹿角霜10g、杜仲10g、熟地黄10g、五味子3g、山茱萸3g、乌梅炭5枚。另用藕节100g、桑螵蛸（蜜炙）10g，煎汤代水煎药，仅进2剂则血止。

可见本例主在肾虚失固，所以非归脾汤之所宜，且该方药偏温燥，反助浮阳而动血。初虽服渗血少，但纯属治标之效。叶氏方中君以龟甲滋肾潜阳；以鹿角霜补益肾阳；再佐以何首乌、杜仲、熟地黄、五味子、山茱萸等养肾阴，固收藏；又使以藕节、乌梅炭、桑螵蛸收阴气而泄邪气，消瘀血兼清虚热，协同"塞流"以防气随血脱，亦即叶氏所谓"留得一分自家血，即减一分上升之火"之意。综观全方君臣佐使分明，示人以治病求本。

（张泽民　整理）

辨证举隅 ｜刘绍安｜

1981 年秋，本院职工胡右，30 岁，未婚，患经闭求治。云病之起，于端午节食粽而心痞懊侬，以故月事 3 个月未至，少腹胀，时疠痛，腰痠楚，未曾治疗；又因平素喜食煎炸炙煿之物，习惯性便秘达 4 年之久，间隔数日必服麻油润下；以服麻油则泻下，停服则泻止，今如法服用，但便多稀水，日三四次，里急后重，伴有便臭、腹满、嗳气之苦。脉沉实，舌边尖红，苔浊黄糙。

审妇科经闭之因，诸书皆载血枯、血瘀、寒凝、热涸、痰阻、气抑、脾虚七种；然患者自云起因为食滞，思妇科中是否有食滞经闭呢？有待考之也。再细综析病情，此病当分三看，一为经闭，二为食积，三为便秘，病之本也。如以少腹胀、时疠痛、腰痠楚三症观之，知经闭似有气滞血瘀之虞；以嗳气、便臭、腹满三症测之，似为食宿中焦，滞而不去，运化升降失常之故；平素偏嗜煎炸炙煿之物，易生燥热，肠燥津伤，习惯性便秘显易见也；其兼自服麻油润下泻稀水不止者，然以里急后重、嗳气、腹满、便臭合而视之，似有食滞胃肠积热，麻油诱发热结旁流之势，亦可知麻油只有润肠通便之力，而无消积导滞之功，故服之便虽稀而宿食不去也；脉沉实者，考经闭、便秘、食滞三者皆有，知病在里属实而非虚证；舌之边尖红、苔浊黄糙者，乃主中焦食滞热结之候。

鉴上，明辨证轮廓，本案之治，当明乎标本，切莫被"便稀水"一症所惑，畏攻法以姑息养奸；要有菩萨心肠，霸道手段，方能使病霍然。余取消积导滞、清里攻下、行气活血、通因通用之法，用大承气汤（枳实 12g、生大黄 6g、芒硝 3g、厚朴 12g）加鸡内金、生山楂、神曲、川红花、当归、生甘草各 10g 以治。水煎服 2 剂，患者告之曰：药服完后，气行谷消，血活经通，利止而愈。余闻之，后省其方，实属愕然，思方虽射幸中，而用药之峻亦属险也，若非辨证之确，焉有此"一箭双雕"之效乎？

月经的太过与不及 ｜陈惠珍｜

中医把月经不调分为月经过多、月经过少、月经先期、月经后期、月经先后无定期五种。1979 年版全国中医院校教材《中医妇科学》增加了经期延长。本人认为，在这 6 种表现中，月经先期、月经过多、经期延长三者的病因病理及辨证施治基本相同，可归属"太过型月经失调"。月经后期、月经过少三者的发病原理及辨证用药亦甚相近，可归属"不及型月经失调"。月经先后不定期常因不同条件而向两极转化或演变为崩漏。上述 6 种月经失调皆因胞宫藏泻失度所致。太过型月经失调是胞宫泻之太过，该藏不藏的表现；而不及型月经不调则属胞宫藏之太过，该泻不泻。如此将月经不调分成两大类型，可起到删繁就简的作用，纲目更为分明。

月经的生成是脏腑、气血、经络间接或直接作用于胞宫而产生的生理现象，故脏腑、气血、经络（尤其是冲任脉）功能异常则是导致月经太过或不及的重要病机。但笔者认为，脏腑、气血之功能异常，均须在累及冲任脉的情况下才可能发生月经不调，所以，冲任受损致其功能异常，才是引起月经太过或不及最关键的环节。

冲任功能异常，可因其受直接或受间接损伤所致。以冲任直接损伤而言，有因手术创伤，或经期、产后不禁房事，或跌仆闪挫等，致冲任功能失常，不能固摄经血或热伏冲任，冲任不固，形成太过型月经失调，而精血耗伤，冲任失养，又可导致不及型月经失调。以冲任间接损伤而言，多因气血失调，脏腑功能异常，如血热，热扰冲任，冲任不固，致太过型月经失调；而血虚或血寒或血瘀，致经源不足，血海不充或冲任气血运行不畅，均引起不及型月经失调。又如肾虚，封藏失职，冲任不固，可致太过型月经失调；肾精亏损，精血不足，血海不充，又可致不及型月经失调。尚有气的病变，肝、脾功能异常，均可致月经的太过与不及。

月经的太过或不及，其治疗的关键在于调理冲任，而调理冲任的具体措施则应落实在消除致使冲任直接或间接损伤的因素方面，如感受邪毒，热伏冲任，冲任不固致月经过多，则应清热解毒，使冲任得固，经量便可恢复正常；若肾精不足，天癸不足，冲任不充，致月经过少，宜补肾填精，使天癸充足，冲任通盛，经量即可增至正常。总之，月经不调，只要通过各种途径调理冲任，以达"任通冲盛"，胞宫藏泻适度，便可纠正其太过与不及，使之恢复正常。

闭经中医有良方 |戴述君|

闭经一证，病因甚多，病情演变复杂，治之不当，难于痊愈。

观之临床，闭经之证型虽多，但不外虚实两端。实者多因气滞血瘀，痰湿闭塞冲任为患；虚者则多因肝肾不足，精血亏耗，脾肾阳虚所致。然两者之中常以虚者为多，而气滞、血瘀、痰湿、肝郁诸证又往往兼杂在虚证之中。因此治疗时往往是攻补兼施，寓通于补。

夫肾为先天之本，女性的月经直接受着肾气的影响，只有肾气盛则天癸泌至，任通冲盛，才能体健经调。所以治疗闭经必须抓住肾虚这一特点，补肾气，益精血以培其本。与此同时，还必须注意肾、肝、脾三脏的互济关系。肝为冲脉之海，肾为任脉之本，冲任相资，月事才能应时而下；脾为后天之本，主运化水谷精微，此后天之精要靠脾肾阳的温养才能不断地生成，而肾的先天之精又要依靠水谷精微的不断补充。基于这一理论，治疗闭经当以肾为主导，兼顾肝和脾。

数年前曾治一闭经 10 年患者，该病人曾因先做人流术，继之又做五官科手术而致大流血。自此后月经稀少，未经医治而渐至经闭。先求助于西医，经用"人工周期"后月经复潮，持续用药 3 年之久，3 年后虽用此法亦没有经行。辗转数载，病情渐增，以致出现形容憔悴，生殖器萎缩，性激素高度低落诸症。详问病史，细探病机，自度病之初乃频频手术，失血过多，阴血亏损，血海不充，冲任失养，以致月经不能按时而潮。当此之时，若稍加重视，治疗及时且调理得当，则病当属易治。因未重视而加之治疗无方，以致 10 年不愈。病久缠身，忧思不解，伤及心脾，脾既受损，化源不足，后天之精不能充养先天之精，以致肾精不足，阴损及阳，渐致肾阳虚衰。脾阳根于肾阳，二者相互资生，相辅相成，长期不愈，恶性循环，痼疾乃成。由是症见月经数载不行，头晕健忘，毛发脱落，食少纳差，等等，依证慎思，当属气血亏损、脾肾阳虚之证，治当益气血、调冲任、补脾肾为法。仿《景岳全书》中之毓麟珠加减，拟用黄芪、潞党参、熟地黄、当归、肉桂、山药、枸杞、制何首乌、紫河车、鹿角胶、鹿角霜、熟附片、广木香、大枣、甘草等，共奏补养气血、调理冲任、温振脾肾之功，培补先后天之效。十余剂后，病有转机，宗原方加减以丸药代之，数月后月经复潮，诸症悉除。

值得提及的是，该方选用肉桂、附片为一般人所不理解。肉桂、附片乃助阳之品，其性慓悍燥烈，于此血枯经闭之人，恐有重伤阴精之虞。其实本方之妙，则妙在用肉桂、附片，该患者沉疴十载，阴阳俱虚，畏寒尤重，积寒日久，非肉桂、附片则不能除之。且在大队助阴药的配合下，用之不仅无害，反而有益。此乃"阳中求阴"之法。近代医学实验证明，肉桂、附片不仅能提高机体的抗寒能力，且有改善垂体——肾上腺皮质功能，增强血循环，促进消化功能的功用。该患者之闭经正是由于垂体功能衰退所致，因此选用肉桂、附片并非不宜。但也应注意，俟畏寒肢冷症状消失，则须停用，而改用仙茅、淫羊藿、巴戟天等温肾壮阳之品。

闭经的同病异治　　|杨守玉|

1982 年 3 月，未婚女子梁某，21 岁。苦于月经稀少，2 年来常2~3个月始一行，其量忽多忽少，腰痛神疲，腹胀不适而求治于医。医者始以为青年女子多为肾虚不足，投六味地黄汤增益母草、鸡血藤之类，其症不减。继又以为血瘀不畅，处以桃红四物汤增土鳖虫、泽兰，冀其瘀血一去经水则通。如此治法数月均无建树。余细察该女，其症虽如上述，但舌边尖红，脉象弦细而数，此为肝经郁热之故，改投丹栀逍遥散竟数剂而愈。

又 1983 年 10 月，女子陈某，21 岁。年前元月始患闭经之症。常需注射黄体酮经始来潮。医者曾用逍遥散无功，继用桃仁、红花、泽兰之属活血祛瘀不效。审证而思，其女舌质淡而脉沉细，尺脉尤细弱，月事量少，常不用纸，显然冲任不足。"冲为血海、任主胞胎"，血亏肾弱是其理也！处以四物汤增菟丝子、桑寄生、巴戟天、肉苁蓉，调治 2 个月而愈。

闭　　经　　|谈发建|

中医治疗继发性闭经，只要辨证确切，效果十分卓著。余曾治一何姓患者，经行愆期13年，渐至闭经，婚后 1 年余不育。月经初潮于 13 岁，或 1 个月行 2 或 3 次，或 2~3 个月一行，量时多时少。1975 年曾发生阴道大流血，血红蛋白降至 30g/L，在某地区医院诊断为"功血"，经输血及用雌、孕激素，配合甲状腺素等治疗 3 个周期恢复正常，以后用绒毛膜促性腺激素治疗亦有效，但停药后月经又紊乱。1979年后，月经2～3个月一行，量显著减少，可不用纸垫。曾在该地区医院作宫腔刮片，示"增生期形态，无分泌子宫内膜"。婚后几乎无性欲。

我院妇科检查：外阴、宫颈、附件未见异常，阴毛、腋毛稀疏，乳房萎缩，血红蛋白95g/L，血沉3mm/h，蝶鞍摄片未见异常。垂体功能低下。

诊断：垂体功能失调、月经紊乱。

转入中医病房用中药治疗，检视病人：形体消瘦，面色少华，疲乏无力，表情淡漠，心烦易怒，食欲不振，月经长期紊乱，大失血后渐至闭经，舌体瘦小偏淡略暗，苔薄白，脉细弱，以左脉为甚。病机属肝肾精血亏虚，用益精养血法治疗。方用：熟地黄25g、川芎10g、当归15g、白芍20g、仙茅10g、淫羊藿15g、枸杞子20g、菟丝子15g、覆盆子10g、车前子15g、五味子10g。上方服10剂后，诸症同前。虑精气血互化，于原方中加健脾益气，少佐活血。原方加：黄芪20g、党参15g、柴胡10g、路路通15g、泽兰15g。

连服1个月，经复潮，色、量如常人。

2个月后，因停经而作孕妊实验，确诊怀孕。然阴道流出少量淡血水，左脉仍细，恐胎元失养，需养胎，更方如下：白术20g、黄芪20g、党参15g、熟地黄30g、当归10g、白芍15g、枸杞子15g、菟丝子15克、砂仁5g（后下）、阿胶15g（烊化）。

孕3个月阴道又有少量出血，口苦，脉弦滑有力，左脉大于右脉，舌苔中部微黄。此胎气渐盛，相火易动。于原方中加入黄芩10g，服药后出血即止。嘱其每周服本方2剂，服至妊娠5个月方可停。

过10个月后，已顺产一女婴，母女均健，产后月余，月经正常来潮。

暗　经 | 李呈端 |

妇女月经，如潮水之进退有序者谓月汛，因周期之准确又称月信；2个月一潮者叫"并月"，3个月一至者称"居经"，1年一行者曰"避年"，更有终身不行经，届时仅觉腰酸，仍能受孕者称"暗经"。

家父在世时，曾述一农妇身体健壮，面色红润，各方面均无异常，无月经史，然已育一男一女，此谓之"暗经"。1978年秋，我曾询知，一女工体健，但无月经，惟每月均有一次腰痠痛，历1或2日后不经治疗而恢复，已生育二男一女。上述2例与医书"暗经"之记载甚为吻合。

女人受孕，主要是肾气充盛和天癸的成熟（天癸与月经不同，前人已有此论，兹不赘述），而月经是这种生理现象的外在表现。"暗经"虽无经血排出，然肾气和天癸已盛，同样可以受孕，上述2例便是。

带下并非俱由湿 ｜曾莉梅｜

《傅青主女科》提出："夫带下俱是湿症。"历来治带，多从湿论治。然亦有非湿证之带下，此乃肾虚带下。

肾主系胞而司开阖，因房劳多产伤肾，肾虚开阖失司，任脉不固，带脉失约，导致胞中精液滑脱而下，则出现带下量多，清冷如水，终日淋漓不绝，腰痠如折，小腹冷痛等症，此属肾阳虚带下。非祛湿所能奏效，法当温肾固脱。选用黄芪、附子、鹿角霜、金樱子、巴戟天、芡实、桑螵蛸等温肾固涩之品常能药到病除。

若因多产哺乳，阴精亏耗，肾阴不足，相火妄动，阴虚失守则常见带下量少而赤白相兼，阴部干涩、疼痛，甚则萎缩等。人以为此非带下病，实为带下病之另一种表现。患者之痛楚不亚于前者，却常为医者所忽视。治宜滋阴润燥，选用二至丸加味，重用枸杞子、何首乌、麦冬，常能收到预期疗效。此乃笔者之心得也。更有因肾阴虚，胞中阴精乏源，经久不复，湿毒之邪乘虚而入，形成虚中兼挟湿热之证，则见带下量稍多，黄水样，秽臭，阴部灼热疼痛等，治宜滋阴兼清热，方选知柏地黄丸，同时必兼用蛇床子、葫芦茶、苦参、土茯苓等清热解毒利湿之品，煎水洗或坐浴则效果更佳。

可见，带下一证，病因多端，既有属湿者，亦有属肾阳虚、肾阴虚者，还有虚中挟实者，临证不可不辨，用药更须分清，切忌拘泥于前贤所论概从湿治。

凭脉辨产期 ｜林朗晖｜

初产妇没有经验，虽临预产期，并有腹部弄痛或阵痛，具备入院条件，然而"待产不产"，超过预产期者并不少见，虽用针灸及有关相应助娩法均罔效，原因何在？未呈见"离经"之脉也。

我对"凭脉辨产期"测试15例，颇有所获。考"离经脉"之含义，是离开平时冲和之常脉。凡是背离正常规律的脉象，共脉息过快或过慢（个人体会每分钟多于 110 次或少于 50 次者均可称为"离经"脉）。自《难经》与《脉经》之后，医家多称将产脉为"离经"。明代以后把"散"脉列为"离经"之脉。即涣散不收，轻取虚大，重按模糊，脉体大小不一，脉率或快或慢，脉势轻重不均，脉律不齐，脉象盛衰不定。来去不明，渐轻渐有，渐重渐无，飘忽无根，散漫至极，表示脉现离经，预产期在即；若是怀孕期将有小产可能。

我对临产妇长期进行脉诊试验，体会到一些规律。切诊选在 15 例待产与临盆妇中递日反复凭脉，体会到由于产妇临盆之际，子宫阵缩增加，产妇心理形成高度紧张，特别是初产妇心慌无主，这时全身趋于高度的应激状态，必然使脉紧促，虚大散漫，来去无规律，跳动不均匀，也就是"离经"之象。古人也认为"十月胎气安定"，一旦欲落，气血动荡，胞胎迸裂，自与经常离异。若是分娩期产程过长，用力不当或难产，脉象多呈大极无力，或者轻浮于外，或者至数不清，或者重按却无，或者弛缓松大，与"冲和"脉有着明显区别，也可以此判断临盆期的在即与否。

通过观察，体会到"离经"脉之出现与否，可以作为很重要的参考诊断方法。如果待产妇中见到"冲和脉"，至少 3 天内是不会分娩的。如孕妇陈雪萍，待产 4 天，心情焦急，脉象右滑大，左滑软。未呈"离经"之脉，因而推测预产期必可延迟。果然延期 1 周分娩。

当然"离经"脉不仅限于临盆妇人。平人情感冲动，或因突如其来的祸患，极端的恐怖忧郁，悲伤等也可有"离经"脉象。但这些都只是一时性冲动，呈短暂偶发的，通过问诊很易鉴别。

我试以"凭脉辨产期"进行临证尝试，病例虽不多，但已颇见端倪，聊作记叙，以广验证。

妊娠合并子宫肌瘤的治疗　　| 罗元恺 |

《金匮要略·妇人妊娠病脉证并治》第 2 条"妇人宿有癥病……当下其癥，桂枝茯苓丸主之"。历来注家理解不一，但桂枝茯苓丸是治癥瘕害之方，却无异议，现代文献报道，谓此方可治子宫肌瘤。但子宫肌瘤合并妊娠，本方是否可以服用，则未有定论。因桃仁、牡丹皮等活血祛瘀之药，对胎儿有无影响，是值得研究的问题，最主要的是通过临床来加以观察。

一彭性妇女经检查证实其宿有子宫肌瘤，且曾因此而流产过 1 次，1984 年上半年又怀孕，她怕再次流产，希用中药既能抑制肌瘤的发展又能维持胎儿的正常发育成长，诊其体质尚属中等，气血不甚虚弱，乃录一桂枝茯苓丸原方嘱其制成蜜丸服用，连续服了 3 个月，妊娠过程尚好，但至七个半月时，早产，结果母子平安，婴儿存活成长。可见桂枝茯苓丸是可以治妊娠并发子宫肌瘤，对胎儿不会有所损害。方中虽有活血化瘀药，但《内经》谓"有故无殒，亦无殒也。"且蜜丸制剂功力比较缓和，对癥瘕是一种缓图之法，并不峻烈，故对妊娠不会有什么影响。不过，我认为也应根据孕妇的体质来辨证施治，如果孕妇脾肾特别虚衰者，则宜先调补脾肾，俟身稍健壮后才用桂枝茯苓丸，似较稳妥。不能凡子宫肌瘤合并妊娠，概用桂枝茯苓丸简单地"对号入座"。

脾肾双补，相得益彰　　| 罗元恺 |

　　1960 年我院妇科与中山医学院妇科合作，到广东省新会县某乡普查普治子宫脱垂。由中山医学院检查诊断子宫脱垂度数，我们用中医中药集中治疗，方药用较大剂量的补中益气汤，方用：黄芪 24g、党参 24g、白术 15g、当归 12g、陈皮 5g、炙甘草 6g、柴胡 6g、升麻 6g。每天 1 剂，反复煎熬 3 次，作 1 天量，混合分 3 次服，以 10 天为 1 个疗程。观察结果，虽能显效，但不够理想。经过分析研究，患者全身证候除有疲倦不任劳累，面色晦黄，舌淡苔薄白，脉细缓弱等脾虚气虚症象外，多兼有腰膝痠软，头晕耳鸣，面部有黯斑等肾虚证候，且所检查之患者，大多缺乏阴毛。《内经》说："胞络者系于肾。"胞宫下垂与胞络之松弛有直接关系，结合上述证候，根据中医辨证，均属肾虚的表现，因于上方中加入菟丝子 24g、杜仲 18g、补骨脂 15g 温补肾阳；又考虑虽重用补气药，但相比之下，升提药量还较轻，我们曾见一脱肛患者用升麻 60g 煮牛肉汤服用而有效，并未见任何不良反应，因将升麻 6g 改为 18g，服后病情明显好转。

　　李东垣认为补肾不若补脾，许知可认为补脾不如补肾。从上述病例说明，脾肾双补，会更为合理。人是一个整体，脏腑组织间需要互相支持，脾阳之能升举，赖肾阳以温煦。张景岳在《景岳全书》中说："脾胃为中州之土，非火不能生。"此火，主要是指下焦肾命之火，故补中益气以升运脾阳，往往要同时适当温补肾火，效果才著。补脾补肾之争，不免有些偏见，辨证详明再定。又过去有升（麻）不过七（即 2g）之传说，通过实践，证明这是不足信的，古人谓"尽信书者则不如无书"，信然。

妊娠莫伤阴

| 陈慧侬 |

某年在门诊带实习，一日接诊妊娠病 2 例。

陈妇，妊娠 50 多天，因呕吐不食，曾 2 次住院，近 2 天又感恶心，时而剧吐不止，吐出食物和清涎，甚则为黄水，口淡纳呆，恶闻食臭，神倦嗜睡，四肢乏力，脉细数，舌质红干，苔薄白。某实习医生拟健脾和胃，降逆止呕为治，方选六君子汤，嘱少量频服 2 剂。服后，诸症如前，呕吐食物并有少许紫色血液，口苦干，欲饮，下腹阵痛，大便干。余切其脉细数，肌肤稍热，知阴津受损，需益气养津，方改生脉散加石斛、玉竹、怀山药、知母，作开水频服。2 日后痛有好转，后拟益气健脾养阴生津而告愈。

黄妇，妊娠 90 天，因停经后嗜食辛热之品，近半月来大便秘结，已 5 天未解，腹胀痛，口苦干，夜寐欠安或恶梦频作，曾在内科治疗，用增液行舟法，大便仍未行，遂转中医妇科门诊。余切其脉，洪滑有力，舌红苔厚干黄，拟泻热存阴，投小承气汤加味：大黄 10g、芒硝 3g、甘草 10g、枳壳 6g、墨旱莲 15g，1 剂，大便通腹痛减，改用增液汤 3 剂调服，如期告愈。

某学生迷惑不解问余："例 1 陈妇明显胃弱为何用六君子汤不愈，反而动血腹痛？例 2 黄妇确为阳明实证，为何下而不伤胎？"余释疑曰："《灵枢·五音五味》说：'妇人之生，有余于气，不足于血，以其数脱血也。'女性在生育期需耗损血阴，完成其经、孕、产、乳的生理功能，致使妇人常处于血少气多的状态；十月怀胎，胎需阴血之养，所以在妊娠期间，真有留得一分阴，便有一分生机之谓。温能化燥，燥易伤津。本例恶阻尽管表现脾胃虚弱，然饮食阻隔，阴血化生，本已乏源。而健脾和胃之剂，多辛燥之品，燥可伤阴，胃阳也无所附，更影响阴血养胎之需。需用益气生津而达阴生阳长共奏健胃养阴安胎之功。

阴血之竭责乎于火，妊娠顾其阴液，不能理解为单纯之滋阴增液，若热势鸱张妄用生津，不去清热，助阳既能劫津，而恋邪亦可伤阴。例 2 如不用泄热存阴之法，必阴分更伤，胎会失养，应当机立断。《内经》云"有故无殒，阳明实热取釜底抽薪，也是保阴安胎之法。"

该学生闻后欣曰："妊娠阴不能伤，保阴可安胎，而攻下也是保阴安胎之法，印象深刻，获益匪浅。"

恶阻重在调护 |陈惠珍|

经多年临床实践，笔者深感对恶阻病人药物治疗固然需要，然调护则更重要。若调护失当，常药石罔效，甚则症状加重，迁延时日。对恶阻患者的调护，应注意如下几方面。

1. 和情志：应让病人正确认识本病，使其明了该病并不可怕，经过妥善调养及正确的药物治疗，一般可获得痊愈。呕吐不剧烈者，即便不采用药物，大多数患者妊娠3个月后，呕吐多能自行消失，故不必忧虑，应静心疗养，保持心情舒畅。

2. 调饮食：对于呕吐有一定时间性的患者，医护人员应嘱咐其选择进食的时间，尽可能安排在不容易呕吐的时候补充食物；注意顺病者爱好给予富于营养而易于消化之品，不可因吐而畏食，亦不可因饥而过食，以免影响脾胃的升降功能而呕吐加剧；恶阻患者，宜多餐少食，使脾胃得以合理调养。

3. 适寒温：妊娠呕吐患者，脾胃功能较弱，机体抗病能力不足，如衣着过于单薄，或汗出当风，或汗出即入冷水中，往往易于感受风寒或风热之邪，邪气乘虚入侵犯胃，可使呕吐加剧；衣着过厚又易捂汗，汗出过多，表卫不固，也易感冒，而且出汗过多易伤阴耗气，促使病情恶化，故应衣着厚薄适宜。

4. 慎起居：对恶阻患者，宜根据病情轻重，正确处理劳逸。轻度呕吐者，可适当从事较轻的体力劳动及一般的活动，以利全身气血的流畅，促进身体早日康复；中度及重度呕吐者，宜卧床休息，尽可能减少体力或脑力的消耗。恶阻患者应有充分的睡眠时间，每日不应少于8小时，住处宜空气流通，光线充足，不宜居住在阴暗潮湿之处。

实践证明，合理的调护，是加速恶阻患者痊愈的重要措施。

五味架治恶阻 |梁鹏万|

恶阻是妇人常见的妊娠病。治法有健脾和胃，抑肝和胃，降逆止呕的不同。处方或用香砂六君子汤、平胃散；或用苏叶黄连汤；或用小半夏汤等。吾在年轻行医时，初亦选用这些处方，有治愈者，有不愈者，未得其法。后又遇一年约20许的孕妇，妊娠5个月有余，一直食后必吐，甚则入口即吐，饮食无法进，每日赖注射葡萄糖维持，有名之医，几已遍找，见效甚微。患者体瘦神倦，有气无力，由其丈夫扶来我处就诊，阅前予所用处方，皆为治恶阻常用方药，仍以无效？百思不得其解。再细加思量，认为妊娠恶阻乃一种生理反应，妊娠虽以胞宫为藏，但气血、五脏均受影响，五脏不安，胃失和降，岂能不呕。且恶呕以来，水谷不纳，化源不足，益受其损，自然体瘦神倦无力。以五味之药和之，或能有效，同气相求。遂自拟"五味架"一方：乌梅10g，黄芩、生姜各10g，甘草8g，食盐6g，红糖20g，酸甜苦辛（辣）咸五味俱全，犹如佐食之五味碟。加党参15g、白术10g益气健脾，菟丝子15g补肾安胎，香附10g、砂仁4g理气消食，煎取药汁1碗，少量多次，每小时服15ml，每日1剂。2剂药服完，呕吐停止，孕妇能自行来诊，并能进食少许粥浆，但有胸闷，乃守原方再进2剂。服后诸症悉除。胎安，依期产一男孩。

以后，凡遇此证，皆投"五味架"加味治之。40余年来，虽未专事妇科，但所治数十例皆效，少则二三剂，多则五六剂而愈。

"五味架"方取乌梅之酸入肝，黄芩之苦入心，生姜之辣入肺，与黄芩相伍能辛开苦降，甘草、红糖之甘甜入脾，且调和诸药，食盐之咸入肾，五味入五脏，调和五脏、气血功能，五脏调和而胎安呕止。

补肾固胎，未病先防 | 徐陈如 |

滑胎为妇产科常见疾病之一，其特点往往是"应期而坠"。若脏腑经脉亏损，气血虚弱，均可导致冲任不固而胎动；亦有因饮酒、房事过度、外伤跌仆，或误温补而致胎动不安，宜辨而治之。

对滑胎，我强调来病先防，未孕先补（冲任）的原则。大凡教科书多强调，堕胎或小产后，宜避孕1年，但患者求子心切，往往不遵医嘱。故于坠胎后重孕前，嘱常服黑杜仲、菟丝子、桑寄生、仙茅、淫羊藿、黄芪、熟地黄等炖瘦肉。如有一施姓患者，结婚5年，流产4胎。此次坠胎后未足2月又复怀孕，但伴小腹绞痛而坠胀，带下量少而色赤。其为屡次胎坠，致冲任不固，血海空虚。治拟补血养胎，固摄冲任。方投胶艾汤加减（熟地黄、当归、杭白芍、川芎、阿胶、艾叶、菟丝子），3剂病情稳定。后嘱每月服上方2或3剂，次年得一子。又李妇，脾肾素虚，3年间坠胎3次，每孕3~4个月即腰酸，腹泻而胎下。我选陈修园载胎丸改为汤剂（桑寄生、白术、党参、茯苓、黑杜仲、大枣），以双补脾肾，兼固冲任。上方先后加减服 57 剂（每周 2 剂），是年得一女。

此外，对早孕，有些医生喜用续断。我认为此药虽能补肾安胎，但又能通行血脉，虑致胎动，慎用为宜。

（黄熙理 整理）

瘀去胎安，有故无殒 ｜林国栋｜

《医林改错》曾谓："子宫内先有瘀血占其地，胎至 3 个月再长，其无容身之地，胎病靠挤，血不能入胞胎，从旁流而下，故先见血。血既不入胞胎，胎无血养，故小产。"这里王氏指出瘀血可引致胎动不安、小产，故创少腹逐瘀汤为种子安胎方，发展了《金匮要略》逐瘀去病安胎之法。

1955 年曾治一女教师周某，37 岁，已孕三产三。自诉这次停经已 3 个月而无妊娠反应，每日小腹疼痛以黎明前为甚，久治不愈。患者脸色黯黑，皮肤枯燥，舌黯边紫，脉迟滞。既往有结核病史。因其瘀血症状十分明显，初按血瘀腹痛治疗，投活血祛瘀之方。药用当归 4.5g，香附、川芎、桃仁、延胡索、乌药、牛膝、五灵脂各 9g，丹参、赤芍、益母草各 16g。服 10 剂后腹痛见瘥，脸色略见清采，勿改弦易辙。但腹痛复作，于是续用前方出入，再服 30 剂，腹痛乃愈。脉寸部呈滑数、尺部有力，小腹膨隆，疑为妊娠，嘱其停药妇检。妇科确诊为妊娠约 5 个月。后足月产女婴，该女发育良好，智力正常。

本例虽未出现王氏所指出的瘀血可致胎动不安及小产的现象，但已有瘀血腹痛不休的表现，如果不进行祛瘀治疗，引起流产并非不可能。我们按照王氏的经验，进行了活血祛瘀治疗，结果瘀尽而胎安且足月顺产。《内经》所谓"有故无殒亦无殒"，信不诬也。

（黄玉林 郑志杰 整理）

滑胎有效方 ｜邓兴贵｜

滑胎常因脾肾两虚，气血虚弱，冲任不固，无力系胎，或阴虚血热，热伏冲任，迫血妄行，胎失所养而致。我在临床上常用苎麻（去皮）20g、莲子

（去心）20g、糯米20g加水1000～1500ml，煮至莲子熟透为度。然后去苎麻，加入适量的红糖，再稍煮沸，候冷顿服，亦可分服。每天煎服1剂。一般是孕后第2个月开始服，服至孕已足3个月为止。以后可每周煎服1剂，如有腰胀、腹痛流血者，每天须加服1剂，并卧床休息，切忌房事。此疗法，经治疗19例滑胎患者，痊愈18例。

方中苎麻味甘性寒，无毒，有清热解毒、安胎之功效，且能清淫欲之瘀热。莲子味甘性平，有健脾补肾，安胎之作用，能清君相之火，又能固涩真气。糯米味甘性淡，有补益脾阴，能实阳明空窍之用。红糖补血养胎，使胎不妄动，而胎气自安。此以五谷果实为方，诚王道之剂也。

当归芍药散正胎位 ｜陈雨苍｜

当归芍药散见于《金匮要略·妇人妊娠病篇》，是治"妇人怀孕，腹中疗痛"之方。"疗痛"指腹中挛急而痛。乃肝气乘脾，气血不足，又有水气所致。故用此方以养血柔肝，健脾利湿，而奏安胎止痛之效。

我用该方治疗妊孕胎位不正，取得显效。如一初孕妇，已有月余，经妇产科产前检查，发现胎儿臀位，诊断为羊水过多，致胎位异常，孕妇无其他不适。处以当归芍药散，药用当归9g，川芎5g，白芍、白术、茯苓、泽泻各9g。嘱其每日服1剂，连服5天。于1周后复检，胎位正常，无羊水过多之征，至足月顺产一女婴。又一妇女亦第1胎孕7个月，产前检查发现胎位不正，亦服当归芍药散5剂后，复检胎位恢复正常，足月顺产一男婴。

当归芍药散本为治疗妊娠腹中疗痛之方，何以亦治羊水过多胎位不正？盖因白术、茯苓、泽泻健脾利水，故亦能消除过多的羊水。当归、川芎、白芍善能调理气血，故亦能转正胎位。这就是祖国医学所谓"异病同治""治病求本"的道理。

中药外治产后玉门不敛 ｜周自杰｜

产后玉门不敛，《万氏妇人科》曰："女子初产，身体纤弱，胞户窄小，子出不快，乃至撕裂，浸淫溃烂，日久不敛。"针对此症，余自制一外洗方及油膏，局部洗涤及外敷。

外洗方：当归20g、黄芪20g、桔梗10g、白芷10g、红藤30g、败酱草30g、甘草梢10g，1剂3次煎液混匀备用。

油膏：将紫草100g放入煎滚之生油200ml中，10分钟后去除紫草残渣即成。

用法：患者用外洗液坐盆或用纱布蘸洗伤口，或湿敷伤口10～20分钟，然后在伤口上用油膏纱布敷贴，必要时用胶布或月经带固定，1日2次，连用7～10天，或至伤口愈合则终止用药。

余曾治疗多例。如张某，26岁，初产，其在某医院行会阴切开术，胎儿吸引器助产，产后5天伤口拆线未见异常，然拆线3天后自觉恶寒发热，会阴伤口灼热疼痛，继之流脓，查见伤口内有腐肉及脓液，舌淡苔薄黄，脉细数，证属产后玉门不敛，用上法治疗6日，伤口痊愈。

产后玉门不敛，又称产后阴户不闭，阴门不闭等。由于产时创伤、出血、临产用力、耗损气血，产后血虚、气虚、血瘀及外感湿毒等导致玉门不敛。自制方中诸药合用，能共奏补益气血，托毒祛腐，活血生肌之效，故临床运用疗效满意。

人流术后恶露不绝的防与治　　│周自杰│

人流术后恶露不绝，是指人工流产术后1～2周，恶露淋漓不绝。其发病的主要原因是："人流"器械直接损伤胞脉；残胎留滞；瘀血未尽，阻于胞宫，使血不归经；或术时术后外邪乘虚而入与血搏结成瘀，瘀久化热，迫血下行，导致恶露淋漓不尽。其与正产或小产后恶露不绝的区别在于此为："体实""证实"，临证常见小腹疼痛拒按，恶露色紫黑有块，舌质紫，脉沉涩等血瘀之象。而胞宫为奇恒之府，由于瘀血不去，则新血不生，而新血生则瘀血自去，血自止。故治应以化瘀通络为主。吾常以当归10g，川芎6g，红花6g，炒蒲黄10g，滑石15g，丹参10g，枳壳40g，独角莲12g，益母草40g，乌贼骨15g，生龙骨、牡蛎各24g，为基本方投治，用药后血块或残胎排出，血可渐止。

本病"虚"型虽少，但绝非没有，如少数素体虚弱，术时术后失血耗气，冲任不固者，可表现为恶露清稀，色淡且绵绵不绝。所以，不能一见术后阴道流血不止，皆以攻之，甚或再次刮宫而反使病情加重。此型应以补气生血，坚阴固摄为治。吾常用黄芪20g、当归15g、怀山药15g、白芍20g、女贞子15g、墨旱莲 15g、乌贼骨 20g、益母草 30g、远志炭 15g 为主方加减运用,疗效满意。

人工流产术为计划生育措施之一,因此,如何预防本病的发生至为重要,为防患于未然,术后常予当归 10g、川芎 6g、丹参 15g、枳壳 30g、山楂 15g、独脚莲 12g、益母草 30g、蒲黄 10g,3 剂服用以预防。

漫话产后用药 |孙坦村|

南方民间习俗"产后宜温",儿甫落地,即进姜、酒、糟鸡及油炸糯米丸等食物。有的医生对产后病也喜用温补,我认为这是不妥当的。产后由于阴血亏虚、阳气升浮,一直服用辛热肥甘油腻物品,更易助热伤阴,且碍脾运不化;若是形瘦多火,性急善怒之人;或夏月坐褥,炎火当令之时,更易化火动血。所以治疗产后疾病,还是随证治之,不可偏执"产后宜温"之说。正如王孟英所告诫的"产后非确有虚寒证者,皆勿妄投热剂,暑月尤宜慎之"。

民间还有一种偏见,即不论有病无病,瘀行未行,每分娩后必服生化汤 3 剂,作为俗规,如若产后未服或少服者,无论患什么病,则概责之是此因。叹乎!生化汤为逐瘀生新之剂,有活血温通之功,对产后寒凝瘀滞确有良效,但若不问寒瘀之有无,盲目通用,势必伤正耗气,或劫阴助火,不可不慎。生化汤的应用,也要注意加减。如恶露已净去桃仁,恶露稀少加失笑散,伤食加北山楂,寒痛加肉桂,伤风身痛、劳倦乏力加沙氏鹿茸草等。石芾南所创的新生化汤(益母草、丹参、当归、桃仁、藕节、童便、益元散)有清热化瘀生津之功,产后有热与瘀内结者,可以选用。

总之,产后用药仍循辨证论治。本着勿拘于产后,也勿忘于产后的法则,虚者补之,实者攻之,寒者温之,热者清之。

佛手散引产有良效 |杨毅森|

终止妊娠之引产,近年来多用器械吸引或药物置放阴道内引产。笔者为发掘祖国医学遗产的宝贵经验,与院内妇产科同道合作,用"佛手散"煎水内服,对 18 例妊娠者进行观察,效果满意、安全,服后腹部节律阵痛而自然而下,有效率达 80%。

如孕妇徐某，年 19 岁，妊娠 5 个月，要求引产，经用灌水法引产 24 小时未见产征，改用佛手散：川芎 60g、当归 90g，水煎，分 2 次服，服首次药后 3 小时腹痛阵阵，胎儿随之而下。佛手散为徐之仲所创，系治"室女心腹满痛，经脉不调，妇人胎前产后诸疾，胎动下血，横生倒产，子死腹中……"之方剂，如佛手之神妙而取名。近代医者又有此方加生龟甲而取名开骨散，治难产开骨之用。我们用作引产者，甚效。查川芎、当归轻用则活血补血、调经，重剂则活血下胎，故催生引产多重用，此乃用药之妙也。其优点有三：其一是腹痛有节，胎儿自然而下，减轻孕妇痛苦；其二是安全可靠，无后遗症，无不良反应；其三是无阴道流血过多之弊，孕妇乐于接受。

产后发热，天然"白虎"显奇功

陈慧依

某年长夏酷热，暑气逼人，余游教于桂南山庄。一日深夜，应邀出诊一产褥病人。入室见关窗闭门，妇人厚衣覆被，情苦楚楚，气短倦怠，却坐卧不安。诉其苦云：新产 2 天，恶露全无。今晨起腹痛逐剧，身热而汗自出，口渴欲冷饮，溲少心烦懊侬，全身不适。难以名状。切其肤，汗出津津而肌肤灼人，脉洪大，腹软，宫底于耻上三指触及，质坚，舌质红，苔少，体温 39℃。

此病乃产后百脉空虚，暑邪乘虚而入，伤气耗津，暑热内陷与血搏结而致。余即嘱其家人：①开窗减衣、揭垫揭被。②速觅鲜西瓜 1 个，剖取其翠衣调服"六一散"，并频服西瓜汁。其家人听罢，表示疑虑，惊问："产后宜温，何以西瓜治之？"余释之云："新产之妇，本阴血大亏，应拟补之。但长夏酷热，惧招风邪而闭户关窗，厚衣复被，却导暑邪乘虚内陷。今壮热、口渴、大汗、脉洪大，此为感冒发自阳明经之症状，非辛温退大热之法所宜。若恪守产后宜温补之以辛温之品，必有抱薪救火之弊，非用甘凉淡渗、清热存阴之法不可。西瓜性寒解热，甘淡存阴，有天然白虎汤之美称，为夏日清热解毒止渴除烦之佳品，配以六一散，清暑利湿。西瓜在此地易取平淡，但却能起到轻以去实，热祛阴存，恶露自下之效果。"

其家人听后，虽随即取回西瓜和药物，但疑虑之情仍溢于言表，虑于求医之难，皆恳求余留下以观察病情和应付意外。后按上嘱，病人以得吮吸瓜汁为快，频频引服。服毕约 1 时余，尿增而数解，身热渐退，恶露逐多，色黯红，腹痛减缓，病妇得以安寐。

余再拟清暑益气汤加减：太子参 15g、西瓜翠衣 30g、生荷梗 30g、麦冬

10g、淡竹叶 10g、知母 10g、六一散 2 支。嘱其执药续服。3 天后其家人来院欣告痊愈。

产后腹痛当用下法　　｜陈慧侬｜

某年惊蛰时节，应诊余挚友之媳，其年 23 岁，诉其苦曰：产后 1 旬，腹痛 10 天加重 2 天。旬前顺产一女，产后恶露甚少，伴腹痛胀。但医者曰"子宫复旧，不可不痛"，而来作处治。3 天后出院，恶露不增，腹痛胀日剧，已 4 天大便未解，昨始腹痛而满，胸胁胀闷，口干欲饮，乳汁不多，惶惶不可终日。触其腹软但拒按，宫底触及不清。切其脉洪大稍数，体温 38℃，目赤舌红，苔微黄。

综思症情，此病乃为产后气血郁滞兼阳明瘀热所致。虑其平素体健，拟先下瘀滞为上，选大黄䗪虫丸加减：大黄 10g、桃仁 10g、甘草 6g、牛膝 10g、牡丹皮 12g、䗪虫 10g、枳壳 6g、赤芍 10g、乌药 6g，日服 2 剂。

翌日登门复诊，见病人症情加重，呻吟不已，烦躁不安，守候于床前的家父焦急不安而内疚之情露于言表，沉默片刻后述及："产后无不虚不可攻泻，昨见大黄䗪虫大攻大破而未与服用，遂自购人参 10g 作茶，以求扶正祛邪，岂料后果如此……吾女到底属虚属实，切望细酌。"此时余始记起患者家父亦为略知医理之辈，出于爱女之心，予服人参拒用大黄、䗪虫，实可谅解。因此与其探讨曰："产后之疾，非绝虚之症，亦有发为实证之可能。《金匮要略》指出，产后腹痛，有虚实之分。不满不烦，里虚也。如腹痛烦满，不得卧，则属里实之证，为产后郁结所致。治病必求其本，里实之证非下不成，治病应辨证用药，不可见病用药拘泥于一家之说。"并劝其按上方服用而告辞。

次日清晨，友候门相邀至病家。见产妇安卧床上，呈倦怠神志，喜诉说昨天午时服药，午后约 4 时，连续大便 3 次，恶露量增，色转红。黄昏后腹痛满大减，夜能安寐，病症已去七八，惟口干不思饮。切其脉细弦，舌质红、苔黄，拟养胃生津佐以行气祛滞，方用加味增液汤：玄参 10g、麦冬 12g、小金钗 12g、枳壳 10g、桃仁 12g、川楝子 12g、当归 6g。进 2 剂，欣告痊愈。目睹病家之欢悦，余深悟医者之乐处。

通过此例，余扪心自问，自觉体会有二：其一，产后腹痛，有属正常生理之子宫复旧而痛者，祖国医学称之为"儿枕痛"；亦有各种病因所致的病理性腹痛。不能一概而论"不能不痛"。其二，产后并非绝虚，用药不能纯拘于补，应是攻、补、温、消四法按因而用。《金匮要略》的"妇人产后病脉证治"是治疗产后疾病的金针。

产后盗汗，阴虚火越 |巫百康|

当归六黄汤出自《兰室秘藏》，原为治疗阴虚有火的盗汗证，余临证之际，施于产后虚实夹杂之盗汗，也屡见功效。或问"产后宜温，何以投芩、连、柏等苦寒之品？"余曰："产后阴虚阳热上蒸，以头汗为甚者，宜当归六黄汤治之。方中当归以养肝血，生地黄凉营分之热，熟地黄补阴，三药同用养血增液以育其阴，使营阴内守而为主药；黄连、黄芩、黄柏泻心降火以清热坚阴，热清则火不内扰，阴坚则汗不外泄；黄芪补气以固表，尤恐汗多阴虚，宜防阳越。余临证恒加牡蛎敛阴潜阳，麻黄根引诸药走肌表而固腠理。诸药配合，达到火降阴平，卫和阳秘也。"

曾治吴姓女，32岁。因产后盗汗月余，多方求治，未能奏效。自述平素大便常溏、秘交替，长期夜寐欠佳，上月顺产一婴，出血较多，次日大汗淋漓，头额部尤多，入寐为甚，昼夜换衣数套，如渍水状。观前医均以产后体虚，投用补气健脾及敛汗固涩之品，乃至西洋参等药而罔效。患者面色苍白，神疲体倦，心烦不寐，头昏耳鸣，舌质红苔少，脉沉细带数。综观脉症，仍因产后阴血亏损，虚火迫液外泄，卫阳不固，虚实夹杂，非纯补所能奏效。应以滋阴泻火，固表敛汗为法。选当归六黄汤：当归、黄柏、黄芩、麻黄根各5g，黄连3g，黄芪、生地黄、熟地黄各10g，生牡蛎15g。煎2次分服。进1剂后，盗汗大减，3剂汗止。复诊，仍夜寐欠佳，舌红苔白，脉转虚缓。此邪热已清，气阴不足，营卫失调。治宜益气养阴，调和心脾，选生脉散合归脾汤加减以善其后，并嘱以配合党参、大枣各30g，水煎代茶饮。服药3剂，诸症悉平，神清气爽，眠酣饭香，二便自调。停药增加营养，休息调养而安。

（戴舜珍 整理）

升麻黄芪汤加味治产后癃闭 |刘丽华|

升麻黄芪汤系《医学衷中参西录》张锡纯自拟方，主治产后小便点滴不通，偶因呕吐咳逆，或侧卧欠伸，可通少许者。方中黄芪既善补气，又善升气；

柴胡、升麻为少阳阳明之药，能引大气之陷上升；加党参培补脾气，以治下陷之阳。诸药相配，有益气升阳，提壶揭盖之功。当归补血活血，使气补而血不滞。

余用此方加木通、路路通，使浊邪外出。若导尿日久，气阴耗伤，可配麦冬、五味子补阴，使浊邪去而阴不伤。总观全方，使清气上升，浊阴下降，气血调和，气机畅达，故小便自通。

曾治患者牛姓女，24岁。1963年1月住某医院，因产程过长，产时努力过甚，造成产后次晨小便潴留不能排出，少腹胀满，膀胱尿液充盈平脐，产后半月均以导尿度日，异常痛苦。曾服五苓散加破瘀散结之品无效。观患者面色㿠白，精神困倦，纳谷不香，舌淡苔薄白，脉沉细，此乃产后中气大伤，膀胱气化失职，方用升麻黄芪汤加味，服药2剂，小便通利，3剂畅流，17天癃闭完全治愈。

漏乳与乳少治例 | 徐文惠 |

吾曾见已故老中医石玉书治一徐姓患者，28岁，产后2个月余，因漏乳而求治。

患者形瘦，神疲，气短，纳差。产后行乳，但乳房不觉胀满而乳汁外溢，不吮自流（俗称漏乳），且乳汁清稀，脉沉细无力，舌质淡胖有齿痕，苔薄白微腻。石老处方如下：炙黄芪15g、当归12g、白蔹9g、莲子12g、焦白术9g、藿香6g、防己6g、甘草3g。按方先服3剂，乳汁自溢明显好转，再服3剂，乳不自溢，且乳汁渐稠，至乳儿周岁未再漏乳。

又见一陈姓患者，产后乳少，乳房虽胀，但乳量少，且乳汁稀薄，致婴儿啼哭不休而求治。观其舌质淡红，苔薄白，脉细数无力。石老拟用下方：潞党参15g、玉竹12g、当归9g、穿山甲珠3g、无花果9g、刺猬皮3g。服药3剂。

服上药后乳量增多，乳质增稠。石老嘱患者以脚鱼（鳖）炖食。

石老所诊上述2例，无论漏乳或乳少，观其脉症，均属产后气血两虚无疑。但前案漏乳以脾气虚弱为主，脾虚则津血无以化生，且固摄无权则乳自溢出，故以益气健脾为治。后者乳少系气阴不足，阴血虚亏，乳汁化源不足，则乳质稀薄，气虚则乳汁分泌不畅，故以补益气阴为法。总之，乳汁为津血所化，又赖阳气以运行，而气血化生赖于脾胃，脾胃健运则气血旺盛，气足血充，漏乳、乳少皆可获愈。

治不孕症首需调经 | 班秀文 |

妇女婚后不孕原因很多，可因肾气虚弱、肝肾亏损、气血两虚、痰湿黏腻、肝气郁滞等。治疗方法也不尽相同，或温补肝肾，调养冲任；或疏肝理气；或活血化瘀；或温经散寒……但妇人以血为主，以血为用，"有余于气，不足于血"（《灵枢·五音五味第六十五》）。不论证的寒热虚实，均与气血息息相关，常说"经者血也"，气血的盛衰盈亏，必然影响月经。临床所见不孕的妇女，常伴月经病，如月经不调、痛经、闭经等，这些月经病常导致不孕，所以妇人不孕症的治疗，尽管方法多种多样，首要的是调经。调经之法，前哲时贤的经验甚多，笔者的体会，凡是血热引起的月经不调，常用丹栀逍遥散加减治之。方中白术一味，嫌其苦温而燥，多去而不用，加怀山药、沙参、麦冬甘润养阴，经行忌滞瘀，喜加既能化瘀又能止血的益母草。肝气郁结的痛经，以柴胡疏肝散加当归、莪术、甘松、素馨花治之，甘松温而不燥，素馨花辛平芳香为疏肝调气良药。肝肾亏损经行错后，量少色淡，经后小腹绵绵作痛者，仿《傅青主女科》的调经汤加减，此方特点是舒肝气，补肝肾之阴，是平调肝肾之妙剂。阳虚宫寒，经行先后不定期，量少色淡质稀，平时带下绵绵，经带并病者，用附子汤合缩泉丸加当归、桑螵蛸以收温肾固涩，养血暖宫，经带同治之功。总之，调经之法，虚者补之，实则攻之，热者清之，寒者温之，痰湿阻滞者，本《金匮要略》的"病痰饮者，当以温药和之"之法，投以温燥之品；瘀血为患，又多以温化为佳，务必达到经脉通畅，气血平正，月事按时下，使之受孕有期。

人中望诊在妇产科上的应用 | 徐学义 |

唇部望诊古已有之，《灵枢·五阅五使》："口唇者，脾之官也"。《望诊遵经·诊唇形容条目》也有"唇焦者，脾蒸也；下唇焦者，小肠蒸也；热病口燥唇焦者，病在脾也；唇焦枯无泽者，脾热也"的记载。这里着重谈谈人中望诊在妇产科上的应用。《灵枢》曰："面王以下者，膀胱子处也"，笔者根据家父所遗之手抄件而市上无刊行者，结合临床观察，对照之下，颇多合辙，现整理于下。

1. 人中望诊要点：①正面观察是否偏斜。②注意沟沿是否清楚及高低程度。③人中深浅。④人中宽窄、上下是否对正。⑤人中中间是否有纵沟及横纹。⑥人中是否弯曲。⑦人中长短从其正、侧、动静和体型上观察是否对称。

2. 人中望诊分型。

（1）正常型：一般说来，人中宽、直、深者属正常型，人中宜长不宜短，中深外阔，沟沿清楚，正直不狭，说明子宫发育完全，月经正常。

（2）短促型：人中短促，说话时人中几乎不见。此为子宫颈短，孕后易早产或流产，月经往往初多后少。

（3）宽旷型：人中宽旷，沟沿浅，隐约可见，中沟亦浅、平坦，此为子宫发育差，月经过多，孕后易流产。

（4）漫平型：人中虽不宽，但沟沿甚浅，甚至若无，与中沟看不出界限（月经期更明显），多为幼稚子宫，经量少，不易受孕。临床中漫平型较宽旷型多见。

（5）绕凹型：人中虽圆窝状，窝大而浅者，外骨盆狭窄，生产时影响不大；窝小而深者，则为内骨盆狭窄，易出现难产。

除以上常见之五型外，人中有如下情况者，临床观察亦需留意。①狭细如针者：子宫尖如锥，多痛经，不孕。②偏向左方者：子宫偏右，反之亦然。③上宽下窄者：子宫前倾，经行时少腹痛。④上窄下宽者：子宫后倾，经行时腰楚。⑤上下均狭窄而中间独深者：为子宫萎缩或幼稚子宫。⑥弯曲如横马蹄形者：子宫呈蜗牛状，宫颈变位，经行腰楚特甚，易致血崩。⑦人中有一直线凸出如沟沿者：可能为双子宫、双阴道或阴道横隔，中线正直的，双子宫大小一样，中线偏直的，双子宫一大一小。

笔者曾接诊一柏姓女青年，自诉其经量少，周期短，经色如扬尘水，间夹血块，行经时腰部瘘楚，少腹作痛，已婚 3 年未孕。望诊见人中虽不宽但浅，其沟沿亦浅，与人中界限不分明，且人中下宽上窄如三角形。据此认为属漫平型人中，有幼稚及子宫后倾可能，介绍作妇科检查后果系如此。

现将以上一得之愚贡献于诸同道，以作临床参考。

妇科病督、任、冲、带为根本 沈柏台

我常见一般中医妇科医生，多以为治疗妇科病，以调气血、和脾胃、疏肝补肾为法，晓此已达善境。但我临床多年的体会，治妇科尚有比此更重要者为调理督、任、冲、带四脉，此乃中医妇科的真谛。

在临床中，妇科病之异于男子，以妇人有经、带、胎、产与授乳之不同。我临床验证，妇科病与奇经之冲、任、督、带四脉，确有密切关系。

至于处方遣药，历代医家积累了不少经验，但对入奇经四脉的药物，诸书所载，品种繁多，难以备记。惟能记取要则，临床即可运用任由。我掌握的要领，以督、任脉之基础为肾，而督脉统诸阳，补肾阳的药物如鹿茸、鹿角胶、淫羊藿、补骨脂、肉桂多入督脉；任脉统诸阴，补肾阴的药物如龟甲、续断、地黄、枸杞子、紫河车则入任脉；冲为血海，肝藏血，入肝之药，多走冲脉，例如阿胶、白芍、何首乌、山茱萸、牡蛎等；带脉隶于阳明，阳明与太阴为表里，入脾胃之药，如白术、山药、芡实、白果、白扁豆之类，均入带脉。

临床常见妇科病的处理原则，从督、任、冲、带四脉来说，月经不调、崩漏、胎漏、胎动不安，均宜调治冲、任二脉。闭经，应补冲通任。不孕，治督、任、冲三脉。带下，治任脉并带脉。恶阻，安冲脉。半产坠胎，疗冲、任、带脉。乳少，补冲、任二脉。我的经验，凡遇上述各证，倘是久治不愈者，应从四脉考虑处方用药，方可收效。

笔者曾治女教师吕某，40岁，患崩漏，月经来潮，量多色淡。血液检查，血色素、血小板均低，初用西药无效，后转中医治疗，曾服药20余剂，凡温药、凉药、炭黑止血药、益气补脾摄血药，诸如四物、补中益气、归脾等方，均无效。延我治疗时，见患者面色萎白，气短神疲，腰痛头晕，舌质淡红，苔少而薄，脉沉细无力。按月经来潮，冲、任所主，日久不止，冲、任脉虚，四诊合参，一派虚象。乃用《王孟英医案》之温养奇经方与《医学衷中参西录》之固冲汤合方加减。服2剂流血减少，5剂血止，继稍增损原方复服10剂，精神复原。西医查血小板与血色素亦正常。以后直至绝经，此证再未复发。此为根据四脉施治之范例之一。

因此，我的浅见，中医之妇科医生，如欲深造，首应深入研究督、任、冲、带四脉与妇科病之关系与表现及治疗药物。处理妇科病，须以四脉为根本。

冲气上逆与经期呃逆 　|江素茵|

经期呃逆，医书少载，又与内科呃逆有别。发病机制不仅涉及脏腑、气血，更与冲脉关系密切。《内经》谓："冲脉为病，逆气里急。"冲脉起于胞宫，隶属足阳明，经期与经前数天，冲脉之气盛，若脾胃素虚者，则易受冲气所犯，致胃失和降，引起呃逆。

　　某妇，42 岁。经期呃逆历 14 年，每于经前数天，喉间呃逆连作，声短而频，仅于用膳交谈时可暂时歇止，伴胃脘不舒，心烦易怒，胸闷胁痛，因而坐卧不安。月月如此，极为痛苦。所服方药，多以逍遥散加减，虽症见缓解，但呃逆未能根除。就诊时，呃逆频作，面色苍白，精神疲惫，经行 3 天，量多如崩，四肢欠温，纳食减少，夜寐欠佳，舌淡胖有齿印，脉沉细。又询知患过癫痫病，虽已治愈，但生性善思多虑。审证求因，为心脾亏伤，中气不足，统摄无权，冲任不固，致经多如崩；经期冲脉气盛，上逆犯胃，因而呃逆；心脾血虚，则神惫，面㿠，肢末欠温；舌脉乃示虚寒之象。我遂投归脾汤化裁。药用人参、茯苓、白术、甘草健脾益气，当归、龙眼肉、酸枣仁、远志养心补血，柿蒂、神曲、小茴香理气和胃降逆。服 3 剂后，续服归脾丸 3 瓶。辨证准确，如桴应鼓，一拨灵验，诸症均平。隔月经再至，已无呃逆，精神转佳，喜 14 年之痼疾得以消除，感激不已。

阴挺宜升阳与益肾并举　　|杨守玉|

　　1983 年初夏，曾治六旬之廖氏老妇，因过去胎产多，褥期失调，而成胞宫下坠，突出于阴门之外，腰膝痠痛，脉象沉细。遵李东垣之益气升阳法，守补中益气汤原方，连进数剂，症稍瘥而苦依然。益气之力尚不足乎？增益北黄芪 45g，台党参 30g，再进数剂，症情不减。法当中病而效不嘉誉，何也？苦思良久，终悟其理，《内经》云："形不足者温之以气，精不足者补之以味。"腰膝痠痛乃肾精不足之外候也。当升提中气之时并进填精益肾。上方增金樱子、枸杞子、覆盆子、五倍子、大熟地黄。连进十余剂而安。用药如用兵，其理确然。

（黄业芳　整理）

阴　吹　　|徐陈如|

　　阴吹，即阴户有气排出，簌簌有声，如转矢气也。究其因则有中气下陷，或肠胃枯燥，或肝气逆乱，或饮踞中焦，或气血大虚等不同，治疗则有补中、润燥、疏肝、化饮、或补益等法。

我治韩妇，34 岁。患胃下垂及子宫下垂数载。近年来阴道排气，簌簌有声，因怕羞隐患不言，后发作益频，日数十次，发则连续不断，遂来求医。望其形体消瘦，神疲倦怠，面色欠华，舌淡红，苔薄白；听其语声低微，气短难续；按其脉沉而虚弱；细询之，禀赋素虚，忌冷喜热，大便欠实，日行三四次，带下绵绵，质稀如清水，经行量少，且胃脘经常隐隐作痛。窃思本病系因脾胃虚弱，中阳不足，气虚下陷，失于固摄，故见诸症。拟以健脾益胃，补气温阳之法。方选参苓白术散化裁。用党参、茯苓、白术、甘草补中益气，白扁豆、怀山药、莲子、砂仁健脾燥湿，桔梗载药上行，黄芪、当归补气养血，附子温阳而逐寒燥湿，鹿角霜温固任督以冀止带。经投药 20 剂，阴吹告停，大便成形，日解 1 次，诸恙均愈。改用补中益气丸善后，并用党参、黄芪、大枣、莲子、怀山药、当归炖瘦肉常服，遂得康复。

（黄熙理　整理）

中药外敷神阙穴在妇科的运用 ｜周自杰｜

我在学习吴师机"外治法"中得到启示，用中药外敷神阙穴治疗痛经、癥瘕、产后排尿异常、产后腹痛、产后恶露不绝等妇科病。

痛经：选用自拟痛经外敷散，即细辛 6g，高良姜 10g，吴茱萸 10g，肉桂 10g，荜茇 20g，白芷 10g，乳香、没药各 3g，丁香 10g。共研末放入瓶内加白酒密封浸泡 7 天备用，用时加樟脑适量。将上药少许放入脐中，最好用止痛膏帖密封固定（若无止痛膏用胶布也可）。经前 2～3 天开始使用，一直用到经净，每日换药 1 次，连续使用 3 个月。如治王某，28 岁，原发性痛经 14 年，每次经前小腹坠胀，经期小腹剧痛难忍，卧床不起；痛时面色苍白，呕吐，经量中等，色黑有块，苔薄白，舌质稍红，脉弦细。用上法治疗 2 个月即愈，随访 2 年未复发。

产后腹痛、产后恶露不绝：选用《丹溪心法》产后消血块方，即滑石 10g、没药 6g、血竭 6g，研末醋调成糊状置于神阙穴，用胶布密封固定，一日换 3～4 次。如贾某，29 岁，产后三四天，阴道出血淋漓不断，血色时鲜时黯，小腹疼痛下坠，纳差，大便干，小便短赤不畅，脉沉弦，舌质紫黯，苔薄黄，用上方治疗 4 天即痊愈。

产后排尿异常：选用自拟"四料散"，即生姜、葱白、大蒜、食盐适量研细成糊状，约一撮放入脐部，上盖塑料纸，用胶布固定，外加热水袋保温，待排尿后取掉。如赵某，32岁，产后2天小便不能自解，产时因宫缩无力，产程延长，产后疲惫不堪，小便癃闭，曾用多种方法处理无效，遂采用上方外敷，经4小时后即自行排尿。

癥瘕：用自拟消癥止血散，即晚蚕沙30g、竹节香附30g、大黄10g、桂枝10g研粉装入布袋内，隔水蒸1小时后取出，滴酒数滴，待温度能耐受时放置于脐部，外加热水袋保温，可1~2小时取掉，每日2次。此法适用于血瘀型癥瘕。如梁某，43岁，经量增多3年多，有时出血淋漓不断，有时出血量多，并夹有瘀块，小腹疼痛拒按，舌质暗红，脉沉涩。西医诊断为"子宫肌瘤"，按上法连续用药2个多月，子宫明显缩小，月经恢复正常。

我选神阙穴用药治疗妇科病，是因为脐为五脏六腑之气出入之处，神阙为任脉上的穴位，任脉总任一身之阴经，为"阴经之海"，总司人体的阴液，任脉主妊养，故妇科病选用此穴用药，药物能通过腠理直达病所，从而达到治疗效果。其方法简便易行，作用快，较单纯，内服药取效迅速，亦可用作急救措施，同时用药少，药价低，治疗时病人感觉舒适，乐于接受，效果满意。

更年期自汗证从肾治 高雨生

妇女更年期自汗证，中医概属于"自汗"范畴。这类患者，一般病程较长，且有时轻时重的特征。发病开始与月经紊乱有关，至绝经期之后尚可持续几年。出汗一般以上身为主，身热面红，上半身及"心口"出汗，轻则手心潮润，重则湿透衣服。而且，不少患者较怕冷，容易感冒，发病后体重明显增加，体形逐渐肥胖，或伴有疲乏、胸闷、腹胀、心悸、短气、口干喜热饮、食欲不振、小便色清而较少、大便溏薄、舌质淡白等。

其病机当责之阳气不足，而与肾阳虚衰关系尤密。盖因肾为阳气之根，阳气不足，卫表不固，动辄出汗。《景岳全书》中指出："人但知热能致汗，而不知寒亦能致汗。所谓寒者，非曰外寒，正以阳气内虚，寒生于中，而阴中无阳，阴无所主，而汗随气泄。"而诸多伴症，也不外是由于肾阳衰微，气化失调所致。因之，对此类患者，用固表止汗剂如牡蛎散、玉屏风散等不易取效，当温补肾阳以治根本。据我几十年临床经验，用肾气丸合二仙汤化裁治疗更年期自汗，取效甚捷，举述如下。

孙某，女，67岁。10年前手术切除卵巢之后，动辄汗出，体重明显增加，口干喜热饮，畏冷形寒，喜著厚衣。曾就医于当地许多名家未见疗效。综合病史及脉症，显系肾阳虚衰不能固表，法当温肾壮阳，固表止汗。处方：淫羊藿、浮小麦各20g，熟地黄15g，茯苓12g，牡丹皮9g，淡附子、山茱萸各6g，肉桂1.5g（分冲）。服6剂后，诸症显减。续服6剂，复如常人。随访8个月，未见复发。

（史一峰　整理）

妇女诸疾话"逍遥" 徐陈如

"中年治肝"之说，源于《河间六书》："妇人……天癸既行，皆属于厥阴论之。"吾临证对于中年妇人诸疾，多用逍遥散化裁为治，恒收异病同治之效。乃因中年妇女在生理上有经、孕、产、乳等特点，心情容易激动，常使肝气郁滞，且胎产哺乳气血多虚，因此多从解郁入手。

临床上，我用逍遥散是以性急、胸闷、喜太息、口苦、脉弦为适应特征。方中柴胡用量一般为4.5~6g；白芍则用量多为柴胡倍量以上，意在防其疏散太过；当归用量宜少，既能养血疏肝，又不致于太辛温；去煨姜恐过于温热；若血热明显，可加牡丹皮、栀子；血虚明显可加地黄。

现举病例以证之。蔡妇，36岁。生性急躁，月经先期而行，多年来经前乳胀，触之有大小不等结节，分界尚清，诊为"乳癖证"。寓肝郁化火。用丹栀逍遥散去当归、煨姜、薄荷，加青皮、郁金、香附。调理3个月获愈。又治王妇，性急易怒，经前头痛欲裂，痛甚则呕，病已4年，屡医无效，近增月经先期，带下淋漓。证因郁怒伤肝，肝阳上亢，则头痛欲裂，月经先期而至，肝木横侮脾土，而见带下淋漓。用丹栀逍遥散去煨姜，加何首乌、珍珠母、鸡冠花、怀山药，以舒肝健脾止带。3剂后头痛除，带下减。仍以此法调理，未见复发。刘姓妇，经前精神抑郁，多疑善感，胸闷欲裂，哭毕则舒，舌质红，苔白腻，脉沉弦。证因肝气抑郁，情志为之所伤。拟逍遥散去煨姜、薄荷，加香附服3剂即愈。又有蔡妇。1个月来月经淋漓不断，曾住院刮宫，注射"止血针"，血仍出不止。伴胸胁苦满，小腹闷痛。证因阴血亏损，肝失濡养，肝气失其条达之机。拟养血疏肝法。予丹栀逍遥散去煨姜、薄荷，加熟地黄、艾叶炭、荆芥炭、地榆炭，2剂后血量减。按上方加煨姜1.5g，续服4剂后，出血停止，余症俱减。继以党参、黄芪、芍药等调理善后。又有一妇，诉首次怀孕时，8个月而胎死，此次已孕7个月有余，因盼子心切，复虑前事，心情抑郁。1周来乳汁自溢，乳胀心烦，溲赤便秘，舌红苔黄，脉弦数。证属乳泣。乃因肝气郁结化火。投丹栀逍遥散去当归、煨姜、薄荷、加生地黄、黄芩。服 1 剂后，乳溢见减，3 剂而诸症悉除。

（黄熙理　整理）

治小儿病 70 年经验谈　|郭梅峰|

小儿之病，初起无非外感、食伤两途，但小儿脏腑娇嫩，腠理柔脆，易虚易实，药一过分，锄伐其生生之气，变幻百端，故小儿 3 岁内不可妄用清心火剂，以虚其真。

古人治小儿病多用推拿，后世别置小儿一科，对小儿稚阳稚阴之体如此慎重处理，是欲培植其生生之气，不欲人因病而牛刀小试，锄伐其真元也。余提业有年，对儿科尤多注意，未肯徇随俗见，而以见效为原则，兹分五类略陈于后。

小儿燥火病

小儿久热不退，少阳燥火病也，由于稚阴薄弱，过用表药，损其营气，至久阳不归宅，热久不退。感冒初起经表汗过度，不得阳明之濡滋，外邪即与少阳相火相连，宜甘凉透解，倘治不如法，久留少阳半里，虽不伤阴亦能延期累月不解，此等病证，人多称之为夏季热。

小儿温病（如麻疹、肠热等病）

温病有潜伏期，初起太阳不解，即转属阳明，或出麻疹，或肠热，或肺热、高热之际，宜多饮温开水，所饮必须流质，米汤粥水、稀牛奶之类，不以饭面荤油助长其热，药宜甘凉清解，勿以苦寒伤其气，勿以表散伤其阴。麻疹发热，一般人习惯以紫草、红花压抑其外透之机，使邪不外达，以致后患增多；或以升麻，助长其热，升邪入脑，使成昏睡垂危，余不敢呵其所好，久欲勉人解除此陈腐陋习，而力有未逮也。

小儿风热病

即小儿风热感冒，是常有之证，外有风邪或暑邪，兼有滞与惊吓之里因，多有一时高热，但此际勿遇事张惶，宜多饮暖水以免抽搐，勿因高热而过表过凉，权衡治之，当不致酿成大患。

小儿脾虚证

小儿稚阳不足，一经表散无度或凉伐过施，既伤胃脘之阳，尤伤太阴之阴，以致食欲衰，身体羸，宜以甘药健胃，淡药健脾，元气当徐图恢复。切不可误为虫积，虽烦躁不安，切勿乱以驱虫药，以伤其真元也。

小儿惊风证

惊风应分数种观之，小儿气怯神弱，卒遇怪异形声，及骤然跌仆，皆生惊怖，其候面青粪青，多烦多哭，惊惕不安，此为惊病，非热邪塞窍，安神定惊可也。

所最宜分别者，是因滞而生热，因热而生痰，生风，生惊。又因小儿腠理未密，最易感冒，因感冒处治失当，内连痰火而急惊风，变而慢惊风，莫非三阴三阳之所系？急惊，三阳证也；慢惊，三阴证也。夫太阳、少阳、阳明之发热，多有并病合病者，小儿肌肤薄嫩，安能任此两阳之热化，热盛而惊、而泄、而喘促、而瘛疭，治之之方，不可不慎，急惊羚羊莫迟，世人徒以金石重药镇坠，以致外邪深入难痊，未可以为法也。

少阴、太阴、厥阴，本亦有并病合病者。小儿脏腑柔弱，安能任此内袭之阴寒，寒甚而厥、而利、而筋脉收引，世人徒以通关散治之，不温其里，亡阳可立待也。是知慢惊多泻，救里石榴皮堪恃。

然而辨证亦殊难矣，例如下利是太阴少阴之虚寒乎？抑两阳合病之热利乎？辨证不清，或依阿两可，皆能致人于死地，是又须以发热为定评，夫下利发热，当非三阴证矣，不可不于六经征象中详求之也。

（杨干潜　整理）

谈小儿用药　　何蔼谦

凡处方用药，必须有的放矢，按处方规律组方，主次分明，方能显效，尤以儿科的用药要精选，药量要准确，药味贵精不贵多，只要比例恰当，自然得心应手。例如小儿外感风热证，在轻清疏解清宣之法中，常用苇茎、桑叶、菊花、连翘、淡竹叶、薄荷等几味即已能达到祛风解热之效，至于挟滞、挟惊、挟痰、挟湿等兼夹症状，则按具体情况增加一二味已足，切忌药石妄投，杂乱无章，否则药味虽多亦无济于事也。

当归运用之我见 |王香石|

医家常谓，当归功用有三：①补血调经；②活血止痛；③润肠通便。然而，当归还有止咳之功。当归味辛而入肺，可能有人会因其辛温而恐伤肺之阴津，其实当归质润，补血中却能滋肺之阴。《医学衷中参西录》曰：当归能润肺金之燥，故《神农本草经》谓其"主咳逆上气"。临床上则多用于上盛下虚或肺肾阴虚之咳嗽，如苏子降气汤、金水六君煎等方中均用有当归。

另外，当归尚可用于下利。有君疑之，当归质地柔润性温，用于血虚之肠枯便秘尚可，若湿热之下利，非但无功，还恐有恋邪之弊。殊不知下利又称"滞下"。即大肠气机郁滞，正气传导失司，气血运行受阻而致。当然，造成滞下的原因多是温热之邪，但既有气滞血行不畅，治疗时就应在清热利湿之基础上，适当加入行气活血之品。正如前人所言："行血则便脓自愈，调气则后重自除。"当归为血中气药，其性"动"，用之甚为恰当。临床上用于老人或体弱者下利便脓血，效果甚佳。当归以上两种功用，临床常有被忽视者，故特记于此。

儿科寒温学派源流论 |俞景茂|

儿科中的寒温两派，大致自南宋陈文中渐趋明显。当时由于痘、麻等急性热病严重影响小儿生命，成为临床上的重大课题。陈氏对钱乙用抱龙丸、百祥丸、生犀散等寒凉之剂治疗痘疹，提出异议，认为若妄投寒凉，恐冷气内攻，湿损脾胃，以致腹胀喘闷寒战啮牙而难治，故创桂附、丁香等燥热温补之剂，以治痘疹因阴盛阳虚而出迟倒塌者，成为痘疹用温补学派的创始人。后世评论钱陈两家得失的很多。大概宗河间者主寒凉，与钱乙相近；宗东垣者主温补，与陈氏为伍。其实治痘用寒凉峻下之法，是有感于当时流行用温燥之药而发；而陈氏治痘用燥热之剂，则秉承《局方》之学，以致逐渐形成了宋金以来治痘之寒温二派，并影响到儿科领域的各个方面。就拿清代温病学家吴鞠通来说，吴氏虽将《阎氏小儿方论》中的紫雪丹、至宝丹运用于温热神昏惊厥的救治，但又认为苦寒药不宜在儿科中随便运用，提出"儿科用苦寒，最伐生生之气"之论，主张以"存阴退热为第一妙法"。

由于钱乙强调了小儿易虚易实，易寒易热之病理特点，认为脾虚不受寒温，服寒则生冷，服温则生热。故儿科领域中的寒温学派，似不如他科之偏执，而往往出现折衷或兼提并论之说。但其影响还是十分深远的。

就当前儿科临床来看，习用寒凉者多，温热者少。然而药不论寒温，贵在审证明确，用之得当。由于小儿稚阴未充，稚阳未长，而阳气在生理状况下是全身的动力，在病理情况下又是抗病的主力，因此必须时时注意固护。只有阳气充沛，才能在脏腑娇嫩，形气未充之年，生气蓬勃，发育迅速。一旦阳气受损，百病由生，变证蜂起。加上当今儿科医疗中，抗生素、液体疗法的广泛运用，经西医治疗无效而转入中医治疗者屡见不鲜，这是古人所不曾遇到的新情况。也就是说，经西医药治疗后的病例，阳损者多，阴乏者少。因而治疗用药不但要注意易实易热的一面，也不能忽视易虚易寒的一面。特别是因感寒邪、素禀阳馁，或久病不愈，或辗转失治的重危病，要善于在明辨阴阳的基础上识别其真寒假热，不失时机地运用温热药，确能起到迅速痊愈或挽回沉疴的效果。故切不可固执一家之言。

漫话儿科用药　　　|陈宜根|

儿科用药首先要了解小儿的生理病理特点，这样才能做到左右逢源，药到病除。小儿脏腑娇嫩，形气未充，对疾病的抵抗力差，寒暖不能自调，乳食不知自节，所以外易为六淫、惊恐所侵，内易为饮食所伤，一旦得病，病理变化迅速，易虚易实，易寒易热，或虚实并见；有的由于正不胜邪，正气内溃，就会很快出现面白肢冷、舌淡脉弱等虚证、寒证，甚至导致死亡。这是小儿的弱点。但小儿脏腑气机清灵，反应敏捷，生机蓬勃，病因单纯，既无欲、色之伤害，又无忧思悲怒之扰动，只要及时治疗，用药恰当，又容易恢复健康，这又是小儿的优点。正由于此，所以小儿用药有它的特色。如吴鞠通说："其用药也，稍呆则滞，稍重则伤，稍不对证，则莫知其乡，捕风捉影，转救转剧，转去转远。"和张景岳所说的："其脏气清灵，随拔随应，但确得其本而摄取之，一药可愈。"

我家十代世传儿科，自己亦在杏苑耕耘近50年，对儿科用药有以下点滴经验。

一是猛峻之药少用。由于小儿为稚阴之体，所以外感风寒时，麻黄、桂枝等辛温之品应慎用；肠胃积结时，芒硝、大黄等峻猛之药宜少用。这样才能避免发散太过，攻下太甚，而致耗阴伤液，滋生他变。

二是处处顾及脾胃。小儿虽为纯阳主体，多生热病，但毕竟属于稚阳，且脾胃薄弱，所以黄芩、黄连、栀子、石膏等药要适可而止，过服易克伐阳气，伤害脾胃；又乳食易伤，故要常常顾及补脾健胃、消食导滞。常用方如参苓白术散、保和丸等类。

三是时时注意驱虫。小儿脾胃嫩弱，易为寄生虫所感染而产生疳积等病，所以在处方用药时也要时时注意驱虫，即使虫病的症状不明显，也可辅以杀虫消疳之品，如芜荑、鹤虱、榧子、使君子之类。

四是常常配合平肝。小儿肝常有余，除了因肝风内动，风火相煽之抽搐、痉厥而用凉肝熄风法外，药如羚羊角、钩藤、全蝎、蜈蚣等，在一般情况下也常配用些白芍、蝉蜕、蝉花、千日红、绿萼梅等平肝养肝之品，以防肝风蠕动。

五是及时扶护正气。小儿易虚易实，临床常见病后容易出现体力衰弱、营养不良等虚证，所以在病情缓解后就要及时顾护正气；即使尚有余邪，也可一面清除余邪，一面酌用太子参、黄芪、怀山药、白扁豆一类性味比较平和的扶正补气药。

此外，在煎服药方面，要尽量浓煎，使药量减少，还需多次分服。对于1岁以上能知甘苦的婴儿，尽可能少开些苦药，或加些白糖、蜂蜜等以调和苦味。新生儿喂药有困难时，病情不重者，可让其母饮服药饵，以通过乳汁给婴儿疗病；对病情危重者，药饮不入，可用鼻饲或保留灌肠之法。

在药量方面，要根据患儿的病情、体质等不同情况，掌握运用。对大苦、大辛、大寒、大热及峻猛有毒、有不良反应的药物，要严格掌握其用量外，其他现行的用药量一般偏轻。以3岁的小儿为例，有的儿科书提出，剂量为成人的1/4～1/3，我认为可以为成人剂量的1/3～2/3。当然还需随证而变。

治疗儿科疾病，要胆大心细，诊断准确，治疗及时，用药要审慎果敢。童婴是世界的未来，人类的希望。在计划生育的年代，一个小孩健康与否，牵动着全家几代人的心，"哑科"医师难而光荣，要有热爱"纯真"之心，才能德高艺精，才能使清澈如醇的生命之泉永流不息。

（林信舒　整理）

谈《活婴金鉴》　｜蔡友敬｜

《活婴金鉴》是一本流传于闽南民间一带的儿科专著，富有浓厚的地方色彩。相传是福建南安县人洪泽秋，于1926年由菲律宾返里时带来的家藏秘方。1932年由南安县叶健秘请人集资刊行。叶先生并为本书作序。序中说："洪泽秋先生，为邑后搂乡人，先世业医，学有渊源，悬壶济世垂50年，其医理精纯，识者折服。是书即本其累世之经验，而视为肘后之秘方也。"指出本书是洪氏家传秘方，累世经验。

本书内容主要是记载婴儿疬（闽南方言）症的方药。所谓"疬"，现尚待考。但大多数医家认为是专门治疗8个月内婴儿的疾病，也有少数医家认为是专门治疗婴儿"急惊风"的。但从内容来看，该书共记载72种疬症，所述症状和方剂内容，除惊风外，尚有其他婴儿疾病，可见两者兼而有之。

本书主方是"验方疬散"。其组成是麝香、牛黄、珊瑚、玛瑙、琥珀、珍珠、熊胆、梅片、夜明砂、乌金箔、胆南星、天竺黄、人中白、地龙、黄连、蝉蜕、白滑石、赤石脂、淡竹叶、鹅不食草、朱砂、川贝母、牙皂角、僵蚕等味。分析其作用，乃镇痉祛痰、清热解毒之良剂。应用于婴儿发热、痉厥、昏迷之症。此三大症状，乃婴儿常见之急症。因此，我认为是治疗婴儿急症的专书。在72种疬症中，除20种未用"疬散"外，其余52种疬症均配用疬散，更可证实本书是以治疗婴儿急症为主。

30余年前，我曾治疗1例婴儿黄疸，当时患儿发高热、抽搐，遍身浑黄。用本书"黄栀疬"方（黄柏、黄芩、黄芪、茯苓、青皮、甘草、枳实、陈皮、栀子、茵陈、灯心草），并配用"疬散"0.6g进行治疗。服药后病情逐渐缓解，服十多剂而痊愈。20年前，又曾治一小儿癫痫，1日发作数次，发时口角痰涎流出，神志不清。采用"痫疬症"方（西洋参、茯神、半夏、橘皮、枳实、胆南星、川贝母、竹茹），每剂也配疬散0.6g，服10剂后即停止发作。可见本书具有的实用价值。

当然本书也存在一些缺点。主要是夹杂一些封建迷信的用法，如"黄栀疬"要用栀子7粒带在小儿身上。又如"虎疬症"服药后将小儿抱去，看着割买猪肉1片，煮熟令小儿含之等，都是不可取的。我们要取其精华，去其糟粕地继承，才能达到古为今用的目的。

麻疹之治在于透　　班秀文

麻疹透为顺，这是前贤对麻疹病理的认识和治疗原则的宝贵经验总结。患麻疹的患儿，正气旺盛则能驱邪外出，由内向外，自血分达气分，毒邪外透，显现于皮肤肌肉，皮疹红润，循序出没，由阳及阴，自上而下，先出先收，后出后收，是为顺证。若正气虚弱，无力驱邪外出，或麻疹期间复感外邪，或误用攻下，则疹出不显，或暴出暴收，疹毒内陷，或闭肺并发肺热咳喘，或内陷心包发生昏厥，或心阳衰竭等逆证、险证。故治法必须注意顾护正气，时时不忘一个"透"字，因势利导，使疹毒外出有机。

麻疹之热毒为阳邪，多属热证，但初期（疹前期）还须辨正气的强弱，邪气的盛衰。随证加减，用辛凉宣透，银翘散、宣毒发表汤。但骤用寒凉，不利于透，尤其冬春寒冷季节。防其寒凝滞邪，宜酌加芫荽、苏叶、葱白芳香温开之品；正气虚弱，疹出不透，当用温托透毒之剂，人参败毒散或补中益气汤，配合鲜芫荽煎水外洗，以助肌肤腠理的温开，使邪毒能顺利外发。见形期热毒炽盛，宜清热、解毒、透邪并重。只有解毒，才能解除麻疹热毒之嚣张之势，只有清热才能驱疫毒的邪热，但清热解毒多为寒凉之品，选方遣药，当常用能清能透之剂，如葛根解毒汤之类，并宜加忍冬藤、蝉蜕、土茯苓。疹没期（后期）多见气阴耗伤，宜养阴扶正，尤须防其余毒未尽，余热未清，且养阴之品又多柔腻，故应选用滋而不腻、柔而不滞之剂，常用沙参麦冬汤加青蒿、木蝴蝶、谷精草之类，养中有清，滋中有透，既能扶正养阴，又能清其未尽余邪，从而达到扶正祛邪的目的。

总之，小儿麻疹的治疗，各个阶段有所侧重，又着眼于透，始终贯彻一个"透"字，则邪去正复，才能疗效可期。

麻疹之我见　　|许玉鸣|

鉴别患儿是否麻疹，只要出现流泪，目赤，眼屎糊睛，口颊有科氏斑等，诊断并不困难。但部分患儿注射麻疹减毒活疫苗后，其症状极不典型，给诊断带来困难。我遇此类情况时，另查患儿耳廓后，可见廓后静脉扩张，另可扪其臀部，发现臀部极凉者可以确诊。

治疗麻疹的原则是"麻宜凉、痘宜温"，切不可错用。但见患儿体温过高（40℃左右）时，又不可采用寒凉药（包括西药）退热，需用表散药乘发热之势使其麻疹向外透出，选用药物如前胡、葛根、荆芥、防风等以透邪解表。

（李俊辉　整理）

麻科经验谈 　|陈桐雨|

循肤摸疹，凭热可知

治疗麻疹必须审察麻路。吾师陈桐雨先生于冷天不必令患儿袒露身体，仅用手伸入，循肤抚摸，即可判断麻路所至。忆 20 年前，某日春寒料峭，吾师以此法断言一患孩麻路至膝盖，腹部疹朵密集，大腿至膝稀疏，膝下无疹。其母哑然失笑，怀疑手触何能如此精确，遂当众自行给患儿解衣，诚如其言。

吾师曰："麻为阳热之证，非热不出，疹朵出至何处，该处皮肤即呈温热，未至之处较冷。患儿腹部灼热，大腿温热，膝下较冷，泾渭分明。大腿虽疹子隐约，抚之尚未碍手，仍可以热感判断。"此乃陈氏家传儿科二百余年之经验，屡试不爽。

疹门望疹，信而有征

望面色，审苗窍，为麻科四诊之要领。吾师治疗首重观察两颧有无皮疹，若两颧见疹，疹色红活，便点颔笑曰："疹门已开。"若胸腹皮疹颇密，独两颧无疹，俗谓"白面痧"，刻刻须防变证。麻疹一证，脏腑之伤，肺则尤甚，两颧无疹，面色苍白，色白属肺，须防邪毒内闭肺生变。二铭居士《瘄略附录》中说："颧俗称瘄门，凡周身俱透独此处不起，即过月余亦多喘变。"

忆及吾师曾指导学生，对本院 200 例麻疹合并肺炎患儿的临床资料进行分析，其中"白面痧"者竟达 163 例之多，而且"白面痧"常出现在肺部体征之前。足见吾师重视"疹门"，可谓信而有征。

宣肺启咳，功不可掩

福州民谚云："咳嗽一声，疹出一朵。"盖麻疹邪毒自口鼻而入，侵犯肺脾二经，肺主皮毛，脾主肌肉，故疹子隐隐于皮肤之下，磊磊于肌肉之间。吾师认为民谚不无道理，咳嗽可令皮毛疏松，有助麻疹外达，使邪有出路。吾师遇疹出不畅者，常追问有无咳嗽，如无咳嗽者，常用陈皮启咳，麻黄宣肺，南山楂和中透疹。

一壶冰水，一炉炭火

麻后宜凉，甘凉生津确为善后之法。某年，时届盛暑，一患儿麻疹收没 3

天，恣啖荔枝，见绕脐腹痛，吐蛔，烦躁口渴。邀师往诊，望其舌红苔黄，按其脉数。师曰："麻后火毒未清，复啖荔枝，一粒荔枝一盒火，致胃火炽盛，迫蛔上窜。"师投清热安蛔汤，加重石膏（100g），以冀火清蛔安。师诊毕回府，途中遇一友人，其行色匆匆，面带愁容，诉曰其女泄泻不止，急邀吾师一诊，师至其家，得知麻后频服荸荠汁，始见便溏。家属不以为意，以为"千金难买六月泻"，服该汁已2天，今大便竟达10余次，神疲肤冷，面色㿠白，舌淡苔白，脉象沉细。师认为该孩出疹如期，收没及时，发热和缓，疹谢热退，渐入佳境。仅须芦根、茅根代茶足可善后，怎奈过服寒凉，损伤中阳，即泻却不改陋习，以致脾肾阳虚，急予附子理中汤。

　　吾师一日之内治疗麻后症，一用石膏，一用附子。一壶冰水，一炉炭火，均获良效，一时传为佳话。

（肖治玮　整理）

逐 机 善 辨　|邹卓群|

　　疑难危重患者，病情错综复杂，医难措手。生死攸关，刻不容缓。必须冷静沉着，详审病情，紧抓病机，据证而辨。只有追逐病机，反复推导，才能在复杂中分清层次，矛盾中求得统一，这是临床思维中的辩证法。现举一危重病例如下。

　　某患儿，男，5岁。以麻疹不透、高热抽搐，神昏不语，两目深陷、气息短促，于1963年8月18日收住遵义地区医院儿科治疗。经注射抗生素及输液以抢救，历时数日，鲜见疗效。突而病势转剧，骤然下痢脓血，日十余行，经检验大便，见红细胞、白细胞及福氏痢疾杆菌、脓细胞，故诊断为麻疹合并肺炎兼细菌性痢疾。病势危殆，改中西医合治，内服中药。

　　初诊时，脉细数而涩，舌质红，苔黄燥，虽连续输液支持，仍无济于病机之转变。患儿仍呈一派津枯液竭，热毒鸱张之势。麻疹隐而不显，理应透发，然高热伤阴，皮肤干燥。若用辛凉透疹，即属鼓风灭火，疹不得出，反而愈使津液内竭。若兼治痢，必从营血入手，则黄芩、黄连之类实不可少，黄芩、黄连苦寒生燥，燥则耗液，于正有亏。且疹遇苦寒，则更内陷而不得透。上述两法，殊乖治则。此际病儿体力衰弱，病势上下俱急，既不敢透发，又不能止痢。再三苦思，从脉舌看，脉细数，苔黄燥，似不应专从营血考虑，仍宜于气分多下工夫，患儿病久，高热伤阴，壮火食气，气液两伤，病实险恶。从胸透、化验看，虽属肺炎、细菌性痢疾，但切不可孤立对待。中医观点，其病机乃疹毒蕴肺，肺热移于大肠所致，麻疹、肺炎、细菌性痢疾，上下诸病，同出一源。理既明白，法继出之，宜清气透营，解毒滋阴并进。理法兼具，方药随治，姑用人参白虎加粉葛根、生地黄、紫草茸，牛蒡子等品一试。药服2剂，热渐清，疹微显，其晦暗之色略退，下痢次数亦减。方已中机，乃易石膏为石斛，加玄参、麦冬加强滋阴扶正，病情逐渐缓解，后用益气、养阴、增液之法，药选甘寒及清淡之品，如沙参、玉竹、麦冬、百合、女贞子、墨旱莲之类，疹出痢止，胃纳渐佳，痊愈出院。

　　窃思此病例，如仅凭理化检验为依据，诊断虽较明确。然诸证鹄立，矛盾重重，实难统一。只有紧抓病机，圆机活法，终于摆脱困境，转危为安。

（马文骏　整理）

麻疹口颊红斑有早期诊断意义 ｜刘普希｜

　　麻疹患者在初热期末，出疹期前2日（或36~60小时），口颊黏膜近臼齿处可见红色粟米大点状斑疹，多呈散在分布，每侧少则四五颗，多则十数颗。它既不同于所谓"白色点状小斑，外周围以红晕"或"象红纸上撒胡椒粉"样的费-科斑，亦有异于《麻疹全书》描述的"舌生白珠，累累如粟，甚则上腭牙龈满口遍生"之"滑寿氏斑"，因名之曰"麻疹红斑"。经观察，逾半日至一日，此红斑逐渐扩大至绿豆大，中心部始现白色小斑点，或见"红斑"融合成片，其上出现白色点状小斑，此即麻疹黏膜斑。由于"红斑"的出现较麻疹黏膜斑早12~36小时，故认为对早期诊断有一定意义。余在1965年麻疹防治中，临床观察了麻疹早期病例90例，出现"红斑"者79例，占87.8%，阴性者11例，占12.2%。

"一藤二花"治儿惊 ｜李学耕｜

　　小儿精气未足，神气怯弱，尤以6个月以内婴儿，偶受惊吓，恐吓即致惊证。症见睡眠不宁，时时惊惕啼叫，面色时青时赤，尤以唇周青色多见，重则惊厥。乡俗多以为是小儿受陌生人冲撞，故称为"冲"。常求治于用针挑燋治儿惊的民间医生，有效者，也有不效者。凡治此病，余遵祖传验方"一藤二花汤"，钩藤 3g、金银花 3g、蝉花 1 对，煎汤频频分服，常 1 剂而效。全方清热，平肝，定惊，熄风，甚是平稳。心虚面白加朱砂拌柏子仁 3g、酸枣仁 3g；热重面赤唇青加黄芩 3g、黄连 1g；惊重面青加白芍 3g、琥珀 1g（研细末分送服）。

小儿咳喘须宣化，化痰更须清肺热 ｜李学耕｜

　　风邪上受，肺当其冲，肺金受邪，则宣肃失职；儿体"纯阳"，邪易化火，火为痰苗，痰因火动，痰热蕴郁，则为咳喘。故小儿咳喘多为肺失宣肃，热壅气道，痰阻肺窍。但有的治儿咳，多用降逆镇咳，急于宣肺清热化痰。若治嗽而不化痰，虽可稍缓一时，而痰留肺窍，痰鸣不息，则久嗽难已；或金实不鸣，咳声不扬，轻者但咳，重则外邪引动宿疾，气逆作喘，甚至酿成哮证。此皆因舍本逐末，治不得法。我临诊所见，小儿咳喘多属痰火互结，治必清热化痰，两相兼顾。火降痰除，肺窍清利则咳喘自平。常取麻黄、杏仁，或前胡、杏仁、郁金以宣肺；竹茹、枳壳、瓜蒌、贝母以化痰；佐以黄芩清上焦之火以保津，使津液不致熬炼成痰；少佐山楂、莱菔子消导运脾，使痰源根除。多能获效。近数年来常遇有患儿咳嗽，曾服镇咳之剂，及各种止咳糖浆等成药，或每于咳重时则服非那根止咳糖浆，服后虽咳暂缓，而隔日复发如前，且咳声多不扬，声如瓮中出，有历月余或经年难愈。此皆因肺失宣肃，痰阻胸膈，我常按上法为治，药后多见呕吐黏痰，再佐化痰之品，仅数剂而诸症顿失。

　　1981 年春初，一男孩，4 岁，患咳喘求治。询其家属云，素无此疾，缘于去年临冬，患外感咳嗽、痰鸣，自服止咳糖浆未效，经医治亦常取非那根止嗽糖浆之类药以缓解。继则咳频，气窒无痰，呼吸急促酿成此疾，已 4 个多月，历治不愈。诊见咳声不扬，呼吸喘促，状如哮喘，夜间尤甚，舌偏红，苔黄腻，脉滑数。此显为邪客肺腧，痰伏胸膈，滞于肺窍，气机受阻为患。取三拗汤合小陷胸汤化裁。以麻黄、杏仁宣肺定喘；枳实、半夏、郁金宽胸豁痰；瓜蒌仁、黄芩、黄连清热化痰。初服 1 剂即见咳嗽顿现如初患状，痰涎骤壅，其声漉漉，此为宿痰已动，欲出肺窍。再剂则呕吐黏痰数次约小碗许，喘逆平息，但嗽而多痰。继前方去黄连，枳实改枳壳，加白矾少许冲服，仅续服 3 剂痊愈。半年后因发热来诊云："哮喘治后无复发。"可见小儿咳喘须宣肺化痰，化痰更须清肺热，热清痰不生，痰消咳自宁。

善治小儿喘者必固其本 | 玉振熹 |

对于小儿喘证的治疗，前贤虽曾有发作时治其标，祛邪为主，缓解时治其本，宜扶正固本的告诫。如《丹溪心法·喘论》指出："未发宜扶正气为主，已发用攻邪为主。"但仍有一些医生治疗小儿喘证（含现代医学的支气管哮喘、喘息性支气管炎）只重发作时平喘，喘止以后未再继续扶正，只知治标，不善治本，使此类病儿"喘有夙根"，每遇风邪或劳倦过度喘又复作，月复一月，年复一年，变成难治之证。

近年来，我在临证治疗小儿喘证时，遵循前贤之见，强调在喘止后的固本治疗，确实收到良效；不少病儿得到根治，许多病儿经1个疗程的固本治疗后喘发次数明显减少。如钟某，男性，近1岁时患西医称为"喘息性支气管炎"的喘证。开始发病时经中药治疗虽能很快平喘止咳，但未作固本治疗，每遇感冒必喘，曾多次住院治疗。后邀我诊治，喘止后继续投生脉散加味治疗半年，服药近百剂，以后未再作喘，现已近7岁。又一名13岁女孩，5岁开始患喘证，以后每年均发，冬春尤甚，短则十天半月，长则月余发作1次，西医诊为"支气管哮喘症"，经多方治疗未能断根，求治于我。但见患儿面色㿠白无华，神疲不振，夜尿多，平时头目晕眩，畏冷，脉细，舌淡苔白，为"肾虚喘证"，投肾气丸加减固本治疗。处方：熟地黄、怀山药各12g，茯苓、牡丹皮、补骨脂、党参各9g，山茱萸、巴戟天、熟附子各6g，肉桂3g，水煎服，每日1剂，连服24剂后停药，以后未再喘。几年来，对30余例作了固本治疗观察，获得根治者居多。

喘证的发生虽然与脾、肺、肾三脏功能失调有关，但以小儿喘证而言，肺肾气虚最为多见，常因肺气虚弱，卫外功能不固，感受外邪，引动伏痰而发，或久病伤肾，肾气不足不能纳气作喘。故我在扶正固本治疗时，重在补肺补肾，肺肾同治而又有所偏。如平素表阳不固，容易感冒，感冒必喘，或遇劳则喘者，重在补肺益气固表，佐以补肾纳气，以生脉散合玉屏风散加减：红参6～9g（或党参9～12g），白术、黄芪、巴戟天、麦冬、菟丝子各9g，五味子、防风各6g，女贞子12g。肾阳不足，形寒肢冷，小便清长，夜尿频数，遇寒易喘，喘则额汗出者，重在补肾纳气，佐以补肺固表，用肾气丸加减：怀山药、山茱萸、黄芪、巴戟天各9～12g，茯苓、菟丝子、党参各9g，牡丹皮、熟附子各6g，桂枝3g。遗尿者加金樱子9～12g，水煎服，每日或隔日1剂。一般连服2～6

个月。

或配合饮食疗法：鲜蛤蚧 1 条，去头及内脏，洗净，瘦猪肉 100g，共剁成末，酌加油、盐调匀，蒸成肉饼，吃肉喝汤，每日或隔日 1 剂，连服 15 ～ 20 剂。

实践证明，治小儿喘证，欲求治其根本，在不发作之时，扶正固本是极其重要的措施。

薄荷与儿科喘咳病　|林沛湘|

麻杏石甘汤是治疗小儿肺热喘咳的常用方剂。但《医学衷中参西录》在解薄荷时说："如麻杏石甘汤的麻黄，宜用薄荷代之。盖麻杏石甘汤，原治汗出而喘，无大热，既云无大热，其仍有热可知，有热而仍用麻黄者，取其泻肺定喘也。然麻黄之泻肺定喘，薄荷亦能泻肺定喘，用麻黄以热治热，何如用薄荷以凉治热乎？"这里张锡纯认为治疗小儿肺热喘咳，既然有热，用麻黄辛温就有以热治热，佐热化燥的弊端，应该用薄荷的辛凉为宜。《中药大辞典》亦引用《医学衷中参西录》麻杏石甘汤用薄荷代麻黄的论点，未加否定。我认为是有一定道理的。因为小儿为稚阴稚阳之体，肺热喘咳多见壮热，若用辛温麻黄则有助热伤阴之虞。因而我临证亦多用薄荷代麻黄。1967 年 1 月我在防治"流脑"工作队期间，适逢该地不少小儿患肺热喘咳，我用薄荷、杏仁、生石膏、甘草治疗 10 余例均取良效。与用有麻黄所治的病例无异。可见用薄荷代替麻黄，在一定范围内是可行的，如在麻黄缺药或小儿阴不足时更为相宜。

薄荷代替麻黄，虽前人有所记述，然其所主及实用范围必有不同与侧重。

小儿痉咳治验　|吴光烈|

痉咳俗称百日咳，也称为疫咳。是小儿常见病之一。早期患儿嬉戏如常，大都未被家长重视。我在临床所见病例，均属重症。

我治本病遵《内经》之旨："五脏之久咳……此皆聚于胃关于肺。"关者宜开，聚者宜散（散非发散，乃疏通之意），及注意生克关系，用鲜侧柏叶、大枣、冰糖治之，无不奏效。据清代黄宫绣《本草求真》载，鲜侧柏叶有养阴润肺燥土的作用，大枣补脾益气、润肺止咳，冰糖味甘色白补脾益肺。肺清则肃有主，肺气开宣，气不上呛，而阵咳可止，自无关于肺之患；补脾益气和中，则脾健运，纳食增进，湿不内聚，生痰无源，而无聚于胃之害。且脾健则土能生金，子得母气，母子相得益彰，关于肺，聚于胃可解，而痉咳可止。

一年春，诊一名 3 岁小儿，咳嗽顿作，连声不绝，咳时面赤耳红，最后须咳至有回缩音及吐出痰涎，咳始渐平，近来伴有咳血和鼻衄，屡经治疗未见好转。我嘱用鲜侧柏叶 15g、大枣 6 枚、冰糖适量，水煎代茶顿服。1 剂后略有见效，连服 6 剂，痉咳止，纳食增进，活泼如常。

复方大青汤治疗小儿夏季百日咳 禹正玲

百日咳是小儿时期常见的时行疾病，以冬春好发，夏秋发病者较少。

是年，时值炎暑盛夏（7～8 月），余遇百日咳局部地区流行。初在门诊治疗中，按辨证用药及采用胆汁疗法、抗生素等，见效甚微。后细思，因值炎夏之季，暑热蒸蒸，邪火内迫，肺热痰壅，不速以泻火保金之法，实难取效，然过于苦寒又恐伤正留邪。故自拟复方大青汤投之果验。

复方大青汤组成：大青叶 10g、百部 10g、紫苏子 6g、川贝母粉 6g（冲服）、射干 6g、葶苈子 6g、马兜铃 6g、僵蚕 6g、法半夏 3g、生甘草 6g（4～6 岁量）。方中大青叶泻火解毒，凉血止血；生甘草清泻火热，解小儿毒，二药重用，针对暑令，以除时行热毒；百部、川贝母、射干、葶苈子、马兜铃共奏镇咳祛痰，降逆解热，清肺散结之功；僵蚕、紫苏、法半夏合以利膈下气，镇静止呕，可避免痰涎阻塞气道而发生窒息。

热伤血络，有衄血时可加用生地黄、赤芍以加强清热凉血、散血止血的作用，这是治疗百日咳有出血时的要旨。

现举 2 例于下。

例 1，朱某，男，4 岁。发热咳嗽 1 周，加重 1 日。1 周前因发热咳嗽，曾服中药及四环素未效，近日咳嗽加重，呈痉挛性阵咳伴回吼声，并呕吐黏痰及食物，夜间常坐起呛咳，眠食俱差。查：日夜体温 38℃，舌质红，苔薄黄，咽红，扁桃体肿大，肺部闻少许湿性啰音，脉数。血化验检查：白细胞 17.4 × 10^9/L，中性 0.64，淋巴 0.36。诊断为百日咳痉咳期。予复方大青汤，连服 3 剂，诸症减，再服 2 剂而愈。

例 2，叶某，男，2 岁。低热咳嗽月余，病情加重呈阵发性顿咳，伴回吼声及呕吐 20 余天，日轻夜重，曾服百咳丸、中药煎剂及胆汁蒸冰糖等未效。近四五日烦躁眠差、面浮目肿红赤，今因剧咳后口唇发紫，呼吸暂停，两目凝视约 1 分钟，经家长掐人中苏醒后来诊。查：腋下温度 37.5℃，哭闹频咳，呕吐黄色痰液，呼吸急促，面赤脸肿，两目结膜下出血，舌质红，苔黄厚，咽红，扁桃体肿大，肺部闻痰鸣音，右肺底有细湿罗音，颈软，无病理神经反射征。血液化验检查：白细胞 $26 \times 10^9/L$，中性 0.82，淋巴 0.18。诊断为百日咳痉咳期合并肺炎。即予复方大青汤加生地黄 8g、赤芍 5g，煎服 3 剂，药后诸症渐减轻，未再发生窒息。再进 6 剂，各症尽除，结膜下出血亦完全吸收告愈。

严重型婴幼儿肺炎的治疗经验 | 何蔼谦 |

严重型的婴幼儿肺炎，全身多表现中毒症状，各系统功能发生严重失常。中医认为热毒炽盛，传入阳明胃经。高热伤津，烦渴不宁，气逆喘促不能食，或食必呕，舌苔黄，脉虚数者，用竹叶石膏汤加减治之。李时珍云："竹叶内熄肝胆之风，外清湿暑之气，故有安神止痛之功。"盖竹叶禀阴气以生，味辛平，气大寒无毒，入足阳明手少阴经。阳明结热则胸中生痰，痰热壅滞则咳逆上气，辛寒能解阳明之结热，则痰自清，血气自下，而咳逆止矣。方中除用淡竹叶、石膏，清热利尿之外，用人参、甘草、麦冬、粳米之甘平以益肺安胃，补虚生津，半夏之辛温以豁痰止呕，故清热而不伤气，降气又能益气，用于一般虚羸少气，气逆等危重病儿，均获良好效果。

此外，广州市儿童医院在 1975～1980 年治疗病毒性婴幼儿肺炎中（347 例分析已另文报道），有些患儿持续高热，全身中毒性症状较重，腹胀者，加用泻火攻下法（加大黄等药物）则肺热迅速消退。如热入心包则用花旗参（即西洋参）代茶以益气生津，服安宫牛黄丸以开其热闭，则症状立见改善。另一些病例，呼吸困难，四肢厥冷，循环欠佳，有瘀血征象者，加用活血化瘀法（加入丹参等药物），则病情明显好转。

丸散配合应用法：①发高热者，酌用紫雪丹，至宝丹；②痰盛气促者，酌用猴枣散、蛇胆川贝末等；③热盛抽搐、神志昏迷者，酌用安宫牛黄丸、盐蛇散、至宝丹、珍珠末等；④腹泻不止、发热不退者，酌用回春丹、保婴丹、七厘散、寸金丹等。随证治疗，每多见效。

重病宜重剂 　|林上卿|

1971年夏秋，闽东浙南一带小儿喘憋性肺炎流行。西医用抗生素、皮质激素、麻黄碱等治疗，疗效不理想。当时我在某卫生院任职，见遭不幸者，日有一二。

某日，一林姓农民，冒着大雨，抱女儿来治。代诉：女儿4岁，昨日发热，气喘（体温38.2℃）入院，诊为"喘憋性肺炎"，经西医抢救，及服中药麻杏石甘汤，入夜病情急趋恶化。又因台风舟车不通，无法转院，遂请中医诊治。我赶到病房，见患儿喘憋严重，唇甲青紫，鼻翼煽动，大汗淋漓，面色苍白，神志迟钝，舌红苔黄。《伤寒论》第63条、第167条均云："汗出而喘，无大热者，可与麻黄杏仁甘草石膏汤。"喘憋性肺炎与上述之病症恰为合拍，然何以前医用之而不效呢？细查所用之麻黄、石膏等药，量均不过钱许而已，而本病来势迅猛，病情危笃，杯水车薪，焉克有济？姑仍守方而加重剂量，用：石膏30g，麻黄、金银花、黄芩、知母各9g，杏仁、葶苈子、甘草各4.5g，水煎1次，待凉后频频服之。服后2小时左右，喘憋稍缓，乃药中病机，嘱继续频服。在细心观察下，16小时内共进4剂，诸症显减。次日仍给4剂，第3日进2剂，而后痊愈出院。

又一名3岁男孩，以气喘紫绀，伴腹泻10余次，急诊入院。当时神志模糊，鼻煽，有明显的"三凹征"，外观呈中度脱水。肺部闻及哮鸣音及细小水泡音，体温37.5℃，脉搏118次/min，诊为"喘憋性肺炎并腹泻"。予输液、抗生素等治疗，虽极力抢救，病反转危，神色俱变，促其转院。家人抱至车站，见其呼吸时断时续，双目直视，恐途中暴变，无奈又抱回请中医诊治。余诊后仍投大剂麻杏石甘汤加味，连续喂服，病有起色，照原方加减叠进，3日共服10剂，化险为夷。以后数月又收治这种病人300多例，均获痊愈。

小儿喘憋性肺炎，属中医喘证范畴，乃温邪感染，肺热壅盛所致。用麻杏石甘汤治疗也属常法，关键是药要中病、药达病所。病重药轻，病急药少，何以祛病？所以临证，除辨证方法选方外，还需注意药量和服药之方法，切勿安于常规，重病轻药。当然，中病即止，也不可诛伐太过。

青蒿浴治小儿感冒发热有效 |王鉴钧|

　　小儿感冒无论是外感风寒或风热，都容易发热。治疗大多以内服为给药途径，但常因中药煎剂的浓烈味道或苦涩不易被接受而哭闹不安。如不及时治疗，往往又会导致病情加重或他变，如何才能使小儿乐于接受，又有确切的治疗方法？我家世代相传一种药物煎水沐浴法，先父王幼臣治疗小儿感冒发热，只用青蒿一味，煎水给小儿洗澡，疗效显著。常令我注意采集以备其用。我从医临证40多年来，每遇小儿感冒发热者，继承先父的这一方法，3岁以内幼儿用青蒿100g，3岁以上小儿用200~250g，先将洗澡用的水烧开，加入青蒿，盖上锅盖再煮沸1~2分钟，将锅离火，焖出药味，待药汤热度适宜时倒入盆中，温洗患儿全身，洗后穿衣盖被片刻，令出微汗热退而安，屡获良效。对成人感冒发热亦效。

　　青蒿是菊科属植物黄花蒿，有解毒清热作用。用青蒿浴治疗小儿感冒发热，方法简便，小儿易于接受，疗效明显，无不良反应，而且药源丰富易得，我家三代行医均喜用此法。

田蛙汤治疗小儿夏季热 |吴光烈|

　　小儿夏季热，其特点是有严格的季节性。小儿阴阳稚弱，营内卫外功能未臻完善，特别是炎夏季节，腠理开泄，阴津内耗，一旦感受暑热，正不胜邪，即发热不退，缠绵难愈。本人用自拟田蛙汤治疗，屡收良效。处方为田蛙1只、麦冬15g、盐橄榄1或2粒。用法：取田蛙洗净，剖去肠杂，纳麦冬、盐橄榄于蛙腹中，外以针线缝牢，加水适量，炖汤取服，日服1或2只均可。病程长、体质虚者加西洋参炖服。口渴引饮甚者，用鲜丝瓜皮、大枣煎汤作为饮料。如欲预防翌年复发，更要加强病后调养，弥补阴津内耗，同时注意平时摄生。

　　我县公安局王某之孙，3岁。2年来每于盛夏即发热，虽经中西医治疗，仍缠绵不愈，直至秋凉季节，热始渐退。由于阴津被耗，形体消瘦如皮包骨。1982年夏又再发作，烦扰不宁，病益加重，由家乡乘夜驱车求治于我。诊毕，告王君曰：此乃暑热伤津，心火上炎，神明不安，故烦扰不宁，治宜求本，法当清暑养阴，培元固本。拟予田蛙汤。方用田蛙血肉之品，甘寒清暑补虚；麦冬养胃润肺，益气生津；盐橄榄健胃养阴，凉血润燥。1剂尽，热渐退，烦扰止。3剂服完，诸症消失，活泼如常人。为巩固疗效，尔后常以田蛙麦冬橄榄汤配合高丽参炖服，随访2年，身体健壮，未再复发。

小儿脾胃论　　|俞景茂|

小儿脾胃与成人同中有异。同者，脾胃之一脏一腑、一运一纳、一燥一湿、一升一降、一阴一阳的对立统一，以化生气血，滋养周身，共同承担人体后天给养；异者，小儿脏腑成而未全、全而未壮，其中"脾常不足"尤为突出。这是因为婴儿呱呱坠地以后，除阳光空气外，主要依靠乳食营养维持生命。脾胃所化生之水谷精微，不但要供养脏腑生命活动之所需，还要满足机体生长发育之所求。小儿生机蓬勃，发育迅速，但脏腑幼嫩，气血未充，脾胃纳运功能尚未健全，这就形成了营养需求大而消化负担重的矛盾。加之小儿易饥易饱，乳食不能自节，生活不能自理，一旦冷热饥饱无度，则脾胃纳运之功能更易紊乱而出现厌食、吐泻、腹胀腹痛、积滞疳证等脾胃病。再若诊治不当，药物损伤正气，则脾胃之功能一伤一病，再伤于药。所以小儿内伤之疾脾胃病尤多者缘出于此。脾胃受损，食积痰湿易阻，则易实易热；中焦阳气受损，则易虚易寒；且虚实并见，先实后虚，寒热夹杂，先热后寒的现象颇为多见。故钱乙有"脾胃虚衰，四肢不举，诸邪遂生"之论。可见，脾胃失调，百病由生；他脏受邪，脾胃遭累。因此，脾胃之健全与否，在儿科发病学上有重要意义。

小儿脾胃病的证候表现多端，然不外虚实寒热。其辨证之法虽与成人同，但其症状表现又与成人有殊也。如睡时露睛者脾虚；喜伏卧者胃弱；面有白斑者虫积；寐中汗出者阳浮而阴弱；大便色绿者惊泻；地图舌者气阴两虚；五疳羸瘦者脾胃久病；慢惊搐搦者脾虚生风；诸般证候，又为儿科所特有，或多见于小儿！

调治之法，以平为期，以和为贵，勿虚虚，勿实实。因小儿易虚易实，妄攻误下，胃中津液耗损，渐令疳羸。若有非下不可之证时，当量其体质之强弱，病情之轻重而下之，下后当健脾。对于大苦大寒、大辛大热、滋腻滞补及毒性猛烈之品尤应慎用。因小儿脾虚不受寒温，服寒则生冷，服温则生热，大补则滞中，大下则耗液。处方力求攻不伤正，补不碍滞，冷去不热，热去不冷，轻巧灵通，丝丝入扣。常宜消补兼施，寒热并投，以通为补，力求柔润为要，所谓"间者并行"是也。

实则宜泻，然"泻"并非单指攻下。如泻黄散是泻脾代表方，为脾胃伏热而设。方以栀子、石膏泻其积热，更用防风、藿香疏散伏火，甘草和中，使之不伤胃气，名为"泻黄"，实是宣散脾家伏火之方。若里热不宜外透，则从里清，可用玉露散（石膏、寒水石、甘草），白虎汤（知母、石膏、粳米、甘草）。若脾胃有形之热结于里，则宜泻下，可用大黄丸（大黄、黄芩为蜜丸）或三承气汤。需缓下者，宜脾约麻仁丸。若胃中有形之食积宿食，因脾阳虚损，无温运之力所致者，可用消积丸温下（丁香、缩砂仁、巴豆、乌梅）、塌气丸（胡椒、蝎尾、木香、莱菔子）温运。食积于上者，宜保和丸消而化之；在下者又宜木香槟榔丸消而导之。

虚则宜补，然补脾不在于滋而在于运。如益黄散为补脾代表方。方中陈皮、青皮、丁香调气温中又能燥湿，诃子涩肠止泻，甘草甘缓守中。脾喜燥而恶湿，此方芳香温燥，悦脾之性以复其用，故曰补脾。若脾虚发热，津不上承，中气下陷，渴泻不止，则宜白术散（人参、白术、茯苓、甘草、葛根、木香、藿香）甘温除热，生津止渴。脾虚气滞者，可用异功散（人参、白术、茯苓，陈皮、炙甘草、生姜、大枣），以收补而不滞，温而不燥之功。若中气虚寒者，宜投理中丸。

调治小儿脾胃的药物很多，作用各异。概言之，补脾者以甘为主，以酸为次，泻脾者以苦为主，以辛为次。

五味入胃，各归其所喜，甘先入脾，"脾欲缓，急食甘以缓之，以甘补之"。甘温药有补气助运作用，用于脾胃气虚。如人参、党参、太子参、黄芪、白术、山药等，阳虚者又须酌加辛热之品，如干姜、肉桂等。甘寒者具有养阴生津作用，主要用于胃阴虚证，如玉竹、石斛、麦冬、沙参等。呕家忌甘，中满属实者亦忌。

酸入肝。小儿肝常有余，酸以柔肝敛肝以防其侮脾。酸味药与甘味药合用，又具有"酸甘化阴"之功，可以养阴益胃。酸味药有促进胃酸分泌的作用，可以帮助消化，所以酸甘之剂常用于积滞疳证、厌食、肝病乘脾之证。

苦味药有燥湿泻火的作用。脾为阴土，喜燥恶湿，对湿困脾胃者宜用苦燥化湿之品；苦味药的燥湿作用，尤以苦温为著。药如苍术、厚朴花、陈皮、半夏等。苦而性寒者，则以泻火清热为主，兼以燥湿，多用于胃热、胃火之证，或脾胃湿热，暑湿伤中之证，药如黄连、龙胆草、大黄、黄柏、黄芩等。苦寒败胃，小儿稚阴稚阳，久用"最伐生生之气"，又难喂服，故用量宜轻，用之宜慎。

对于暑湿困中者，又宜选用芳香化湿药，如藿香、佩兰、苍术、砂仁、豆蔻仁等。对于湿困脾阳者，除用苦燥化湿法外，还须配用淡渗利湿之品，如茯苓、薏苡仁、泽泻、冬瓜仁、扁豆花等。

辛味药具有辛开行气的作用。主要用于中焦气滞、湿阻、食滞、痰喘、胀满、疼痛、吐泻诸证。除针对病因用化湿、消导、化痰之外，均需配用辛味理气药，如陈皮、枳壳、木香、砂仁、豆蔻仁等。辛散耗气，阴伤津乏者慎用。

脾胃以喜为补，所谓喜者，悦其性也。脾喜甘温、苦燥、升提，如人参、黄芪、白术、升麻、柴胡之类；胃喜甘寒、濡润、通降，如沙参、麦冬、石斛、枳实、大黄之属。

脾以健运为常，胃以通降为顺。宜清补流通，忌滋腻壅滞。

以上略述调治小儿脾胃之大法。脾胃一健，中运得复，肺气得养，肾水得制，肝阳得御，则不治咳而咳自愈，不治喘而喘自平，不治肿而水得利，不安神而寐自宁。然调五脏也可以安脾胃，他脏得平，脾胃乃复。

小儿疾病应重运脾　　|陆淑玲|

小儿时期"脾常不足"，加之生机旺盛，所需水谷精气较多，常因饮食不节而导致脾胃疾病，其他疾病亦易罹致脾失健运。"脾主运化""脾健则运"乃脾之正常生理功能之一。在治疗上，偏补则壅滞气机，峻消则损脾伤正，惟运脾一法，既符合小儿生理特点，又与脾的生理功能相适应。

运脾法具有补中寓消，消中有补，补不碍邪，消不伤正之特点，结合小儿体质尤为适合，故欲健脾者，当须运脾，欲使脾健，则不在补而贵在运也。

运脾法可用于治疗儿科多种疾患，常用药物有苍术、陈皮、薏苡仁、焦山楂、神曲、麦芽、鸡内金等。苍术性温微苦，芳香悦胃，能醒脾助运，开郁宽中，疏化水湿；山楂、神曲、麦芽、鸡内金消积开胃；陈皮理气健胃，燥湿化痰；薏苡仁健脾利湿。治疗感冒时，可于疏风解表剂中加入上药2～3味；治疗疳证时可加党参、山药、黄芪、黄精等；用于厌食证时可加乌梅、山药、太子参；治疗脾虚泄泻加党参、白术、茯苓、白扁豆、广木香等；用于水肿加淡渗利湿之品如猪苓、茯苓、泽泻、白茅根之类，总之，选用其二三味加上辨证用药，其疗效更佳。

浅议厌食证治 |姜鹤轩|

夫厌食一证，婴幼多见，其因乃柔嫩之体，气血未坚，脏腑甚脆，脾胃功能，尤为不足；加之生活水准迅速提高，计划生育，少生优生，独生娇贵，家长溺爱，缺乏育儿知识，片面强调膏粱厚味，肥甘滋腻；又谓"多食为佳"，逼令强食；或投其所好，长期偏食；或放任自流，乱投零食，进餐无定时定量，起居无常等，养成诸多不良习惯。参此数者，脾胃本自为虚，加之喂养不当，脾胃功能失调致成本病。胃伤则受纳无权，脾伤则健运失职，纳呆失运，初病则见食不贪、继而不食不饥，甚或拒食。厌食患儿，形体偏瘦，但二便如常，精神不减，自因病程较短，虽气血不足而未及虚亏，体重减轻而未达干枯羸瘦，故当与疳证区别。如若延误失治，自可转化为疳。至于积滞一证，病多属实，由乳食内停，嗳腐吐酸，脘腹胀满，大便臭秽或完谷不化，病时甚短，其病多实。而厌食之证，其病多虚，或脾胃气虚，或胃阴虚亏，或气阴两虚而心阴之火独旺。

厌食者，病在脾胃，脾胃为"后天之本"，二者一纳一运，共司饮食物之消化、吸收、输布精微、化生气血，故内资脏腑经络，外濡肌肤皮毛。脾胃气和，运纳如常。若乳食伤胃，受纳无权，或中焦湿热蕴结，气化不行；或湿热生虫，喜食香燥；或邪热扰胃，化燥伤阴，凡此种种，皆可导致胃阴不足。故症见自汗盗汗，口渴欲饮，烦躁少眠，手足心热，大便干结，小便短赤，舌红少苔，或花剥苔，脉象虚数等。本病施治之要为调治脾胃。胃属燥土，其性喜润而恶燥，体阳而用阴；脾属湿土，其性喜燥而恶湿，体阴而用阳，一润一燥，相互制约，相互依存。治宜用养胃增液汤、连梅汤、沙参麦冬汤之类，鼓舞胃气。诸如石斛、玉竹、沙参、麦冬、黄精、乌梅、白芍、扁豆和黄连、胡黄连、知母、地骨皮等酸甘化阴，育阴清热之品，皆可随证选用。然脾为阴脏，其用为阳，动则为阳，主运化，前人提出"健脾不在补，而贵在运"，因此，"运脾法"在治疗脾胃虚弱而引起的厌食、泄泻、疳积等多种疾病，已成常法。其含义谓："补中寓消，消中有补，补不碍滞，消不伤正，消防攻伐之弊，补忌滋腻之愆。"实是八法中之"和"法。据此，我科自拟"运脾散"方剂，通过临床使用，深受家长欢迎。此方"简、便、廉"，其组成为：潞党参2份、焦白术2份、茯苓2份、怀山药2份、炒扁豆2份、炙甘草2份、莲子1.2份、砂仁1份、陈皮1份、神曲2份、焦山楂2份。用法用量为：1岁以内，每日4g；1～3

岁，每日 6g；3~5 岁，每日 8g；7 岁以上，每日 10g。此方深得和运脾阳，保存胃阴之旨，诚为我们治疗厌食证的首选方药。

中医治小儿泄泻经验谈 |杨干潜|

小儿泄泻为多发病、常见病，故研究此病的证治是十分有意义的。对此病应用中医辨证治疗，颇能收到满意的效果，而且多数病例，单纯中医治疗亦可取效。

本病从脾胃立论，治疗大法、辨证可选清热利湿，消导和中，健脾固肾，间有疏风散寒，逆流挽舟，甚或温中固涩，李中梓治泄九法可谓齐备矣，然要提高疗效，尚须注意以下几个问题。

1. 早用止涩：小儿不像老人常习惯便秘，且稚阳稚阴，每暴泻伤津，土虚木摇而死于慢惊，故按《内经》"得守者生"之旨，须及早使用止涩法，我每以日泄泻超过 10 次或泄泻势甚者，即施用止涩，不必惧其留邪，"慎勿因循反致虚"。止涩之品，每选石榴皮 3~20g，再按比例适当增加甘草用量以制其涩味，若缺石榴皮，可用诃子。如"直肠洞泄"，用石榴皮而泻不止，可按年龄加用罂粟壳 3~6g 煎服。最近治一婴儿患中毒性消化不良，腹泻多月，某儿童医院疑为不可治，用此药配方辨证论治，2 剂而止。

2. 严格选药：吴瑭在《温病条辨·解儿难》中说，小儿用药，"稍重则伤"。我临床体会，即使金银花、白芍、钩藤、麦芽、黄芩、冬瓜仁、车前子、杏仁亦能致泻，以凡仁多润，或苦寒致泻之故。然一般常忽视而用之，影响疗效，我认为都应力予避免。不但如此，一般药物因产地不同，药效亦不同，如怀山药，方书言治泻，为正品怀山药，但广州所用土怀山药，服之每溏泻，不少婴儿吃了怀山米粉，即泄泻来诊，此时可用神曲 2~5g 配方解之。

3. 注意护理：太阴脾土喜温而恶寒，故不宜食冷伤脾，尿布亦应至母怀或用热水袋加温再换，肠胃病仍从肠胃治，不应该绝对禁食，要充分发挥中医饮食疗法及忌口等特点。莲子（必去心，免苦寒伤脾）、薏苡仁煲成粥水（或加柿饼之涩）少量多次加温分服，或用煮熟咸蛋取黄送粥水最妙。忌食奶品。如胃口差，可用腊鸭肾煲粥。

广东著名中医学家郭梅峰，治疗小儿泄泻经验颇为丰富，我将其常用药物编成"小儿泄泻方"：石榴皮 8g、生扁豆 9g、生谷芽 8g、云茯苓 10g、甘草 2g、扁豆花 3g、生薏苡仁 9g、莲子（去心）10 粒。药量应随年岁及病情增减，这是一首酸涩止泻、甘淡渗湿、健脾和中之良方，我20多年来，应用此方治愈病例当以千计，兹介绍中医同道推广使用。

泻下伤阴之救治　|凌宏光|

儿科任何原因之泄泻，均可因泻下过多而伤津耗液，故伤阴是泄泻常见的一种兼证。其症见烦躁不安，口渴引饮，甚至发热，哭而无泪，口鼻干，前囟目窝凹陷，肌肤干涩，小便短少，舌红少津起刺，苔粗干，脉细数。但是阴虚证的出现只是标，而脾胃受伤，运化失职乃是病之本。《内经》曰："清气在下，则生飧泄。"因此泻下伤阴之救治，应重在查清病因，重在扶助脾胃，使脾胃之清气上升，运化功能正常，达到止泻生津复阴之目的。扶助脾胃之气上行的方药，经多年临床实践，认为钱乙七味白术散较佳。其方由人参、白术、茯苓、藿香、木香、甘草、葛根组成。人参、白术、茯苓、甘草为调补脾胃气虚之要药；藿香、木香芳香流通，使补而不滞；葛根直走阳明；伍四君子汤可以鼓舞脾胃清阳之气上行，达到生津液滋百骸之效。阴伤明显，宜加乌梅、五味子，取酸甘化阴法，酸能生津止渴，亦能收敛止泻，实为一举两得。泻下次数较多者，可酌加山楂炭、诃子炭、石榴皮，以加强收涩止泻之力，或加重淡渗分利药，如车前子、薏苡仁、泽泻、木通之类，以加强肠的分清泌浊功能，达到实便保津之目的。但切莫妄用味厚滋腻药，如生地黄、熟地黄、天冬、麦冬之类，因脾喜燥而恶湿，过腻必生湿碍阳，脾阳一旦受困，运化失职，则泄泻不止，津液难复矣。如治8个月女婴辜某，泄泻3天，蛋花汤样便，暴迫而下，烦渴引饮，目窝凹陷，舌淡苔薄白，初予七味白术散加味治疗，方用：党参10g、茯苓10g、薏苡仁10g、白术3.3g、陈皮1.6g、葛根13g、藿香3.3g（后下）、木香1.7g、神曲6.6g、泽泻13g、甘草3.3g。2剂，上午服1剂后，泻下更频，旋即复诊，言余药不敢再服。症见烦渴引饮明显，但愈饮愈泻，躁动不安，哭时少泪，目窝凹陷较上午明显，下肢轻度凹陷性浮肿，小便少，舌淡少津，此时患儿津伤明显，劝其住院治疗，家长不受，仍要求用中药治疗。我考虑首次辨证立法处方中病，可能因小儿体弱，回家后护理欠当，导致疾病速复伤津之故。乃予山楂炭6.6g、木通10g，嘱与上午剩下之1剂同煎，频频口服，亦嘱不可再予白开水、糖水，并节食。服药后，24小时大便仅2次，质转稠，口渴减，守方再进1剂，口不渴，大便正常，诸症已除。

婴儿泄泻须治母 　李仲稻

泄泻多因内伤、乳食外邪或脾肾虚寒所致，以大便次数多，便下稀薄为特征。四季皆有发生，以夏秋为多见，是婴幼儿常见病。由于婴幼儿体质娇嫩，形体未充，脾常不足。如反复泄泻，脾胃必伤，脾主升，胃主降，脾胃既伤，运化失常，精华之气不能输化，乃至合污而下，而成泄泻。治以健脾止泻乃为正法。为何患儿反复而病不易愈？

有一男婴，出生50天，泄泻反复，曾3次入院，多方医治，仍未病愈。诊见面色苍白，大便蛋花样，渣水分离，日解5～6次，有时自溢，不发热，呕吐，身体消瘦，精神疲乏，舌质淡，苔薄白，指纹淡红。前医嘱患儿禁奶，泄泻暂止，止后给奶，泄泻又作。改用民间草药"番石榴苗"炒米焗水饮。取其温中涩敛暂止2天，给乳又发。邀余诊治，根据前症，辨证仍为脾胃虚弱，处以健脾止泻，选用钱乙治脾胃虚弱泄泻幼科良方即七味白术散，数剂效果不佳。考虑前医认为泄泻与母乳有关，禁奶曾获暂愈。治病必求其本，不治本，则泻虽止而复发也。母因产后未复，察其脉症，虚寒之体，子有脾虚，靠母乳供养，母体虚寒，母病及子。另立新法，从母治之，给以温中健脾药，处以四君子汤合理中汤加附子，母子同服，连服10剂，果然获效，双管齐下，不用禁奶病告愈且能巩固疗效。此种给药法为祖国医学所独有，十分巧妙。

泻后腹胀用下法 　雷日钏

一泄泻患儿，经治疗后泻虽止，但腹胀如鼓，恶心，精神萎靡。无矢气。邀我会诊。但见患儿消瘦，气息低微，呻吟，哭声无力，舌质稍红，苔黄干，指纹沉滞。心肺听诊无异常，叩之鼓音，听诊肠鸣音消失。西医诊断：小儿消化不良合并肠麻痹。面对这一正虚邪实，邪滞中焦之证，治疗颇感困难。扶正恐邪无去路，愈伤正气；攻下祛邪又恐正气随邪而脱，造成恶果。我反复思考，寻求治疗方法。根据《素问·六元正纪大论篇》中"有故无殒，亦无殒也"的原则，采用攻下法为主，佐以补气行气。予大承气加减：吴茱萸2g，芒硝3g（另包冲服），大黄5g（另包后下），川厚朴、枳壳、陈皮、党参、火麻仁各6g。

1剂，水煎服。另樟脑粉10g、皂角刺15g（研粉）、吴茱萸50g（研粉）、冰片6g，调水炒温外敷腹部。药后5～6小时，患儿肠中漉漉有声，得矢气，解大便少许，腹胀减轻。再剂，矢气频作，仍解大便少许，腹胀消失。随后健脾益气，病痊愈。同年秋季，又用同样方药治疗2例腹胀患儿，均获痊愈。

通过对3例泻后腹胀患儿的治疗，对"有故无殒，亦无殒也"的含义有了进一步的理解和体会，认识到有是病还得用是药；即便是幼儿，虽属稚阴稚阳之体，易虚易实，若运用得当，则可达疏其通道，通腑泄实，佐以补气行气，使邪去则正气恢复的目的。

泄后腹胀，多为脾虚气滞，虚中挟实，治之多法，应以温养脾胃为主。泄后腹胀属实者，临床鲜见，以下法治之，亦属变法。

病大便白色者何 ｜姜鹤轩｜

夫小儿大便色白，有泄泻常作而致者，有大便正常而致者。临床多见于脾虚泄泻、脾虚厌食、脾虚积滞、脾虚疳证等。施治之要不外乎健脾止泻、健脾开胃、健脾消滞、消疳理脾等法，投予白术散、健脾丸、保和丸、肥儿丸等方药可奏效。然饮食稍有不慎，每易复发者，何也？吾经反复临床实践，识脾虚者，只知其一，不知其二，治病之始，未及其末，细察证因，已由浅入深，由轻而重。故虽可一时见效，终未根除。

余谓乳食伤脾，乃是病初，纯阳之体，少阳升发之气旺盛，脾虚则肝木抑土，病肝脾不和者，肝气犯脾，脾阳虚弱，则吐泄不食；化源不足，精血亏虚，肾无后天滋养，下之虚冷，则神靡作泻；脾无元阳温煦，致脾虚肠寒益甚，寒冷之气凝滞，水谷无阳气以腐熟蒸化，其粪便岂有不白之理！故便色白者，非独脾虚，实为脾肾阳虚之故。且夫病肝胃不和者，本自精血亏虚，又加气火重抑，阴虚则无根之阳上越，故虚火独炎于上。症见汗出口渴，烦躁易怒，眠不宁神，舌尖红赤等心肾不交之证。故本病应从健脾温肾，养胃清心，交通心肾，平秘阴阳等诸方面进行施治。

余收治一幼儿，年仅1岁又9个月，素有脾虚作泻，大便色白，稍进肥腻，腹泻不止，至此曾3次住院医治。症见面色萎黄，神疲肢倦，纳差便溏，虚烦不宁，梦语盗汗，口渴喜饮，舌尖红赤，苔白微腻等久病脾肾阳虚、心肾不交之证。今以白术散合交泰丸进治，惟肉桂用量重于川黄连，或方加益智，一补脾气，一温肾阳；盖其意重在温补脾肾，乃实本之道，诚最至要；佐以川黄连，清心降火，助肉桂之引火归原，两方相得，其效益彰，斯为至善。况且以肉桂配川黄连，一阴一阳，一温一凉，互相制约，庶无太过不及之虞。先后服十余剂，精神振奋，脏腑清虚，昼夜静泰，诸症悉安，病愈出院。2年后追访，病未复发，体格健壮。

小儿复发暑疖的治疗 ｜尹祖明｜

柳州地处南方，夏季气候酷热，不少小儿罹患疖症。其症头面项背可生，肿突如梅如杏，大小疏密不一，红、热、痒、痛、脓并见，医者常以清暑、解毒、利湿之剂，佐以外治，大都收效甚佳。然而，少部分患者则仍苦于此愈彼发，或停药复发，或脓泻不畅，脓水蓄积，窜空头皮，转成缠绵难愈之蝼蛄疖。由于疖乃外疡之末，未能引人瞩目。笔者对此曾作过一些努力，点滴心得，虽属雕虫小技，未敢视为阐发前贤新见，然在临床上诚可解决这部分患儿的痛苦，有助于补充暑疖的现行治法。回顾此类患儿多伴有形体消瘦，纳呆，口干思饮，或有低热，舌质红绛，脉多细数等属阴虚火旺之象。古人云："小儿病者纯阳，热多寒少。"其五脏六腑，成而未全，全而未壮，血气未充，虽说纯阳，亦仅是稚阳之体。为父母者，如溺爱无方，平素过于膏粱厚味，尽给难于消化之食品，非徒无益，反伤脾胃，生湿生热，加之暑令气候酷热，汗泄不畅，热难外泄，外火引动内热，火热相聚，损津耗液，暑又挟湿，湿热阻于肌肤，导致外则蕴毒生疖，内则呈现阴虚火旺之候。故对此类患者，虽当以清暑、解毒、利湿之法治之，亦只折其标病之暑湿热毒之邪，而对内存之虚火脾湿，未作正本清源之治，以致停药后，湿火互因，疖又复发或此愈彼发，其症缠绵。

笔者据此，拟立滋阴降火、清热解毒、健脾祛湿法佐外用药为治。处方：生地黄、玄参、牡丹皮、茯苓、泽泻、怀山药为内服主药，更从辨证中遇毒热甚者酌加金银花、连翘、紫花地丁、野菊花等；暑湿热盛或尿黄赤者可加滑石、甘草等；成脓者酌加穿山甲、皂角刺等；暑伤元气者酌加沙参、黄芪等；如已成蝼蛄疖者，外以九一丹加膏盖敷合治。多年来用于临床，每年均治百余例，颇能得心应手。此方以生地黄滋阴养血；玄参滋阴降火解毒，《本草纲目》谓其"壮水以制火……与地黄同功"；牡丹皮清热凉血。三药均入肾经，可治阴虚发热。茯苓入脾、肺两经；泽泻入肾、膀胱两经；此二味可渗湿利水泄热。怀山药为健脾之品，脾健则湿去。愚意本方非但能滋阴降火解毒，还能健脾渗湿泻热。不但能顾先天，亦健后天，具有扶正祛邪，调整阴阳之功力。佐以上述辨证之灵活加用之药，确能治愈小儿缠绵难愈之暑疖。

烧灯火治脐风获奇效 　|赵邦柱|

　　我家行医到我父亲已有三代，在云南大理喜洲开业，叫"恒仁堂"。由于几代人的实践，对治疗某些病证积累了一些经验，儿时我常听到乡亲们因治好的病，向我父亲表示感激的话。其中有一件事，直到现在已相隔50多年仍记忆十分清楚。那是我十二三岁时，凡和父亲一起走，碰到一位老大娘，她总是要表达她的满怀感激，反反复复地对父亲说："二叔，你真是活神仙，如果不是你救了我们的孙孙，我家就断了香烟后代了。"

　　事情是这样的，这家人姓杨，家里人丁很不发达，他们家祖父和父亲两代都是独子，而父亲又到40岁才生一子，非常宝贝，可是产后7天，这孩子突然抽风，昏迷，呼吸困难，面色青紫。全家人焦急万分，请我父亲去看时，病情已很严重。我父亲看是脐风，药物已无法进口，便用"烧灯火"的方法给他治疗。当沿着有关穴位烧到人中穴时，婴儿"哇"的一声哭了出来，按着烧了一些穴位，小孩很快好转，到烧完全部治疗穴位时已神志恢复，抽风停止。继续治疗了几次，用了些药，病就完全好了。因此，他们家为保留了这根独苗而非常感激。

　　过去，农村中对新生儿脐带的处理，不懂得需用无菌操作，脐风时有发生，我父亲曾用此法救治了一些这类患儿。我记得这个方法出自一本叫《石室秘录》的古医籍，烧灼的穴位还载有图。方法是用灯心草醮菜油，点燃后在穴位上碰触烧灼。烧的穴位有头上的额门（额部正中靠近发际处）、眉心（印堂穴）、人中、承浆等，和腹部围绕肚脐烧灼四点。如在患儿肚脐上方发现有青色线纹（多为丫形），则在此线头部和中间部分再烧几个点即可。

　　20世纪40年代初，我在医学院读书，知道脐风是婴儿破伤风，由细菌感染所致。"为什么烧灯火能治好破伤风呢？"这个问题直到现在还萦绕在我脑际。"是否烧灯火能激发、强化患儿的免疫功能而产生疗效？正如针灸治疟疾一样。"我这么猜想。

难 病 治 验 　|陈启智|

　　1967年6月至9月，我治好一位从乳婴起双下肢硬瘫，爬行了15年的女病人，使她站起来，并能走路。此事曾轰动一方，群众说："真是奇迹！真是神医！"

其实，这个病例既不神亦不奇，只不过是一个特殊的病人，在一定条件下进行对症治疗后的必然结果。

病人陈红，15岁。五官端正，上肢和躯干部发育正常。她口齿伶俐，善于辞令。由于爬行和经常小便失控制，故终日只穿短裤，两个膝头长着厚厚的肉垫，双膝能屈不能伸，被动的伸展角度最大为90°。双踝内翻蹠曲，足心朝天，足背着地，踝关节不能屈曲和外翻。小腿短而细，肌肉及肌腱明显萎缩。而大腿肌肉发达，髋关节活动正常。下肢肌张力呈痉挛性增高，腱反射亢进。一般感觉存在。病理反射检查不满意。病人说是在不满周岁时因高热抽风后，下肢才开始瘫痪的，我判断可能是因脑炎所造成的中枢性下肢不完全硬瘫。据病人临床表现，我认为治愈的可能性很大；因为治这个病，无非是让病人站起来和学会走路嘛！而走路主要靠大腿来带动小腿，髋、膝、踝3个关节协调运动。其中以髋关节运动起决定性作用。一个截去小腿而安上假肢的人尚能够学会走路，本病例髋关节活动正常，大腿肌肉发达，这是很有利的条件，只要把膝、踝部的畸形纠正，加上训练，能走路是理所当然的。

我制订了一套针灸（包括脉冲电治疗）、按摩、使用下肢矫形板架、中药和肢体功能锻炼相结合的综合治疗方案，每天为病人做两次针灸和按摩，为了达到伸膝屈踝和增强小腿肌力的目的，按"肝主筋""脾主肌肉"的理论，主选肝胆经和脾胃经的穴位。配合使用补肾和舒筋活络中药，并让病人常吃入地金牛、黑豆、花生、猪骨汤。一个半月左右，病人不再遗尿，体重增加4kg，下肢不用板架固定也能伸直，踝部可屈成90°。从这时候开始，让她练习站立，继而使用支撑到腋窝的拐杖练走路。后来再改用齐腰高的竹棍作拐杖练走路，每天锻炼2小时。由于病人从未直立过，所以初练时出现腰腿无力支撑和身体平衡失调现象，每天摔倒十多次至数十次。另外，还有迈步艰难，抬腿过高，落地作响等共济失调表现。我一方面鼓励病人苦练，另一方面考虑治疗对策，根据督脉通于脑和膀胱经入络脑的理论，主要针治督脉和膀胱经穴位。两个半月后，病人已能双手扶杖，连续走1小时而不摔倒。腰瘦腿软症状减轻，共济失调现象消失。我嘱她回农村后进行大运动量的走路锻炼，果然收效，仅4个月左右，就不用拐杖，像正常人一样走路。6年后，她成为一个健康的年轻妈妈。

治疗这个病的始末，我深刻地体会到，正确的判断，必胜的信心，坚持不懈的努力，是攻克奇难病的法宝。

山五汤治疗婴儿盗汗、夜啼 李俊辉

婴儿盗汗、夜啼，常使一些母亲担忧，总认为是缺钙引起。观其孩儿无病容表现，问其营养、日照条件均为良好，虽用钙剂治疗亦无效果。余究其因，婴儿乃"稚阳之体""肝旺脾弱"，处于阴阳容易失去平衡的时期。脾弱则滋生阴精之力弱，肝旺易动则耗阴，以此形成阴不潜阳而见夜啼、盗汗之证。

自拟山五汤〔山楂9g、五味子9g、钩藤9g（后下）、牡蛎15g或龙骨15g〕水煎加糖服用。取山楂、五味子之酸和食糖之甘，即酸甘养阴之品以补其阴，此2味药不仅无损于脾胃，还有助于消化功能。以钩藤、龙骨、牡蛎镇惊、敛汗相配合。以上4药煎服，既简单，婴儿又喜服用，经治病例甚多，一般服药2～3剂即愈。如某男婴，9个多月，盗汗1个月多，伴夜眠不安，易惊，啼哭，饮食及二便正常。患儿面色红润，发育良好，曾服钙片及注射维丁胶性钙针剂，无明显效果，求予诊治，以自拟山五汤服用，3剂而愈。

滞 颐 翁充辉

滞颐就是小儿流口涎。因液水常滞渍于颐下而得名。此病在农村较为常见。多因饮邪停聚中焦，阳气被阻，或虚冷或虚热，不能制约津液所致。治宜健脾化饮为主。我每以加味六君子汤取效。

曾治一名9岁男孩，流口涎不能自控，断断续续，时多时少，多方治疗，未获寸效。诊时患儿口角流涎水，浸渍于颐项，已见糜烂、红赤，形体消瘦，面色㿠白，舌质淡，苔白滑，脉濡滑。乃为疏方：党参20g、白术6g、煮半夏6g、陈皮6g、茯苓10g、甘草6g、甘遂3g（醋制）。水煎服，日服1剂，连服3剂，竟获痊愈。随访1年，未见复发。

六君子汤功能益气健脾而化痰饮，加入甘遂一味苦寒泻水逐饮，因其势而利导之。本草有甘遂反甘草之说，但我在临床上经常合用，从未见有任何不良反应。临床上关键是辨证准确，有的放矢。尤怡说："欲其一战而留饮尽去，因相激而相成也。"

痄 腮 治 验 |钟秀玉|

痄腮虽非大病，治不得法，亦缠绵难愈，历代方书论述甚多，用治虽多，疗效不一。仅将余数十年治痄腮经验介绍如下。

痄腮亦称腮肿、含腮疮或虾蟆瘟等，是一种常见的小儿急性传染病。由感受温毒病邪，肠胃积热与肝胆郁火壅于少阳经络所致。本病发病急骤，一侧或两侧腮腺部肿胀和疼痛，患部边缘不清，按之有柔韧感，伴畏寒发热，轻度全身不适应及咀嚼不便等。经笔者治疗数十例皆显效，兹介绍1例。

刘姓男孩，9岁。感冒，寒热往来，欲呕不得，两侧腮腺肿大，疼痛拒按，食欲不振，苔薄白，脉数。诊为痄腮。治则：祛风清热解毒，软坚消肿。处方：柴胡9g、黄芩9g、法半夏6g、海藻9g、昆布9g、板蓝根12g、金银花12g、连翘9g、夏枯草10g、瓦楞粉9g。2剂。

患儿仅服上方1剂而愈。一般患儿1剂可愈，成人宜适当增大剂量。

本病是由风温病毒自口鼻而入，壅阻少阳经络，郁而不散，结于腮颊所致。足少阳之经绕耳而行，故耳下腮颊部漫肿坚硬作痛。少阳居半表半里，故有寒热出现，少阳与厥阴相表里，邪毒可传滞于足厥阴肝经。足厥阴之脉绕阴器，故较大患儿或成人可并发睾丸炎。治病必求于本，本固则并发诸症不足为患矣！

"马牙" 与挑治 |李学耕|

挑治"马牙"是古代流传于民间儿科医生一种用银针挑治的方法，见于清·尤乘《尤氏喉科秘书》。"马牙"俗称"冲只"，亦称"珠口黄"，又名"上皮疹"，是新生儿百日内常见的一种口腔疾患。它状如细碎米粒大，外包以黏膜，内积有脂渣，而附着于齿龈上，并伴有龈肿色白，形如马齿而得名。一般有5~7粒，多则10余粒，此外，还兼有口松，吮乳无力，饥而不能进食，啼哭烦吵等症。民间多求治于冲婆（专治马牙的妇女），由其挑治。

马牙的形成，是由于阳明胃经邪热循经而上，结于齿龈所致，因齿龈为阳明胃经之络。挑治可以直泄其热，还可以配服加减清胃散（《医宗金鉴》方），以清其热之根，促使早愈和避免再生。

我于临床见有是症者，均先以消毒银针轻挑（不出血），其脂渣则随针而出，逐粒挑治，再用青黛冰硼散轻拭之，既可清除余粒，又能避免感染。一般经挑刺后即能吮乳，诸症遂安。此法既简便又捷效，故常乐而为之。

去年春曾治一满月新生儿。初诊时，其母诉，婴儿微发热已3天，饥则欲食，但口松不能吮乳，难得乳饱，已2天未进食，啼闹不安，二便正常。察其口腔，见齿龈有马牙8~9粒。即先以银针逐粒挑治，挤出脂渣，后取青黛冰硼散拭之，即让吮乳，已能用力吮乳。乳后婴儿宁静，其母甚感欣慰。又处以加减清胃散助治，复诊时诸症顿失。

芋环干治疗过敏性疾病　｜吴味雪｜

医家同道尽知麻黄为发汗峻药，而其根部能止汗；民间流传服白果中毒，水煎服白果外壳则可治之；服使君子中毒，亦可用其外壳煎服治疗；福州民间流传芋环干能治风疹，却有一些人食芋头会发生过敏风疹块。可见有许多植物，果皮、果肉、茎根有相制作用。据现代科学研究，一般果皮都含有特种酶素，专能溶解果肉，以供子核摄取营养而生长。芋环干在临床上除治风疹外，福州中医常用来治疗浮肿病（含急慢性肾炎），亦有一定疗效，所以认为芋环干有利尿作用。现代医学认为肾炎的发病原因多与过敏有关，可见芋环干确有抗过敏作用。笔者妻舅已故小儿科名中医陈桐雨，对小儿风疹亦均配用芋环干治疗，曾告笔者须用60g方能见效。我在临床上用来治疗风疹与急慢性肾炎浮肿与过敏性疾病，除辨证用药外，加用芋环干亦能收到一定效果。

活法在人，贵在权变　｜林景堂｜

大人为痨小儿疳。疳，为中医儿科四大证之一。

幼儿断乳，饮食杂进，损伤脾胃，水谷不化，食滞肠胃，湿热内蕴脾胃，而成五疳。或善饥易食，或胃纳欠佳，或面目手足浮肿，咳嗽气喘；或脸红眼赤，口舌生疮；或身热不已，口渴无度；或两目发黄，或便血。种种证候均为湿热熏蒸，日久耗伤津液，热迫脉络所致。对于"阳常有余，阴常不足"，稚阴稚阳的小儿之体，其伤阴者十居八九，其证易虚易实。治疗时宜清热育阴，继之则需扶脾健运，此治疳之常法也。余业医数十年，多宗此法，无不得心应手。然本病又多因患儿体力孱弱，更招外邪，内外相引，酿成重病。如一男孩，患疳疾，又突作寒热往来，病势凶猛，察舌审症，系邪在膜原，急投达原饮合小柴胡汤，辟秽化浊，开达膜原，直捣病巢，使邪气溃败，速离膜原，化险为夷。噫！治病既要知其常，更要达其变，活法在人，贵在权变。

治疗疳积经验　　|何蔼谦|

小儿疳积，兼证颇多，涉及面亦广，本证若有虚中夹实及虚实夹杂的病情，应按具体情况运用先攻后补或先补后攻、攻补兼施等法辨证施治，尤应以理脾胃为主。如属脾阳下陷者则宗李杲的脾胃学说，用升清降浊方法治疗。如属胃阴亏损者则宗叶天士的养胃阴学说，养胃阴补脾方法为治。其他有关消积、杀虫、清肝、滋肾、补气、活血、宁心等治法中，运用健脾平肝或消运为主，或消补并用，或补益为主等方法，随症加减，则疳症可指日而愈矣。惟在临床实践中，除用古方及自订方治疗之外，配合丸散是不容忽视的，因小儿脏腑娇嫩，不任痛击攻伐，必须兼用丸散缓图，方能达到提高疗效及缩短疗程的目的。

赤丝虬脉　　|邱德文|

赤丝虬脉，与天行赤眼、暴风容热等红眼病不同，赤丝虬脉、赤丝纵横，起自四周，绕在风轮，虬蟠卷曲，条缕分明，常无疼痒，经久不愈，干涩昏蒙，赤脉伸展，形成血翳包睛，较为难治。本病多以邪热伏络，热郁血滞所致，常以退热散（《审视瑶函》方：赤芍、黄连、木通、生地黄、栀子、黄柏、黄芩、当归、牡丹皮、甘草梢）为主治疗。余曾治疗1例，先以退热清降为治不愈，改用辛温发散而收效，现录之如下，以供参考。

王左，现役军人。因两目赤丝虬脉半月，日趋严重，前来诊治。问及病因，知其前些日子，野营拉练，风餐露宿，顶风冒雨，十分辛苦，野营训练不久，发现两目发红，点氯霉素眼药水等不愈。现两眼白睛赤丝满布，不疼不痒，自觉昏蒙，胃纳欠佳且泛酸，舌苔薄白，脉微浮，寸弱、关滑。辨证为邪热伏络，以退热散原方进治，服药3剂，效差，两目赤脉不退。

余思之，该患者为军人，身体壮实，病因野营顶风冒雨所致。风寒之邪，束其外窍，邪热内伏不得外出，药用清降不解，宜改发散外邪为治，风寒外邪得解，则邪热自然消除。《景岳全书·卷二》云："治病必求其本，可见外感之火，当先治风，风散而火自息，宜升散不宜清降……若反而为之，则外感之邪得清降而闭因愈甚。"其论精辟，遵此以升散为治，方选《眼科宜书》八味大发散（麻黄、蔓荆子、藁本、细辛、羌活、防风、白芷、川芎）。药进3剂，双目赤丝虬脉，逐渐消除。

赤丝虬脉一症，邪热内伏，邪闭目窍，邪热内伏不出，以升散为主，升散外邪而火热自除为其变，知常达变，对证施治，方可取效。

目病与解表　　|邱德文|

昔日余在京求学时，曾亲闻先师韦文贵谈及给名医蒲辅周治疗眼疾之事，蒲老与先师共事于中医研究院广安门医院，毗邻而居，茶余饭后常在一起切磋医道。蒲老暮年患青光眼，眼痛连脑，痛甚则呕，虽自行处方用药，目疾未除。一日目疾发作，韦老闻之，亲自登门问候，随即问疾诊脉，处方以荆芥穗祛风除湿止痛；木瓜和中祛湿、舒筋止痛；蝉蜕散风除热；甘草调和诸药。药仅六味，重在发散。蒲老服之，1剂知，2剂其证大减，其效若神。吾闻此之后，对解表方药治疗目疾，印象颇深，临床遇青光眼，效法先师，每多收效，于是对目疾与解表之关系深感兴趣，并时时留意。

其后在研究历代眼科名医方剂时，发现从唐宋起至现在的眼科名医，都非常重视解表方药在目疾临床的运用，如《秘传眼科龙木论》全书共载方249首，其中有184方使用解表药占73.9%。《眼科大全》共载方367首，其中有243方使用解表药，占66.2%。《眼科全镜》共载方315首，其中有226方使用解表药，占71.4%。《韦文贵眼科临床经验选》共载方70首，其中49首使用解表药，占70%。为什么历代眼科名医都非常重视解表药在治疗目疾临床上的应用呢？究其所因，不外有三：其一，如《古今医鉴》云："世谓目病而痛，多由火热及血太过。予窍谓目疾因由火热，然外无风寒闭之，目亦不病，虽病亦不甚痛。盖人感风寒则腠理闭密，火热不得外泄故上走窍而目疾矣。散其外之风寒，则火热泻而痛自止。"其二，解表药具有开发腠理，调气通津之功。《素问·至真要大论篇》云："开发腠理，致津液，通气矣。"通过开发腠理作用，使全身气机通畅，津液敷布正常，五脏六腑之精可上注目窍，使眼目得养，目疾可除。在众多治疗内障的方剂中，使用解表药，其理即在于此。其三，解表药多数入肝经，余对眼科常用 14 种解表药（防风、细辛、荆芥、白芷、羌活、柴胡、升麻、桑叶、菊花、蔓荆子、蝉蜕、藁本、牛蒡子、薄荷）进行分析，发现均有入肝经的文献记载。目属肝系，为肝之外窍，解表药有入肝经特点，故对于治疗肝系的目疾是有重要意义的，故目疾重解表，应引起当代眼科诸家的重视。

目疾误治致尿频 |区潜云|

谭某，女，27 岁，工人。患泪囊炎屡作冲洗，惟当日有效，翌日复流脓水如故，晨起满目眼屎，治以清肝泄热之剂如菊花、蝉蜕、木贼、白芍、柴胡、茯苓、金银花、黄芩之属无功，益以牡丹皮、藏红花、黄连、熊胆亦未效，乃继进红霉素、麦迪霉素……时好时坏，辗转 2 年。今见其面苍唇白，耳鸣眩晕，检其血象，全血减少，又以贫血法治之，时攻时补，或攻补兼施，两泪囊之炎症如故，遂专诊五官科，认为须作手术或可有济。谁知尚未到手术期即发夜尿频数之症，夜卧合目即有尿意，排空后复卧，旋即尿急，起而再排，如是至天明方休。日间尿反不数，而昏眩无力，视物迷蒙，苦不堪言，求治及余。诊其脉细弱沉迟，舌淡苔白，腰痠肢倦，纳呆不渴，泪囊中流出之脓水微黄而稀，月事常迟，量少色淡，耳如蝉鸣，晨起漱口时欲吐，证属脾阳不振，肾虚寒而肝郁湿，他医以寒凉药、抗生素等，不知清之法屡施，势必削伐胃阳，胃阳不足则消谷之功能弱，后天之本渐衰，遂累及肝肾，欲求耳目明利于上，安可得乎？今更因肾阳被伐，夜尿之频如斯，足证寒凉过当，误治甚矣，乃为处方：麻黄 10g，熟附子 60g，苍术 20g，肉桂 10g，北黄芪、党参、云茯苓各 30g。配方 2 剂，每日 1 剂，上午初煎，下午复煎再服。

3 日后，患者笑脸来诊，谓当日服药后，夜尿仅 2 次，翌日眼矢已少大半；次日夜尿亦 2 次，今晨则眼矢全消，视物亦清爽有神矣。实习医生亦感惊奇："我师之方，意仿薏苡附子败酱散之治寒湿肠痈也，通阳化湿即可以去毒。"余曰："智过其师矣。"学生尚有叩问者："附桂用量，何必大也如是，先以小剂试之，有效再加未迟，以求稳当如何？"余曰，"不可，譬如有墙将倾，以百斤之力可以匡正之者，而以十斤之力试扶之，墙未得丝毫之正，反以为用力方向错，弃而他求，则墙必倾毁而止。故治病用药，必足其量方可取效，此物理之为喻者；若言人事，譬如遣将领兵却敌，而多方制肘，更令率寡敌众以试其勇，则此将必败死战阵，而以为其无能，不亦冤乎哉?!"实习医生曰："诚如师言，敢问当以何法竟其全功?"余谓寒邪湿毒之证明确，则祛寒、祛湿、解毒可也。方用：薏苡仁 30g、熟附子 50g、麻黄 10g、苍术 15g、苍耳子 30g、蜂房 20g、北黄芪 40g、蒺藜 15g、浙贝母 20g。加减连服 20 剂，每日 1 剂，上午初煎，下午再煎服。脓水日渐消失，视物清晰，还其本来面目矣。

攀睛新疗法　　|李文灿|

胬肉攀睛之证乃风、热、烟、沙长期刺激结膜，致其变性增厚，常继发于结膜睑缘诸病。

西医治疗本病多用手术切除，但复发甚多；中医治疗则内外兼施，内服祛风退翳方，外点八宝拨云散，虽可收效，但药去如故，未能根绝。吾特取两医之长，创用一法，用治重度攀睛十数例，未见复发，现简述之，以供同道研讨。

雄黄 3 份，明矾 1 份，共碾过筛并装，先用丁卡因作表面麻醉，次涂药粉于胬肉上，候胬肉肿胀，以小镊夹提并进行剪削，盐水冲洗干净，涂敷眼药 3 日即愈。此法简便易行，且出血甚少，堪称妙法。究其药理可知，雄黄含有硫化砷，胬肉一遇即肿，自然离开巩膜表面，剪除较易；明矾收敛且燥湿止血，并能促进瘢痕修复，术后不再复发。

视瞻有色治验谈　　|陈明生|

视瞻有色，相当现代医学中的中心性视网膜脉络膜炎。该病多发于中青年，其发病原因古人多责之于脏气不足，阴阳偏胜。主治多以补益为主。就我临床所见，本病属虚证者固然不少，但属实热者亦颇常见。属实热者，多为肺火内扰心营，火邪循经入目，神光被损而发病。治当清热泻火为主，佐以通络之法，以达热清瘀散而水肿消退的目的。常用导赤散、泻白散加减。以黄芩、栀子、桑白皮、地骨皮清热泻肺；淡竹叶、木通、黄连、泽泻清心泻热；佐以赤芍、丹参、牡丹皮凉血散血；共奏清心泻肺，通络开壅之功。

曾治杨某，2 个月前右眼视线中心突见阴影遮挡，视力模糊。就某医院治疗，诊为中心性视网膜脉络膜炎。经用激素、维生素等治疗，疗效不显，并见咽喉干燥，痰黏，口渴喜饮，夜烦难寐，溲赤。查右眼视力0.4，外眼正常，眼底视网膜黄斑部水肿渗出，中心窝反光消失。舌边红苔黄燥，脉浮数。服上方15剂后，阴影消失，视力恢复正常。复查眼底：视网膜黄斑区水肿消失，中心反光可见。

又治许某，右眼1个月前视线中心突见阴影遮挡，视力下降，且视物形体变小而有弯曲感。某医院诊断为中心性视网膜脉络膜炎，经治疗视力略有好转，但视物还是变小、变形，且头晕痛，口干，心烦，夜寐烦躁，大便燥结，溲赤。查右眼视力0.8，外眼正常，眼底黄斑区水肿，并有灰白色渗出点，中心反光弱，经用上方加减，服十余剂，复查视力恢复正常，眼底视网膜黄斑部病变全部消失。

（陈文祥　整理）

药随症转，盲翳重开　　|叶华林|

眼科急病之一的"凝脂翳"，以目痛羞明，泪出如流，翳色黄绿如凝脂为主要表现。通常认为是肝肺积热，复感风毒热邪，热毒上乘目窍引起。特别是小儿"纯阳"之体，"麻疹"热毒之余，更多与风火热毒上炽有关，治疗多用疏风热，解热毒，平肝泻肺为法，似乎已无疑义。但是中医治病，贵在辨证，随机用药，如果不灵活地用药，执而不化，或有前治既效，更法转致迷离失误者，是亦不可不加注意。余在1975年春曾治一患儿，疹点退至脚时，眼红转甚，肿痛多眵，流泪羞明，左眼尤甚，终日啼哭，疹点退尽后，眼红肿如前。询知因病儿常以手频揉两眼，遂至不能开视，畏光多眵，白睛混赤，左眼黑睛发生溃疡，直径约2.5mm，中心深度0.8mm，溃疡部呈黄色脓液，瞳孔缩小，对光反应弱，已呈脓性角膜溃疡。虽历经医院眼科以抗生素及对症治疗十天，病情依旧。后转我院眼科求治时，左眼已成花翳白陷，中凝脓液，对手动无反应，仅有光感，唇舌红，脉数。证属麻疹风热毒邪内外侵袭，蒸灼肺肝之络，上乘于目。治宜祛风清热，泻肺平肝解毒。方用：防风、荆芥、生地黄、赤芍、连翘、金银花、桑白皮、葳蕤、蝉蜕、柴胡、青葙子、夜明砂、谷精草、生石膏等（另配用1%阿托品溶液，每日1次点眼，以防瞳孔粘连），每日1剂，3剂后症状改善，6剂后痛泪已止，右眼视力正常，左眼视力50cm内能辨指数，瞳孔大小已恢复正常。然溃疡凝脂脓液未尽，舌不红，脉数。又用前方加减续服3剂，停用阿托品溶液。

再诊时，见左眼进步缓慢，脓液停止吸收，又察患儿面黄微肿，纳呆，便溏，舌淡，脉虚弱。前方苦寒不宜再用。药随症转，更方以培元益气，明目退翳。处方：党参、茯苓、白术、炙甘草、陈皮、黄芪、桑叶、菊花、葳蕤、夜明砂等，2剂。服药后，见溃疡面已小，脓液迅速吸收，食欲增加，肿消，大便已实。又续服3剂，左眼溃疡全部愈合，仅溃疡部分尚留有斑翳。守前方去黄芪，又进3剂，以善其后。外用程氏珍珠散点眼，每日4次，带回家中调理，并嘱多吃猪肝，鸡蛋等营养品，以巩固疗效。半月后随访，斑翳退尽，双眼视力良好。

眼内出血勿忘祛瘀　　　|陈明生|

眼内出血是一种较为常见的严重眼病。病因虽有寒热虚实之分，但其结果，可导致脉道瘀滞，或破损，或血行离经，或迫血妄行等出血证。但凡出血，都会有血瘀存在，故治疗眼内出血，在辨证施治的同时要注意配合通络祛瘀。血色鲜红者，多主凉血止血，佐以散瘀之品，使血止而不留瘀；若血色暗红者，则应着重活血化瘀，佐以凉血止血，使瘀去血行而防新血出。经验证明，确有良效。试举一二，以资说明。

刘某，5日前右眼视力突然下降。曾经某院诊为"视网膜静脉栓塞"，经治无效。遂来我处诊治。检查：右眼视力0.2，外眼正常，眼底视神经乳头充血明显，视网膜静脉迂曲怒张，颞上、下肢静脉周围可见大片鲜红色火焰状出血，伴口苦，咽干，寐差，舌红，苔薄黄，脉弦数。诊为：暴盲（右眼视网膜静脉栓塞）。证系肝郁化火，血热妄行，而致窍络溢血，治以清热凉血，活血散瘀。处方：水牛角粉、牡丹皮、生地黄、枯黄芩、赤芍、丹参、石斛、车前草。连进6剂，诸症得减，眼底未见新鲜出血灶。血热见减，按原方去水牛角粉、车前草，加花蕊石、夏枯草以增强清肝散结化瘀之力，连服30余剂。复检右眼视力0.9，眼底出血基本吸收。继以养阴清热，养血通络法调理善后。处方：沙参、麦冬、桑白皮、丹参、赤芍、牡丹皮、当归、生地黄、黄芩。服5剂，眼底出血全部吸收，视力恢复至1.2。

又如陈某，1个月前右眼视力突然下降，曾就某医院诊为"右眼视网膜静脉周围炎并发玻璃体混浊"，给服止血剂及球后注射等治疗，症状反而加剧。就诊时，眼部检查：左眼视力为1.5，右眼视力为前指数，双外眼正常，右眼底模糊窥视不清，伴头晕痛，口苦心烦，寐差，溲赤，舌红，少苔，脉弦。症属肝肾阴虚，虚火上炎，血不循经，溢于络外所致。治以滋阴降火，凉血化瘀。处方：龟甲、玉竹、石斛、天花粉、黄芩、青葙子、石决明、赤芍，丹参、知母、黄柏、牡丹皮。服3剂后，诸症均减，检查眼底仍模糊不清。继以原方减青葙子，加乌豆连进10剂。复检视力增至0.4，眼底检视网膜颞上、下枝静脉有大小不等的片状、点状出血灶，静脉怒张，迂曲断裂。仍守本方增减调理月余，眼底出血全部吸收，视力恢复正常，随访多年未见复发。

（陈文祥　整理）

外气治疗近视眼的一点切身体会 ｜赵邦柱｜

1985年暑假中，有一些家长带着儿女到贵阳中医学院第一附院门诊部，要求用气功的外气治疗近视眼，有的来自外县，求治心切。在他们的一再要求下，我同意进行试验，并要求他们要在每次治疗前后都要检查视力，以便有确切判定疗效的客观指标。可惜在试验进行中，因我手部受伤而中断，只有3人基本完成了疗程。这3人视力都从0.5左右恢复到1.0以上，家长十分高兴。

治疗采取医生施放外气与患者自己练功相结合的办法。外气治疗是按"修持功"的方法，以剑指和劳宫发功，每周3次，其进行9～13次为1个疗程。病人自己练习，是采用了各地气功治疗近视眼的经验，进行综合加工编了一套功法，自己在家里练功，每天1或2次。

现将这3例治疗过程中的视力变化情况报告如下。

病例1：刘某，男，11岁，贵州水城钢铁厂一中二年级学生。近视多年。求诊时视力双眼均为0.5。

第1次，治前双眼为0.5，治后双眼为0.6。

第2次，治前双眼为0.6，治后双眼为0.7。

第3次，治前左眼为0.7，右眼为0.8，治后，仍左眼为0.7，右眼为0.8。

第4次，治前左眼为0.7，右眼为0.8，治后双眼为0.8。

又经5次治疗双眼视力均上升为1.5。

病例2：喻某，女，14岁，贵阳九中二年级学生。近视已有5年，求诊时双眼视力为0.4。

第1次，治前双眼为0.4，治后为0.5。

第2次，治前双眼为0.5，治后左眼为0.6，右眼为0.5。

第 3 次，治前左眼为 0.6，右眼为 0.5，治后左眼为 0.7，右眼为 0.6。

后又相继治疗 9 次，到第 12 次时双眼视力均达 1.5。

病例 3：袁某，男，13 岁。贵州威宁县初中二年级学生，发觉视力差已半年，视力为 0.5。

第 1 次，治前双眼为 0.5，治后为 0.6。

第 2 次，治前左眼为 0.5，右眼为 0.6，治后双眼为 0.6。

第 3 次，治前左眼为 0.6，右眼为 0.7，治后左眼为 0.7，右眼为 0.8。

第 4 次，治前左眼为 0.8，右眼为 0.9，治后双眼为 0.8。

第 5 次，治前双眼为 1.0，治后双眼为 1.0。

第 6 次，治前左眼为 1.0，右眼为 0.8，治后左眼为 1.0，右眼为 0.9。

以后因患者有事回县，未继续在我处治疗。

耳聋与通气法　　|章柏年|

脑为髓之海，髓海不足，脑转耳鸣，久则成聋；肾为先天之本，生髓通脑，故耳鸣、耳聋多属肾虚，并非悖理。然此仅为耳聋之虚证。临床所见，气闭失聪者，亦常有之，若概以肾虚治之，难免有执偏之弊。

曾治一汽车修理工人，患两耳蝉鸣已 3 个月，更医数人均以补肾法，鲜有微效。惟西医用咽鼓管通气之法治疗，虽效不持久，尚可减轻于一时。"他山之石，可以攻玉"，既西医可通气获效，中医何尝不能以此为之。猛然忆起清·王清任 30 岁时曾创有"通气散"一方，可"治耳聋不闻雷声"。诊得病者耳聋闭塞，胁下疼痛，天气变则病势尤重，脉弦，苔薄白，质淡红，确属肝胆郁滞，气闭耳聋，故取通气为法。方用：柴胡 10g、香附 10g、广郁金 10g、石菖蒲 10g、川芎 10g、骨碎补 8g。取柴胡、香附、广郁金疏泄肝胆，川芎、石菖蒲辛香开窍、通畅气机，肾开窍于耳，少佐骨碎补补中有通，并作向导。服药 3 剂，耳聋豁然而愈，永无复发。后每遇此证，常用本方。从临床疗效观之，王清任之"通气法"可为振聋发聩之论，"通气散"可为名实俱佳之良方。

大凡发声之器，音失不外两端，即"器实不鸣，器破不鸣"，耳者如鼓，亦发声振响之异器，其理固然。"器实不鸣"内中颇含哲理，不可不究。

鼻 渊 浅 见 　｜陶敬铭｜

鼻渊系指浊涕长流不止之症，病因由于外感风热邪毒或风寒侵袭，久而化热，内传于肺，肺经郁热，清肃失常，邪热循经上蒸，灼伤鼻窍而为病。在临床上，急性多属实证、热证，慢性多属虚证、寒证；实证多属风热邪盛，虚证多为脏腑虚损。此病由火热之邪上蒸鼻窍，瘀阻脉络，气血滞留，故鼻腔内黏膜红肿，堵塞窍道；初起邪在肺卫，黏膜红肿，鼻塞较轻，若胆腑火热之邪上逆，火热壅盛，则黏膜红赤较甚。治疗应以疏风清热、通窍为主法治之。曾治徐某，女，41 岁。患者 2 年来常感前额胀痛牵及颈项，嗅觉差，间歇或持续鼻塞，鼻流浊涕，气味臭秽。经西医诊为"慢性鼻窦炎"，用西药治疗未见好转。近日来，身感发热恶寒，周身酸痛，舌尖红，苔白腻，脉弦数。辨为痰热内蕴，外感风热。治以芳香通窍、疏风清热，方选苍耳子散加减：沙参 9g、连翘 9g、旋覆花 9g、苍耳子 9g、黄芩 9g、栀子 9g、柴胡 12g、辛夷 12g、白芷 9g、葛根 18g、芦根 12g。2 剂后，前额疼痛不再连及颈项，鼻塞有所减轻，鼻流浊涕，但无臭味，余症消失，循前方去芦根、葛根，加法半夏继服 2 剂。药后仍感前额胀痛，鼻干塞，已无浊涕流出，重拟治法通窍止痛、养阴清热：沙参 12g、菊花 9g、黄芩 9g、细辛 6g、藁本 9g、生地黄 12g、玄参 12g、桔梗 6g、薄荷 9g、大贝母 12g、栀子 9g、麦冬 15g、辛夷 9g。服上方 2 剂后，鼻通神宁，浊涕全无，头脑清醒，额痛未作，能辨香臭，循前方去细辛、贝母继服 3 剂后，病得痊愈，追访年余未再复发。此案属风热久蕴肺鼻，窍道不利，抑遏成涕，而致漏下不止，痰热内蕴，新感外邪，治以化痰泄热，疏风通窍，选用苍耳子散加减，证治得法，病获痊愈。

（柴成丽　整理）

甘温补中治口疮 　｜吴光烈｜

唇舌久溃，中土亏虚。健脾和胃，治本之医。

羊肉绿豆，姜枣相依。寒温并用，老少皆宜。

口疮的临床表现，是口腔内侧黏膜上生黄白色如豆样大小的溃烂点。常反复发作缠绵不已。就我临床所见，大多是服过清心导热或滋阴降火的药无效的。我认为，引起本病的原因，多系中土亏虚，津液不能上承，兼有虚热，口腔失于濡养，所以不能按照常法治疗（指清心泄热，滋阴泻火法）。根据治病必求其本的原则，在治疗上应以甘温补中为主，佐以甘寒清泄。方用自拟大枣绿豆羊肉汤（大枣10枚，绿豆30g，生姜5片，羊肉120g），加水炖服，每收良效。曾治友人林某，以执教为业，患口疮已历20年，患部呈烧灼样疼痛，说话或进食接触则疼痛难忍，失眠或教学紧张时也会加重。我嘱服本方，林某怀疑地问道："大枣、生姜、羊肉都是温热食物，怎能用治口疮？不怕火上加油，加重口疮溃烂吗？"我引用《内经》"形不足者，温之以气；精不足者，补之以味"解释，羊肉气味甘温，功专入脾，又是血肉之品，以形补形，正是妙物；生姜温中散寒，补脾和胃；大枣为补益脾胃的圣药；绿豆味甘性寒，既滋脾胃和五脏，又能清虚热。这个方子是以药物和营养食物相配合，具有调补脾胃，清泄虚火的作用。林某信服，连服3剂痊愈，甚为高兴，称谢不已。多年后还说，偶有发作口疮时，照原方服用，效如桴鼓。如今身体健康，精神良好。

口 疮 治 肝　|赖祥林|

口疮一般认为多由阴虚内热或胃火上炎所致，治疗多以养阴清热，泻火和胃为主，笔者认为以上治法是常法。临床应知常达变。肝经郁热及肝火上炎致口疮者，亦屡见不鲜，遵照中医辨证论治及"急则治其标""缓则治其本"的法则，从肝论治，以疏肝泄热，泻火解毒治其标，再以滋养肝肾以治其本，疗效颇佳。

张某，男，38岁。口舌糜烂反复多年，入夏尤甚，疼痛难忍，伴口苦口干，心烦胁胀，口鼻气热，溲短而赤，大便干结，曾服四环素、黄连素、核黄素等西药及玉女煎、甘露饮等中药，症状有所减轻，但其症反复不愈。诊时见其面红目赤，舌边尖及上下口唇糜烂，口气秽臭，脉弦而数，虑其属肝经郁热，久郁化火，火热上炎所致之口疮，投以清肝泻火，苦寒泄热之龙胆泻肝汤为主。处方：龙胆草6g、泽泻9g、柴胡9g、木通6g、生地黄20g、车前子10g、栀子10g、当归3g、甘草梢6g、黄芩10g、枳实9g。每天1剂，水煎，分3次服，服药3剂，舌边及口唇糜点疼痛减轻，溲已转清，便已变软，继以原方加石斛12g、白芍9g，以增强清热柔肝之力。服药1周，诸症消失，随访至今，口疮未见复发，此乃应变之妙也。

温中法能愈口疮　　|陈祖培|

口疮一症，既有急性与慢性之分，又有实证与虚证之别；然虚实夹杂之证并不少见。实证当清宜下，直折其热；虚证宜用温热升运；对其兼证和夹证，更须审辨。每见世医，一味取用滋阴清解之法，鲜有用甘温药者，一见效差，则茫然失措，不知此症久服凉药不愈者，应责之中焦土虚，须用附子理中汤加味温运，清阳升举，虚火自降，则口疮自愈。曾治陈姓患者，患口疮 3 年余，近半年来发作较频，迭进中西药治疗，效果不显，颇感痛苦。自诉口腔黏膜，唇舌等部，少则一二处，多则三四处大小形状不等之溃疡。此起彼伏，少有休止。每当进食或言语时即感疼痛。阅其前服诸方，不是苦寒泻火，便是滋阴清热之法。因有纳少、腹胀、便泄、苔中剥（1.5cm×1cm）、舌淡边有齿痕、左关脉弱之象。忆其《丹溪心法·口齿篇》曰："口疮，服凉药不愈者……用理中汤。"遂方加减：熟附片 3g、党参 20g、焦白术 12g、干姜 4.5g、炙甘草 4.5g、云茯苓 15g、法半夏 6g、陈皮 9g、广木香 6g、泽泻 6g。药进 8 剂，食欲转佳，腹胀除，大便成形，苔剥始生，唇舌处溃疡面渐有缩小，疼痛大减。原方去法半夏、泽泻，加炙升麻 3g、酒炒柴胡 6g、炙黄芪 20g 等升举脾阳之品，连服 6 剂，口腔溃疡明显好转，疼痛消失。病有转机，治守原方，继服 5 剂。口腔黏膜，唇舌溃疡病灶愈合，咀嚼自如，为巩固疗效，宗原意损益调理 8 剂，随访未见复发。

本例口疮反复发作三载余，是为表象所惑，导致火邪内含，隐现不定，火旺则病甚，火微则病伏，造成缠绵之病变。综上教训，结合脉症，是由清阳下陷，虚火上浮所致。故以温运脾阳之附子理中汤着手，加入陈皮、广木香以理气宽中；法半夏、泽泻以消胀渗湿；治疗中期加入炙升麻、炒柴胡、炙黄芪旨在升提下陷之清阳。选药丝丝入扣，收效颇佳。

内外合治之法，是整体与局部的统一，内治可治其本而穷其源，在增强机体的内在功能方面，有其积极的作用；外治直接作用于口疮病灶，既可清热止痛，又可祛腐生新，促进愈合。因此，我在治疗口疮过程中，不论实证与虚证，均用锡类散与适量蜂蜜，调成糊状涂布于患处，这对减轻疾苦、缩短疗程、提高疗效是可取的。因此，对复发性口疮，只要从整体出发，辨证得当、内外合治、双管齐下，是可以达到控制和治愈的目的。

泻黄散治口疮、口糜 　|张颂成|

口疮、口糜，乃是临床上常见的疾病。其发病原因多为心脾积热。《素问·气厥论篇》云："膀胱移热于小肠，鬲肠不便，上为口糜。"心脉布舌上，脾脉布舌下，若心火炎上，熏蒸于口，脾土湿热郁积循径上行熏灼口舌，则发为口疮、口糜。笔者常用泻黄散加减治疗此证获满意之疗效。

泻黄散又名泻脾散，出自《小儿药证直诀》，由藿香叶、栀子、石膏、甘草、防风五药组成，钱乙用治小儿"脾热弄舌"。清代汪昂说："山栀清心肺之火，使屈曲下行，从小便出，藿香理脾肺之气，去上焦壅热，辟恶调中，石膏大寒泻热，兼能解肌，甘草甘平和中，又能泻火，重用防风者，取其升阳，能发脾中伏火，又能于土中泻木也。"方中藿香、防风性微温，似与热证不相宜，但藿香芳香而不嫌其猛烈，温煦而不偏于燥热，为理气除温，宣化郁滞最捷之药。防风是"风中润药"，升阳以疏散伏火，寓"火郁发之"之义，足见组方择药独具匠心。惟原方防风用量偏重，未免喧宾夺主，即是有此瑕疵，但本方仍不失为一张清解心脾积热之良方。用其治疗口疮、口糜颇为合拍。例如：吴某，男，20岁。口舌碎痛不能食数日，渴饮，身热心烦，小便黄少。视其口腔红赤，齿龈肿，舌边尖以及两颊、上腭等处有黄白色溃疡多个。口臭，脉数。证属湿热蕴积心脾，伏火上攻。治当清解积热，导火下行。拟泻黄散加味：藿香10g，焦栀子10g，生石膏30g，防风10g，生地黄10g，淡竹叶6g，谷芽、麦芽各15g，生甘草10g。服1剂后，口舌痛大减，热退身扬。3剂而诸症痊愈。

对于口疮反复发作的患者，因湿热郁久，多有气阴亏耗，治疗时酌加补益气阴之品诸如太子参、麦冬、沙参、扁豆、天花粉。血分有热者可加生地黄、牡丹皮。大便秘结者加大黄。

"神效喉科解毒汤"的临床运用 　|曾 健|

笔者多年来运用本院耳鼻喉科教研室王德鉴主任的"神效喉科解毒汤"治疗热性咽病（如急性扁桃体炎、急性咽炎、化脓性扁桃体炎、扁周脓肿、咽旁脓肿、咽后壁脓肿等），疗效确切。其方药组成及加减法为：土茯苓30g、金银花 30g、地肤子 20g、生地黄 20g、苦参 15g、白蔹 15g、甘菊 10g、甘草 10g、咸竹蜂 10 只。

上方为成人量，每日 2 剂，多次分服，使药液多经患处。

如高热者加石膏、知母、天竺黄；患处有腐点或伪膜者加马勃、冬瓜仁、薏苡仁；便秘或便结者加大黄、玄明粉；扁桃体肿痛加射干、瓜蒌仁、浙贝母；咽肿痛甚加六神丸含服。

凡热性咽痛如喉痹、乳蛾、喉痈，其致病因素，外为风、热、湿之淫（重点为风、热），内为肺、脾、胃脏腑功能失调（重点为肺、胃）。之所以成痹、成蛾、成痈者，是因邪毒侵犯部位不同，邪毒进展速度各异致之。如风热湿邪壅滞肌膜，聚而不散，则成喉痹、喉蛾；若热毒深入，进而传里，肉腐成脓则为喉痈。故及时投药中的，可使风热湿邪消亡于初犯阶段。从脏腑方面分析，病初风热湿邪内伤于肺，以肺经风热为主，如误治或失治，邪必传里，出现肺胃热盛之候。如清代郑梅涧《重楼玉钥·卷上》："夫咽喉者生于肺胃之上……肺胃和平，则体安身泰，一有风邪热毒积于里，传在经络，结于三焦，气凝血滞，不得舒畅，故令咽喉诸证种种而发。"又如明代张介宾《景岳全书·二十八卷》："阳明为水谷之海，而胃气直达咽喉，故又唯阳明之火最盛。"说明急性咽痛与肺、胃脏腑功能失调的关系最大，符合古人所谓"咽喉诸病皆属于火"之说。本方以轻清之甘菊疏散上焦风热之邪；加入大量清热解毒祛风燥湿杀虫之品，如土茯苓、金银花、地肤子、苦参等，务使风、热、湿诸邪处在肺经阶段（邪壅滞肌膜），而未与胃腑互结入里（熟腐成脓）。把握其转机，投药促其消散，方中更用凉血清热，养阴生津之生地黄；消痈祛腐生肌之白蔹；降火止痛解毒之咸竹蜂以助其力。这对邪已传里，脓痈已成的喉痈也有消痈祛腐之功。故"神效喉科解毒汤"可谓针对热性咽病而立的一个良方。

喉 痛 热 治 ｜区潜云｜

喉痛之疾，多责于火，是以银翘散、桑菊饮、养阴清肺汤之类方剂，医家常用，病者不疑。

有刘氏妇，52 岁。甲子长夏患喉痛，医如上法，由五花茶、咸竹蜂直至麦迪霉素，已历 7 日而痛依然，乃就诊于余。其脉沉细，唇白口淡，舌苔薄润，时咳，微发热，口干欲饮而漱水不欲下咽，头痛尿清，咽喉红而不肿亦无脓。诊为风寒外束而内蕴湿痰，处方：麻黄 5g，熟附子 30g，细辛、吴茱萸各 3g，法半夏20g，桔梗、炙甘草各10g。煎汤待冷服。

患者为笔者两代之病友，本甚信赖余之方脉，今药煎成而辛辣之气扑鼻，不禁踌躇——大辛大热之品用诸于喉痛，岂非火上添油？举碗至唇又复放下，如是者四，欲毋服，又不胜喉痛之苦，于是闭目仰头，缓缓将药吞尽。岂知药气虽烈，入口即觉甘润舒适，经咽之际，如尝鲜肉羹汤之美。服后喉痛渐减，终至全消。实习医生问曰："以辛甘凉润之品治喉痛，余知之矣，然治以辛热，有甚依据乎？"曰："此非余之发明也，伤寒论少阴病篇中，咽痛之证凡五见，治方计有猪肤汤、桔梗汤、甘草汤、半夏散及汤、通脉四逆汤。前四方尚属平和，而第五方通脉四逆汤有干姜附子之品，今以麻黄附子细辛汤加味治之，乃有鉴于风寒外束，故用麻黄温以散之，其余各药用作温中壮脾肾，更待药冷而服，顺其势也，令毋格拒也，丝丝入扣，是以效如桴鼓也。

开音丸治疗暴喑　｜王聘贤｜

暴喑即突然失音，多属实证，多见于青壮年之人，治当以宣散清疏为法，因其多为邪气壅遏气道所致。吾常以开音丸含服，疗效甚好，多在二三日内痊愈，药味简单，配制容易，使用方便，值得推广。开音丸处方为：苦桔梗15g、诃子肉15g、粉甘草8g、硼砂8g、梅冰片0.3g、飞青黛1.5g。共研细末，炼蜜为丸，如绿豆大小，每日2次，每次含服1或2丸。此方中桔梗有宣肺豁痰之功，配用诃子共为君药，开音利咽之力倍增；硼砂、甘草为臣，既有清热化痰之用，又可解毒消肿；佐以青黛清热解毒；使以清凉开窍之冰片。主次分明，药简力专，并用含服之法，药力可直达病所，常致一含即满口清凉，咽干咽痛之症顿减，几有立竿见影之效。如曾治一名15岁男性，刘某。1周前，因感冒发热而出现声音嘶哑，感冒诸症解除后，声哑仍不愈。舌质红，脉滑稍数。此暴喑之证，乃风热外感，炼液为痰，痰热交阻，壅遏于气道所致。以开音丸治之，含药后，音哑之症立减，3日完全恢复正常。

暴喑乃失音之一种，失音之证当分虚实寒热，新病久病。正如张景岳所云："喑哑之病，当知虚实。实者其病在标，因窍闭而喑也；虚者其病在本，内夺而喑也。"以吾数十年临证所见，以实者为多，故多用此方此法。至于年老或体弱者，缓慢而成之久喑之证，乃应从虚论治，当察病机在何脏何腑，随证治之，不属此证，故又当别论。

（丁启后　吴元黔　徐学义　整理）

急喉痹巴豆可通 　|黄永融|

　　喉痹又称喉闭，《杂病源流犀烛》卷24说："喉痹，痹者闭也，必肿甚咽喉闭塞……"发病急者，叫"急喉痹"，亦称"卒喉痹"，古还有"走马喉痹"之名。所谓"走马"，系形容病情危急，必须飞骑救治，刻不容缓之意。它包括现代医学中各种原因（如白喉、急性喉炎等）所引起的喉阻塞。

　　本症好发于儿童，因其发病急骤，容易窒息，可发生暴死。西医多采用气管切开术救急，然在农村偏僻之处，恒延误病机，每成债事。

　　考古代医家治疗本症，常以巴豆为主。如唐《千金方》、宋《百一选方》等，都有用巴豆或以巴豆为主，吹喉治喉痹、急喉风的记载。《丹溪心法》治急喉风的雄黄解毒丸，亦用巴豆为主，其方注云，"吐出顽涎即苏""下咽无有不活者"。由于急喉痹是因痰与毒结而成，所以我选用《伤寒论》的"三物白散"以祛痰，《丹溪心法》的"雄黄解毒丸"以解毒，两方均制成细粉末，交替服用，每次0.6~1.2g，日服3~4次。患者每因吐出胶痰或伪膜，或泻下黏腻便后，危象顿失。我在福州市传染病医院，进行白喉病的中医药治疗研究时，曾用此法治疗观察了36例因白喉引起的喉阻塞，除9例因合并严重气管或支气管白喉，结合采用气管切开外，余27例均免于气管切开而愈。此外，对急性喉炎引起的喉阻塞，也取得卓著效果。

　　如冯姓男孩，6岁。西医诊断为水痘伴喉阻塞。中医查房时，见胸满气促，神倦，面唇淡紫，两肋煽动陷下作坑，音哑，舌红苔厚。即用本法治疗，给药2次，30分钟后，大便泻下如痰块状物3次，诸症渐见缓解，面转红润。后改用养阴清肺汤等治疗，痊愈出院。又李姓患儿，男，4岁。家人代诉：发热3天，喘促1天来住院。症见气促痰鸣，声如拉锯，吸气时缺盆、两肋及上脘部均见凹陷，发热（体温38.8℃）不安，咽喉肿胀，喉镜检查咽部未见假膜。西医诊断为急性喉炎并喉阻塞。急予本法治疗，服药2次，30分钟后，呕吐1次痰涎，继而泻下黏液状便甚多，症状即见缓解。后改用利咽清热化痰之剂治疗而愈。

　　根据临床观察，本法适用于实证，仅限于喉阻塞，或合并有轻度的气管阻塞；不适用于虚证和较重的气管白喉或支气管白喉。

　　本法主药是巴豆，功能通关窍，以解除咽喉部之阻塞，李时珍谓主治"中恶喉痹，一切急病咽喉不通……"，再配以桔梗、贝母及雄黄、郁金等，以消痰、利咽、解毒、祛瘀。服药后所以有涌吐和催泻的作用，主要是巴豆，其见效之迅速，不是其他催吐、泻下药物之所能及。《内经》说，"其高者因而越之"，喉阻塞病在上，故可吐之；由于喉为肺之门户，肺与大肠相表里，"病在上取之下"等原理，所以可泻大肠而通阻塞。巴豆有斩关夺隘之誉，实非虚传。但巴豆为辛温有毒之品，只能急用，不能常服。且咽喉阻塞一解，则需依辨证改用其他方药治疗，切勿盲服滥用。

烧酒治喉痛　　|赵　菜|

20多年前，与同事曾君出差，时值初春，余寒犹冽，曾君感受寒邪，喉痛不舒，邀余诊治。察其喉无红肿，口淡，舌苔薄白，其脉弦紧。因在外服药不便，劝其饮酒治疗。曾略识医道，谓治喉痛每用金银花、连翘、射干、桔梗、玄参、板蓝根之类，取烧酒治疗，何异火上浇油，余笑答曰："咽喉疼痛，有热证、有寒证，虽热证较多，寒证亦不少见，尤以感寒初起者寒证为多。中医诊病，以辨证为第一要义，寒者热之，热者凉之，失之毫厘，谬以千里。今君咽无红肿，乃寒邪郁于会厌，非温邪上犯之证，烧酒能散寒邪，故劝君饮之。"曾以余说有理，遂饮番薯烧酒100g，次日喉痛愈矣。

（蒋远征　整理）

上清下泄消乳蛾　　|戴舜珍|

乳蛾，即现代医学之急性化脓性扁桃体炎。其发病原因，多由肺胃积热，上蒸咽喉，复感风热之邪，内外相因而成。通常采用清热利咽解毒之法，虽可取效，但较缓慢。我常在上法中加入生大黄通腑泻热，上清下泄，则取效甚捷。盖肺与大肠相表里，下泄则肺胃之积热可除；咽为肺胃之门户，上清则外感之风热可解。如治柯某，女，10岁。畏冷发热咽喉疼痛，吞咽困难2天，伴头身疼痛，口干喜饮，胃纳欠佳，便秘溺赤，体温39.2℃，舌质红，苔厚腻而黄，脉弦数，观其咽喉充血，双侧扁桃体Ⅱ度肿大，有中等量脓性分泌物。急投通泻利咽汤治之：生大黄6g、柴胡6g、黄芩10g、金银花10g、栀子10g、板蓝根10g、夏枯草10g、蒲公英15g、桔梗10g。水煎，分2次服。药后解稀便3次，热退，咽痛大减。药中病所，上方去大黄加射干 10g，2 剂后脉静身凉，诸症悉平。

（洪炳根　整理）

肉桂治牙痛　　|于昌贵|

牙痛之病，虽不为大，但常痛苦难忍，故俗话说："牙痛虽小病，痛起来即要命。"究其病因有因于风热外感而发，有因于胃火上扰或阴虚火旺而发者，而后两者又为多见，故治疗临床多用泻心汤，清胃散、玉女煎之类，疗效颇显。有钟姓患者，素体阳虚，因工作劳倦太过而发牙痛，自认为牙痛多为热证，阳明胃火与风热相搏，图服药之便，自服牛黄解毒丸，初服痛虽减轻，继则复痛。求治于我，开始认为上牙痛属足阳明，下牙痛属手阳明，且过去给其他病人治牙痛，有内热者用玉女煎加细辛，清透阳明，窜透开塞，牙痛即止，乃亦投玉女煎与治，但无效。进一步细察其证因，阳虚之体，遇劳而发，牙痛绵绵不愈，令其口含冷水则痛剧，含热则舒，非属胃热之证，而为阳虚之故，投肉桂 5g，焗泡开水饮服，当晚即能安睡，次晨痛止，继服 5g，牙痛未见复发。

此因病者体素阳虚，当为肾阳不足而致虚阳上越，肾火上浮所致的牙痛，用上肉桂温肾阳，引火归原，故有效也。

"百会"诸阴阳经络之会　　|蔺云桂|

百会穴位于头顶上。为什么取名百会？古籍未有明确地说明。《扁鹊列传》记载，百会最初称为"三阳五会"，后人解释是："三阳之经，加上足厥阴经和督脉称之五会。还有《道藏》语称，"天脐者，一身之宗，百神之会"，就是指此穴而言。根据经络的考证，达至百会穴的有七条。如《素问·骨空论篇》督脉，上额交巅，上入络脑；《灵枢·经脉》足太阳膀胱经，其直者从巅入络脑；足厥阴肝经，上出额与督脉会于巅；还有阴跷脉、阳跷脉分布于脑。

1977～1979 年，安徽、福建、辽宁、陕西 4 省经络感传研究小组，在安徽蒙城县进行经络传感现象研究时，我们发现了 2 名经络感传敏感者的经络感觉传导线路，都会聚在"百会"穴。当用手指压上肢的太渊、内关、神门、合谷、外关、养老，和下肢的承山、阳陵泉、足三里、太冲、阴陵泉、太溪，以及腹部的中脘，腰部的命门等14条经络的穴位时，被验者所出现的压感是沿着有关经络上下传导，14条经都传导到百会穴，左右共计26条经都传导交于百会。这表明了百会穴是阴阳诸经会合之处，证实了古代取名百会的含义。

浅 针 ┃黄廷翼┃

浅针，是用形如黍粟粗而短的银针，刺在一定穴位的皮肤浅表处，而施用手法，进行治疗的一种针法。它的针形比毫针粗。在行补泻手法之前，用中指甲倒搔到针柄之环丝，使之振颤，不断"推"进穴内，所以又叫"推针"。

我的浅针术先后由河南省商城县夏净庭和辽宁省辽源县韩辉圆两位老师传授而得。数十年来，我用这种针术治愈了不少疑难病症，还能治毫针所禁忌之病症，对于老、幼、体弱以及惧针的病人，由于它针浅而无不适感，则更为适宜。但浅针操作，针不离手，比较费时费力。

浅针的操作方法是：先选穴，再揉按，用爪切，行推针，施补泻。

选穴：就是要在两骨之间、两筋之间、关节前后、肌肉凹陷处、分肉皱纹或骨缝凹陷处、动脉应手处、五官周围等部位寻找孔穴。具体用穴与一般针穴取穴相同。

揉按：是术者用手指在穴位左右上下进行揉按，以探索敏感点，并促使气血流通。

爪切：是用拇指指甲切按穴上，形成"十"痕，施术时把针尖对准"十"的中心。

推法：把针尖按压在穴位的皮内，然后持针的拇指轻按针顶，中指沿柄下端向顶端刮（环丝）9次。但可根据穴位的主次作用，及经脉的长短和距离，增加刮的次数。

补和泻：泻是在行推法之后，趁针尖仍在穴位上时，术者用拇、食、中三指，似扶似据地松掐针柄，沿"反时钟"方向环转6次。一般可重复3~5次。补则有2种：即紧接推法之后、针尖仍在穴上时，术者将中、食指挟住针柄，拇指按针顶，做提按6次，或沿顺时钟方向环转6次。选用其中1种即可。

浅针治疗疾病，适应范围较广。据笔者临床经验，八十余种疾病其中包括肝癌、子宫颈癌、单腹胀、夜游症等，而据先师经验，则多达200种左右。浅针一般无禁忌证，惟针后几小时内，忌冷食冷浴。孕妇亦可施治，只是勿取忌穴。

我曾治一原发性肝癌患者（经肝穿病理确诊），患者上腹中部约 8cm×8cm、右肋下约 3cm×6cm，表面凹凸不平；质硬肿块。因医院无法治疗抬回家中。我当时选用期门、章门、关门、天枢、大敦、窍阴、肝俞、胆俞、膈俞（用泻），太渊、太溪、列缺、三阴交（用补），轮流浅针治，每次取 6~8 穴。计针治 102 次后，病情稳定，手触之肿块渐失。这是由于泻肝胆以祛邪，补肝脾肾以扶正，缓治削症之法。又治一单腹胀患者，经取脾胃穴（用补）和肝、大小肠穴（用泻），治疗 3 周获愈。此外，治疗夜游症、劳淋等疑难病症，也多有奇效。

浅针这种"以缓克病"的治疗方法，不仅深受患者欢迎，还为探索中医的疗效机制，提出一个有趣的理论课题，值得我们进一步研究。

略谈"透穴" 黄宗勖

明代杨继洲在《针灸大成·玉龙歌》的注解中，介绍了 14 种"一针两穴世间稀"的治法，是该歌诀中最宝贵的部分，大凡读过《玉龙歌》的都知道它的重要性，但在临床上往往未引起足够的重视。"一针透两穴"，就是把针刺入某穴位后，将针尖斜刺或直刺抵邻近的穴位或经脉，又称"透穴"或"透经"，是针灸治疗上一种极其重要的手法。由于它容易获得较强的针感（得气），所以对一些顽固性的疾病有独特的疗效，值得我们重视、研究和发扬。

我在临床上，采用太阳穴或悬颅穴透率谷，治疗数十例顽固性偏头痛，无不针到痛止。例如李某，女，39 岁。患偏头痛 8~9 年，发时剧烈刺痛，常从眼眶部开始，向半侧头颞部扩散，每次发作则长达数小时或数日，屡服中西药未见显效。遂针太阳透率谷，5 分钟痛止，留针半小时。每天 1 次，连针 3 天，病获痊愈，随访年余，未见复发。

对于各种原因引起的胸胁痛，我用阳陵泉透阴陵泉，大都应针取效。如犬某，男，32 岁。右侧胸胁痛已 10 余天，深呼吸及咳嗽时痛更甚。即取阳陵泉透阴陵泉，用泻法，不到 3 分钟即感胸胁内空爽，疼痛若失，令其深呼吸亦不感疼痛，乃留针半小时起针，一针而愈。

其他如地仓透颊车、攒竹透鱼腰、昆仑透太溪、犊鼻透膝眼、间使透支沟、百会透曲鬓，以及前顶透悬颅等，对某些疾病都可取得较满意的疗效，有志于针术者，宜深究其理。

辨证论治在耳针上的运用 | 张和媛 |

耳针疗法是祖国医学宝库中的一个组成部分。有适应证广、奏效快、操作方便等优点。但在临床应用上，必须以辨证论治为准则。由于耳与经络脏腑关系密切，因此，脏腑经络辨证更为重要。我们曾收治乳癖患者数十例，疗效满意，其中1例患者以经络辨证取穴，收效甚为显著，介绍如下。

徐某，女，31岁。近月余感两乳胀痛，并扪及大小不等之4个肿块，西医诊断为乳腺增生症，并建议做活体组织检查，以排除乳腺肿瘤。患者因畏惧手术，改服中药，又因煎药不便，要求耳针治疗。经检查发现两乳房有 3cm × 3cm、3cm×2cm、2cm×2cm 大小不等的肿块，质稍硬，活动，边缘较清楚，有明显穴位触痛，脉弦，苔白薄黄，耳诊、视诊无特殊发现。耳穴触诊于肝、胃、乳腺、内分泌有锐痛。患者近月来因读电大，情绪紧张，睡眠食欲均不佳。《丹溪心法》说："乳房阳明胃所经，乳头厥阴肝所属。肝胃两经循行通过乳房，肝经布于两胁，属木而主疏泄；胃经过乳中属土，肝气郁滞则气机不畅而影响脾土。"由于情志紧张，肝郁痰凝，积聚于乳房胃络而成乳癖。在治疗上宜疏肝气，通胃络。取耳穴肝、胃为主穴，配以乳腺、内分泌，用王不留行籽按压，隔日1换，并嘱患者每日用手按压3~4次，直至耳廓发热为止。首次治疗后，患者即觉乳房胀痛感消失，治疗4次后肿块消失。经复查：乳房正常，肿块全消。此案说明耳针疗法同中医其他疗法一样，离不开辨证论治。

一针一穴，补泻同施 | 留章杰 |

已故政协老人吕小迂，患肘部痹痛，痛不甚剧而痠楚颇甚，请余针之。论此病平常无奇，而辨治亦不甚易。若以为实，而痛并不剧烈（实者痛多剧）；若以为虚，又无症状可辨。姑拟属半虚半实，用补泻同施法：取曲池一穴，先泻后补。其法用提插捻转，行六阴九阳之数。只取1穴，亦只针1次。不数日，而愈矣。小迂先生喜而作一律赠余。诗云：

一医名世胜高官，图向明堂取次攒。
针术神于三岁艾，炉中煅得九还丹。

肉生白骨翻夸健，血化黄肌永僻寒。

鹭水何如浯水漾，人争怀德我叨安。

其诗不落一般赠医之窠臼，故余犹能忆之，并录于此。
又吕小迁厦门鹭岛人，余住浯汇，故有鹭水浯水句。

银针医头痛，辨证获效捷　　|梁栋富|

头痛是临床常见证候，可兼见于多种疾病。如外邪袭经络，可有少阳经头痛、阳明经头痛，或太阳经头痛，循经取穴，多用泻法，或用皮肤针重叩皮肤，微微出血，有立竿见影之效；若气血不足之内伤头痛，痛势绵绵，神疲无力，面色无华，则取手足阳明经及背部俞穴，针灸并施，亦多效验；若肝阳上扰而致头痛，则应平肝抑木，手法得当，亦可应手而愈。

1984 年春月，病房一护士剧烈头痛，烦躁不安达 5 小时，经肌注颅痛定、度冷丁未效，邀余诊治。望其形体壮实，面容痛苦，精神烦躁，痛苦呻吟，双手抱头。详问后知因家事烦恼，情志抑郁而得病，口苦咽干，头痛头晕，脉弦细。论属肝气郁结，木失条达，肝胆之火循经上扰，病在足厥阴、少阳。急针泻太冲、合谷、风池。进针 2 分钟，头痛顿减，面露笑容，精神爽朗。患者高兴地说："百闻不如一见，百见不如一试，益信祖国医学之宝贵，小小银针，可谓神效！"

拔牙伤经，食指疼痛　　|路绍祖|

数年前，一男性干部来诊，自诉 3 日前拔除一下牙龋齿后，出现一侧食指疼痛现象。既往无关节疼痛史。检查时患侧食指活动自如，亦无红肿发热征象。据症而辨，该患者发病于拔除下牙龋齿之后，下齿槽乃手阳明大肠经脉所过之处。《内经》曰："手阳明大肠之脉，起于大指次指之端（商阳穴），……出合谷两骨间，……其支者，从缺盆上颈贯颊入下齿中。……是动则病齿痛、颈肿，是主津液所生病者，……大指次指不用，……"。患者拔除下牙龋齿时伤及经脉，食指筋骨失养，络脉不通则痛。因此，拔牙后出现食指疼痛症状。根据"经脉所过，主治所及"的原则，吾循经针手阳明大肠经之原合谷穴，采用平补平泻手法以通大肠经气，调其气血，祛除瘀阻，治疗 3 次，疼痛消失。

呕　　吐 ｜路绍祖｜

余曾在刘卓佑教授指导下治一呕吐病例。患者男性，27 岁。自述 3 个月余脘痞胀痛，恶心呕吐，日 3～5 次，甚则饮水进食即吐，所吐为酸水痰涎并夹杂食物，大便二三日一行，小便黄，渐见消瘦。诸治无效，遂来住院治疗。经查：舌质偏红，苔黄腻，脉弦细滑，上腹部压痛，胃肠钡餐显示：胃黏膜脱垂。《内经》云："诸逆冲上，皆属于火；诸呕吐酸，皆属于热。"肝热犯胃，胃失和降，治宜清肝和胃，降逆通腑。取穴：中脘、胃俞、足三里、内关、太冲。法用平补平泻。每日治疗 1 次。用上法治疗 3 次后，脘痛、恶心、呕吐均有减轻，但食后仍吐，加用穴位注射法，于中餐后在一侧内关穴注射维生素 C50mg 后，呕止。师曰：既合效机，毋庸更法。坚持治疗月余，诸症消失。再予调理脾胃，治疗 2 个月，胃纳大进，体重增加而出院。

肝木乘土，则脾气停滞，清蚀不分，胃失和降，遂成呕吐之患。脾胃为后天之本，脾胃受伤，气血失生化之源，故见消瘦。故用清肝和胃、降逆通腑之法。穴取太冲以清泄肝经之火；取中脘、胃俞乃募俞相配以调和脾胃之意；取足三里，可奏通降胃气之功；取内关，以其为手厥阴之络与阴维交会之穴，手厥阴经脉下膈络三焦，阴维主一身之里，故此穴有宣通上中二焦气机之用。诸穴配用，协同取效，患者因之得以康复。

三阴交的独到功效 ｜周　欢｜

西南地区湿度较大，临证中挟湿者十分多见，其中尤以阴虚而夹杂痰饮湿邪者为难治，因滋阴之品多滋腻而助湿，祛湿之剂或辛燥或渗利都有不同程度的伤阴之弊。笔者在临证中体会到三阴交一穴具有滋阴除湿的独到功效。因为三阴交既是三阴经的交会穴，具有滋阴补血的功效（《针灸大成》载："盖三阴交肾肝脾三脉交会，主阴血。"），又是脾经要穴，能增强脾的运化功能，促进水湿的运行输布而达到祛湿的目的，故一穴两得，用于阴虚挟湿者疗效是满意的，必要时可配曲池以加强疗效。

笔者曾治李某，男，45岁。患者失眠多梦4年多，近2个月来每晚只能睡2~3小时，渴不欲饮，胸闷纳呆，脉濡，苔黄厚腻。一派阴虚痰饮之象，曾用天王补心丹、六味地黄汤加味，不仅睡眠未见改善，更出现头胀，脘膈痞满之症，故要求针灸治疗，即针三阴交（双侧）留针30分钟，每日1次，治疗6次后，睡眠增至每晚5~6小时，梦亦减，头胀、脘膈痞满的现象消失，苔不厚腻，改为隔日治疗1次，共治疗3次后阴虚纠正，痰饮清除，多年失眠获愈。

针灸临证一得　　|刘明义|

前遇一四肢冷痛病人，初采取局部和循经取穴针刺治疗，连针10次效不显。详诊其病有口苦，咽干，目涩，胸胁胀满，心下急痛，连及两胁，心烦欲呕，纳差，舌苔微黄，脉细弦等少阳证。此四肢寒冷疼痛，非寒湿为患，乃少阳枢机不利，阳气郁遏，不能布达四肢所致。治当和解少阳。取外关、阳陵泉、期门，毫针刺导气法，3次后手足渐温，疼痛缓解，10次诸症渐愈。这一简单病例，说明针灸临床中若忽视辨证论治，是不能取得良好效果的。

又治2名历节风患者（经实验室检查及X线摄片已明确诊断为类风湿性关节炎），同属一病，其证治却迥然有别。1例见指肘膝趾关节红肿疼痛、变形，曲不能伸，不能步履，兼发热，口渴，小便黄赤，舌红，苔黄，脉滑。其证属湿热阻络，故以阳明经为主，取大椎、曲池、合谷、足三里、三阴交清热利湿，佐以局部取穴以通络，毫针泻法，不留针。患部配梅花针重叩。10次为1个疗程。经2个疗程后，热退肿消痛减，活动自如，能下床行走。继以补肝肾善其后而显效。另1例见指肘膝趾关节寒冷肿胀疼痛，得温稍减，曲伸不利，兼畏寒喜暖，倦怠乏力，纳呆眠差，舌淡胖有齿痕，脉沉细。此属阳虚寒湿阻络之证。故拟温阳散寒通络为法。选任脉、足太阴经为主。取关元、气海、足三里、三阴交，温灸以温阳利湿。局部取穴用温针，散寒通络而获效。

由此可知，辨证论治在针灸临床上具有十分重要的意义。是针灸临床必须遵循的法则。

伤筋有妙法，阳陵显奇功　　|周　欢|

伤筋是中医临床中常见病之一，它虽是一般性疾病，但罹后由于气血瘀阻常疼痛难忍。

经筋具有约束骨骼，支持关节伸屈运动的功能，因此伤筋当从疏通经筋着手。与全身经筋有关的穴位，古人也有精湛的总结，《难经·四十五难》指出："筋会阳陵泉"，阳陵泉属八会穴之一。故筋病当取用筋会阳陵泉。元代滑寿在《难经本义》的注释中指出："足少阳之筋，结于膝仆廉陷中，又胆与肝为配，肝为筋之合，故为筋会"，说明足少阳经筋之气结聚于阳陵泉，由于肝胆相配，肝主筋而决定了阳陵泉对筋的特殊意义，因此，笔者选用筋之会穴——阳陵泉主治伤筋。首先在患侧阳陵泉或其附近作经络诊断寻找压痛点，以痛点为腧，针刺深度 1 ~ 1.5 寸，行针同时患部作主动或被动运动，促进气血运行，并致微微汗出，留针 20 ~ 30 分钟，每 10 分钟行针 1 次，病情重者双侧阳陵泉可同时取用，根据辨证有寒邪入侵者在患部加灸法或火罐，红肿明显者局部配合梅花针。

用上法治疗伤筋，历年来已逾百例，确有奇功，有的倚杖而来，弃之而归，有的用担架抬至，治疗后筋骨舒展，疼痛消失，欣然自负担架而归，一时诊室传为佳谈，现略举数例。

吴某，女，70 岁。右踝关节扭伤 1 天，局部红肿疼痛，活动受限，因患者无法行走，故应邀出诊。针刺患侧阳陵泉，患部配合梅花针叩打，留针 30 分钟后疼痛明显减轻，次日随访，患者踝关节肿痛消失，已下地劳动。

郑某，男，20 岁，运动员。赛球中右半身着地，肩、肘、颈扭伤，局部现青紫，疼痛剧烈，卧床不起，经多方治疗 1 周，疗效不显而来就诊，针阳陵泉留针 30 分钟，并根据患者自述负伤后曾睡卧湿地受风，患部冷痛，局部加灸，治疗 3 次获愈。

痿软麻痹症　　|李梅村|

甲子夏末日暮时，一个 30 岁左右，身体壮实的农民，背一青年妇女来针灸门诊求治说："我妻沈某，年 27 岁，住开阳县，因生产之后，又患高热，随即四肢软弱麻木，尤以左下肢逐渐痿软不用，经当地县、区医院多方治疗无效，始来贵阳。"余细诊察之，病者伴有头目眩晕，腰脊痠软，四肢无力，咽喉干燥，咳嗽不爽，饮食少进，精神疲倦，少气言微，舌苔淡黄少津，脉细数微弱，显系生产耗气伤血，又患温热病，损伤阴津，筋脉失养，属于肝肾阴亏，脾失健运所致。穴取三阴交、尺泽、肝俞、肾俞、脾俞、阳陵、绝骨、伏兔、足三里、解溪，经过针灸 3 次后，病人已能在平地步行，再经针灸治疗 5 次后，病人自己已用手扶着楼梯的栏杆，上下楼梯了。共治疗 15 次，病人活动自如，自感如常，欣然归去。

本病属于现代医学之重症肌无力，是预后不良的疑难症。从其临床表现看，属中医之痿证范畴，穴取三阴交，因该穴是脾、肝、肾三经之交会穴，肝主筋、肾主骨、脾主四肢肌肉，肝藏血，肾藏精，脾统血，加背俞穴针之，具有健脾养血、滋阴润燥之作用，配取尺泽以清肺热治咽喉干燥，咳嗽不爽；肝主筋，故取筋会之阳陵；肾主骨髓，故取髓会之悬钟；又根据"治痿独取，阳明"的原则，配取伏兔、足三里、解溪，以增强脾胃之运化功能，充实气血之来源。本病虽属疑难，只要认真辨证，选穴施治，操作手法丝丝入扣，即可获得疗效。

针治隐疹，法有三诀　　蔺云桂

荨麻疹是隐疹的一种。此病主要病机为肠胃实热，肌肤有湿，外感风邪，内不得疏泄，外不得透达，郁于皮毛腠理之间而发。针刺治疗一般以泻胃热、疏风邪为主，但疗效多不满意。我在临床中观察到此病的发作，多有定时定位的特点。从而推想皮疹首先出现的部位，必是风邪集聚的地方，当患者正气偏盛之时，正能胜邪，则邪气隐伏内聚；当正气偏虚之时，则邪气乘虚妄动，发疹生痒。由此恍有所悟，逐渐摸索，总结出针治荨麻疹的 3 个要诀，经临床百多例的验证，果收事半功倍之效。

何谓三诀？一曰先期而治。古人说："用药如用兵"，针治亦然。邪气妄动之时，即是正气偏虚之时，先其时而针治，俾调动、鼓舞，激发正气之力量，以达扶正祛邪之目的。因此必须在荨麻疹发作前 1 小时施针，可冀制伏邪气于未萌；二曰直捣巢穴。此疹之发，多自局部开始，而后遍及周身。多数病人首先发疹的部位都是固定的，此即邪气隐伏之巢穴，故每次施针，除辨证选穴外，均应在先发部位内选取一穴，有直捣巢穴之妙。如先发于上肢者，选内关、曲池，先发于下肢者，选血海、箕门、三阴交，先发于腹部者，取章门、带脉等；三曰留针务久。《针灸大成·经络迎随设为问答》说："病去则速出针，病滞则久留针。"隐疹为缠绵难愈的慢性病症，必须长时留针，方能取效。留针的时间应超过原来发疹持续的时间，一般为 2 小时左右。

如一男性患者，30 岁。4 年前突然全身皮肤发生红色疹块，融合成片，口唇发疹肿胀，全身灼热，瘙痒，每次发作 3 小时左右而自行消失，每日早晚各发作 1 次。屡经中西医药治疗，均未奏效。来诊询知其先发部位为上下肢内侧和腹部及枕部。故取穴：内关、三阴交、伏兔、足三里、中脘、风池。手法采用捻转慢进针法，得气后摧气沿经传导，行针 3 分钟，每留针 15 分钟行针 1 次，留针 3 小时。针治的第 1 天就停止发疹，共治疗 16 次，痊愈出院。后 2 次信访，均未复发。

针刺放血治跌打损伤

｜龙美宏　吴兰强｜

　　跌打损伤是临床常见的外伤疾病。由于身体某个部位遭到暴力冲击，强力扭转，导致局部气血瘀滞不通而发生肿痛，甚至皮下显现瘀斑，或灼热，或屈伸转侧不利，或行动艰难。新伤治疗不恰当或不彻底，可经久不愈。根据《素问·缪刺论篇》"人有所堕坠，恶血留内，腹中满胀，不得前后，先饮利药，此上伤厥阴之脉，下伤少阴之络，刺足内踝之下，然骨之前血脉出血，刺足跗上动脉不已，刺三毛上各一痏，见血立已……"和《素问·阴阳应象大论篇》"血实宜决之"的启示使用了针刺放血方法治疗。实践证明，确有较好的疗效。

　　新伤者，一般经过 1 或 2 次针刺放血后见效。一些腰部被扭伤的病人，常常是弯腰来诊，通过针刺放血以后，腰直病除而去，收到立竿见影的效果。陈伤者，经过 1 或 2 个疗程治疗以后，亦能逐渐康复，或者显著好转。具体操作方法如下。

　　1. 受伤部位皮下出现紫黑色瘀斑者，可在斑块的中心及其边缘或上下或左右选择 2 个点作为放血点，作常规消毒后，右手持经消毒的五分针，以 45°角方向斜刺入皮肤内 1~2 分深，迅速出针，使瘀血随针口透出，无血者用手挤压放血，如此反复多次，最后压迫止血。另刺一个放血点，依次完毕。

　　2. 受伤部分没有瘀斑的，可在伤处及其四周寻找显露于皮下的暗红色小血管 3~5 处作为针刺放血点，方法同上。

　　3. 受伤部位既无瘀斑，皮下又找不到紫红色小脉管时，可按阿是穴取 3~5 点进行针刺放血。

　　4. 远距离针刺放血。除上述在受伤局部针刺放血外，还要看受伤部位属于哪条经络或邻近经络，按照针灸取穴方法在上或下取 1~2 个穴位进行针刺放血。例如：损伤腰部，取足太阳膀胱经的委中穴针刺放血；损伤脚外踝关节，取同侧足少阳胆经阳陵泉穴和足太阳膀胱经昆仑穴针刺放血；损伤腕关节内侧尺骨小头处，取同侧手少阴心经少海穴和手厥阴心包经曲泽穴针刺放血等。这是根据中医上病下取，下病上取的治疗方法。

新伤者每隔3天针刺放血1次，旧伤患者每隔5天针刺放血1次，3次为1疗程，1疗程完后，未痊愈者休息7～10天，再进行第2个疗程治疗。

如：陈某，男性，26岁。自诉腰部被扭伤10天，不能前后俯仰。检查：第4、5腰椎及两侧肌肉触痛明显，但无瘀斑，取阿是穴3点及委中穴（双）针刺放血1次后，当即挺胸直背，能前倾150°，2天后追访痊愈。1个月后因乘单车又被扭伤腰部，如法针刺放血1次而获愈。

眼睑下垂治疗说 ｜李梅村｜

双侧上眼睑明显下垂，无力睁开，用手指将上眼睑向上推起，才能看清物体和走路，如此已2年有余，真可谓苦矣。余回忆过去曾治愈过因外伤而引起之眼睑下垂，今此病因未明，治疗成效难定，颇感犹豫。仔细诊察之，患者肌肤欠丰，少气懒言，神疲嗜睡，询之面部微感麻木，饮食少进，时而恶心呕吐，面色、口唇、舌质俱淡，脉迟缓细微，一派气血两虚之象。经五官科检查，左眼视力0.5，右眼0.6，其他尚无异常。又参五轮八廓之分布，眼睑属脾，脾又主肌肉，脾虚则肌痿不用，故诊断本病为胃气不足，脾虚下陷。血少滋养，经脉不和。治拟升阳益气，养胃健脾，调血通络。针灸穴取足三里、阳白、丝竹空、攒竹、风池，远部穴多灸，近部穴少灸及禁用瘢痕灸。俱用补法。足三里穴针刺时针尖向对侧环跳，进针1～2寸，针感下至足跗至足趾；阳白之针尖下透鱼腰，针感由眼眶至发际；丝竹空针尖向内侧，针2～3分，不宜过深，针感至额角；攒竹之针尖向下刺，针感至鼻内发酸欲泪；风池之针尖向对侧之眼眶，进针1～1寸5分，酸麻针感至眉骨及下臂。间日治疗1次。兼服补中益气汤，每日1剂。1个疗程后，双眼可以睁大1/3，其他症状均有好转。3个疗程后，诸症消失，竟告痊愈。前后共治疗2个月余，双眼视力上升至1.2。

针灸治不孕 ｜张和媛｜

不孕原因很多，《女科切要》云："妇人无子皆由经水不调，经水所以不济者，皆由内有七情之伤，外有六淫之感，或气血偏盛阴阳相乘所致。"说明内外病因皆可导致不孕。就脏腑气血而论，肾虚、血虚、肝郁、痰湿也能导致不孕。

曾治不孕患者，经针灸治疗取得满意疗效。

吴某，女，27 岁，已婚。体质瘦弱，17 岁月经初潮，经期推后，量少色暗，少腹疼痛，经来二三日即止，外阴干燥。婚后 1 年因痛经作妇科检查：外阴发育差，无阴毛，婴儿子宫，经注射组织液及服中药未效，并被告知因病情关系，已无受孕可能。患者为其母 40 岁以后所生，当时生活条件差，该女禀赋虚弱，《素问·上古天真论篇》谓："任脉通，太冲脉盛，月事以时下，故有子。"肾主藏精而系冲任，冲为血海，任主胞胎，为生殖之本，肾虚则精亏血少，冲任不通，月事不能以时下。针灸以温肾养血为治。取穴：肾俞、肝俞、脾俞、足三里、次髎。以当归注射液每日 2 穴，每穴注射 0.5ml，并以艾灸关元。针刺 5 次后，感外阴干燥情况消失，精神食欲好转，20 次后患者自诉月经当期未至，停针观察 1 周后，查小便乳凝试验考虑为早期妊娠，9 个月后生一女孩。冲任调和，月事正常始能摄精受孕，脾胃为后天之本，精血化生之源，脾健则化血有源并能滋肾养肝调和冲任。次髎能调经活血，理气止痛；关元为任脉穴，又为脾肝肾三经之交会穴，冲脉起于关元，故取关元可调冲任，理胞宫并调理三阴经之气血。以上诸穴配合来温肾养血调和冲任，其病则愈。

寒留骨髓，灸疗可治　　|李学耕|

前年盛夏，一中年妇女来诊云："直肠癌手术后，去年夏，因受冷后，出现恶寒、发热，经治疗后热退，但畏寒仍然存在，虽盛夏亦需长袖厚衣，夜需薄棉取暖，寒冬尤甚。恶寒从背脊起，渐及全身，常伴微汗出，汗出后毛骨悚然如粟。历经年余多处医治未效。"询其前医用方，患者说："多用桂枝、附子一类药治疗。服附子方后即感咽干，腹部手术切口处疼痛，屡服皆是如此感觉，故医者不敢再用附子。"我见其夏月着毛衣尚言寒、肢冷，且时汗出。视其体胖瘦均衡，惟面色少华。察其舌质偏淡，苔白滑，切其脉沉缓无力。此为寒邪深入骨髓，留而为患，非搜风驱邪外出，温阳壮肾而固表，则顽疾难瘳。细揣前医治案无隙可指，此证非附子不能获效，而患者服附子则有不良反应。药证对，而难用，取何法，可代之？后想针灸治症，仅灸大椎、后溪二穴，则寒邪速解。大椎穴系督脉所主，为诸阳经所会；后溪为手太阳所注为"输"，又是八脉交会穴之一，通于督脉。两穴相佐灸之，足可温阳、扶正，而寒可祛。遂取桂枝汤加党参、黄芪、龙骨、牡蛎，以调和营卫、益气固表。用小艾灶直接灸大椎、后溪各 5 壮，以温阳代附子之功。连治 3 天，毛衣可以不穿而换夹衣，汗少，畏寒显减。再步前法续治 2 周，仅着单衣、短袖，夜盖薄毯亦无寒意，康复如常人。翌年，因他疾又来医则云："旧病未再复见。"

（李孔珪　整理）

艾灸治眼疾　|萧继芳|

眼科疾病的治疗方法很多，我用艾灸方法先后治过天行赤眼、云雾移睛、外伤性暴盲等均获满意疗效。

1966 年 3 月，有李姓男孩，16 岁。将生石灰灌入竹筒内玩耍，当冲入冷水时引起竹筒爆炸，石灰气体冲入右眼，满盖翳膜，瞳仁处尤为浓厚，眼球稍突，视物模糊不清。西医认为患眼难以复明，后来我处求治，给艾炷灸听会、悬厘、耳尖 3 穴各 5 壮，日灸 1 次。仅治 6 天，翳膜全消，复明如常又无瘢痕遗留，高兴离去。以后又用此法治疗多种眼疾均效。1982～1984 年，在援外医疗队工作期间，在尼日尔首都尼亚美国家医院时，患者西杜沙勒，男，46 岁，尼日尔海关工作人员，右眼失明 8 个月，结膜轻度红赤，瞳孔轻度散大，但未见翳膜遮睛，多方治疗未效，西医检查诊为视网膜周围静脉炎，慕名来我医疗队治疗，同样给予艾炷灸听会、悬厘、耳尖 3 穴各 5 壮，日 1 次。经 5 次治疗后病情好转，能看清 2 米内的物体。后因笔者工作期满回国而停止治疗。艾灸听会、悬厘、耳尖为什么能治疗以上所举的眼疾呢？听会、悬厘均为胆经穴位，目为肝之窍，肝胆互为表里，耳尖穴于耳尖上，手少阳三焦经支脉经耳上角而达眼。外伤性暴盲、视网膜周围静脉炎均因瘀血内阻所致，艾灸能活血通络散瘀明目，调和气血，经脉通，瘀血散，肝受血能视而复明也。

"三伏灸"防治哮喘　|陈逸轩|

哮喘是一种痼疾，往往经年累月缠绵不已，甚者还危及生命，较为难治。但难治并非"不治"，流传在我国南方各省的三伏灸，即是为群众所信仰的一种治哮喘的有效方法。

我院的前身——南山义诊所，是解放前由佛门老中医陈本宗先生在本市南山寺右侧开设的诊所。陈老先生就在这里，每年用三伏灸疗法为哮喘患者治疗，年复一年，获效甚众。从此，驰名中外，每逢三伏之天，来治者络绎不绝，近者本省，远者省外、港澳、东南亚等地，每年来函询治者不少于百余人。后来改为南山中医医院，去年又改为漳州市中医医院，对这种疗法，进行了系统的临床观察，使之更臻于完善。

话尚须从"三伏"谈起。"三伏"即初伏、中伏、末伏的总称。夏至后的第三个庚日为初伏，第四个庚日为中伏，立秋后的第一个庚日为末伏。初伏、末伏各10天，中伏10~20天，共计三十余天，是一年中最热的季节。为什么要在这炎暑之天施之灸治？这与中医对哮喘的理论认识有关。陈修园《时方妙用·哮症》说："哮喘之症，寒邪伏于肺俞，痰窠结于肺膜。"指出了哮喘是因寒痰伏结肺中所致，"寒者热之"当用灸治，而选三伏之天施灸，陈老先生的认识是"借天之助，深入病窠，方得根治"。所以在初伏还得用化脓灸，以增强疗效，中、末伏则用温和灸。

三伏灸所选之穴位，以大椎、风门、肺俞、膏肓俞为主穴。配穴依辨证而定。如肺虚者配天突、膻中、气海、肾俞；脾虚者加脾俞、足三里、丰隆；肾虚者加关元、肾俞、三阴交。灸后每穴贴上元遂膏（白芥子、延胡索、甘遂、细辛、白芷、生姜汁、麝香）。随加麝香少许，以引赤发泡和增强散寒化痰之力，贴1天或2天后就可除去。如有发泡，要注意保护，避免感染。然后再辨证，配给相应的内服汤剂和丸药。每位患者，要接受1~3年的灸治。

从1981年开始，我们随访了111例，其中完全控制未再发者17例，发作时间短，且明显减轻者25例，虽发作但减轻者40例。病史基本都在10年以上，最长的是25年。在111例中，包括有单纯型支气管哮喘36例，支气管哮喘并发感染、轻度肺气肿36例，支气管哮喘合并肺气肿明显、伴有心脏病者39例。如罗某，女，40岁。患哮喘病已12年，逢冬而发。发作时喘哮难卧，咳痰清稀，食欲不振，动则气促。今面容消瘦，舌淡暗红苔白腻，脉沉细无力。X线胸透：肺纹理增粗，轻度肺气肿。屡经中西医治疗，症状虽能控制，但每年入冬又发。寒哮之病，乃因脾肾气虚，痰伏肺膜所致，宜用"三伏灸"疗法。1979年开始进行本疗法治疗，当年冬季即无发作，连续2年又用本法治疗，至今未见复发；再如虞某，男，18岁。患哮喘病已7年，整年因感冒则发。发则咳喘抬肩，心悸汗出，痰多而稀，知饥纳呆，大便常溏。现舌淡苔白，脉细无力。X线胸透：肺纹理增粗，轻度肺气肿。每年需住院治疗3~5次，平时常服氨茶碱等药控制。此乃脾虚失运，痰阻肺窍所致，适于"三伏灸"疗法。接受本疗法治疗后，即见喘平痰少，食欲显增，当年未见发作，1980~1981年，连续用本疗法，已5年未再发。

治疗观察表明，本疗法适用于虚寒哮喘，以单纯型支气管哮喘效最著，且以化脓灸和灸后发泡液吸收较快者，效果最显。第1年灸治后无发作，一定要连续进行第2年或第3年的灸治，效果方能巩固。许多患者，经灸治后，体质明显改善，也不易患感冒，可见还具有健身的作用。

（杜国瑞　整理）

袁家玑教授谈炙甘草汤的运用　　｜袁金声｜

炙甘草汤，又名复脉汤，是仲景《伤寒论》中的有名方剂。袁老从医50载，善用此方治疗不同原因所致的脉结代、心动悸，疗效很好，兹介绍如下。

袁老告诉我们，使用炙甘草汤，其要有二。

君炙甘草，用量宜重，以复血脉

炙甘草汤有通经脉、利血气、益气通阳、滋阴养血、阴阳并调、气血双补之功能，主治心之气阴两虚，尤以心气虚为主所导致的脉结代，心动悸。对于本方之主药，素有争议，如柯琴《伤寒附翼》曰："生地黄为君，麦冬为臣，炙甘草为佐，大剂以峻补真阴，开来学滋阴之一路也。"忽略了炙甘草通经复脉之主要作用。一般方书亦认为甘草生用甘平，清热解毒，炙用则甘温，补益脾气，润肺止咳，并作调和诸药之用，均不能阐明治疗脉结代、心动悸时炙甘草的主要作用。袁老认为，本方应以炙甘草为主药，故直接以"炙甘草汤"命名。根据《名医别录》炙甘草有"通经脉、利血气"的功用，《证类本草》亦记载《伤寒类要》治伤寒心悸、脉结代者，仅用"甘草2两，水三升，煮一半，服七合，日一服。"足见重用炙甘草通经复脉之功效，方中再配伍益气通阳，滋阴养血之药，其通心阳复血脉之力更著。治疗脉结代、心动悸时，总少不了用炙甘草，且既为主药，用量宜偏重，一般要在18g以上，量小了，复脉效果不好，有的病例用量达36g之多，配伍适当，临床尚未见浮肿之不良反应。

重视辨证，灵活加减，切合病机

《伤寒论》第182条曰："伤寒，脉结代，心动悸，炙甘草汤主之。"此条虽叙证简略，但主证主脉十分明确，是言不论外感疾病或内伤疾病，只要出现脉结代、心动悸的脉症，就应该首先考虑到用炙甘草汤以复其血脉。而造成脉结代、心动悸的原因很多，必须对其病因病机加以辨证分析，灵活加减，以切合病机变化，才能获得满意的疗效。炙甘草汤中以炙甘草、人参、桂枝、姜益气通阳复脉，地黄、麦冬、阿胶、火麻仁以滋阴养血宁心，如心气虚明显，可加重人参剂量，协同炙甘草为主药，还可加黄芪；如属气阴两虚，可提生地黄与炙甘草为主药；若阴虚明显，则用生地黄、麦冬、炙甘草为主药，去桂枝、生姜；阳虚者，可加附片，提高人参、桂枝之量与炙甘草共为主药，去地黄、麦冬、阿胶等阴柔之品，以温通心阳而复血脉；若心肾阳虚，出现厥脱，虽结代连连，脉微欲绝，则非炙甘草汤所宜，应急速回阳救逆，如四逆汤加人参等。

在本方的运用中，辨证还应与辨病相结合，如冠心病心绞痛时所出现的脉结代、心动悸，若属心之气阴两虚为本，痰瘀交阻为标，本虚而标实者，应虚实兼顾，本标兼调，调补心脾，通阳益气复脉以治本，宣痹化浊，活血通络定痛以治标，炙甘草汤可与瓜蒌薤白半夏汤、血府逐瘀汤合方加减。风心病引起的脉结代、心动悸，可用本方补气血，通阳复脉，并加祛风湿药物，如防己、秦艽、白术、泽泻、车前子之属。

本方加减应用时，炙甘草、人参不必改动，否则就越出了气阴两补的作用，只要辨证明确，加减得当，疗效是较好的。1978 年，袁老曾治一廖姓病例，男，46 岁。自述心悸心慌而累，胸闷食少，倦怠眠差，口干心烦，脉弱欠均，时而增块，结代频多，舌质青紫，心电图检查有窦性心律不齐，室内差异性传导，室性期前收缩（插入性）。本例之脉结代、心动悸是由于心之气血两亏，痰瘀交阻所致，以益气养血，化痰通络，心脾两调为法，师炙甘草汤之义，用炙甘草 24g，珍珠母 30g（打），生地黄 15g，茯苓 30g，太子参 15g，当归 9g，麦冬 18g，瓜蒌壳 15g，潞党参 15g，川芎 9g，赤芍、白芍各 9g，郁金 9g，丹参 30g，鸡血藤 18g，远志肉 9g，玄参 18g，大枣 9 枚，另三七粉早晚各吞服 1g，在本方基础上，随症增损，病情渐至减轻，但有反复，坚持服用 1 年零 1 个月，结代脉未再出现，诸症好转，后又将炙甘草降至 15g，续服 5 个月，以巩固疗效。至今 6 年多，患者多次出差，外出学习，均未复发。本例炙甘草用至 24g，以通经复脉，再配合益气养血宁心，活血化痰通络之品，长服而有效。一般脉结代、心动悸之证，常有反复，运用炙甘草汤治疗时，宜常服久服，才能巩固疗效。

白头翁汤之我见　　|陈慈煦|

白头翁汤，《金匮要略》用以治疗"热利"。余认为，所谓"热利"，是指下痢脓血，或纯血，腹痛，里急后重，肛门灼热，兼有身热，口渴，舌红，苔黄，脉数而言。其病机是湿热壅滞大肠，气血郁滞，故用白头翁汤清热凉血解毒。临证时，如热毒重者，可加金银花、连翘；里急后重明显者，可加广木香、枳壳；纯下鲜血者，可加地榆、槐花、牡丹皮、赤芍；苔黄厚，腹痛拒按，脉实有力者，可加生大黄；初起有表证者，可加荆芥、薄荷；如兼湿象，胸闷，恶心，大便白多赤少，苔黄白相兼，脉濡效者，可加藿香、豆蔻仁、厚朴、苍术之属。此外，白头翁汤还可治疗湿热壅遏肠道，气滞不行而致的大便泻下不爽，腹痛和湿热壅滞肠道，大肠传导失司而致的腹痛便秘者。试举 2 例以供参考。

例 1：蔡某，女，49 岁。1981 年 1 月 23 日初诊。大便泻下不爽，肛坠灼热不适，腹痛，苔根淡黄而腻，舌红，脉濡稍数，证属湿热壅遏，气滞交阻，治宜清热化湿理气，方用白头翁汤加味：白头翁 15g、黄柏 10g、黄连 6g、秦皮 9g、生白芍 15g、厚朴 9g、广木香 12g（后下）、生甘草 3g。

上方服 3 剂后，泄泻、肛灼、腹痛皆减，苔中微黄，脉细弦，原方加炒谷芽、麦芽各 9g，续服 3 剂病愈。

例 2：陈某，男，47 岁。1976 年 12 月 14 日初诊。腹痛，大便干结，口苦而黏，渴不思饮，舌红，苔黄腻，脉细弦，证属湿热蕴结，气机不利，大肠传导失司，治宜清热化湿，调畅气机，方用白头翁汤加味：白头翁 15g、黄连 45g、黄柏 9g、白芍 12g、藿香 9g、佩兰 9g、豆蔻仁 3g（后下）、广木香 6g（后下）。

服 3 剂后，腹痛即止，惟大便较干，黄腻苔未退净，上方加芒硝 3g，药汁兑服，又服 2 剂而病告愈。

（陈继婷　整理）

仿白头翁汤方治泻痢　|张运开|

白头翁汤出自《伤寒论》，由白头翁、黄连、黄柏、秦皮组成，具有清热解毒、凉血止痢功效，为治痢疾的常用名方。但方中多数药非我省所产，临证应用因药材供不应求而影响疗效。余利用贵州中草药，仿白头翁汤选用委陵菜、虎杖、拳参、刺梨根、仙鹤草、车前草制成冲剂（或合剂）。方中委陵菜苦平，清热解毒，利湿止痢，其功效与白头翁相似，故以此代之；虎杖、拳参苦寒，清热解毒，活血泻下，两药合用代黄芩、黄连；刺梨根酸涩，消食涩肠止泻痢，代秦皮；仙鹤草、车前草凉血止血，利水止泻。上药合用，具有清热解毒、利水止泻痢功效。临床观察多例，单用或经服西药氯霉素、土霉素等无效而改用本方治疗，均可获效。

患儿杨某，男，9岁。因突发腹泻，黑水样便，日10多次，即服委陵菜冲剂共4次而愈。

患者罗某，男，22岁。腹痛，痢下赤白脓冻，日20余行，里急后重，舌红，脉虚数。曾先后用中药和西药氯霉素等治疗无效，改用委陵菜冲剂，加红糖冲服而收效。

余用本方除治痢疾外，尚用于以水泻为主的泄泻。服用本方出现腹胀者，加广木香以理气除胀；泻痢一旬多而显体弱者，加红糖冲服，疗效更佳。

浅谈大柴胡汤的运用 　|袁金声|

大柴胡汤，为《伤寒论》名方，主治少阳邪热不解，病兼阳明里实之证，故而取小柴胡汤与小承气汤合方加减而成，以柴胡、黄芩和解少阳；枳实、大黄攻泻阳明；芍药敛阴和营，缓腹中急痛，半夏、生姜和胃止呕；去人参、甘草以免甘缓补中恋邪。其临床运用甚广，对胆系感染、胆石症、黄疸、胰腺炎、阑尾炎、肠梗阻、肠炎、痢疾等多种疾病，只要属少阳邪郁兼阳明里实者，多可取得显著疗效。

临床运用大柴胡汤的关键有二，一是掌握少阳兼阳明里实的病机；二是掌握大柴胡汤的主证。《伤寒论》第106、140、170条对其病机、证候、鉴别阐发十分清楚，大柴胡汤证有4大主证：①往来寒热，或发热，发热可轻可重；②心下急，乃上腹部及两胁疼痛急迫，或心下痞硬，按之，肌肉紧张，有抗力；③呕不止，乃呕吐急剧，频繁，甚者吐出黄苦之胆水；④多有大便秘结，或热结旁流。脉多弦滑而数，苔多黄腻，因病邪未全归阳明，但邪热伤津，苔亦有白厚而干者。只要掌握这些主证，与病机相符，即可使用大柴胡汤治疗。1974年，曾见吾师治一女性患者，60岁，腹痛剧烈，以上腹为重，辗转不宁，忽冷忽热，呕吐频频，不思饮食，口渴干苦，小便短赤，大便2日未行，腹部按之痛甚，以腹部明显，硬、有肌紧张及反跳痛，西医检查，血象高，嘱其拟剖腹探查，以明确诊断，患者畏惧手术，而来诊治，见舌质稍红，苔白厚而干，脉弦滑数，以大柴胡汤加减进治：柴胡12g、黄芩9g、枳实10g（打）、白芍18g、大黄6g（后下）、黄连6g、法半夏12g、广木香9g、竹茹6g、延胡索9g、生姜

10g、玄明粉5g，服1剂，即得黑色臭秽稀粪5次，腹痛若失。上方减大黄，再进2剂，余症皆除。后以香砂六君子汤加味调理善后。此例属腹痛急症，为少阳阳明合病，因热甚呕吐剧烈，于大柴胡汤中加黄连、竹茹，以增强清热和胃止呕之力，痛甚加入延胡索，以行气活血镇痛，大便秘结，加玄明粉以软坚泻热，广木香配枳实以增强行气破滞，导热下行，去大枣之甘缓，以免恋邪，服后效如桴鼓。以后凡遇此类急性腹痛患者，速以本方和解泻热，若寒战高热，有化脓倾向的，可合大黄牡丹皮汤运用；痛处不移，舌边瘀滞，可加丹参、红花、桃仁；黄疸可加茵陈、郁金、栀子、车前子；结石可选加金钱草、海金沙、鸡内金。急性发作时，往往不用滋腻之品，以免恋邪，大枣常常不用，一般服一二剂，或三五剂，对镇痛、解热、止呕、通便常常奏效。

病有轻重缓急之分。方有大小缓急之别，对于慢性反复发作患者，因久病入络，往往痛处不移，舌边多瘀，应加入红花、桃仁、川芎之类活血药物，此时嫌大黄过于峻猛，故用大黄炒炭，使之入血分以泄热化瘀，仅有轻微缓泻作用。久病体虚者，亦可师柴胡加芒硝汤之例加入太子参、甘草。因大柴胡汤有清热利胆之效，而六腑以通为用，只要胆道疏利，枢机运转，则腑气通降，其病可愈，因此大柴胡汤用治慢性反复发作较甚的患者，可在急性发作时，连服数剂，病情缓解后，可每周服用一二剂，间断服药3个月以上，经常保持胆道通利，大便调畅，可获稳定的疗效。

小柴胡汤临床应用琐谈 |饶天培|

小柴胡汤，出自《伤寒论·少阳篇》，为和解少阳枢机主方。临证应用本方，应抓住病机，认真辨析。治疗伤风、时行病、咳嗽、胁痛、胃脘痛、胸痛、疟疾、膀胱湿热、水肿多获奇效，今列验案4则，请同道指正。

1. 邪入少阳 罗某，女，32岁。乍热乍寒，口苦胸闷，恶心食少，头痛，脉弦数，舌红，苔薄黄，服西药未果，予小柴胡汤加菊花、白芍，2剂而愈。

2. 外感咳嗽 杨某，女，30岁。咳嗽数日不止，逐日加剧，症见口干苦、咳嗽连声不断，少痰，往来寒热，胸闷纳差，心烦喜呕，脉弦细数，舌红苔薄黄腻。拟小柴胡汤合二陈汤加杏仁、桑白皮，3剂而愈。

3. 胁痛（肝胃不和） 邓某，女，45岁。素有胁痛，时发时止，经某医院确诊为"胆囊炎"，就诊所见：脘胁疼痛，牵引肩背，寒热往来，口苦恶心，不欲饮食，脉细数，舌淡苔滑。投小柴胡汤加金钱草、郁金、延胡索、白芍，服 3 剂后症状大减，续服 3 剂症情控制。

4. 发热　范某，男，16 岁。病已 4 日，寒战高热。体温 38～40℃，口苦咽痛，不思饮食，胸痛无力，舌红少苔，脉弦数，血培养见：绿色链球菌、伤寒沙门菌。西医诊断："副伤寒"。予多种广谱抗生素无效。余用小柴胡汤治之，3 剂亦愈。

腹痛喜按与芍药甘草汤　｜俞尚德｜

中医的传统辨证认为腹痛是"以手可按者属虚"。张璐指出："中气虚，按之则痛定。"然痛而至虚，常属久病，而临床实际，亦有新痛而喜按者，其故安在？《素问·举痛论篇》云："寒气客于肠胃之间，募原之下，血不得散，小络急引，故痛。按之则血气散，故按之痛止。"其发病机制是寒气稽留于经络，血气涩而不行，故卒然而痛。此种血涩情况，在久病虚痛亦常有之，盖久病入络，必兼血涩。且血涩者每挟郁火，固无论其始因如何。验之之法，其于进行仔细腹诊，在患者主诉痛而喜按的情况下，医者体检，定有一处局限触痛存在，故切诊必须全面而认真，至于治疗，则均可应用芍药甘草汤随证加味，每获良效，举例如下。

例 1：　何某，女，19 岁。心下阵发性剧痛已两昼夜，喜按，呕吐苦水及蛔虫。苔白滑，根黄厚，脉细滑。腹诊：剑突下压痛明显，右胁轻触痛。诊为胆道蛔虫病。处方：炒白术、枳壳各 5g，生甘草、赤芍、甘松各 6g，姜黄 12g，吴茱萸 3g，木香、制大黄各 10g，蒲公英 30g，乌梅丸 20g（包煎），2 剂。

服头剂后，尚有 1 次剧痛发作，此后无再痛。服完 2 剂后，剑突下已无压痛。粪便检得蛔虫卵，予以驱蛔而安。

例 2：　张某，男，29 岁。患胃病 3 年，餐后二三小时胃脘痛，喜按，进食亦然。常有泛酸，有黑便潜血史。胃肠 X 线检查：十二指肠球部溃疡。初诊：苔薄滑，脉细滑。腹诊：心下轻压痛。处方：黄芪、党参各 12g，当归、乳香各 5g，炙甘草 18g，赤芍、茯苓皮各 10g，白及 6g，乌贼骨 3g（研吞）。服药 5 剂，胃病消失。最后 X 线复查，溃疡愈合。

芍药甘草汤治腹痛如神，适应于虚痛及血涩作痛，治虚痛当用炙甘草，《本草汇言》云："其甘温平补，效如参芪也。"《医学衷中参西录》云："甘者主和，故有调和脾胃之功。甘者缓，故虽补脾胃而实非峻补，炙用则补力较大。"血涩作痛则用生甘草，《药品化义》云："生用凉而泻火。"《丹溪心法》云："火急甚重者，必缓之以生甘草。"所谓甘草缓急迫也。至于木土不和之腹痛，则用炙甘草配伍白芍。《脏腑药式补正》云，白芍"实为肝胆气浮，恣肆横逆必需之品"。如血涩腹痛则用生甘草配伍赤芍。《神农本草经》云，芍药"主邪气腹痛，除血痹"。当时芍药尚无赤白之分，而揣之《伤寒论》所用之芍药，应是野生未经泡制赤芍，其治腹痛机制是疏达营气，通血络之涩滞。《素问》云："善言古者，必有合于今。"若用现代医学术语解释，则芍药甘草汤适用于各种痉挛性腹痛也。

金匮肾气丸刍议 |梁秀君|

金匮肾气丸为张机所创，出自《金匮要略》，以干地黄、山药、山茱萸、泽泻、茯苓、牡丹皮、桂枝或肉桂、炮附子组成，是临床上常用的方剂。为补阳的代表方剂，世有补肾丸之称。但方中以熟地黄为君药，抑或以附子、肉桂为君药的问题历来有所争议。焦点是：①本方若以附子、肉桂为君药，为什么用量轻；②本方为补阳之代表方，为什么要重用补阴药，其配伍意义何在？我个人认为本方以附、桂为方中君药，理由是根据《素问·阴阳应象大论篇》云"少火生气"的理论，意在微微生火，以鼓舞肾气。《删补名医方论》柯琴曰："……此肾气丸纳桂、附于滋阴剂中十倍之一，意不在补火，而在微微生火，即生肾气也。"

本方重用熟地黄配以补阴药是根据阴阳互根的道理，所谓"阴生于阳，阳生于阴""孤阴不生，独阳不长"。《素问·阴阳应象大论篇》云："阳生阴长，阳杀阴藏。"阴阳相互依存又相互转化。然而肾的功能包括了"肾阴"和"肾阳"两个方面，肾阴对人体各脏腑起着濡润滋养作用，肾阳对人体各脏腑起着温煦、生化作用。所以肾阴和肾阳在人体内也是相互制约，相互依存，维持着相对的动态平衡。正如张景岳说："阴阳原同一气，火为水之主，水即火之源，水火原不相离也"（《景岳全书·传忠录阴阳篇》）。又说："善补阳者，必于阴中求阳，阳得阴助而生化无穷。"故方中补阳药与补阴药相伍，具有滋而不腻，温而不燥，壮阳不伤阴，滋阴以摄阳，补阴之虚以生气，助阳之弱以化水的特点。其目的在于使肾阳振奋，气化复常，以补肾气。王冰曰："本方用六味地黄丸壮水之主，加肉桂、附子补水中之火，以鼓舞肾气。通过水火并补，阴阳协调，邪去正复，肾气自健。"以达到"益火之源，以消阴翳"，主治肾气虚之病证。金匮肾气丸以附子、肉桂为君药，配用六味地黄丸以滋肾阴，不曰温肾，而名肾气，是有其道理的。

乌梅丸治疗放射性直肠炎 李芝秀

乌梅丸方出于《伤寒论》，由乌梅、细辛、干姜、黄连、当归、附子、川花椒、桂枝、人参、黄柏组成。具有辛温驱寒、苦寒清热、补气行血、制虫安胃等功效。此方寒热并用，清补兼施为专治上热下寒之蛔厥证或由于上热下寒之久痢。近年来已广泛用于治疗胆道蛔虫症，疗效肯定。这里就本方治疗放射性直肠炎略谈片语。

子宫颈癌为中老年妇女的常见病、多发病，严重危害广大妇女的健康和生命。此病早期因症状不明显而常被延诊，及至症状明显而就医时，往往已是中晚期，失去手术根治的时机，此时放射线治疗不失为一种治疗子宫颈癌较好和有效的手段。但是放射线既可杀伤癌细胞也能伤害人的脏腑和正气，伤害胃肠道的气血阴阳。约有1/4的宫颈癌患者在接受放射线治疗后出现不同程度的直肠炎症反应。

多年来经笔者治疗的放射性直肠炎患者近百例，主要症状为：下腹隐痛、腹泻、里急后重或肛门下坠、黏液便，一般无脓血。每日大便4～30次，甚至40余次，或欲便而不解便，肛门坠胀。此证多为正虚邪实，寒热错杂，气机阻滞。因而单纯清热或温补脾肾均不切证，故而选用乌梅丸方，现择1案以资证明。

患者姚某，女，59岁。西医诊为宫颈癌Ⅲ期，给予^{60}Co宫腔内放射，在第3次腔内放疗后即出现腹泻腹痛，里急后重，大便稀溏，量少，多为黏液便，无脓血，小便黄少，神疲纳差，四末不温，舌质淡红苔黄，脉细数，此系邪热滞留大肠而脾胃虚寒，正虚邪实，寒热错杂以乌梅丸方加减：乌梅15g、黄连6g、黄柏12g、干姜9g、党参15g、白芍15g、熟附片9g、当归12g、牡蛎24g。水煎服，服药3剂，症状明显缓解，每日大便5次左右，前方续进3剂，诸症消退。

乌梅丸方有攻有补，有走有守，攻邪不伤正，补虚不留邪，实为治疗重症放射性直肠炎的首选方。

乌梅丸治久痢 贤振采

我曾治一个患痢疾达2年之久、经多方治疗未效的病人。自诉2年来下痢脓血，时发时止，临厕腹痛里急，畏冷嗜卧。无力参加劳动，但每餐尚能吃100g米粥。见肌肉消瘦，面色无华，气虚神少，舌淡红、苔厚腻，脉濡。析其乃正虚邪恋，邪留大肠。遂予温补脾阳，佐以清热化滞，乌梅丸改汤：党参15g，肉桂、当归身、熟附子各10g，乌梅15g，黄柏9g，川花椒6g，黄连、干姜各5g。水煎服，每日1剂。药服4剂，大便日1次，脓血便、腹痛里急消失，又服10余剂，病告痊愈，随访1年未见复发。

乌梅丸是仲景《伤寒论》治蛔厥的方剂，有清热温下的功效，近人用治痢疾屡有报道，笔者用来治疗迁延2年的久痢，仅十余剂而解2年之苦，可见先贤用药遣方之神妙，本方不愧为圭臬，值得我们后人学习、研讨。

乌梅丸方的灵活运用 　　|吴元黔|

学习古典医籍，重在学习古人的经验、方法和思路，而不必要原方照搬，泥古不化，死于句下。现以乌梅丸方义的灵活运用为例，谈谈个人的体会。

乌梅丸出自张仲景《伤寒论》和《金匮要略》，是治疗伤寒厥阴病上热下寒证和蛔厥证的主方。仲景曰："蛔厥者，当吐蛔，令（今）病人静而复时烦，此为脏寒，蛔上入膈，故烦，须臾复止，得食而呕又烦者，蛔闻食臭出，其人自当吐蛔。"所谓蛔厥，即因蛔虫病所致之厥证。厥有二义，一为四肢厥冷，一指昏厥，临床上均有，但前者较多，后者极少。笔者1976年曾治一名25岁之未婚女子，农民，因突发腹痛以致昏厥而入院。患者面色苍白，双手冰冷，握拳不开，呼之不应，闭口不开，脉弦大而稍数。查：呼吸音稍粗，心肺阴性，体温不升，血压正常。双侧瞳孔对称，对光反射好，腹肌稍紧张，无病理反射征，既往无类似发作，其他未见异常。一时诊断不明，因疑为低血糖，即先静脉注入维生素C和葡萄糖，在注射过程中，患者忽然恶心吐出蛔虫1条，故疑为蛔厥证所致之昏厥。待患者稍清醒后，嘱服姜糖温热粥半碗，并照乌梅丸（汤）原方给药，每日1剂，分3次服。连服3日，病情稳定，惟脐腹隐痛，第4日给予驱虫，第5日下蛔虫数条而愈。

仲景原文对蛔厥主证的描述，颇似现代之胆道蛔虫症，按中医病机，蛔虫入胃所致之胃炎也应包括在内。"脏寒"即内脏虚寒，此处应指肠寒。蛔虫本居于小肠，肠寒则躁动不安。蛔虫有钻孔习性，"蛔上入膈"则应包括入胆道、胃、食管等。临床上或因外感发热，或由饥饿所诱发。从正邪两方面分析病机，一面是脏器虚寒，一面是外感及蛔上入膈有热而致烦，故证见寒热并作，虚实夹杂。此亦与现代医学之认识相合，发热可致虫动，虫一旦进入胆道，又易并发感染而引起发热，二者互为因果。胆道蛔虫只要不发生穿孔引起腹膜刺激，多属虚寒性疼痛，喜温喜按。乌梅丸之用意正是针对着虚实错杂、寒热并见、膈中有热、肠中有寒的病机而来，标本虚实兼顾。对正气，补益气血之虚又兼温脏器之寒，故有人参、当归、干姜、附子、细辛、桂枝、川花椒等辛温助阳之品；对蛔虫则以安蛔杀虫为主。古云蛔虫"得酸则静，得辛则伏，得苦则下"，故方中辛、苦、酸同用。黄连、黄柏清上热，重用醋渍乌梅以安蛔。寒热并用，邪正兼顾，辛可温脏寒，苦寒则既可下蛔又兼清热解毒，配伍十分严谨。根据此方随症加减，不仅治疗胆道蛔虫疗效确切，对久痢亦有良效。应用时，正气不虚者，人参、当归可去；有气滞者，可酌加广木香、枳壳、川楝子、延胡索；便秘者可加芒硝、大黄等。关键在把握病机，理解方义，在这样的原则下，不但处方可以灵活加减，还可以因地制宜，想出很多简便易行的办法来。笔者就曾在一次情况较急而又无中药的情况下，对一中年女性患者，根据乌梅丸方义用食醋半碗吞服少许胡椒粉，再用热水袋熨敷胃脘而使疼痛缓解（曾用度冷丁止痛，仅半小时后又剧烈发作），后依法驱虫而愈。尚有一例，为8岁男孩，因自服山道年驱虫致腹痛剧烈，呕吐不止，脉弦紧，稍数，舌苔白腻。因频繁呕吐，药物不能下咽，依照蛔虫"得酸则静"的原理，笔者在确定没有酸中毒的情况下，在静脉输入的液体中单独加入抗坏血酸（即维生素C），2小时腹痛即完全缓解，呕吐亦止。后嘱服温热姜糖稀粥，再依法驱虫而愈。

另外，笔者在应用乌梅丸方治疗病人时，尚注意疼痛发作时不急于驱虫，尤其不能用能使虫躁动的药物，免生变证，必要时配合液体疗法。还特别注意养胃阴，保护消化道，故常嘱患者服用养胃和中的温热姜糖稀粥，此亦遵仲景治蛔之另一方甘草粉蜜汤之方义。

白虎汤在临床上的运用　｜盛国荣｜

白虎汤方出自医圣张仲景之书，原为治疗伤寒阳明经证而设，历代医家均以"大热、大汗、大渴、脉洪大"为治疗依据。但根据我数十年的临床经验，认为除了上述"四大证"之外，凡实热内蕴者均可用之。试举数例，以概其余。患者许某，消谷善饥，口干喜饮，溲频量多，体重减轻，已历3年（西医确诊为糖尿病，用西药治疗未效）。来诊时，舌红苔黄，脉细数。此为消渴病，乃燥热伤阳，气阴两虚所致。法当清热养阴益气。方用人参白虎汤加减：石膏

60g（先煎去渣），白人参、天花粉、葛根、金银花、知母、怀山药、麦冬、玄参各 10g，乌梅、五味子各 8g，芡实 16g，生地黄 14g，黄芪 20g。连服 6 剂后，诸症悉减。按前方去知母、石膏，加黄精、杜仲、枸杞子，配合知柏地黄丸。治疗 1 个月后，临床症状消失，血糖正常，尿糖转阴。又治林某，男。头晕头痛已 4 年，伴眼花耳鸣少寐多梦，烦躁口干（曾经确诊为高血压，动脉硬化）。屡用降压药及平肝熄风之中药未效。我诊时，除上述症状外，伴大便稀溏，里急后重，舌质红，舌苔黄而干，脉弦数。诊为眩晕，乃胃火炽热，肝火上炎，治以清泄肝胃。用白虎汤加减：石膏 60g，怀山药 16g（二药先煎去渣），钩藤 15g，知母、黄芩各 10g，龙胆草 5g，甘草 4g。服 3 剂，头痛、头晕、口干、烦躁均减，大便转正常。按上方加减，再服 4 剂。症状消失，血压正常。嘱服杞菊地黄丸以巩固疗效。又有杨某，反复发热已 6 个月，伴血尿，全身关节痠痛，皮肤紫斑（曾经确诊为过敏性紫癜），舌红，脉弦。治以白虎汤。梁某，高热口干，烦躁疲乏，溲赤便干。治以人参白虎汤合清络饮。二者均获愈。此外，像哮喘病属于实热者，若投以白虎汤加味（重用石膏），也常收卓效。

石膏为白虎汤中主药，我的石膏常用量为 30~60g。因为石膏质重须久煎；再者石膏捣碎后，煎汤常呈浑浊难以入口，且其质大寒，伤胃气，所以我常把石膏和粳米或怀山药先煎去渣，然后取其水液再煎其他药物。

对于石膏的生用与熟用，历来有不同看法。如张锡纯有石膏宜生用、重用，切忌煅用之说。近人彭静山认为："以其性寒，并煅过，或糖伴炒则不伤胃。"黎伯概主张"生煅并用，以去涩味"等。我认为清热泻火生用为宜，降逆镇静煅之为佳。而煅石膏我也常用治各种热性病出血症，颇获良效。

漫话《伤寒论》方的临证应用 | 李昌源 |

《伤寒论》素称"众法之宗，群方之祖"。其方法度谨严，配伍精当，临证应用得法，每可应手而愈，效如桴鼓。根据 40 多年的临床体会，余以为用准、用活《伤寒论》方，关键在于据证而辨、把握病机。

人体患病，无非是正邪双方相互作用，导致机体阴阳失调所致。然邪气有六淫、七情、饮食、劳逸、外伤诸般不同，正气有男女老幼、脏腑强弱、气血多少、阴阳所偏种种差异，加之季节气候、地域环境的影响，疾病的发生发展必然表现得千差万别，错综复杂。此时若不从证候入手仔细辨析病机，抓住疾病的本质进行治疗，则必定茫然失措，陷入"盲人骑瞎马，夜半临深池"的困境。

疾病证候虽多，但有主证、兼证，或然证之别，而能够反映病机、体现疾病的性质和发展趋向的，只有主证。因此，抓住主证是辨析病机，用准《伤寒论》方的关键所在。我于1986年3月曾随师诊治一中年患者，下利数年不愈，近日下利虽止而厥冷、晕眩，持脉未毕而突见烦躁不安，面紫唇青，汗出如珠，心慌气短，目不识人，脉微欲绝。吾师曰：此阴竭阳亡之证，正合《伤寒论》第297条"少阴病，下利止而头眩，时时自冒"所言，急投四逆加参汤以扶阳救阴，竟获起死回生之效。

由于从主证入手，故能够单刀直入地抓住病机，不致为枝节问题掣肘，也不被假象所蒙蔽。曾治一泄泻15年、久治不愈患者，以其形体尚可，食欲不减，舌苔老黄，脉沉实有力，故不囿于"久泻必虚"之说，断为积热胶固之阳明腑实证，遂以大承气汤泄热通腑，加干姜、黄连、广木香以辛开苦降，仅服4剂而告愈。

《伤寒论》方用量多有严格的比例，具体运用时必须予以重视。例如：桂枝汤中桂枝、白芍等量，桂枝加桂汤重用桂枝，桂枝加芍药汤倍用芍药，药味虽同，剂量有别，方名和功效因之而异。又如五苓散中泽泻与白术、茯苓、猪苓以及桂枝的用量比为5:3:2，麻杏石甘汤中石膏2倍于麻黄，小柴胡汤除柴胡重用外，余药等量，旋覆代赭汤重用生姜而轻用代赭石等，若非病情确实需要，不宜轻易改动。否则虽辨证无误，用之亦如隔靴搔痒。

此外，《伤寒论》方的煎服方法与疗效成败亦有很大关系。如桂枝汤之啜热稀粥，温服取微汗，五苓散之以白饮和服，多饮暖水，小柴胡汤、半夏泻心汤、旋覆代赭汤等和剂之去滓再煎，大黄黄连泻心汤之以麻沸汤渍服，大承气汤之先煎枳朴、后纳硝黄，桂枝人参汤之先煎理中、后下桂枝等，皆有法度，若漫不经心，亦难获效。

千金附子汤临证应用一得　　|杨越明|

千金附子汤为唐代医学家孙思邈所立，原载《备急千金要方·风毒脚气和诸风》篇，方由附子、茯苓、人参、白术、白芍、桂心、甘草7味组成。本为治疗"湿痹缓风，身体疼痛如欲折，肉如锥刺刀割"之证。余常用以治疗心肾阳衰，脾胃虚寒，阴寒内盛，或寒湿外侵所致之痹证及心悸、水肿、喘证、泄泻、阳气暴脱等证，酌情加减化裁，投之临床皆验。考该方实源于《伤寒论》

附子汤合桂枝甘草汤组成。医者都知，桂枝甘草汤补心助阳，温通血脉，本为心阳气虚而设；附子汤温补元阳，散寒化湿，本为肾阳虚衰而立，一载太阳，一载少阴，惟孙氏别具匠心，将二方熔于一炉，铸成温阳祛寒，补阳化湿之剂。而用以治疗阳虚寒湿凝滞经脉之风毒脚气、风痹等证。方中附子为主药，温经助阳，散寒化湿，蠲痹定痛；人参补益元气，扶正祛邪；茯苓、白术益心健脾而化水湿；白芍和营敛阴，缓急止痛；桂心、甘草补心助阳，温通血脉。全方合用，贵在补中寓泻，温而不燥，补而不滞，无伤阴之弊。千金附子汤实寓有参附汤、术附汤、桂附汤、甘草附子汤。若阳虚寒甚者，宜加干姜以温阳散寒，即《三因》附子汤；气虚阳弱者，宜加黄芪以助阳益气，即严氏芪附汤。

人身贵乎阳气，阳气一虚，阴邪客之，阴盛则阳衰，诸病生焉。究其所因，不外乎禀赋素弱，年老体衰，病久伤阳，或汗、吐、下太过，苦寒浪投，内戕阳气，心、脾、肾阳亏虚。阳虚则阴盛，阴盛则寒，故以形寒肢冷，身体疼痛，倦怠乏力，心悸欲寐，溲清便溏，舌苔白滑，脉沉微细为主症。然论治之法，当温阳补虚为主。王太仆云："益火之源，以消阴翳。"俾人身阳气得复，离照当空，阴霾自散，实乃治阳虚之要旨，千金附子汤正合此论，故用以治疗阳虚诸证皆验。略举临证治验1则以证。

刘某，女，45岁。8年前因产后受寒，风寒湿邪乘袭，血气为邪气所闭，遂肌肤麻木，骨节疼痛，游走不定，辗转发作，心悸气累，屡治不愈，每因气候寒冷，劳累而加重，现双膝、肘腕关节剧痛，活动不利，头晕乏力，心悸气短，畏寒肢冷，下肢浮肿，舌淡苔白，脉象细弱。证属阳虚寒痹，治宜温阳散寒，蠲痹活络。拟千金附子汤加减：制附片12g（先煎）、茯苓12g、独活12g、南蛇藤15g、防己15g、当归10g、延胡索10g、炙甘草6g，加少量白酒煎服。连服6剂，痹痛得止，心悸气短，下肢浮肿悉除。患者平素饮酒，继用原方加鸡血藤、熟地黄、黄芪浸酒为饮。时逾1年，身体健康，痹痛、心悸、肢肿未作。余用千金附子汤化裁治疗阳虚诸证尤多，其效甚著。尤需指出者，千金附子汤为阳虚而设，药用多辛温燥热，只适宜阳虚寒证，凡阴虚有热，而无阳虚见证者，均在禁用之列。

瓜蒌薤白白酒汤与冠心病　　│杨抗生│

瓜蒌薤白白酒汤是《金匮要略》上的一张著名方剂。用以治疗胸阳不振，气滞痰阻而偏寒实的痹证。现在常用于治疗冠状动脉硬化性心脏病（下称冠心病)。吾师北京中医学院方剂教研室主任王绵之教授对本方方义剖析甚为透彻，值得我们效法。

本方的组成为瓜蒌、薤白、白酒。瓜蒌味甘寒，一般用治热痰，还可散结，如小陷胸汤以瓜蒌为君，治痰热互结的小结胸证。对血气相结的乳房病，更是用之尤多。清代程钟龄在《医学心悟》一书中很推崇此药，如书中之神效瓜蒌散，用瓜蒌1枚，生甘草、当归各15g，明乳香、没药各3g，水煎，热酒冲服，治肠痈并乳痈，及一切痈疽初起。痈肿能消，脓成能溃，脓溃自愈，就是其例。但用瓜蒌应注意所结的部位和寒热虚实的性质。瓜蒌本身无辛散化结的作用。所以在治疗痰气相结较甚的胸痹时，在用瓜蒌祛痰的基础上配合薤白的辛苦温以通阳利窍。瓜蒌、薤白二药配伍，能祛咽中之痰，利胸中宗气。根据辨证需要，再加上白酒，以振胸阳、通血脉。方中所言之白酒，汉代是黄酒，古人认为"酒为百药之长"，味辛行气助阳，温通上行。

胸痹证的脉象，《金匮要略》说："夫脉当取太过不及，阳微阴弦，即胸痹而痛，所以然者，责其极虚也。今阳虚，知在上焦，所以胸痹心痛者，以其阴弦故也。"这里说脉的太过不及都有病。阳微，指阳部上位寸口脉微，阳得阴脉为不足是上焦阳虚；阴弦，指的是阴部下位尺中脉弦，阴得阴脉，为阴太过，由于阳虚气滞，寒痰与气结。"平人，无寒热，短气不足以息者，实也。"指无病之人无寒热，无新邪，而感到短气，是因痰而致的里实，阻碍肺气的升降，出现了呼吸急促，不相连接，似喘不摇身，似呻吟而无短气。短气是胸痹的症状之一，属于实证的短气。从病因分析是胸阳虚为本，由于胸阳虚，胸中阳气不振而产生的气滞和痰阻，都是病之标。胸居人身阳位，在上焦。心、肺又同居上焦，阳虚气亦虚，故在选药上不用大辛大热的桂枝、附子，恐其更耗其气，而用甘寒滑润的瓜蒌与辛温开结化痰散寒的薤白，做到药证相符，祛邪而不伤正。

本方适应证为痰气互结而偏寒的实证胸痹，其脉多弦滑，苔厚腻，或白，或淡黄，或灰垢。故凡见胸痹，不能一概而论予瓜蒌薤白白酒汤，必须注意阴阳、寒热、虚实，以免开口动手便错。

释 抱 龙 丸　　|俞景茂|

抱龙丸出自《小儿药证直诀》。方中天竺黄、胆南星清热化痰，雄黄祛痰解毒以治惊风；麝香、辰砂芳香开窍而安心神，故适宜于小儿痰热内壅而致急惊实证。后世牛黄抱龙丸、琥珀抱龙丸均从此方加减而成，延用至今。

方名抱龙，抱者养也；龙者主东方甲木，为纯阳之物，小儿病则易从阳化热，热则易动肝风，制此方以清心热、平肝木，防惊风，此抱龙之名义。

《四库提要》谓："小儿纯阳，无烦益火。"李濂《医史》谓："肝有相火，则有泻无补；肾为真水，则有补无泻。"万全《育婴家秘》谓小儿"阳常有余，阴常不足"，诸论虽非出自钱乙，实又源于钱乙。何以知之？从抱龙之名义可知其一二也。

匠心独运的苏芩汤　　| 刘惠纯 |

20 多年前，笔者在广州市工人医院中医科工作，同科老中医黎愈医师，时年八旬有余，在群众中威望甚高，其自拟苏芩汤，组成为：紫苏梗 12g、黄芩 12g、葛根 12g、竹茹 12g、法半夏 10g、茯苓 12g、川厚朴 5g、枳壳 5g、大腹皮 12g。加减法：骨酸痛加木瓜 12g、桑枝 30g，小便短赤加木通 12g，呕闷加砂仁 6g，咳嗽加桔梗 12g。其谓本方治六淫之邪皆合，应用极广，几乎占其每日处方六成，成人每日 1 剂，小孩半剂或 1/3 剂。时余涉世不深，根据课堂所学，常疑其非，凡病需要辨证论治，何有一方通治六淫之邪之理？然见其病人求诊接踵，皆谓黎医师此方甚效。后自己亦按方试用，亦觉确有良效。从此自己亦常用此方。临床既久，渐有体会：粗看此方，用药通套，无甚新意，然细回味，颇合广州地区地理气候、民情风俗、生活习惯和大部分病人病情特点。广州滨临南海，空气潮湿，气温偏高，食性复杂，口味讲究。因此，以冷暖失调、肠胃不和，纳食呆滞，肢体倦怠，筋骨酸痛等为主诉的病人在中医门诊极为多见。而大寒大热、大虚大实之典型病人则较少见。黎医师在数十年临证中体会到这一特点，创苏芩汤平调寒热，和解表里，疏风渗湿，宣畅气机，颇具知其要者及由博返约之匠心。然笔者在使用本方过程中亦觉其有一定的局限性，重于和而弱于清，实际上并非六淫之邪皆可治。尝见乳蛾、湿温、风温等初起的病人，本方往往不能遏其病势。故体会继承老中医经验，既要虚心学习，不能随便想当然地主观臆测，未登堂入室即动疑其非，又要善于发扬提高，不为其所局限。

从补阳还五汤得到的启迪　　| 覃应达 |

补阳还五汤载于清代王清任《医林改错》一书，原"治半身不遂，口眼㖞斜，语言謇涩，口角流涎，大便干燥，小便频数，遗尿不禁"。而以治半身不遂和痿症著称。将补气和活血化瘀结合运用是王清任对临床治疗法则的重要发展。方中重用黄芪补气，使气足血行，经络通畅；配合当归尾、赤芍、川芎、桃仁、红花活血祛瘀，地龙通经络，共同起到补气活血、逐瘀通络的作用。从原方用量分析，黄芪用量特别大，而桃仁、红花、赤芍等用量甚轻，可见王清任用本方是以补气为主，活血化瘀为辅。认为半身不遂所出现的口眼歪斜、口角流涎、大便干燥、小便频数等症都是由于气虚所致。并根据瘀血的不同部位创立通窍活血汤、血府逐瘀汤、膈下逐瘀汤等。而在这些方剂中都有桃仁、红花、赤芍等活血化瘀之药。乃知王清任在辨证论治过程中十分细致地推敲"异中有同，同中有异"的客观规律。笔者据此推而广之，在临床实践中体会到补阳还五汤不仅有补气活血化瘀作用，还有止痛、止血、疏通经络、祛瘀生新等功效，而这些作用的产生均以补气活血化瘀为前提。笔者用于各种瘀血病证，疗效甚好。如石姓妇，51岁。患高血压病3年，近1周来发现左侧半身不遂，口角歪向右侧。面色苍白，气息低微，咯痰稀白，脉来细缓，舌淡苔白，血压22.7/13.3kPa（170/100mmHg）。拟为肝阳亢盛，耗伤气阴，导致气虚血瘀，脾失运化，痰浊阻滞，经脉不畅，风中经络而致半身不遂。即予潜镇肝阳，补气健脾，活血化瘀，化痰通络为法。处方为：石决明30g、钩藤15g、牛膝12g、茯苓12g、白术9g、陈皮6g、法半夏9g、赤芍9g、桃仁9g、当归尾6g、红花6g、地龙9g、黄芪15g。水煎服，每日1剂。服5剂后，患者能扶持站立，咯痰减少，血压降至19.5/12.0kPa（146/90mmHg），舌淡苔白，脉仍细弱。守上方再加川芎6g，又服3剂后，左上肢略能上举，左下肢能移动数步。效不更方，再进20剂后患侧上下肢功能均恢复，步履稳健，生活完全自理。但易疲倦，舌淡苔白，脉仍细弱。据王清任所云："若服此方愈后，药不可断。"乃取八珍汤与补阳还五汤合方，气血双补，活血化瘀以巩固疗效。此例共经五十余天治疗而康复，迄今健在。

漫话甘露消毒丹　　|林可华|

本方又名普济解疫丹，系清代叶桂治疗湿温时疫有效验方。但从方的配伍及其作用来看，它不但适用于外感的湿温病，也可以应用于内伤的湿热病。我的经验只要掌握以下4点，就可以应用。一是病机：为湿热郁阻，三焦气机不畅。二是病位：虽涉及三焦，但重点在上、中二焦。三是证型：应热重于湿，兼挟秽浊，或湿热并重。四是证候：见但热不寒，胸闷，喜太息，或脘痞腹胀，或小便黄赤。舌质红，苔或白或黄而不燥或腻，脉濡数，尺肤热。

如我曾用本方治一患者，湿热痰浊郁积手太阴肺经，致反复咯血半年余。以本方急清三焦，宣展气机，涤除痰浊，清利湿热，而获良效。又治肺结核暑热挟湿证，长期低热不退等，以本方治疗而愈。前在漳州温病专修班任课时，一同学长期腹泻，多方治疗无效，形体略有浮肿，面色苍黄，腹围增宽，胸闷，喜太息，脘腹胀满，多矢气，小便短黄，舌红，苔白略厚而腻。证系湿阻气机，三焦失畅，水湿停滞不化，投以本方而瘥。又有，胃手术后长期嗳气呕吐；肝炎后顽固呕吐，均以本方取得疗效。

周伯度说，方中"滑石、茵陈为荡热除湿之要药……佐以芩、贝、通、射、翘、荷则横解直泄，各效其用。菖蒲所以利窍，藿香所以避秽，白蔻所以疏滞，此三味，在热为从治，在湿为正治，方之超妙在此。"可见方之应用，必须深刻了解它的功效，才能充分发挥其妙用。

二仙汤临证应用琐谈 | 汤宗明 |

二仙汤由仙茅6～15g、淫羊藿9～15g、巴戟天9g、当归9g、知母6～9g、黄柏6～9g，共6味温养苦降药组成。本文为上海中医学院所拟，用治阴阳两虚或妇女更年期高血压病。临床验证，卓有成效。细加分析，该方实为补肾之剂。

补肾方剂临床甚多，如金匮肾气丸、知柏地黄丸、左归丸、右归丸等，但各有所宜。对肾中精血亏损，阴阳并虚者，都不宜峻补，而贵在缓补平补。盖肾为水脏，恶燥烈，忌刚急。附子、肉桂大辛大热，不可久服；熟地黄、黄精，虽为滋阴要药，也要虑其滋腻碍脾。余在临证中，尤为推举二仙汤，其选药精良，配伍独到，治精血亏损，阴阳并虚者，最为适宜。

方中仙茅、淫羊藿、巴戟天温柔之品，温以壮阳振颓，柔以滋阴填精，温柔相合，刚柔相济，则阳气自复，阴精自生。精血同源，配伍当归，补血养血，血得补，精得生，佐知母、黄柏，一则润燥滋阴，二则防止上药过温，补中有泻，泻寓于补中，各药相须为伍，共奏填补精血之功。余在临证中，大凡虚损疾患，肝肾精血不足者，屡用此方，确有振颓起废之举，兹择选数例验案于后，供同道参考。

迟脉治验：陈某，男，64岁。患风心病，病态窦房结综合征2年，心率在36～48次，因惧装置心脏起搏器，而求中医治疗。症见病者面色不华，精神委顿，心悸怔忡，短气不足以息，头晕不能转侧，下肢发凉不温，行动难，脉沉迟（38 次/min），舌质淡紫略胖，苔薄黄而滑。此肝肾精血不足，阴阳虚耗，不能上荣于心。拟填精补血，佐益气通脉，二仙汤加黄芪30g、丹参18g，服药3个月，共七十余剂，心率64～72 次/min，病遂告愈，随访2 年，未见复发。

偏瘫验案：任某，男，62 岁。患中风半身不遂四载，服中西药多剂，理疗推拿，从未间断，仍不能起沉疴。症见肢体不温，拘痉不柔，颓废不用，脉沉细，舌质淡，苔薄白。乃肝肾精血不足，不能濡养肢体，强肌充身，宜填补精血，佐活血通络。二仙汤加川芎12g、牛膝18g、木瓜15g、鸡血藤30g，并加强肢体锻炼。服药4 个月，恢复自理生活。

血痹验案：黄某，男，60 岁。汗出下田插秧，旋即四肢冷胀麻木，肌肤不仁，浸沸水中亦无知觉，为此曾多次烫伤。检查触、痛、温觉缺如，遂按血痹而治，服黄芪桂枝五物汤十余剂，针刺独取阳明，麻木不仁有减，但四肢仍不温，小腿肌肉渐渐萎缩，形弱体瘦，并阳痿，诊得脉沉细无力，舌质淡，苔薄白，根微腻。证已从肌肤累及肝肾，精血不足，阴阳俱虚，宜填精补血，强筋壮骨，二仙汤加锁阳15g、阿胶12g，进药50 余剂，血痹、痿证、阳痿俱除，病遂告愈。

三甲散新用　　|张良骧|

温热遗症昏沉神呆，以清解余邪开达心窍为常法，若此法不应，可用薛氏三甲散取效。

三甲散出于明代《温疫论》，由鳖甲、龟甲、穿山甲、蝉蜕、僵蚕、牡蛎、䗪虫、白芍、当归、甘草组成。主治正虚疫邪陷于经脉，与营血相结，主客交混，肢体时痛，脉数，身热不去，胁下刺痛，其大肉未消，真元未败者。清代薛雪用此方化裁治湿热证默默不语，神识昏迷，进辛开凉泄，芳香逐秽俱不效时，仿吴有性三甲散，从厥阴论治，取醉土鳖虫、醋炒鳖甲、土炒穿山甲、生僵蚕、柴胡、桃仁泥等味。经临床观察，本方对于温热病瘥后神识呆顿、头部昏沉，属病邪入络，络脉凝瘀者较为合适。如1985 年夏月，吴某，男，15 岁。患病毒性脑炎。住院治疗1 个月，经西医治疗恶势已平，大病初愈，而头脑昏昏沉沉，微有胀痛，神呆目滞，默默不语，心烦懊恼，坐立不安，身微热，汗不出，不欲食，4 日只吃数两稀粥。其父疑为精神病，去温州医院求诊，仍诊为病毒性脑炎而回乐清续治，向我索方，视其舌苔满布黄腻，切其脉濡滑，且嗳气，黏痰，胃脘痞满。辨证为余邪未脱，阻于络脉，气血迟钝，灵机不运，又暑湿蕴结中焦，胃气不醒，清阳蒙蔽，玄府失于宣通。前服中药，疗效平平，若复用寒凉，恐阻塞气机，湿遏不化，若燥之则余热复炽，诸症复起。此时须以轻清宣化，复苏胃气为第 1 步，药用炒栀子 10g、芦根 15g、佩兰 5g、藿香 5g、郁金 9g、石菖蒲 6g、法半夏 6g、黄连 3g、竹茹 10g、钩藤 15g、谷芽 15g。连服 4 剂，则舌苔转薄腻，饮食有味，脘胃得舒，头胀减轻，然湿热虽化，而灵机未复，神识如故。缘病久气血滞钝，非拘泥于恒法所能，宜用异类灵动之物，破滞通瘀，搜风透邪，灵动心机，取薛氏三甲散合石菖蒲、远志、杏仁、钩藤、竹茹、丝瓜络、忍冬藤等痰瘀同治。连服 4 剂，头部清爽，神思如常，惟记忆力减弱，久视则目眩，再投三甲散加二至丸通瘀活络，滋肾益脑。带药 4 剂出院，服后诸症愈，体如常人。

膏淋汤应用体会　　│欧炳楠│

膏淋汤系近代名医张锡纯所创，载于《医学衷中参西录》。该方组成及笔者用量：生山药 30～35g，生芡实 20～25g，生龙骨 20～25g（捣细），生牡蛎 20～25g（捣细），大生地 20～25g，潞党参 10～15g，生杭白芍 10～15g。原方治"由肾脏亏损，暗生内热"而致"小便溷浊，更兼稠黏，便时淋涩作疼"。张氏治淋浊诸方，多不离重用山药，龙骨、牡蛎，笔者验之亦效，实足取法。

本方药简效宏，量大力专。以甘平收涩为主，多入脾、肾二经，固摄精气，所主病机侧重脾肾虚损，精气下脱。余临证除多用治膏淋外，他如遗精、遗尿、经带、泻利诸疾，但属正虚无邪或虚多邪少者，或疏原方，或稍化裁，每获良效。

治膏淋白浊：经治乳糜尿数十例。凡湿热实邪不显者，迳用原方屡治屡验。且疗程短、见效速，每用 5～7 剂，溺色多可转清，体质改善亦著。如曾治简某，男性，28 岁。西医确诊为晚期丝虫病并乳糜尿。9 年前曾患小便白浊 3 个月余，半年前复发并持续，近月来因受寒，遇劳加重。时有尿流欠畅而不热不痛，伴头晕目眩、耳鸣声低、神疲乏力、腰酸膝软。视其形体虚羸，面容憔悴，舌淡紫，苔腻微黄，脉虚软无力，尺部尤甚。观小溲，质稠如脂、色白如乳。系久病脾肾精气下脱所致。治以补益脾肾、固摄下元，投膏淋汤原方。4 个月后溺色转淡黄色半透明，1 周内，渐至澄彻，体力转佳而告愈。

治梦遗滑精：因肾气虚而精关不固者，本方以金樱子、莲须易生地黄、白芍；因相火妄动而梦遗者，以黄柏易党参。

治尿频遗尿：老弱病人，脾肾阳气虚衰，而尿频、夜尿多者，本方以益智仁、补骨脂易生地黄、白芍，并曾治成人"见水思尿症"亦效；儿童因肾气未充遗尿者，以桑螵蛸、覆盆子易生地黄、白芍。

治带下经崩：脾肾气虚，带下绵绵而色白清稀者，本方去白芍，加山茱萸、炒白果。脾肾气虚不能摄血以致崩漏，血色浅淡，面白神疲者，本方加阿胶、艾叶炭；偏于肾阳虚酌加菟丝子、淫羊藿；偏于脾阳虚酌加黄芪、炮姜。

治泻利：属脾肾气虚、泻利日久者，本方去生地黄，以煅龙骨、煅牡蛎易生龙骨、生牡蛎。腹痛可增白芍量，酌加煨木香；若阳虚较甚，五更作泻，可加补骨脂、煨肉豆蔻。

笔者体验：膏淋汤不仅治膏淋卓效，而且用于精道、溺道、前阴、后阴分泌物及排泄物异常诸症，稍作加减变通，亦不失为良方，功著于摄精秘气。然须审证确凿，久病及于脾肾，虚损昭然，实热不显者，方为应用准绳。

浅谈八正散　　|刘燮明|

八正散出自《太平惠民和剂局方》，有清热泻火，利尿通淋之功，是治疗热淋常用方剂。《医方集解》谓其"治湿热下注，咽干口渴，少腹急满，小便不通，或淋痛尿血，或因热为肿"。临床应用以小溲频频涩痛，淋沥不畅，尿道灼热为投方主要指征。对体虚病人酌加扶正之品亦可应用。气虚者以加用生黄芪为好；阴血不足可重用女贞子、墨旱莲，以其滋而不腻且能凉血止血有防热伤阴络之效。大便不结，可弃大黄。个人体会，原方用6g加灯心草少许煎服以治热淋，似嫌力薄，因而我于方中加用白花蛇舌草、紫花地丁、苦参、败酱草、半枝莲等以加强清热解毒之力。且湿热蕴结多伴有气滞血瘀，故我多喜加用琥珀粉3~5g（分冲），其活血滑窍止痛效果较好。又湿热胶着，不易速愈，故诸症消失后，仍宜守服1~2周，以防复发。

有陆某，因小腹弦急，阴中灼热，小溲频数涩痛，西医诊为前列腺炎用青霉素、链霉素、呋喃坦丁等未效而转中医治疗。查其脉濡数，舌红苔白而粗糙。余投八正散加减。初用木通、萹蓄、瞿麦、栀子、滑石、泽泻、冬葵子、赤芍、生地黄、海金沙、台乌药各10g，淡竹叶6g，甘草3g，琥珀粉3g（分冲），疗效欠佳，后乃重用清热利湿之品，前方改为：半枝莲、萹蓄、瞿麦各20g，泽泻30g，车前草、滑石各15g，生地黄、川续断各12g，冬葵子、牛膝、赤芍、台乌药各10g，甘草6g，琥珀粉4.5g（冲服）。药进7剂，诸症大减，前方出入再进13剂，终至痊愈。可见，应用古方，贵在灵活加减。

切用成方，倍增疗效　　|张良骥|

改制新剂型是提高中医药疗效的重要途径，应予重视。而在汤剂上如何应用有效成方，亦不可轻视，若运用得当，化裁灵活，则多有应验，甚者效如桴鼓。察今之处方，"有方无药"或"有药无方"的不少，对于组方原则、药物配伍，或拘泥刻板，对号入座，或随手凑合，孟浪乱投，治不中鹄者亦有之。

祖国医学历史悠久，名医辈出，妙手千家，孙思邈、钱乙、许叔微、张元素、李东垣、叶天士及近代张锡纯等诸大家，堪为善用方之典范，对后学者颇多启迪。如《内经》的四乌鲗–芦茹丸方，治肝伤血枯精伤，张锡纯善用此方加黄芪、白术，川续断、生地黄、白芍，治疗妇女经水行时多而且久，过期不止，或不时漏下。我仿用治子宫功能性出血属虚者，确有良效。叶天士治肝气滞着，胸胁胀痛，难以转侧，脉涩小，及癥瘕初起，以《金匮要略》旋覆花汤加当归须气芳味薄通络，柏子仁辛甘润燥宁络，桃仁辛润行血，新久虚实以此随症加减，疗效显著。曾治一宋姓患者，男，50余岁。小腹胀满，大便秘结不解，苔黄腻，前医用小承气，增液汤及硫酸镁、菜油润肠通下未效。余用《金匮要略》当归贝母苦参丸方加味，3剂后大便如常，腹满消失。前贤验方用之对症，能药到病除。又如患者赵君，62岁。鼻衄4天，量多如注，头晕面赤，尿黄便秘，血压升高。他医用玉女煎、犀角地黄汤及西药降压止血剂罔效。余粗读《医醇賸义》，又闻某老中医用豢龙汤治疗鼻衄获显效，即投此方，果然一剂知，二剂血止便顺。方中有羚羊角、夏枯草、牡丹皮、南沙参、青黛拌麦冬、石斛、川贝母、牡蛎、茜草、牛膝、白茅根、藕节、荆芥炭、薄荷炭（原方有童便），此泻肝不伐肝，润肺先润胃，止血不留瘀之法。

"千方容易得，一效最难求"，要使成方运用得心应手，辄收奇效，一要"勤求古训，博采众方"，知常达变，勘证选方。二要加减得法，论病层层俱透，用药步步着实，丝丝入扣，方为高手。三要融会贯通，将经方、时方、古今经验、有效草药及中医中药现代研究成果熔为一炉。如此就能应万变之病症，使胸中了然，手下霍然。

学 方 知 谛　　│黄荣和│

"学一方当知一方的真谛，不要一知半解"。这是业师、广西名老中医黄啸梅对我们的教诲。结合多年的临床实践，黄老这句话是有道理的。如我在学习桂枝汤时，深入理解它的真谛在于调和营卫，用于营卫失调诸证，每收奇效。

《金匮要略》："妇人得平脉，阴脉小弱，其人渴，不能食，无寒热，名妊娠，桂枝汤主之。"这虽然说是治疗恶阻，但根据桂枝汤调和营卫这个真谛，笔者运用于产后呕吐每收到显著的疗效。如张某，28 岁，产后失血较多，1 周后呕吐，纳食少，面色萎黄，前医有给四物汤加减；有予理中汤治疗者，均罔效。我接诊时脉沉缓，并知其平时得热食则食欲大振，得冷食则纳少，虚寒无疑，又产后正气不足，卫阳不固。遂投桂枝汤，仅服 1 剂呕吐减少，3 剂呕止，治病当活泼也。

八宝片仔癀及其临床应用　　│盛国荣│

八宝片仔癀系福建省漳州市璞山岩僧传秘方，历今三百余年。开始以销售闽南一带为主，少量出售南洋。由于其功效卓著，临床应用广泛，所以不仅名噪国内，而且誉满海外。解放后，虽然大量投入生产，但仍供不应求。片仔癀能载誉海内外，这还得从其独特功效说起。

20 世纪 60 年代初，一位年近花甲的病人来找我看病。病人姓胡，侨居海外40 余年，身患肺癌。自诉在海外，屡经著名西医诊治，花了巨款，但病势日重，当地西医断言，"无药可治，顶多活不了 3 个月"。老华侨怀着死也得死在家乡故土的沉重心情，回国求医。老华侨瘦骨嶙峋，说起话来气喘吁吁，伴胸痛，咳痰带血，癌症已到晚期，病情十分险恶。姑拟白花蛇舌草、鱼腥草、白茅根、半枝莲等大剂清热解毒的中草药处方，并嘱咐每次配服片仔癀 1.2g，日服 3 次。依上法进退出入，自始至终配服片仔癀，时间一晃已过了半年，这位老华侨不但没有死，而且病情日有好转。咳喘、胸痛诸症均见轻，精神健旺，同年底，再出国，后逾 1 年多才逝世。此事轰动了当地侨胞及医界，无不赞誉祖国医药之灵验。片仔癀之身价，也因之倍增。

这位老华侨身患癌症而能迅速解除痛苦，虽未能却病，然亦延长其存活时间，这当中片仔癀功不可没。据我临证经验。片仔癀对于各种癌症均有缓解、减少痛苦之效。尤其是消化系统之食管癌、胃癌、肝癌等，效果尤佳。

片仔癀之功用，绝非仅局限于癌肿之病，其用途比较广泛。如消炎止痛也是它的专长。既可用于内科杂病如肝炎、肾炎；又可施于跌打损伤、刀伤枪伤、烧伤烫伤；尚可用于痈疽疔疖、无名肿毒及毒蛇咬伤等。其用法，既可内服，也可外敷。内服用开水磨服或送服，一般每次 0.6g，小儿酌减，病重者可以酌增其量；外用以温茶水或开水搅匀涂患处。由于方中含有芳香开窍之品，故孕妇忌服；病见阴虚津损者，又须配服养阴滋津之品，以防香燥耗阴之弊。我曾治杨氏妇，患咳嗽年余，2 个月来加剧，近日伴发热胸痛，痰稠味腥臭，口干尿黄，舌红苔厚腻，脉数。经 X 线胸透见右肺上中外区一圆形透明区，并见液平面。西医诊为肺脓疡，经西药治疗，效不著。请我会诊。此乃风热蕴肺，肺失清肃，热壅血瘀之肺痈。治当清热解毒，化瘀排脓，处以千金苇茎汤加减，并嘱配服片仔癀 0.6g，日服 3 次，5 天后热退咳减，再予调理 2 周而痊愈。又尝治陈姓男孩，2 岁。2 天前被蛇咬伤右足外踝，症见右下肢红肿疼痛，不得触摸，足背及踝部皮肤块状青紫，伴高热、烦躁、啼哭不止、呼吸急促，病情危笃。经西药局部封闭治疗，症状未见好转，乃请我会诊。我诊后认为蛇毒内侵，热毒壅盛，给片仔癀每次 0.6g，日服 3 次；外用田基黄研末合楠香木搅酒涂患处。逾日疼痛顿减，情绪平静，已脱离危险。再予片仔癀继服，每次 0.3g，日服 2 次，3 天后，病遂瘥。

八宝片仔癀之所以具有如此卓著之清热止痛的功效，乃因其制方精巧，选药精良，而且妙在精制之法，乃为秘而不传之技。

（柯联才　盛云鹤　蔡少美　整理）

平胃散应用体会　　|潘静江|

平胃散见于北宋《和剂局方》，常用量为：陈皮 5g、厚朴 10g、苍术 20g、甘草 5g、生姜 5g、大枣 4 枚。平胃散非削平之意，乃培其不足。方中药味能燥湿，几乎没有什么禁忌证，临床应用广泛。

本方是针对湿浊而订，湿浊滞于中焦脾胃而引起的全身症状，表现为脘腹胀闷，恶心呕吐，或吐酸水，不思饮食，大便溏薄或不爽，舌苔白腻或黄腻，脉濡缓，并兼有头痛或身痛等症。

本方临床上可应用于内、儿、妇等科的疾病。

溃疡病：腹痛甚，喜按者加党参；口淡流清口水者加法半夏、高良姜；吐酸水者加黄芩；大便秘结者加大黄；便溏者加藿香、茯苓。

急性胃炎：特别是小儿，因小儿脾常不足，胃常有余，所以小儿腹胀痛，食欲差，或哭啼不安，或吐乳，用平胃散选加山楂、麦芽、茯苓、竹茹等每获良效。

肠炎：急性湿热者加葛根芩连汤；慢性脾阳虚者加茯苓、白扁豆、藿香；腹痛加木香；里急后重或不爽者加枳实，带脓血者加山楂、槐花，带黏液者加麦芽。

慢性肾炎尿毒症：属湿浊型及脾肾阳虚型，用此方加减有良效。湿浊者加山楂、麦芽；脾肾阳虚者予四君子、四神丸合方加减，上述二型的加减：尿少加茯苓、泽泻；口渴加沙参、怀山药、黄芩；呕吐胸闷加竹茹、代赭石、藿香、枳壳；抽搐加僵蚕、全蝎、钩藤、白芍。从临证体会到，舌苔越厚腻者，用平胃散加减治疗，舌苔退得很快，血中非蛋白氮亦相应下降。

冠状动脉硬化性心脏病属痰湿内阻者用此方有良效。胸闷、痰多加瓜蒌皮、薤白；心绞痛加田七末；头晕加钩藤、白芍；高血压者加牛膝、丹参。

胆固醇高者加泽泻、绵茵陈，多能恢复正常。

白带：白带多属脾肾两虚，而治疗以脾为主，白带清稀加黄芪、五味子、山茱萸；白带稠黄，有臭味加黄柏、金银花；月经不调加益母草、香附；崩漏有血块者加没药、田七末。

（陈庆全　整理）

华佗愈风散加味的临床应用 ｜陈雨苍｜

华佗愈风散由黑荆芥与酒淋豆两味组成。主治产后中风口噤，或产后血昏不省人事，李时珍谓："此方诸书盛称其妙。"

我以此方用酒炒黑豆代淋豆，配合适当的中药，治产后血虚受风头痛及产后败血上冲诸症，疗效满意。

有一妇女遇风即感头痛已 13 年，系因早年产后 20 天，感受风邪，即得头痛，从头额连巅顶，呈收缩抽筋样刺痛。以后经常遇风即发。经西医诊断为神经血管性头痛。邀我诊治，询知患者除头痛外，稍食油腻即肠鸣便溏，若吃生冷则面部浮肿，按其脉细弱，舌淡红，苔薄白。此乃产后气血虚亏，卫阳不固，风寒得以乘虚而入与血相搏，形成瘀结，酿成痼疾，故头痛绵延不愈。病属血虚头痛，治当养血驱风散瘀，风去瘀消则头痛可除。方用愈风散加当归、川芎、白芍、茯苓、白术。服 3 剂后，症状基本消失，半年后时值冬寒随访，未再发作。

又一妇女，因产后伤风，口渴多汗，畏冷发热。前医予以玉屏风散加黑荆芥治之。药后当天恶露不行，小腹疼痛，继即急剧产生腹胀、腹痛、气喘胸促不得卧，乃请我会诊。认为此乃产后恶露未净，误用黄芪提气固表，致恶露内停，而成血随气上的败血上冲肺胃之征。给予愈风散加当归、川芎、北山楂、泽兰、香附、陈皮等药，以理气活血祛瘀。1 剂后恶露复行，腹胀随消，气喘亦平。

当归六黄汤治疗多汗症　　|青成言|

肾病综合征患者（本文主要指原发性肾病、肾炎性肾病）使用强的松治疗后，常常引起大汗出。对此，我用当归六黄汤加减治疗取得满意疗效，兹介绍于下。

吴姓男，28 岁。金沙县沙土区供销社会计，1984 年 1 月 26 日入院。

症见：全身浮肿，脘腹灼热、胀满，恶心呕吐，口干苦不欲饮，头闷重痛，全身困倦乏力，大便秘结，小便黄少、急迫，尿后不爽，病程已半月。面色红，油光，颜面、肢体明显浮肿，按之如泥，舌质红，舌苔黄腻满布，双寸口脉浮，右浮滑。

实验室检查：尿常规：蛋白（＋＋＋）、红细胞 3 ~ 4，白细胞 4 ~ 5，颗粒管型 0 ~ 1，细胞管型 0 ~ 3，透明管型 0 ~ 2。24 小时尿蛋白定量 13.5g。肾功能：尿素氮 24mg%，肌酐 3mg%。肝功能正常，总蛋白 3.4g，白蛋白 1.2g，球蛋白 2.2g。血脂：胆固醇 740mg，甘油三酯 440mg，脂蛋白电泳Ⅳ型。内生肌酐清除率 72.72L/24h。腹部平片泌尿道无结石影。肾穿刺活检：肾小球体积增大，基底膜增厚，部分毛细血管腔开放，球囊及系膜内有少量渗出，肾小管上皮浊肿。

中医诊断：湿热型水肿。西医诊断：慢性肾炎类肾病型。

治则：清热利湿，调畅气机。方选三仁汤、胃苓汤、藿朴夏苓汤等方加减化裁，病情反复，后用三联疗法，即中药＋强的松＋免疫抑制剂。强的松 50mg/d，顿服。3 周后诸症明显好转，肿消，尿量每日 2000mg。但多汗、自汗、盗汗皆有，以盗汗为甚，以致汗出湿衣，每日均更换内衣内裤，午后手足心热，口干欲饮，舌红苔黄少津，脉细数。考虑为内热及使用激素伤阴所致。遂以当归六黄汤加减清热滋阴敛汗。当归 10g、黄芪 12g、黄连 6g、黄芩 6g、黄柏 6g、女贞子 10g、墨旱莲 10g、益母草 10g、麻黄根 20g、甘草 6g。服药当晚盗汗明显减少，2 剂后自汗、盗汗消失。以后一直配合强的松服用未再出现汗出直至痊愈出院。

当归六黄汤载于《兰室秘藏》，临床上常用子阴虚火旺所致的汗证方中当归、生地黄、熟地黄养血育阴，黄芪固表止汗，黄芩、黄连、黄柏清热泄火坚阴，共起清热滋阴固表止汗之功。故湿热型水肿的病人，在湿热久郁，使用强地松利水消肿后皆出现阴伤的表现故选用之，若湿热重而阴未伤者不宜用。方中去生地黄、熟地黄之滋腻助湿，换用二至丸（女贞子、墨旱莲）滋阴而无碍湿之弊。

四物加白芍甘草汤治癔病性痉挛 ｜刘丽华｜

我用四物加白芍甘草汤治疗腿肚疾患，诸如腿肚抽筋、痿软乏力等，屡屡奏效，不愿自秘，公诸同道，举一验案予以介绍。

1970 年 3 月，治一张姓妇女，50 岁，因其子死于触电，以致忧怒成痉，发作时见手足抽搐呈鹰爪状，伸展困难，脉沉细弦，舌苔薄白，质微红，此因患者素喜忧虑，忧则伤心，怒则伤肝，心肝受损，而无以营筋，治当舒筋养肝。疏方：当归 20g、白芍 30g、生地黄 15g、木瓜 12g、桑枝 30g、郁金 12g、香附 9g、伸筋草 15g、甘草 6g、柴胡 6g。

服药 6 剂后，手足舒展，后用逍遥散服用以巩固疗效。此方可用于腿肚抽筋，腿肚痿软乏力，皆可奏效。

常山饮必用酒煎 ｜沈宗国｜

某年夏收时节，我在农村参加巡回医疗。一天王某家属来请出诊，到家只见他覆盖着 3 层棉被，仍然浑身颤抖，呻吟不已，未及片刻，大嚷热极，衣被掀开，汗出衫湿，困倦已极，并诉遍体骨节酸痛，病已月余，间日一发。据说他患疟疾已有 3 年，每年都要发作几次。最近 1 个月隔天就发作 1 次。诊得六脉弦数，舌红苔薄黄，予常山饮加青蒿、黄芩，并嘱："必须用上等老酒，酒水各半煎药，病发前 2 小时服下。"患者家属见到处方就说："这类药，以前医生也开过，都没有效果。"我说；"你放心服下，有效无效，都要告诉我，再想办法处理。"患者家属对加酒一半煎药甚疑，旋往取药之际，询问较熟悉的某医。某医认为加酒太热，不用为好。过了 3 天，王某家属气急败坏地跑来说，药服了 2 剂，症状不减。我问："是不是用老酒煎药呢。"回答说："某医说高热的病人加酒煎药，就好像火上浇油，不加为好。前几位医生也没有说要用酒煎，所以……"我仍用原方，再三叮嘱一定要加酒煎服。4 天过后，病家面带笑容来告，照嘱加酒煎，服 1 剂当天就没有发热、怕冷，3 剂后病就好了。再按原方加人参、黄芪，以扶正气，仍用酒水煎，服 5 剂康复如常。

通过临床观察证实了常山饮、截疟七宝饮治疗疟疾，如不按古法加酒煎药就无效，加酒才有显效。由此可见先哲经验之可贵。

桂枝加葛根汤管窥　　│杨仲昭│

桂枝加葛根汤方出自《伤寒杂病论》，由桂枝汤加葛根组成，主治太阳中风兼项背强几几证。方中桂枝汤调和营卫，解肌祛风，葛根鼓舞胃气、升津液以濡润经脉、缓解项背拘急。《医宗金鉴》谓此方为"解太阳之风，发阳明之汗"。

我用此方治太阳阳明合病，每每奏效。

曾治王某，男，26 岁。家人谓之感冒多日，服药不验，益发加剧。我诊时病人自述头痛甚，身痛，恶风，畏寒厚衣被、欲向火取暖，口渴引饮，二便自调，视其大汗淋漓，舌质淡，苔薄白，触之肌肤灼热烫手，脉浮洪大。询其发病及治疗经过后，思虑良久，辨为太阳阳明合病。乃拟桂枝加葛根汤：桂枝10g、白芍12g、大枣 10 枚、炙甘草 6g、生姜 6g、葛根 30g。嘱浓煎大碗顿服，1 剂诸症若失。

这一病例，说明既有太阳表虚脉症，又有阳明经证脉症，辨太阳阳明合病无疑。从二便舌质舌苔来看，还未出现热化征象。是因为病邪还在太阳肌表，刚开始向阳明转化，膀胱寒水不化、津液未伤。因有畏寒，恶风，脉浮，舌质淡，苔薄白，所以本质仍是太阳表虚寒证，故用本方来温经散寒、温通心阳、温化膀胱寒水、解肌祛风，方中葛根鼓舞胃气、生津止渴、升津液以濡润经脉、缓解拘急。

从八法上讲，桂枝加葛根汤属汗剂，为何大汗淋漓而又选用呢？这个证里的大汗，是由两方面造成的。一是表虚证营卫失调本有汗出；二是邪传阳明、亢盛于内、充斥于外，正邪相争必有汗出，此病本质属表虚证，治宜偏重于解表，故用桂枝加葛根汤。取其方中桂枝汤调和营卫、敛汗，葛根生津止渴、升津濡润之意。只要辨之确凿，有汗而用汗剂亦无妨。

鸡鸣散治神经性水肿小识 ｜刘燮明｜

回忆余初习中医时，学验惧浅。临证常据教材所示分型诊治，或处以单方、偏方。虽有效者，然未效者亦不少。且中医典籍，浩如烟海；经方时方，何止千万。初试不中，则心中惑然，无所适从，每有"千方易得，一效难求"之感。殊不知对号入座式的分型诊治，某型用某法，某法用某方，或不求理法方药的统一而借重于偏方验方，无异于按图索骥，守株待兔。欲求良效，实为难矣。

曾遇肖某，女，50岁。双下肢浮肿20余年，曾到上海等地断为"神经性水肿"而多方诊治未愈。近年间见胸闷心悸等症。脉沉细，苔薄黄。余初按水肿（湿浊阻遏，水饮上犯）论治。用温阳化饮法，投苓桂术甘汤、五苓散合方加减，经治近月，水肿或消而未痊，或退而复肿。后经仔细辨证，识得其肿多局限于双下肢，膝以下常觉麻木冷痛。除微觉胸闷，口干苦，脉沉细，苔薄黄欠润外，患者形体丰满，面色红润，未见肺脾肾其他虚损征象。故辨为湿郁于下，壅遏气机，痹着经络之寒湿脚气。此非温阳利水，健脾祛湿之剂所宜。乃宗"着者行之"之意，取下气降浊，宣散湿邪之法。方用《类编朱氏集验方》鸡鸣散加减：槟榔15g、陈皮15g、木瓜10g、吴茱萸10g、紫苏10g、桔梗12g、带皮生姜20g、瓜蒌皮10g、薤白10g、桂枝10g、郁金10g、太子参10g、牛膝10g、黄连6g、知母10g。嘱每日1剂，水煎200ml，清晨空腹1次服完。方进7剂，浮肿大减，再进5剂，20年之水肿竟得全消。随访1年未复发。

按水肿之治，多从肺、脾、肾三脏着眼。盖人皆知肺为水之上源，脾为湿之转输，肾者司二便而主水故也。殊不知肺之宣肃，脾之运化，肾之开合，无不由乎气化。真气流转，则水液输布而为津；真气不行，则津液亦停滞而为湿为肿矣。考《景岳全书·杂证谟》云："水气本为同类，故治水者当兼理气，盖气化水自化也""故凡治肿者，必先治水，治水者必先治气。"此案初诊时余辨证较粗，套用常法，故未应手。后能据证而辨，审证求因，不守套法，从治气着眼，终以下气降浊之剂治愈顽固水肿。可见欲求辨证得当，用药妥贴，又非一日之功矣。学海无涯，吾辈自宜努力勤求古训，博采众方，灵活化裁，庶几可望见病知源，而期药到病除也。

用药如用兵 俞长荣

徐大椿"用药如用兵"之说，对后世学者很有启发，我临证中也深有体会。战争是敌对双方的争斗，疾病是正邪的抗衡，正邪相争好比一场战争。用兵是为了消灭敌人，保护自己，用药是为了驱除邪气，保护正气。运筹帷幄的将帅善于用兵，技术高明的医生善于用药，道理是相同的。

知己知彼是战争胜负的先决条件。医者临证也是如此，首先要弄清病因，探明病邪所在，判别邪势的消长进退，掌握病情的变化规律，这是知彼；熟悉药物的性味功能、配伍特点、适应证和禁忌证，这是知己。知己知彼，才能做到理法方药丝丝入扣。

高明的军事家运用灵活的战略战术，往往能够出奇制胜。《孙子兵法》说："凡战者，以正合，以奇胜。"中医治病也有类似道理。一般用药是采取正治，如果病情错综复杂，则见寒治寒，见热治热就难以取效。曾治一女性，自诉2个月来异常怕冷，且自觉有气从腹上冲胸，心悸，胸闷，睡眠不安，性情急躁，脉细弦，舌苔白腻微黄。患者怕冷已历时2个月，知非外感。从伴症看，又不似阳虚。其因缘何？揣思许久，才由气从腹上冲胸，性情急躁悟出，似系肝郁，冲气上逆，以致营气受遏，卫阳不达。治宜和肝解郁平冲，方仿奔豚汤。连服10余剂，畏冷解除，余症显著好转。

古代杰出的军事家孙膑曾说："善战者，因其势而利导之。"中医治病何尝不是如此？如桂枝汤证的发热自汗，可先其时发汗而解；邪在膈上以一吐为快；阳明证热结旁流，宜通因通用，都属因势利导。我治疗痢疾，早期多用导滞法，更喜用芍药汤。其中大黄必用，尤其里急后重明显，大便含黏液越多，次数越频，大黄越要重用。由于大便通畅后邪有出路，临床症状可迅速改善。

孙膑用兵还善于"批亢捣虚"。批，退避；亢，实也。他出谋"围魏救赵"，就是避实捣虚的典型战例。中医临床常用的"实则泻子""上病下取""脏病治腑"等治则与之相近似，如肝阳暴张，肝风内动的高热、神昏、手足抽搐、角弓反张等，临床并非罕见。此类病情多危急，据我体会，用一般的平肝熄风法，往往不易见效。而用承气汤类泻火，则可望挽救（即"脏病治腑"）。曾会诊 1 例病毒性脑炎患者，发热昏迷已 3 天，寸口无脉，四肢逆冷，不时抽搐，牙关紧闭，痰鸣，汗出。询知 7 天未解成形大便，但不时有少许黄臭粪水自流。疑是大实反呈羸象，经撬牙见舌苔老黄糙厚，按腹灼热，趺阳触到脉搏，进而确诊。认为邪热传里，肝风内动，煽火挟痰，扰及心包，亟宜荡涤腑热。遂以调胃承气合小陷胸加竹茹送紫雪丹，服后下秽粪甚多，神清，肢温脉回。再调理数日，治愈出院。

古今中外的军事家都极重视后方的补给，中医治病重视扶胃气，保津液，道理相同，因为脾胃为"气血之乡""后天之本"，担负着供给任务。有不少慢性阿米巴痢疾患者，经服用过多种抗阿米巴药，不但无效，反增恶心，脘胀，纳减，甚至面黄肌瘦，四肢无力。我认为同战争一样，当敌强我弱之际，徒事攻伐无功，休养生息实为重要。曾用参苓白术散治疗多例，效果都很满意。癌症患者当其元气虚衰时，有一分胃气便有一分生机，必须注意扶持胃气，对此我有深刻体会。曾与同事吴云山、赵正山会诊一晚期肝癌患者，诊时患者已奄奄一息，形削气怯，食欲锐减，腹部微膨，胁下肿癥可触，二便短少，脉沉细而短。病纵无望，仍须尽职，遂用香砂六君为基本方，但求能纳食，可望延长寿命。治疗后竟逐渐好转，1 个月后行动自如，3 个月后能骑车上班，2 年又 6 个月后原病暴发死亡。

总之，中医临证用药与调兵遣将一样，"运用之妙，存乎一心"。

（俞宜年 整理）

药不在多，中病则灵 ｜俞长荣｜

医生的职责是治病救人，遣方用药必须精思熟虑，力求精简，有的放矢。

《伤寒论》方少则一二味，多则八九味，用 10 味以上的为数极少，如桂枝汤、麻黄汤、五苓散、小柴胡汤、承气汤、白虎汤、四逆汤等，均只寥寥几味。由于用药精简，针对性强，所以有显著疗效。《汤头歌诀》中收载历代著名方剂三百余首，其药物组成一般也多在 10 味以内。临床还常见某些危重疑难病症，虽屡经治疗而无效，后改用单验方而愈，因此有"单方一味，气死名医"之说。说明用药不在多，贵在中病。

我临证用药喜少而精，反对多而杂。一般处方用药四五味或八九味，很少超过 10 味以上。尤喜用经方，以其药简而取效捷。如栀子豉汤及其衍方，就是临证常用方剂之一，用治胃脘痛、失眠、暑热及外感高热等病症，确有得心应手之妙。1976 年 8 月我在长泰巡回医疗期间，曾治一妇女，她在田间劳动，突然全身抖颤不能坐立，十指拘挛难以伸直，且自诉胸膈痞闷欲吐不得。见其面赤无汗，认为冒暑外挟秋凉卫气被遏，暑热无从外出，以致气血乖违，肢末收引。方用栀子豉汤加葱白，微发其汗，取"轻可去实"之意。服药后不及 1 小时即见效。又于 1983 年，治 1 例肉眼血尿 7 天不止，临证诊为热结三焦，迫血妄行。以豆豉轻宣，栀子泻三焦之火，再加荠菜以凉血。药仅 3 味，服 2 剂血尿消失。又治陈某，胃脘痛十余年。曾因胃出血经某医院动过手术，术后自觉症状未见改善。疼痛多于食后加重，痛时牵引腹部，口干，食欲较差，大便拘急难解，小便黄如浓茶。外观形体消瘦，面色淡黄，唇色黯红，舌边红，苔腻微黄。本例胃脘痛于食后加剧，大便难通，小便色黄，皆属实象，然病历十余年，知非全属有形实邪，半是无形气火为患。盖肝失条达，木郁化火，痰饮湿热之邪随而助疟，所谓气有余便是火，拟苦辛宣泄，佐以酸甘化阴法。方用栀子、淡豆豉、黄连、木香、白芍、甘草 6 味。服 2 剂痛止，惟大便通而不畅，偶尔吐水少许，此为肝气得疏，但痰饮与气火搏结未清，气机升降未和，予栀子豉合小陷胸汤（药仅 5 味）。服 2 剂诸症好转，继以香砂六君加黄连，服 2 剂而安，随访半年未复发。再如治小儿暑泻，我常用的方剂是：小便不利，发热不高，用五苓散利小便而实大便；若高热口渴引饮，用白虎汤以清阳明气热，一般服一二剂即能见效；若无发热或仅低热，病情较轻的，用六一散即可。暑泻是常见病，以上三方是临床常用方，疗效已属公认，故不赘举例。

　　用药简，首先要求精，要达到精，就必须在准确运用四诊的前提下，找出病变的根本原因，解决其主要矛盾，若片面强调简，而不能针对主要矛盾，也不足取；反之，若不知病本，用药杂乱，就容易犯"猎不知兔，而广络原野，冀能幸中"的毛病。

　　当然，用药多和少与医者的学术渊源，个人经验以及病情不同等因素有关，不必硬性规定。但同一病症，用多味药能治好，用少味药也能治好，自当以少味为好。

（俞宜年　整理）

用 药 漫 谈　|龙瑞敏|

　　古人云：用药如用兵。士兵各有个性、技术特长，为将者要知人善任。药物有寒热温凉之异，或补或泻，或消或和，也各有特性，为医者亦要知药善用。故江笔花在其《笔花医镜》中，将药物排队列阵，各类药物命以猛将、次将等等称谓，对于临床应用颇有参考价值。

但对于知药善用，张景岳说，用药之要，"既欲合宜，欲当之忌，先避其害，后用其利"。指出"知忌"而"避其害"，"合宜"而"用其利"的用药原则，是很有见地的，实属经验之谈。

因为每种药物，根据其性味功用，虽各有其治疗作用和适应证，但同时也各有一定的不良反应和禁忌证。岳美中说："凡药物皆有毒性，能治病亦能伤人，即补剂也是如此，故用药不可不慎之又慎，以防加害于病家"。临床也确有报道，因误补人参而致丧命者，不能不引起注意。俗云："大黄救人无功，人参杀人无过"，说明人参用之不当，后果确是不堪设想的，不能说不是医者之过。所以，诸如人参、黄芪等甘温之品，固可补中益气，但滋腻壅塞，中满者不可运用；芩连之属，固可清热燥湿，但有败胃伤津之弊，阴虚津亏者不可不避；青皮、木香之类，固可行气消胀，但有耗气伤阴之嫌，临证则不可久用。如此等等，为医者不可不知。

记得1925年曾遇一病家，患腹胀便秘，虽多次求医，但阅视其处方，或用硝黄以泻下，或使枳朴以消胀，药后固可取效于一时，但数日后又病情如初，如此反复四载有余。来诊时中气耗乏，气短自汗，神疲纳少，难以自持。依据病情，考虑为：一是屡用泻下破气之品，中气必致耗伤；二是虽自觉腹部胀满，但外观不满，且按之柔软，毫无胀满之感；三是虽大便不通，但便下稀溏，毫无燥屎；四是舌淡苔白，脉象细软，毫无实滞之象。故诊为虚秘胀满，取法塞因塞用，以补为通。处方：党参30g、黄芪30g、白术24g、山药24g、陈皮9g、升麻3g、藿香6g、神曲6g。服药3剂，便通胀消。共服20余剂，体力恢复。

又曾治老工人罗某，体弱纳差，每日进食两余，肢软难以步履。某医以参芪术等甘温之品，嘱其炖鸡服食，以补充营养，殊不知越服越不能进食，病延月余。某日在友处相遇，求为诊治，观其舌苔白厚而腻，知是湿阻中焦，故有是证。嘱其停服补品，给以平陈汤加藿香、石菖蒲、神曲和中化湿，3剂而食能知味，9剂食量大增，改拟补中健脾之剂调理，共服药十余剂，神情恢复，上班工作。

从上述2例的治疗经过说明，芒硝、大黄、枳实、厚朴、人参、黄芪、白术、甘草，不是不能治病，但要用之得当。若用之不当，非但不能治病，反而加重病情，故临证用药，避害用利，实为医者值得注意的问题。

为"避其害"，其不合宜者固不可用，但亦有非用不可者，当从配伍中加以监制。如人参、黄芪之属，为防其壅塞中满，可加陈皮、木香之品；肉桂、附子之属，为防其辛热伤阴，可佐熟地黄、枣皮之类。余治头痛，每用川芎，但除斟酌用量之外，为避其辛燥伤阴，耗血动血，常用白芍以制之。至于二者用量，当据病情、体质，或大或小，灵活施之。

"用其利"，除恰当配伍外，应注意药物的综合利用。因各种药物的治疗作用，并不单一。不少药物，常常有多种治疗作用。对于这些作用，在辨证论治的原则指导下，应进行综合运用。如麻黄，既可发汗解表，又可宣肺平喘，对于风寒咳喘者，选之最宜，较之荆芥、防风之属，则更为恰当；紫苏叶既可发表祛邪，又能降逆和胃，对于风寒感冒又兼胃不和者，则较麻黄、荆芥更佳。总之，若能恰当地综合利用，则可避免重复用药，使制小药精，尤为有利。

小方出奇，大方制胜 　　│刘清本│

《素问·至真要大论篇》说："君一臣二，制之小也；君一臣三佐五，制之中也；君一臣三佐九，制之大也。"一般以 5 味之内称小剂，5～10味称中剂，10 味以上称大剂。如血脱用独参汤，亡阳或虚脱证用四逆汤或参附汤等，皆为小剂之制。再如月经过多或妇女绝经期前后血崩，多由脾阳虚衰不能摄血，阳不维阴而冲任之血离经外溢，治当益气为主，佐以祛瘀之法。笔者自拟人红汤（人参 10～15g，红花炭 10g，取人参另煎，水酒各半冲服红花炭）治之，每获良效。王某，55 岁，绝经已逾 5 年，某日血崩如注，服中西药无效，我用上方治疗，1 剂血量显著减少，2 剂则血止。方中用人参益气、摄血归经，红花用炭意在减少破血之性，又达到血见黑则止，使血止而无留瘀之弊。实践证明，体弱脾虚的血崩，用此类小方每能出奇制胜。

然而慢性病属寒热错杂，虚实并见，组方用药必须统筹兼顾。对此，前贤常有复方、并方之例。如《金匮要略》大黄䗪虫丸、《千金方》圣子散，《脾胃论》升阳益胃汤，多是寒热并用，消补并进，以达到扬长避短，相辅相成的目的。不寐，多系劳心过度而伤神，病位在心，病本在肾，其机制是肾水亏虚，相火挟君火上冲于脑，神不守舍。所以症多见有头晕耳鸣，健忘多梦，神疲倦怠，心烦躁热，腰膝酸软，舌红少苔，脉细数或沉细兼弦等。在男性每兼有阳痿或遗精；在女性则多夹有带下。我常用六味地黄丸，孔圣枕中丹，交泰丸加黄芪、知母合方治疗。方中重用生地黄、熟地黄，龟甲以滋补肾精，辅黄芪、知母使地气蒸上而布雨露，有引肾水上乘之意，黄连清心火，肉桂引相火归宅，余药皆为佐，计 14 味药之大剂，即所谓"远而奇偶，制大其服"也，称之大方制胜。

总之，用小方大方，应视病情而定。一般来说，病证比较单纯或主症较突出者，宜小方；病证比较复杂，宜大方。

书可信不可尽信，药有毒善用无毒　|周石卿|

自北齐徐之才《雷公药对》，载出药性七情之论后，医家相继以畏、反作为配伍的禁忌。到李东垣《珍珠囊补遗药性赋》所编的"十八反""十九畏"歌，尤为脍炙人口。于是世之习医者，对于畏、反之合，更是相视束手。然考前贤用药，经常不拘此例，如古方感应丸以巴豆、牵牛同用于攻坚破积；四物汤加人参、五灵脂以治血块；二陈汤加藜芦、细辛以吐风痰；《金匮要略》治痰饮咳嗽病之甘遂半夏汤，甘草与甘遂并用；朱丹溪治尸瘵的莲心散用甘草、芫花同剂；它如治瘰疬、瘿瘤的内消瘰疬丸和海藻玉壶汤，以及通气散坚丸等，都以甘草、海藻同用。此皆良工妙用，变弊为利之先例。可见，《本草经》畏、反之说，不可拘泥，若尽信古书，便会失此良效。又有毒之药，常当轻用，或炮制后用之，畏其毒也。但对于某些沉痼顽疾，或也不然。余诊一陈姓小贩，男，21岁。因患疟致脾脏肿大过脐，腹胀，按之坚硬，神倦，骨瘦如柴，足跗微浮，四肢不温，便秘，溲清，面色青黄，唇舌淡，苔薄而滑，六脉沉细弦紧。屡用化积消痞之药，不应。此乃沉寒痼冷之疾，非辛温重剂不可。遂予半夏细辛汤（自拟方）：生半夏、细辛、干姜、白胡椒、川花椒各9g，陈皮6g。水煎服1剂后，病人自觉腹中肠鸣漉漉，越日而大便下。服3剂后，四肢略转温暖，连服22剂，大便一直畅通，每日1行，纳旺，广有起色，痞块缩小大半，后改用六君子汤，调理2个月而瘥。此案重用细辛，虑其耗散，但煎后其气已减，用量非大，则其味不厚，而功不宏。生半夏辛温有毒，体滑性燥，今病人痞积便秘，正要取其生用滑利散结之原性，若用炮制，效力则逊。且半夏虽生，经煮则熟，干姜同煮亦可制其毒。可见书虽可信，不可尽信；药虽有毒，善用无毒，诚斯言也。

漫谈药贵精专　|肖　熙|

用药如用兵，治病如作战。有些疾病使用单方草药疗效显著，有些疾病必须复方配伍方能取效，医者只有在辨证施治精神指导下，胸有成竹，熟练地掌握运用药物，才能无往而不胜。古往今来，有的医者善用大方；有的医者喜用重量；有的却无视寒热虚实，乱投杂合，处方竟达20多味，形成包围战；有的不辨轻重缓急，药量少辄20多克，重辄数十克，惟恐去病不速，药量越来越大，药味越投越多，忽视峻剂的适应范围。其实，大方重药用之不当，非但浪费，反而为害。

明代名医张景岳，提倡临证用药应当精专。他说："凡施治之药，必须精一不杂，与其制补以消，不如微用纯补，自渐而进，以其制攻以补，不如微用纯攻，自一而再之。"试分析《新方·热阵》列为第一主方的四味回阳饮，仅用人参、附子、炮姜、炙甘草，治疗元阳虚脱，危在倾刻者。可见他对病情重，病势急的用药原则是：药味少，药性纯，分量重，配伍专。他不但对危重症用药注重精专，就是慢性疾病的用药，他也力求配伍得宜。注重功用，总会一方之味，自成一局之性，值得效法。

我临证40余年的体会是：用药不在乎药味之多寡，药量之轻重，而在于是否掌握中医治病的原则和标本缓急的用药规律。祖国医学重视辨证，讲究药物配伍的相须、相使、相畏、相反的作用，动静结合，主辅分明。我们效前人临证用药之精，绝非追随前人所谓纯攻纯补之"专"。假如符合疾病的需要，采用寒热并用，攻补兼施，实施相反相成的治疗方法，也是无可非议的。

药无贵贱，但求中病　郑孙谋

两年前，有一同乡来邀出诊。询知其老母因胆囊炎胆石症术后又复发，寒热交作，疼痛剧烈将厥，而住入某院治疗。入院已13天，花了一千多元，寒热虽罢，但疼痛未减，不能进食，神气欲脱。接到病危通知，已抬回家中。急求出诊，冀用中药治疗，或能得生。我问："能吞乎？"答："慢慢饲之，尚可。"即随其出诊。到患者家时，尚在给氧，静滴和维持导尿。见患者目瞑口开，时转辗不安，目黄，唇干齿燥，舌绛苔剥，小便深红。切其脉沉缓，按之腹有硬满感，重按面有苦楚。问家人得知已3日未大便。此属阳明腑实，阴液劫伤，肝胆失疏。急宜滋阴通下兼疏肝胆，方拟增液承气汤加减：生地黄24g、玄参15g、麦冬10g、大黄9g、玄明粉10g、枳壳4g、厚朴5g、茵陈24g、金钱草30g。2剂，水煎喂服。翌日，家人来诉饲1剂后，当夜即大便2次，色黑质溏，解小便约5000ml，病人转安，口干已知索饮，并诉腹胀痛已减轻。续服第2剂后，脘腹更觉轻松。复诊时，病人已能自述，舌红有薄苔，脉转缓，目微黄。改用大柴胡汤加玄参、生地黄、茵陈、金钱草，嘱慎饮食。2 个月后询知，已能料理家务。先后诊治 13 天，服药 14 剂，药费不足 5 元。可见，病有轻重，药无贵贱。只要辨证对，虽药贱，也能治大病。

中药的升极必降 ｜蒋日兴｜

　　痢疾以滞下脓血、里急后重为主要见症，多以清利湿热或清热解毒之方取效。我临床 40 余年中，对里急后重明显，诸药不效者，用家传秘方，以桔梗为主药，合芍药汤方意取桔梗 20 ~ 50g，白芍 15 ~ 20g，槟榔、绵茵陈各 12g，广木香 3g（后下），川黄连 9g，生莱菔子 15g，金银花 20g，甘草、枳壳各 5g。发热加葛根 10 ~ 20g，脓血甚加当归尾 5g、生地黄 15g；腹痛甚加延胡索 9g，屡投屡效。我以此方为基础订制的治疗痢疾协定处方，治疗湿热型数百例，疗效甚佳。

　　本方以桔梗为主，重用，取其升极必降之意。《日华子本草》说："桔梗，下一切气……"，李杲认为桔梗有"破滞气及积块"之功。但一般认为桔梗为舟楫之品，载诸药而上行，为何反能起到降气止痢作用？我认为，桔梗入肺，肺与大肠相表里，重用桔梗，上窍开而下窍泄，有利于湿热之邪有去路，升为降用。若一味认为上升之剂不能下行，则是不明瞭升极必降的道理。

肝病用药谈 ｜谢香浦｜

　　夫肝气病者，乃肝气郁抑而不伸也。盖肝如春木之体，宜疏达而不宜压抑。考《内经》谓："肝者，将军之官"，其性勇烈而刚可知矣。人品怒性乃由肝所发动，故每遇怒气抑郁，肝气不得其疏达，而病即发也。其症见胸臆而烦，头眩作呕，胸胁间刺痛，或左或右，上下无定处，或掌心烦热，舌苔干白微黄，舌尖则红，是肝气内郁、肝火上乘之征明矣。此时，治法必须以柔润舒气平肝为主，辛烈温燥之药，实不宜投。盖以柔制刚，是为善用也。若此时投以逍遥散治之，殊非所宜。盖逍遥散内有当归、白术，当归味辛而性温，乃行血之药，气分之病而投以血分之药，固非所宜，且又以刚性之药而治刚性之病，无怪乎病益加剧矣。白术之性味，亦微带辛燥而略有留守不走之性，以之治肝气郁结，亦风马牛不相及也。逍遥散乃治肝血被寒湿凝滞，肝血不能畅达而痛之剂，其痛有定处，面色青白，脉沉弦而迟或沉弦而濡者，可投之。故凡用药，当须先审证求因，分辨清晰，此即所谓"治病必先求其本也"。故特志之，以备参考。

（谢炜南　整理）

　　注：谢香浦（1882~1953年）字郁生，广东省广州市人，广州市中医学会筹委会主任委员，广州市医药工作者联合会筹委会副主任委员。

草药的形态与功能　｜朱永定｜

　　我国南方气候温和，雨水充沛，中草药资源丰富，且品类繁多。我通过长期的观察与验证，体会到青草药的功能与形态之间，存在着一定的关系，可以从其形态来掌握它的功能和作用。一般说来，有毛茸的能驱风寒，带刺的可消肿毒，质黏的多祛腐托脓，蔓藤的能治关节疼痛，茎空的善能利水，茎方的每能散邪；在气味上，味苦的能解热毒，味甘的可以补中，味酸的敛涩止血，气香的可以开窍、止痛等。此外，作为一名青草医，不但要细诊察善治病，且还要有识别草药的基本功，才能辨伪澄乱，以免混用，必要时才能做到自采，以应急用。还有，草药的应用，常常以新鲜为好，尤其对痈、疽、疔、疖等鲜用，往往能取捷效。

（朱敏燕　整理）

花类药解郁　｜郭燕文｜

　　妇科疾病多由"郁"而生。"郁"是指气机郁结。早在《素问·阴阳别论篇》即言："二阳之病发心脾，有不得隐曲，女子不月。"指出情志抑郁而致闭经。张仲景在《妇人杂病篇》中指出了"结气"为妇科杂病致病原因之一。

　　郁，可由于家庭、环境关系，忧思，顾虑等诱发而起，使肝气郁结，气机不畅而致病；也可由于阴血不足，水不涵木至肝气上逆，疏泄失常，以致出现肝气郁结的症状。《灵枢·五音五味》说："妇人之生，有余于气，不足于血，以其数脱血也。"有余之气不能调达，即成郁证。

妇人之"郁"，可引起月经先期、月经先后不定期、痛经、经行不畅、经行头痛、乳房胀痛、胸胁痛、烦躁易怒等病。甚则气滞血瘀致癥瘕，不孕。

妇人之"郁"，一般治法多以舒肝解郁的逍遥散或加牡丹皮、栀子。然笔者嫌其辛燥劫阴，宜取其法而换其药，用花类以舒肝解郁，并多用于月经前的调经治疗。

花者，华也，乃本草之精华。诸花皆散，故花可散邪，外感用之；气味芳香，芳香以解郁，故杂病用之。《素问·奇病论篇》有曰："治之以兰，除陈气也。"故芳香、轻清之花类，有舒肝解郁之功效，善解妇人之郁。

常用花类有茉莉花、杭菊花、南豆花、鸡蛋花、川厚朴花、素馨花、玫瑰花等。

茉莉花，性味芳香微辛微温。情志抑郁，肝气郁结者最适宜，为解郁常用之药，一般花茶取用之。花类药中，解郁力最强，药用时焗服。若肝郁化火者，配以甘苦微寒之杭菊花为宜，取其平肝、清热、解郁。二者均是解郁调经常用之品，多用于经前，以舒肝解郁。

南豆花（扁豆花之优质者），芳香甘平，一般但云能清解暑湿，殊不知其亦有清热解郁，气香醒脾，以畅脾神之妙用，我常作为解郁调经之常用药品，配麦芽、柏子仁，即有催经之力，何需必用牡丹皮、牛膝、益母草以强行通经耶？

鸡蛋花，芳香甘平，除清热利湿，治湿热下痢（赤白）里急后重外，气香解郁，鲜时色黄白，干时色赤黑，是气分药而兼入血分也。治室女月经先期，室女痛经而冲热者。

川厚朴花，微苦辛微温，用于气郁而致胸腹胀痛，嗳气，呕恶者，有开郁和肝脾的作用。药用时宜后下。女子善怀，宜以宽慰，药以榛苓，榛即厚朴，与茯苓二药仲景收入半夏厚朴汤中，后世之四七汤理七情气即本于此。今将厚朴改为四川产之厚朴花，以花类解妇人郁，岂不妙哉！

素馨花，气香，亦能解郁，治胸胁不舒，心胃气痛，但味苦价昂，故我很少用。

玫瑰花，气香性微温，味甘微苦，为理气和血行血之品，入肝脾经。治肝气郁结之甚，或气滞血瘀者，用于痛经，经行结块。药用时宜后下，以留其香。

总而言之，妇人多系血虚气郁，我以自订养血方（熟地黄、怀山药、云茯苓、枸杞子、炙甘草、菟丝子、莲须、桑寄生、柏子仁、晒龙眼肉或大枣）而加花类解郁于妇人常见病，常获良效。

脘痛用"花" ｜赵国仁｜

慢性胃炎，在祖国医学中属于胃脘痛的范畴，多有中脘胀痛的症状。因此常用芳香解郁、理气止痛的药物。而临证用香附、木香、厚朴、砂仁、豆蔻等香燥药物常非所宜，而绿萼梅、玫瑰花、玳玳花、佛手花、厚朴花、扁豆花等花类药物却有良好的疗效。究其原因，有下述几点。

1. "肝为刚脏，体阴用阳"。"气血冲和，万病不生，一有怫郁，诸病生焉"。慢性胃炎多有中脘胀痛，痞满嗳气，恶心干呕，泛吐酸水等症。此乃肝木侮其所胜，横犯中土所致。花味芳香，大有理气解郁之功。花性和平，却无助长厥少木火之弊。

2. "胃为阳土，喜润恶燥""胃宜降则和"。慢性胃炎虽有胀痛痞满诸证，而辛香燥热，劫阴伤津之品也在所当忌。花类香散，润中有通，理气而不伤津，悦脾而能降胃。深合胃之喜润喜通之性。

3. 花类药物其质轻清，轻可去实，以轻取胜。

4. 花类药物系用其含苞待放之花蕾，具有芬芳浓郁之味。"浊气在上则生䐜胀"，芳香可以化浊，浊去胀消。

5. 花类秉受少阳春升之气。能升脾之"消"而降胃之"浊"。则升降有序，枢机启运，生机无穷。

中药代用举隅 ｜何炎燊｜

某日，一实习生查病房，疏方犀角地黄汤，配剂员谓方中缺犀角，某生怅然，问及余。余曰："无妨，以他药代之可也。余不用犀角已20年矣，常用古方之有犀角者，悉以他药代之，疗效不减也。"又问："古人有言，如无犀角，代以升麻，可乎？"余曰："非也。今就犀角为例，略谈拙见。"

现世上犀角日稀，寻求代用品，已不自今日始。有名广角者，乃犀角之别种，力虽稍逊，倍用之可代犀角。然亦不易得。报刊曾报道用大剂量水牛角代替犀角，然若用于复方中，疗效尚难肯定。水牛角单用效果如何？须待积累较多资料，始能定论。究用何药代之犀角？拙意须掌握中医凭脉、辨证、立法、处方、用药之原则，其次须熟悉药物所具之各种效能及其在方中所起的作用，始能运用自如。就犀角而论、其性味咸寒，主要功能有三：①善清心胃燔灼之火；②凉血活血、清热解毒；③为血肉有情之品，借其通灵之性，有苏神醒脑之功。据此，则一般心胃气营血症，可选用黄连、生地黄代之，因两药皆入心胃两经且能兼清营血也。若方中已有黄连、生地黄（如清营汤），可加大两药之量，并随症酌加凉心清胃之品如天竺黄、栀子、竹茹之类佐之。然若血分热毒炽盛，如重症肝炎、败血症、尿毒症等，除重用黄连、生地黄外，应再加他药，如侧重于凉血活血者加丹参、紫草、赤芍、红花、桃仁之类；如侧重于清热解毒者，可酌加积雪草、金银花、紫花地丁、重楼之类；至于热闭包络、神昏惊厥及中风昏迷失语者，可用玳瑁、羚羊角代犀角。玳瑁栖于南海，羚羊产于西北，药源颇丰。考玳瑁咸寒，入心、肝两经，多用治中风不语，神昏冒乱诸症，李时珍谓其"功同犀角"，故至宝丹用之。羚羊角亦入心，肝两经，常用于平肝熄风，亦具镇心神、清心热之效，与玳瑁合用，亦可与犀角相侔也。

再举一例以明其理，知母为白虎汤之主药之一，前因匮乏，医者颇费踌躇。然如细究白虎汤用知母之方义亦不难解决。白虎汤善清上、中焦气分无形邪热而达之出表，兼有保津之功。知母苦寒清里热，少具保健作用。如邪热在上焦，用黄芩苦寒清肺合天花粉甘寒保津可代知母。若邪入阳明，舌黄身重谵语者，以黄连、天花粉代知母。某君见余以黄芩、黄连、天花粉代知母颇应手，以为古方中凡用知母者皆可易以黄芩、黄连、天花粉。一日余用知柏地黄汤合大补阴丸治一肾水不足、相火亢盛患者，书方时无黄芩、黄连、天花粉，其疑曰："此两方皆有知母，今竟不用芩、连、花粉，何也？"余曰："芩、连、花粉皆不入肾。而此病之所以用知柏者，正如王太仆所云壮水之主，以制阳光之义。余方中之玄参，咸寒入肾，补水泻火，乃此方中知母之代用品也。"由此举一反三。《金匮要略》治失眠之酸枣仁汤，方中知母取其滋阴除烦，则上述之黄芩、黄连、天花粉皆不甚中肯，应改用麦冬。至于桂枝芍药知母汤中知母的作用，余同意清代高学山之说，取其"清里热以除湿，肃肺金以利水"。常重用清热祛湿，肃肺利水之白茅根代之，疗效竟优于原方。

故喻昌《寓意草》曰："治病必须识病，识病然后议药。药者，所以胜病者也。识病则于千百药中任选一二种用之且通神，不识病则歧多而用眩。"故中医治病，虽有如鸦胆子治痢、青蒿治癥之特异性疗法，然究以非特异之整体调节为主。《内经》云"谨察其阴阳所在而调之"正是此意。使辨证精确而立法中肯，则必能如叶桂所谓"治病当活泼泼地，如盘走珠耳"。

一"炙"之差 |颜幼斋|

在 20 世纪 60 年代中期，治一男性患者，慢性腹泻已历 8 年余，来诊时诉便前腹痛肠鸣，食少，每日下溏便 2～5 次，8 年来未下过条状粪便，服中西药甚久而病情时好时歹，西医诊断为慢性肠炎。诊其脉沉细舌质淡净湿，初步诊为脾虚泄泻。查阅其病历，后期所服中药方剂有四君子汤、理中汤加味等数剂，患者因服药时间很久，对中药形状初步有所认识，他说每次方中的甘草都是生的，虽然处方写炙甘草，也是配给生的。由此联想到过去用对症药方服之无效的原因，与甘草之炙与不炙有关。仍用理中汤加炒怀山药、乌药、茯苓等，嘱病者设法找来蜂糖，把甘草另行加工蜜炙，连服 5 剂大便即成条状，服至十余剂后痊愈，经 2 年未复发，仅有一次因饮食不节轻度溏泻，给以藿香正气丸服 1 天后即停。

甘草性味甘平无毒，补益脾气，生用清热解毒，蜜炙用则性微温补益脾气之力更宏。故又有甘草炙则温中，生则泻火之说。

考理中汤主治脾胃虚寒运化失职所致的腹痛腹泻、呕吐或腹满少食，脉沉细或迟缓，舌质淡、苔白者用之甚佳。本方是治脾胃虚寒的主要方剂，方中党参补气健脾，干姜温中祛寒，寒多者以干姜为主药，辅以白术健脾燥湿，炙甘草补脾和中，四药合用，具有补益脾胃，温中祛寒的作用，但甘草必须炙用，生用则达不到补脾和中之效果。炙与不炙，虽为一字之差但疗效各异，由此可见中药的加工炮制与治疗效果有着密切的关系。

草药愈震颤 |马长福|

《证治准绳》在诸风门内列有震颤支条，《张氏医通》则收作为一个病门。震颤在于手足震动、颤抖，以肢端为明显，它不同于强直，又有别于拘挛、拘急，更不同于抽搐，所以临证之际，尤当明辨。

治蔡妇，年 40 岁。患四肢震颤疼痛 9 个月。患者因患尿崩症肌注长效尿崩停 0.5ml 后，出现嘴歪，舌缩，语言含糊不清，颈项不舒，手足震颤疼痛，尤以下肢为甚，口干，经抢救 2 天后脱险，余症均失，惟留手足震颤疼痛，曾经腰椎穿刺检查无异常。后经福建省立医院神经科及福州市神经精神防治医院诊断为"多发性侧束硬化症"，半年多来迭用西药，医治罔效。于1976年5月1日来诊。

视患者意识清醒，舌质淡红苔白厚腻，舌态软，诊其脉涩。询其所苦，诉说手足震颤时发时辍，疼痛无力，尤以下肢为甚，手不能提，足不能行，两足站立不稳，既往曾久居湿地数年，发病前有行经期水肿。此为寒湿内着，又感风邪，三气杂至，经络气血阻滞，津液不布，筋脉失荣，再加风性善动，故见是症。法当散寒利湿，温经活血，佐以祛风。药用忍冬藤、白龙骨、土丁桂、兰花参、单条草、茜草各30g，牛膝、鸡血藤、防己各15g，当归3g。水煎，服时加适量黄酒、红糖冲服。方中白龙骨、兰花参、茜草祛风散寒，活血舒筋，单条草、防己、忍冬藤利湿镇痛，鸡血藤、土丁桂通经络，壮筋骨血益阴，当归养血活血，牛膝治寒湿并引诸药下行，黄酒以加强通经活络。

外用熏洗方：红花15g，蓖麻草、侧柏叶、土牛膝、马鞭草、榕须、铁苋、螺厣草各30g，麝香0.6g。水煎后加醋100ml，熏洗四肢，日2次，每次2小时。红花、土牛膝、马鞭草、螺厣草，功能活血通络止痛，铁苋、侧柏叶、蓖麻草，榕须祛风利湿，配以麝香和醋，具有引诸药直达病所之奇功。

经以上处理后10天，诸症略有好转，连续治疗1个月后，诸症悉减。效不更弦，于上方加苦刺、瓜蒌、侧柏叶、乌枣各30g，钩藤15g，泽兰9g。水煎内服。并嘱续用外洗方。月余后，手足疼痛消失，震颤大减，日仅偶发一二次，舌淡红苔薄白，脉缓。宜补肾壮腰，疏风活络，以标本兼顾。药用何首乌、福参、钩藤、牛膝、鸡血藤各15g，狗脊、苦刺、瓜蒌、侧柏叶、乌枣各30g，泽兰、越鞠丸（包煎）各9g。水煎加黄酒、红糖适量冲服，连服30剂而愈。

1984年11月随访，患者已恢复工作多年，健康状况尚可，惟长时间骑自行车时，觉手指稍有麻痹。

（林复海　整理）

民间千斤拔复方，强筋健骨效果显　｜罗元恺｜

千斤拔又名千斤坠、金牛尾、老鼠尾，在药物缺乏时广州有称此药为南芪者，因广东常称黄芪为北芪，而千斤拔生产于南方，功效与黄芪相似，故名南芪。本药为蝶形花科、千斤拔属，乃蔓生灌木，茎根细长，可达1~2米，叶互生，为指状三小叶，花紫红色。生于叶腋，花后结长圆形的豆荚，根多无分支，上粗下细似牛尾，表皮泥黄色，药用为干根，喜生于山坡灌木丛、路边、草丛间，广东很多地区均有生长。性味甘淡涩平，有舒筋活络、强腰健膝之功。

曾见一妇人产后双足瘫痪无力，不能步行，自用千斤拔90g（切），花生米（连红衣）90g，大枣15枚，鸡脚4只，用水9碗，久煎4小时至1碗左右，饮时加适量好酒，鸡脚与花生亦可适量服食，连服半月而愈。余师此方之意，推广应用于一切虚证之足膝痿软无力和足部常出汗而感疲乏者，份量与煎法及疗程均如前述，效果显著。按千斤拔具有益气强壮之功，花生米有补血健脾作用，配以血肉有情之品，以形补形，加酒以助药力运行，配伍合理，故能收效，久服并无不良反应。我国中医良方妙药不少散在民间，礼求诸野，采集民间验方，也是振兴中医的一项重要工作。

漫话草药"九倒生"

｜邱德文｜

昔日余在贵州农村行医时，曾与当地草医王兴臣结为深交，闲时常谈医论药，对草药尤有兴趣。王氏为黔南著名草药医师，方圆百里无不知晓，在当地群众中颇有威望。一日我俩在地边采药论医。我说根据几年来对草药的研究，认为大凡有特点的草药，治疗上往往有其独特的疗效。例如芳香的蛇莲（东北马兜铃），只要稍微震动枝叶则可闻到清香之药味，故该药退热、镇静效果极好。又如肉质肥厚、茎粗蜿蜒似蛇的雷公莲，有接骨之特效。芳香味浓的大木姜子，可以理气消胀，有缓解心绞痛之功等。老王深有所感言道："我家祖传有味草药九倒生，其性更为特殊，该药生于高山岩石之上，晴日干萎如灰，遇雨则青绿如毯，铺满山岩。若采回放于家中，十天半月，一年半载，虽然干萎枯黑，搓之可成粉，但只要将其放入水中，约一时许即逐渐变绿，完全活苏。"

初听此言，信疑参半。数日后，我随王师上山采得数株，回来后放于窗台上晒干，几天之后，见这些"九倒生"草药均已干枯，试将其放入水盆之中，果然时许，见其逐渐变绿，叶子一片片伸展开，一株株翠绿如滴、活鲜鲜的"九倒生"出现在眼前，若非目睹，真是令人难以置信。从此，"九倒生"草药已牢记在心。时时细思：九倒生再生能力之强，是他药所没有的。这种再生的原因是什么？这类药物是否对人类延年益寿、返老还童有作用呢？于是有机会将此药有关资料一一收集，以备研究之用。

据查，该药为苦苣苔科植物珊瑚苣苔的全草。又名"虎耳还魂草""雨打回生草"。生于岩石上，分布于我国西南和甘肃、陕西、山西等地。为多年生草本。无茎，叶3或4枚，轮生于根茎顶端，无柄，叶片为倒卵形，边缘有锯齿羽状脉，叶面不平，两面有白色柔毛。再生能力极强。《贵州民间药物》《贵州草药》均有记载，认为该药有"健脾、止血、化瘀"的功用，用以治疗小儿疳积、跌打损伤、刀伤等。

余根据"九倒生"草药再生能力极强之特点，认为该药很可能是延年益寿、返老还童、抗衰老的理想药物。并以九倒生为主泡制成药酒，用以治疗神经衰弱及失眠多例，疗效甚佳。现将此药介绍出来，愿从事老年病研究的同道，共同研究，以便早日使"九倒生"草药更好地发挥作用。

草药火炭母治咽喉炎效　｜罗元恺｜

火炭母，又名火炭星，斑鸠饭，是广东野生青草药，为蓼科蓼属，蔓生草本，叶互生，椭圆形，表面有人字形紫黑色斑纹，如被火烧过样，故名火炭母。性味微凉略涩，功能清利湿热，消滞解毒，民间多用以治大肠湿热泄泻有效。据某地农民称，本品治咽喉疼痛甚效。笔者经常以本药干品60g，加入红糖适量同煎，以治咽喉炎，无不取效，即平时作凉茶饮用，亦可收预防喉炎之效果，小儿药量可按成年人酌减。本药并无苦味及不良反应，配伍少量红糖，使其稍具甜味，故小儿亦喜饮用。且药源丰富，在农村里随处可得，而南方咽喉炎患者较多，尤以小儿为最，此药简便价廉，疗效显著，值得推广。

漫话"泉州神曲"　｜俞慎初｜

泉州神曲(《药性考》)，又称建神曲，范志曲或百草曲(《纲目拾遗》)。是河东六神曲（取黄河以东而命名）的衍化物。

据《齐民要术》记载，河东六神曲是白面和桑叶、苍耳子、艾叶、茱萸或野蓼等药酿造的。李时珍在《本草纲目》中引用《水云录》说："五月五日，或六月六日，或三伏日，用白面百斤，青蒿自然汁三升，赤小豆末，杏仁泥各三升，以配白虎、青龙、朱雀、玄武、勾陈、螣蛇六神，用汁和面、豆、杏仁作饼，麻叶或楮叶包裹，如造酱黄法，待生黄衣，晒收之。"

所谓六神曲，就是以六个神名，代以六种药名。白虎即白面，青龙即青蒿，朱雀即赤小豆，玄武即杏仁，勾陈即苍耳，螣（或作腾）蛇即野蓼。

陈修园《神农本草经读》认为所谓六神曲，乃"药用六种，以六神聚会之日，罨发黄衣作曲，故名六神曲。"并云："今人除去六字，只名神曲，任意加至数十味，无非克破之药，大伤元气，且有百草曲。"陈氏所述，指出了福建神曲是在传统六神曲的配制基础上，增加药物衍化发展而成的。

神曲全国各地都产，而福建产者最负盛名，陈仁山在《药物出产辨》里提到："神曲原产福建，名曰建曲。"由于各家配制略有不同，所以市售种类繁多。建曲以泉州府城内，范志吴亦飞万应神曲最驰名。赵学敏的《本草纲目拾遗》说："建钟曲出泉州府开元寺造者佳，此曲采百草罨成，故又名百草曲。"郭柏苍（清光绪年间）辑《闽产录异》也记载有："出泉州郡治，有范志吴亦飞字号，自明迄今，驰名海内……"。据陈元恪的《泉州怀古》所写："今可证明店之大者，当以开元寺内卖百草神曲之秋水，店上挂一牌匾，刻'秋水澄空'，为明嘉靖（1522～1566 年）年间尚书陈道基所书。"说明了在明嘉靖年间开元寺秋水轩就已闻名了。

泉州神曲，据《药性考》记载是："微苦香甘，搜风解表，调胃行痰，止嗽、疟、痢、吐泻，能安温疫岚瘴，散疹消斑。感冒头痛，食滞心烦，姜煎温服，或二三钱。"赵学敏的《本草纲目拾遗》则说："范志吴亦飞驰名万应神曲，气味中和，清香甘淡，……治四时不正之气，……痘疹初发，用托邪毒，……外出远行，尤宜常服。"又载："外感发热，头眩，咳嗽，疟疾，呕吐，俱加生姜同用。泄泻加乌梅同煎。惟痢疾一症，须加倍用，……加好薄茶心同煎。"

泉州范志神曲，自创制迄今已有二三百年的悠久历史，解放后，国家经营，在原有产品的基础上，进一步改进生产操作，提高质量，畅销国内外，信誉卓著。

山茱萸擅治虚喘　　|俞慎初|

昔治叶姓少年，素体羸弱，立春过后，暴喘汗出，声低息短，心悸动甚，口干唇燥，精神疲乏，四肢厥冷，"面色泛红，额部扪之烘热，脉来浮散无力，知为虚喘，阳气欲脱。本欲进参附以救脱，但口唇干燥，有伤阴之象，附子大热，则非所宜；人参昂贵，而且难以骤得。细思本证，阳虚阴耗，肝肾两亏，选用山萸肉一药，既可两补肝肾，纳气平喘；又能涵阴敛阳，止汗固脱，有两全之妙。遂独用山茱萸60g去核浓煎顿服，须臾喘缓厥回，继以来复汤进之，药用：山茱萸60g、生龙骨30g、生牡蛎30g、生杭白芍18g、潞党参12g、炙甘草6g。服3剂后，喘息尽已，依嘱常服山萸肉，调理半年，宿疾渐除。

又治陈姓老妇，患喘症30余年。此次暴发，适余养病在家，遂来邀诊，勉为同往。见患者气喘抬肩，喉间痰鸣如锯，神识不清，唇干口裂，舌质紫黑，脉浮大无力，症情危笃。西医诊为肺原性心脏病，其时家属已在料理后事。审其脉症属肝肾两亏，阴阳欲离。急用山茱萸60g浓煎灌服，约半小时许喘息稍缓而气渐复，能睁眼辨人。继以来复汤加味，药用：太子参6g、龙骨30g、白芍18g、炙甘草6g、山茱萸（去核）6g、紫苏子9g、麦冬10g、五味子3g，水煎，3剂。药后诸症均减，乃用参麦饮合泻白散调治，百日而愈，随访多年，未见复发。

用山茱萸以纳气固脱，这是近贤张锡纯独得之秘。此药善于涵阴敛阳，对于肝肾本虚，阴阳之气行将涣散的虚喘欲脱（以气短而不续，慌张里急，提之不升，吸之不下，常致长引一息为快为辨证要点）具有特效。《医学衷中参西录》说，山茱萸"得木气最厚，酸敛之中，大具条畅之性，故善于救脱……"。又曰，"山茱萸之性不独补肝也，凡人身之阴阳气血将散者，皆能敛之……"（见《医学衷中参西录》第1卷）。书中多载实例，可资参考。以上2例，不过是效颦而已。但若用之得当，确能得心应手，与参附固脱，有异曲同工之妙。

（倪法翀　整理）

活用苍术一得　│林朗晖│

我喜用苍术，鉴于历代本草对苍术多有很高评价。如在名称上：抱朴子称苍术为"山精"，李时珍称"仙术"，《和汉药考》称"天精"；在功用上：《本草经》说："久服轻身延年"，唐慎微说："必欲长生，常服山精"，张元素说能明目，李东垣说能治痿，朱丹溪说能解郁，李中梓说能发汗，李时珍说能理痰湿，缪希雍说可祛湿痹，黄宫绣说可升清阳。一句话，苍术有芳香避秽，升阳散火，理郁开痰，助消化，清头目，健腰膝，疗佝偻，消胀满，止泻痢，开胸膈等作用，而苍术还有补肾强壮，治痿之效。最近有关资料报道，用苍术治疗结核病、糖尿病、夜盲症，大剂量应用还能降血压。

苍术外祛风湿，内运脾胃，功效特著。经米泔水浸制之后，不论上下表里，都可随证配用。我有这样的临床体会：四君子汤，白术改苍术补而有运；

四苓散，白术改苍术有渗有升；藿香正气散，白术改苍术更能运胃解表；逍遥散，白术改苍术解郁之力更强；连理汤，陈修园主张白术改苍术，有补有消；七味白术散，改用苍术能加强运中止泻；补中益气汤，白术改苍术升提之力更强，真人养脏汤，白术改苍术能升阳止泻；傅青主完带汤，重用苍术能燥湿止带；越鞠丸之解郁，苍术起枢运之功；清震汤治头风，苍术主升阳散浊；叶天士苍附导痰汤，重用苍术治妇人肥胖；外科正宗消风散，重用苍术除湿痒、托疮疡；苍术白虎汤理湿热并重；东垣清暑益气汤，用苍术，考虑暑多挟湿；东垣当归拈痛汤，用苍术祛湿，使络通痛止；鸡鸣散加入苍术，更能胜湿疗脚气；苍白术同用，卑监之虚能补，敦阜之土可平；局方二妙散，疗疮疡诸痹，湿注带下，口腔溃疡有捷效。此外，苍术合生黄芪能祛风散湿，合枳壳能消积祛胀；合枇杷叶降逆止呃；合葛根则可上治头风，下止湿泻；合赤小豆能消水肿；合川楝子可止痛疗疝；合神曲治暑湿泄泻（《局方》名"曲术丸"）；合椒目治寒痛久痢（《保命集》名椒术丹）；合白芷治寒湿头痛（名苍芷散，还可外敷湿疹）；合黄连可疗泛酸（名苍连汤）；合荆芥则擅透湿于表；合苦参能消小儿食积；合木瓜可舒筋消肿；合桑椹能乌须黑发（《保寿堂》名少阳丹）；合芝麻可滋肾生精（《集效方》名苍芝丸）；合熟地黄治血虚食少（《济生拔萃》方）；合地榆治脾虚下血（《保命集》方）。单味苍术治雀目（《圣惠方》），九制苍术散治肥人痰湿（喻嘉言方）等。上面所述，既有古人经验，也有我的反复实践临证心得。

还应该看到，以苍术为主药的复方，具有协调制约、互佐互使的意义，配伍得当可减低不良反应，从而提高疗效。比如苍术与熟地黄一燥一润；苍术与石膏一温一寒；苍术与牛膝一升一降；苍术与甘草一走一缓；苍术与石英一浮一沉。可谓有天工之妙。

谈谈"兴化桂圆" | 俞慎初 |

每年"处暑"一过，新鲜的龙眼就上市了。特别是蒲田、仙游两县所产的"兴化桂圆"，外形饱满，肉厚味美，人人喜爱，所以有"兴化桂圆甲天下"的称誉。它是驰名中外的福建特产之一。

龙眼别名很多，在我国早期中药典籍《神农本草经》，就名叫"龙眼""益智"；《本草图经》叫做"木弹"；《纲目》名为"蜜脾"。其别名不下有30多个。由于外形是圆的，产于农历八月，八月旧称"桂月"，故名"桂圆"。

龙眼南方各省均有出产。福建省处于亚热带，气候温和，沿海各县，如闽东之宁德、罗源，闽中之闽侯、福清，闽南之漳州、诏安等地都有种植。尤以木兰溪流域的蒲田、仙游数量多，品质佳，果肉甜美可口，营养价值高。蒲田、仙游两县旧属兴化府治，故统称"兴化桂圆"。

蒲田、仙游的龙眼，品种繁多，其中以乌龙岭、普明庵、贼本三种为著。而乌龙岭果硕肉厚，果壳厚度适中，宜于焙制桂圆。蒲田的濑溪以西至仙游的盖尾，这一带木兰溪两岸的龙眼干，多用乌龙岭品种焙制，故国内外市场上称之为"溪产"，是兴化桂圆的最上品。

焙制龙眼方法是：7～10月果实成熟时采摘，剥去果皮，取其假种皮，或将果实入开水中10分钟，捞出摊放，使水分消失后，再焙一昼夜，然后剥取假种皮，晒干；或放置竹筛里加翻摇500多次，然后焙制，经过两昼夜后，停火一夜，再继续焙制而成。焙制时伴姜黄，果壳即可染成褐黄色，又能防蛀，保持美观悦目。

龙眼性甘温、益心脾，补气血，安神，定志。治惊悸、怔忡、失眠、贫血以及产后虚肿等都有一定疗效。本品属于补益强壮药，是秋、冬令的补剂。

龙眼除了果肉入药外，它的壳可治血虚头晕，聪耳明目，每次煎剂6～10g；煅存性研末外敷，可治烫火伤。核仁研末，可治创伤出血。每次30g，煎汤或炖瘦肉服，可治各种淋症。根可治白带，每次60～90g，水煎服。

通草降肺气以治呃逆　｜俞尚德｜

《内经》称呃逆为哕，而《金匮要略》所称之哕乃指干呕而言。《医学入门》认为其区别在于"哕出声然后吸；呃逆入声逆尽然后呼，出入呼吸不同"。所论实中肯綮。

呃逆的病因颇为复杂，综合古医籍所述，有因于醉饱、吐下、失血、死血、痰饮、痰火、水停、食郁、着寒、恚怒、虫积、胃弱阴虚或胃寒阳虚等等。而其病机，《内经》云："胃为气逆，为哕。"《景岳全书》云："病呃之源必由气也。"大致均是指胃气上逆而言。但笔者认为如仅由于胃气上逆，则为呕吐，为干呕，逆而得伸，不致如呃逆之自觉有气逆上，直冲于咽，才发于喉，戛然遽止，而反觉有气逆转于胸膈。如此者，实因乎肺气之膹郁，故胃气逆上而又逆转也。临证之际，如能察其因而和降胃气，导降肺气，则呃逆应手可安。导降肺气以通草为优，李东垣云，通草"味甘而淡，气平味薄，降也。能助西方秋气下降，利小便，专泻气滞"。用治多人，效如桴鼓。现举2例。

例1，患者徐某，男，66岁。因急性阑尾炎穿孔，伴局限性腹膜炎，做外科手术后，次日呃逆频发，几无休时，经吸指甲烟、针灸、服"阿托品"等均无效。四天后服中药丁香柿蒂合旋覆代赭汤3剂亦无效。邀余会诊，见患者呃逆频频不已，发声响亮，进食后可使呃逆暂停约半小时，苔白滑，脉弦滑有力，治拟平肝和胃，导降肺气。处方：生石决明30g，代赭石50g，通草6g，炒白术9g，炙甘草12g，赤芍10g，薤白头10g，全瓜蒌10g，紫苏梗12g，青皮、陈皮各6g。药后当晚呃逆明显减少，翌日24小时中，合计约有2小时发生呃逆，纳食增进。服药2剂后，呃逆已安。复诊：苔薄白糙，脉象弦势趋缓。处方：代赭石、通草、沉香曲、全瓜蒌、炙甘草、赤芍、炒白术、青皮、陈皮。服药3剂。因手术后残余脓肿，再做手术，术后亦无呃逆复发。

此例得食后呃逆可暂安，故以茅术、甘草和胃缓中。鉴于起病于手术创伤之后，故用赤芍通络和血，且芍甘汤可缓急迫之势。又以脉象弦滑有力，故以石决明、赭石平肝气之横逆。而通草导降肺气，实奏斡旋之功。

例2，王某，50岁。因患坏疽性阑尾炎，手术后次日出现高热及频繁呃逆，持续已6天，其间曾用抗炎、镇静等西药及针灸治疗无效，曾服丁香柿蒂合旋覆代赭汤加味亦无效。邀余会诊，见呃逆频作无休，声不太粗，胃脘嘈杂，食欲不振，并有呕吐食物，燥屎如丸，日1行，舌大片光剥，余苔黄糙，脉象弦细数。处方：赤芍、甘草、吴茱萸、川黄连、生大黄、麦冬、赭石。服药2剂，大便转溏，日三四行，热清，呃逆稍减，舌前段红，苔少，脉弦缓，原方加太子参、通草，服药1剂，呃逆顿止。以后加味滋养胃阴调治。

此例燥热内郁，肺胃之气不得通降，故呕吐而兼呃逆，用川黄连、大黄苦降泄热泻其燥结，反佐吴茱萸以防格拒不纳并止呕。甘草、芍药缓中和胃以济嘈杂，伍以赭石，和降阳明逆气，虽得便通、热清、呕止，而呃逆未已，加通草通导肺气肃降，肺胃通降而诸症向安矣。

刘寄奴行血治痢有卓效　　|荣远明|

金元四大家之一刘完素在《素问·病机气宜保命集篇》中提出了"行血而便脓自愈，调气则后重自除"的著名论点，并制订出行血调气的芍药汤以治疗痢疾实证，并沿为临床所习用。

笔者细读其论，深受启发，该论点之关键在于"行血"二字，"行血而便脓自愈"则痢疾得愈，痢既愈则腹痛、里急后重可随之消失。考其芍药汤主要用芍药、当归行血和血，伍以调气导滞、清热化湿诸药而成。全方以芍药为君，当归辅之，治疗湿热下痢确有效果。以此推理，芍药、当归行血之力尚不够专宏，不如使用活血祛瘀之品。查《如宜方》用刘寄奴治疗赤白下痢，《圣济总录》用刘寄奴"治霍乱成痢"，考行血破瘀则刘寄奴远胜芍药、当归。于是笔者试用单味刘寄奴治疗湿热痢，果获速效。

刘寄奴的品种较多，各地所用不尽相同，有玄参科阴行草、菊科奇蒿、茜草科白马骨、金丝桃科湖南连翘、金丝桃科元宝草等。我们使用的是广西南宁市药材公司出售的刘寄奴，查其生药形态为菊科奇蒿，但亦杂有唇形科细叶香茶菜。奇蒿味辛苦性平，有活血行瘀，清暑利湿之功。细叶香茶菜味微苦，性凉，有清热解毒之力，故为治疗湿热痢之佳品。

我们将刘寄奴制成流浸膏片，每片含生药1g，每服6~8片，日服4次，系统观察治疗湿热痢百余例，一般服药1或2天痢止，大便化验转阴性，继续服药1~3天以巩固之。经总结，该药疗效稳定，且未发现明显之不良反应。可见刘寄奴治疗湿热痢疗效卓著，值得推广使用。

参三七新用 ｜荣远明｜

参三七原名山漆，又名金不换。因广西田州（今百色地区）盛产此品，为主要产地之一，故两广又称之为田七。其味甘微苦，性温，无毒。既能止血，又能活血散瘀，消肿定痛。内服、外用治疗各种出血，及瘀滞之病证，并治金疮折跌、赤目痈肿、血痢烂疮、虎咬蛇伤诸病。自《本草纲目》问世以来，医学文献累有记载，临床亦有效验，医者周知。惟药学禁忌之栏常云："血虚无瘀者忌服。"此言尚须商榷，医学发明岂有止境，余观察民间产后血虚或血虚体弱者，常以田七炖鸡，身体迅速恢复，此何止去瘀生新之功，当考虑田七尚有益气养血之力。1981年6月余选择符合虚劳心脾亏虚，肝血不足患者，并经化验证实为贫血者共8例，其中缺铁性贫血6例，红斑狼疮贫血1例，地中海贫血1例。均为中青年女性患者，病程3~6年。予以按传统炮制法炮制的田七酒内服，每服50g，每日服2次，停服他药。一般饮酒0.25~0.5kg后即见纳食增进，眠寐渐安，精神渐增。饮酒1个月后复查血象（遇月经期或月经刚净则延长10天左右复查），结果7例恢复正常，1例（地中海贫血者）好转。继予每日饮酒1次，至0.5~1kg则停饮，以图巩固。半年后随访，6例缺铁性贫血者未见反复，其余2例已转服他药。

如冯某，女，42岁。主诉：头晕眼花，倦怠乏力已4年，四肢关节疼痛已十载，伴有纳谷不香，心悸不寐，月经提前，量多色淡，7天干净等症。西医诊为缺铁性贫血，风湿性关节炎。治疗多年未效，躯体日瘦，面黄神疲，目无光彩，四肢关节屈伸则痛，但无红肿热象，脉细而弦，舌淡白，苔白略腻，口唇淡黯，睑、甲苍白。实验室检查：血红蛋白68g/L，红细胞2.35×10^{12}/L，白细胞3.8×10^9/L，嗜中性粒细胞0.67，嗜酸性粒细胞0.03，淋巴细胞0.30，血小板150×10^9/L。诊为：①虚劳（气血两虚）；②痹证（风寒湿痹）。予以田七酒治疗，每次服50g，每日服2次。共服药酒4.4kg。服药酒数天后饭量大增，食欲旺盛，夜寐甚酣，关节疼痛即消失，随之月信已调，头晕心悸等症日渐缓解，体力渐增。复查见：血红蛋白100g/L，红细胞3.45×10^{12}/L，白细胞6.2×10^9/L，嗜中性粒细胞0.62，淋巴细胞0.34。1年后随访，无所痛楚，体重已增加5kg，工作正常，停药酒后未再服药。

从上可知，服田七酒后，患者先为纳食增进，精神振奋，此脾胃之气得以恢复，脾胃为水谷之海，气血化生之源，故血虚随之渐复。常人饮普通酒而食减，可见纳食增进非酒之力，实为田七醒胃健脾之功。故云田七有益气生血之力，可疗血虚之证。

葛根重用取奇效 | 陈建新 |

余用葛根治外感风热之头痛、项背强痛、肌肉疼痛和湿热泻痢或脾虚泄泻、热病口渴等症均以量大取效，每每下笔即120g一剂，药房中人因量大曾质询于余。

葛根甘、辛、凉，归脾胃经，辛味虽有发散之力，使本品具发表、解肌、升阳透疹之功。但甘味重而辛味轻，其升透力并不强，兼之性凉并不甚寒。而脾虚泄泻则葛根宜炒，世人有土炒，余用米汁浸润后炒至老黄，与方中诸药同煎亦获其效，米汁有健脾胃作用，炒后葛根凉性减，升发清阳之力增。

余用葛根大量取效来自三证：以生活中实例证之，世人每用塘葛菜或生鱼煲葛汤，一家四口每用1～1.5kg葛煲汤，实即1000～1500g，四人平均分之，每人250～270g，诚然为鲜品，但葛根120g仅及一半或1/3而已，故虑其升散太过或过凉诚属多余之虑。其次证之古人：仲景《伤寒论》葛根芩连汤证"喘而汗出"用葛根0.25kg。《梅师方》治热毒下血用生葛根1kg。三证之今人：有郭姓患者，女，33岁。1983年2月来诊，连日头项痛不能转侧，微恶寒，舌淡苔薄，脉浮紧，笔者头二诊4剂均用桂枝加葛根汤（葛根初诊15g，二诊30g），证如故。三诊葛根改用120g，上午服药下午头项痛即止，转动自如。

1983年秋，有李姓患儿，男性，2岁。患秋季泄泻3天，日下十数行，前医以葛根芩连汤（葛根12g），笔者以同方葛根30g，按上法处理，下午服药，当晚泻即止。

由此看来，葛根可重用而取奇效，无论从生活饮食或长期临床实践都说明葛根重用得当，可药到病除。

便血屡不止，"黄土"建奇功 ｜郑孙谋｜

有人认为中医只能治慢性病，不能治急性病；只能治轻病，不能治重病。我以为不然。中西医各有所长短，中医药辨证精当运用得好，也能出奇制胜，起沉疴痼疾。

1975年，我曾应邀会诊一位因痔疮术后便血不止的患者，手术5天后反复便血，量少时呈黑色或柏油样，量多时呈鲜红色，最多时达1000ml左右。多次检查肛门，均未见明显出血点，后经乙状结肠镜检查，在7cm处见有1个黄豆大蒂短的息肉，表面光滑，未见糜烂出血，整个肠管中均有暗黑色的血块附着，肛管内不时排出柏油样稀便。为进一步确诊，行剖腹探查，术中发现距曲氏韧带约20cm的空肠以下肠腔内可见血凝块，自胃至降结肠均未见明显出血点。患者每隔2天即大出血1次，每次输血800ml，先后共输血8次计6400ml。先后用过止血散、止血定、鱼精蛋白、对羧基苄胺、云南白药以及脑垂体后叶素等多种止血药，均无效果，故邀我会诊。患者正在输血，形容憔悴，面色苍白，神疲懒言，语声低微，耳鸣额汗，四肢不温，脉沉弦滑数，舌质淡苔白根浊。脉症互参，正如《灵枢·百病始生》所说："阴络伤则血内溢，血内溢则后血。"患者面色苍白，乃亡血之征。脾阳虚则四肢不温，中气馁则神疲懒言，语言低微，内风动则耳鸣，阳气虚则额汗，舌淡为虚，苔白为寒，根浊为湿，脉弦滑数为热，寒热交炽在一起，热则迫血而妄行，寒则凝泣而失道，虚则统摄无权，湿则化源受扰。治遵热者寒之，寒者温之，虚者补之，湿者燥之，欲选一方而四法具备，惟《金匮要略》治疗远血的黄土汤较为合拍。今仿之，药用：西洋参5g（炖冲）、阿胶15g、白术10g、姜炭5g、牡丹皮10g、枯黄芩9g、黄土30g（因无灶心土，以黄土代，布包）、杭白芍6g、炙甘草5g、地榆炭15g。水煎，当晚服 1 剂。次晨肠鸣，矢气频传，患者自觉舒适，又服 1 剂。复诊：精神较好，排便 1 次，初仍为柏油样黑便，继之如中药汁颜色，量仅前天的一半。便检潜血（＋＋＋＋），又给患者输血 400ml，舌质淡，脉细缓，然缓而和，知不再出血，药已中病，毋庸更张，照原方加熟地黄 20g，嘱服 2 次。三诊：脉静神怡，舌淡知肌，大便色如中药汁。便检：潜血阴性。再步前方，以善其后，继以调饮食，养生息 3 周，康复出院。随访 9 年，未见复发。

细辛"用不过钱"吗？　　│盛国荣│

"细辛单用末，不可过一钱，多则气闭不通而死"。自宋代陈承提出此论，后世医家多受束缚，不敢超越雷池，难怪清代名医陈修园叹惜说："近医惑于细辛用不过钱之邪说，宗亦难以力挽之。"其实细辛用过钱者古已有之。如张仲景方，细辛用量多为 2～3 钱（现剂）。清代张志聪也说："近医多以此语忌用（指"细辛用不过钱"），而不知辛香之药岂能闭气，上品无毒之药，何不可多用"。我行医 50 多年，向不为"细辛不过钱"之说所囿。但凡脾肾阳虚寒湿重者，如咳喘、泄泻、痹证等，均用大剂量细辛（一般 15g 左右）；对一般风寒感冒，用中剂（一般 6g 左右）；阴虚火旺者忌用。兹举例以证之。

一咳喘患者，病已十余载，秋冬季节更为严重。下半夜及拂晓时咳喘加剧，痰多白黏，胸闷心悸，小溲频数，舌淡苔白，脉细弱。证因脾肾阳虚，元气不固，华盖失煦。治宜健脾补肾纳气，宣肺祛痰止喘。处方：细辛、冬瓜仁各 15g，炙桑白皮、京半夏、枇杷叶各 10g，紫苏子、白芥子、陈皮各 6g，沉香、甘草各 3g。每日服 1 剂，连服 6 剂。另嘱用胎盘粉 60g，川贝母、钟乳石各 15g，蛤蚧 1 对，西洋参 10g，共研细末，每服 2g，日服 2 次。复诊时病情减轻，于上方加减又服半月，咳喘见平。仍嘱用上述散剂合金匮肾气丸每服 10g，早晚各 1 次。调理月余，元气渐充，华盖坚实，病状若失。

我认为细辛辛温，善于走窜开滞，功能通阳气、散寒结。临床除用于上述诸病外，对于某些顽固性疾病，诸如红斑狼疮、荨麻疹、湿疹等，都可以在辨证基础上加入细辛，常有卓效。陈承所谓"细辛用不过钱"系指单用其末，张隐庵因《神农本草经》列细辛为上品，说它"无毒之药"，其实细辛有一定毒性，但经水煎，毒性锐减。我临床中，也曾发现某些患者服用大剂量细辛后，有全身烘热，口干等不同程度的反应，这大概就是经书上所说的"药不瞑眩，厥疾弗瘳"，一般可不必作特殊处理，就可自行消失，也可以酌加寒凉之品，如生地黄、白芍以制约其温燥之性。

（柯联才　盛云鹤　整理）

"麻黄发汗"说之我见　|张志豪|

麻黄，历来被认为是发汗峻药，如配用桂枝、生姜，则发汗之力更强。尤其南方气候炎热，更为少用，以致有些医家望而生畏，即或用之，用量也很轻微；还有人认为，夏天不宜用之，有大汗亡阳之弊；一般药店存备的麻黄也大多是用甘草汤泡浸过一次或数次的，怕它发汗力量过猛。

我初学医时，拘于"麻黄发汗"之说，对麻黄深深疑惧。后来临床既久，细加体验观察，曾用《金匮要略》射干麻黄汤、厚朴麻黄汤、越婢加半夏汤、小青龙加石膏汤以及定喘汤等治疗哮喘；用桂枝芍药知母汤、乌头汤以及防风汤、薏苡仁汤、麻黄加术汤治疗风湿痹痛；越婢汤、越婢加术汤、甘草麻黄汤、麻黄连翘赤小豆汤治疗水肿，其中麻黄可至 10g 左右，未见发汗现象（虽在夏天也很少见有发汗现象）。我还曾用甘草麻黄汤加白茅根（麻黄 15g、甘草 10g、白茅根 60g）治一慢性肾炎，连服 40 天，每天 1 剂，也没有发现明显的发汗现象。

我在多年的实践中，觉得麻黄必用在有表实证时才能出汗。当然，阳虚、阴虚，如汗多、咽喉干燥、动则心悸、出血等仍应慎用。

人参治危重症有感　|玉振熹|

"快！找人参炖给他服。"这是我当实习医生期间，跟老师抢救危重病人时常常听到的一句话。并亲眼看到有些危重病者，服人参汤后很快转危为安。对人参延命的功效留下了深刻的印象；人参，是治疗危重症的良药。

1972 年，我指导西医学习中医班的学员实习时，收治了 1 名西医诊断为"大叶性肺炎合并心力衰竭、休克前期"的成年女病人，面色苍白，气短喘促，时时汗出，四肢端冷，心率 110 次/min，血压 7.6～7.2/5.3～4.6kPa（57～54/40～35mmHg）。多数学员主张加用西药治疗，我为了使学员学到中医治疗急症的知识，坚持中医治疗，按中医气脱辨证施治，投"独参汤"：吉林红参 12g，另炖，兑服麻杏甘石汤加味，每日 1 剂。3 剂药后，"心衰"纠正，四肢回暖，汗止，面色转润，血压回升至 16 ～ 14.7/12 ～ 10.7kPa（120 ～ 110/90 ～ 80mmHg）。停"独参汤"，继续治疗肺炎 2 周，痊愈出院。对独参汤在治疗危重症的运用有了亲身的体会，增强了中医治疗危重症的信心。

近年来，又用"独参汤""参附汤"配合辨证施治，先后治疗了小儿肺炎心力衰竭，中医辨证属心气（阳）虚衰等危重症 20 余例，均取得满意的疗效；心衰纠正快则 2 天，慢则 5 天，效果与西药西地兰、毒毛旋花子苷 K 相同，挽回了小儿的生命。如 1 例 8 个月的男孩，因发热、咳嗽日渐加剧 3 天，伴气喘，唇绀，烦躁不安，经 X 线检查，西医诊为"肺炎合并心力衰竭"。中医辨证为"肺热喘咳——风温闭肺并心气虚衰"。给麻杏甘石汤合参附汤加味：红参 3g（另炖兑服），麻黄、熟附子各 4g，生石膏 30g，杏仁、金银花、丹参各 6g，甘草 4g。水煎服，每日 1 剂。2 剂后心衰改善，4 剂纠正。住院 10 天，经 X 线复查，痊愈出院。

经多年来的实践证明，笔者认为，中医是可以治疗急、危重症的。像心衰这样的急症、重症，特别是虚证的急、重症，人参确实有很好的拯救生命的效果。

人参具有大补元气，拯救虚脱的功效。张景岳所创的独参汤能治卒然虚脱、亡阴、亡阳等危重症，葛可久《十药神书》用独参汤治疗大咯血，都已成为补气益血固脱之典范。近代报道用人参抢救危重症的也不少见。然而，不少医生一碰到危重症则踌躇不前，不能说与受"中医不能治疗急、危、重症"的偏见没有一点关系。振兴中医，开展中医治疗急、危、重症是一个重要内容，愿与同道共勉。

实证用补话人参 ｜玉振熹｜

小儿暴泻，久泻，久痢，或温病后期，常并发腹胀（麻痹性鼓肠），严重者可危及生命。我初参加临床医疗时，对这种腹胀的小儿多用行气降气的方法治疗，有治愈的，也有不愈的，甚至死亡的。为什么病因相同，证候表现相同，而疗效不一样呢？开始百思不得其解。

后来请教一位老师，他建议大凡久病热病后期，正虚腹胀者宜加用人参。以后遇到凡是因热暴泻，或温病热盛伤阴耗气引起的腹胀便用厚朴三物汤加人参：红参 6 ～9g，厚朴、甘草、降香各 6g，枳实 9g；因湿热痢疾耗伤气津，湿热未清，正虚邪留引起的虚实夹杂的腹胀，用人参小承气汤加味：红参6~9g，大黄9g，厚朴4~6g，甘草、木香各3~6g治疗。所治8例均效，都在2~3天告愈。如一名7个月的男孩周某，患湿热痢疾发热，日解脓血便8~10次，烦躁，经治疗1周后下痢脓血减至日1次，但出现腹胀，日渐明显，无矢气，肠鸣消失，神倦嗜睡，四肢软弱无力，经补钾、胃肠减压、注射新斯的明、松节油腹部热敷等腹胀未减。改中药治疗：红参6g，另炖取60ml，大黄、枳实各9g，厚朴5g，木香、甘草各3g，煎取120ml，分6次与红参水兑服，每小时服1次，另60ml分2次保留灌肠，隔3小时1次。服2次药、灌1次肠后放屁2次。1剂药服完，矢气频频，腹胀渐消，肠鸣可闻，守方1剂，停灌肠，均作口服，腹胀消失如常，调理5天，治愈出院。

为何加用人参后疗效更显呢？我认为，泄泻、痢疾、温病后期出现腹胀，不仅是由于伤阴，更重要的是耗气，气不足，脾胃的运化、升降功能失常，大肠失司，清气不升，浊气不降，充斥肠间所致。厚朴三物汤、小承气汤虽有行气降浊之功，但气不足，推动之力不足，浊气难于外泄，加用人参大补其虚，扶其正气，一补一行，一升一降，大肠传导得司，浊气得降，腹胀自消，故效果更加显著。

滥服人参，引动气火 ｜龚 菼｜

我曾治一妇人，年70余，躯体魁梧，身着红装，头插鲜花，面红如醉，步履矫健，由十多人前拥后簇而来，步伐雄武，谈话唾沫四溅，声如洪钟。据悉老妇虽已年迈，精神特好，尤其是夜间精神焕发，令全家男女老少轮流陪其娱乐，经常通宵达旦，历已10日。一家人不堪其扰，求治于我。诊其脉四指有余，弦数有力，尤以右尺脉重按更甚。察其舌质红，苔黄，且食量惊人，大便秘结，小便赤。病系君、相之火上炎，以致心神扰乱，不能安舍。即予龙胆泻肝汤原方，以泻降相火，逐热下行。服1剂后，妇人晚上能睡3小时，连服3剂，可安然入睡。后又出现口舌生疮，遂改用天王补心丹以善其后。盖媪系侨眷，日前由海外寄来数枝高丽人参，每晚取6g炖服，连服7日，以致发生上述各症。高丽参系甘温补气之品，老妇素体强壮，服之已有"实实"之虞，又值盛暑时节，无异于火上添薪。气有余便是火，竟险成狂证。故治法以泻火为急。火下泄，神明不受扰，可得安眠。但投龙胆泻肝汤后，相火虽退，君火犹存，口舌生疮，所以又用天王补心丹交通心肾，引水济火。

无病服药，庸人自忧，自古有之，录此可作为富人惜命滥用补药之诫。

乐 参 者 戒　　|赵正山|

参类如吉林参、高丽参、东洋参、西洋参等，功能大补元气，调营养卫，宁神益智，故养生、治病者乐之。近世人参产量增高，供求较易，于是用参者日多。

医谚："人参杀人无罪，大黄救命无功。"因人参为本草经之上品，延年益寿，引人注目，即使误服亦不归咎于参，反以为既服人参不救，此天亡非参之罪。故曰：杀人无罪。闽南侨乡，不乏备参者，动辄服参，或效或不效，或竟反致杀身殒命，聊举数例。

南安张媪素健，年逾六旬，犹能务农持家，子女远渡南洋，常寄参回。某日媪忽暴逝，邻舍不知其故，于料理后事时，发现卧室保温瓶中有小萝卜样物数条，识者知系上等洋参，姑知媪以此为饮料，过量而贻害。

回国观光侨胞陈老，虽古稀之年犹面色红润，行动敏捷，但大便艰通，脉象有力，询知平素日以人参汤代茶。此乃过用人参而敛气，告以停参可以勿药。

上述2例，可为常人乐用参者戒。

方某，因患肝癌住院，症见发热口渴，黄疸，右胁肋皮下广泛青斑，剧痛，尿少，脉弦数有力，舌苔黄燥。自诉近日用参计达65g之多，发热不退，黄疸愈甚，病情增剧，终于不救。

黄某，医诊为早期肝癌，指望用参扶正祛癌。乃弟侄旅居港、澳，3个月间，共服洋参2000g，自谓赖参维持生命，但日入厕数次，时泻、时溏，医院认为癌肿转移，任其服参。余告之系过用洋参之害，停药或能缓解。患者不以为然，仍谓停参必不可救，后竟以参而殒其身。

药，善用则益　　|叶挺兴|

人参为滋补药中的上品。中医学家在长期的临床实践中，证实它有大补元气、固脱生津、安神益智等作用，用来抢救一些危重病人，屡建奇功。如伯父叶某，曾因上消化道出血，住入某地区医院，经输血、打针、服药治疗3天，未能见效。家属失望之余，把病人抬回家中，急电召我诊治。症见下血呈咖啡色，神识朦胧，面色㿠白，微汗肢冷，苔白润，脉微。认为是失血过多，气随血脱之候，危在顷刻。根据"善治血者，不求之有形之血，但求之无形之气"的理论，急拟高丽参15g，隔水炖，慢慢灌服。连服2剂后，化险为夷，最后用归脾汤化裁，调治痊愈。

但凡药物总是有利有弊，人参也不例外。用之得当，固然厥功不浅，用之不当，适得其反。友人陈某，去年因逢喜庆，贪杯滥饮，更加膏粱厚味，以致中焦蕴热，胃火内炽，迫血妄行，而患鼻衄。患者自认为是身体衰弱，操劳过度所致，自购红参煎服。不料，服后鼻衄暴甚，来势汹汹，经及时处理，而血始止。

近些年来，有人把人参当作滋补佳品，甚至认为"有病治病，无病强身，益寿延年"。殊不知用之不当，其过非浅，也有长期或过量服用人参，而出现头晕、心悸、烦躁、失眠等中毒症状。古人说"人参杀人无过"，应引以为戒。可见，药善用则益，盲用则害。

功过悬殊话附子　　|王著础|

我年轻时的一个秋天，得了一场大病。症见恶寒发热，早晨稍爽，午后增剧，傍晚更甚。每随热重则心烦伴谵言。经人推荐，就诊于福州某医。他认为是"太少两感"，投桂枝、附子、茯苓、半夏等药。连服5剂，我反觉肌热如焚，烦渴更甚，甚至狂乱谵语，举家惶恐。幸遇先师郭云团（郭老系四世祖传，专治温热病的高手），断为伏暑化热，方用栀子豉汤合凉膈散去硝黄。服1剂，汗透热退身凉脉静，霍然而愈。

1944年福州市郊霍乱流行，死亡甚众。陈某病势危笃。家属邀我往诊。症见吐泻交作，神呆色夺，昏不知人，浑身冰冷，口噤不开，六脉俱无，气息奄奄。举家恸哭，忙着准备后事。我诊后，认为是寒霍乱危候，杯水难济车薪，急以大剂四逆汤温经回阳。方用：炮附子、干姜各30g，炙甘草20g。但患者口噤不开，汤药难入。恰巧患者先天性上唇缺损，就将上药浓煎后，慢慢从唇裂处滴入。次日凌晨，患者苏醒过来，吐泻已平。继以调理以善其后。

附子性味大辛大热，气雄不守，通行十二经，功擅回阳救逆。用于阴寒内盛、阳气欲脱之证，确有奇效，故为回阳救脱主药。但附子毕竟刚燥易于耗阴劫液，用之不当，祸必接踵而来。

白茅根能下血消瘀 　|林上卿|

白茅根，一般药书仅记有清热生津、凉血利尿的功能，而《神农本草经》还载有"除瘀血"疗"血闭"的作用。余临床验证确有此效。

某年春月，余在福鼎县南镇治一姚氏妇人。前医谓水肿病，投附子、桂枝、吴茱萸、干姜、苍术、陈皮、大腹皮等数剂无效，延邀余诊。察其面色暗晦，口唇微绀，口苦且干而不欲饮，心烦不寐，午后低热，腹胀如鼓，按之稍坚，满腹青筋显露，指甲暗紫，大便艰通，小溲短赤，舌暗苔黄，脉象细数。此过服辛燥，伤及胃络，化热动血，瘀血蓄积于肠胃，不得畅通故也。须用甘寒消瘀利水之品治之。我按《神农本草经》对白茅根功用之记述，独取白茅根0.5kg，剥皮留尖，以米泔水浸泡3小时，用清水半锅，浓煎取汁3碗，嘱患者频频服之。每日1剂，3剂后，下黑便甚多，小溲通利，腹胀渐退。一味白茅根，竟获显效。

再有，浙江平阳有一陈氏妇人。妊娠3个月，虑胎火内炽，自取白茅根120g，煎服之，而致胎漏不止，延医无效，终成小产。《日华子本草》曰："茅根之主妇人月经不匀，通血脉淋沥。"故世有妊娠忌白茅根之说。

验如斯药，对症也罢，误用也罢，其下血消瘀之功皆已可见。呜呼！白茅根之功岂只凉血止血，清热利尿？药圣李时珍赞白茅根曰："良药也，世人以微而忽之……"对白茅根之钟爱跃然纸上。

山珍香菇的药用 　|龙美宏|

香菇是世界上最著名的食用菌之一。其味鲜美醒胃，具有独特的香味，而且营养丰富，含有大量的蛋白质及多种维生素，一般蔬菜不能与它媲美。因此，经常多食用香菇对儿童、孕妇、结核病及心脏病患者的健康十分有利，医疗价值很高，有健脾益气、滋阴养心安神，及提高机体免疫力及抗癌等作用。据科学家测定，香菇含有香菇多糖等抗癌物质，它对癌细胞有所抑制作用；对多种化学治疗有增效效应；香菇中还含有能降低血中胆固醇的有效成分，取名为香菇素。用香菇来治疗高血压病时，每人每天约需吃干香菇7~8g即可。

近年来，笔者采用香菇饮食疗效对一些疾病进行了观察，发现有良好的疗效。

如林姓男孩，8 岁，因感冒发热（体温达 40.8℃）后，经常心悸，神倦，乏力，面色青白，嗜睡，舌红，脉细数。西医诊断为"心肌炎"。经每日给干香菇 30g，浓煎分 3 次服，食用 1 个半月后，诸症消失，心率正常，心肌炎治愈，至今未见复发。

又如龙姓妇，38 岁。腹泻溏便反复发作 6 年，曾经中西医治疗未见好。症见形体消瘦，面色无华，乏力，气短，心悸，梦多，纳差，口淡喜热饮，进食油腻则腹泻，大便完谷不化，3～4 次/d，舌质淡，苔少，脉细弱。每天用干香菇 40g，炖鸡或瘦猪肉吃，共吃 1 个月，大便成形，每日 1 次，各症消失，面色红润，体重增加，恢复健康。追访 10 年腹泻从未复发。

对于病后虚弱胃纳不振，饮食少思者，用干香菇每次 15g 与鸡肉鸡肝蒸熟后吃，食三四次后纳食增进，身体很快康复。

由此可见，香菇对人体确实是宝，有病可治，无病可防，营养身体，增强抗病能力，达到延年益寿。香菇价格不高，味美，易被人们接受，值得进一步分析研究，使其发挥药用价值，成为祖国医学"食疗"中的一枚瑰宝。

柴胡疏肝效良　　|韦金育|

关于柴胡的应用问题，古今医家意见纷纭。不少人拘泥于"柴胡劫肝阴"之说，把柴胡看成峻烈药，慎之又慎，当用不用，妨碍了柴胡治病作用的正常发挥。笔者从事肝病研究多年，感到柴胡还是疏肝的良药，用之得当，不会出现"劫肝阴"之弊端。

1977～1983 年间，我们曾设肝病门诊，治疗各种慢性肝炎病者 229 例，其中属中医肝郁证表现的 108 例，均采用以柴胡为主药的由四逆散衍生的柴胡疏肝散、逍遥散、柴芍六君子汤等治疗。治后多数病者症状消失，肝脾回缩，肝功能恢复正常，总有效率为 84%，未见有头晕头痛，口苦，咽干，肝痛增加等"劫肝阴"的弊端出现，更未见因用柴胡制剂而使病情恶化的情况。有一黄姓患者，男，58 岁，农民。1974 年诊断为"慢性肝炎"。曾服肝泰乐、维生素 C 等保肝药无明显好转。1977 年 5 月前来就诊，主诉肝痛，乏力，纳呆，口苦，溺赤已年余，未参加劳动。查见：舌淡红，苔黄稍腻，脉弦细。肝于右肋下 1.5cm，有压痛，脾未触及。肝功能检查麝香草酚浊度试验（TTT）14U，CFT

补体结合试验（＋＋＋），GPT280U。证属肝郁脾虚，给服丹栀逍遥散 10 剂，症状好转后改服含柴胡的自制扶肝丸（柴胡、白术、当归身、白芍、黄芪、丹参、鳖甲、茵陈等制成蜜丸），每日 2~3 次，每次 1 丸，前后共服丸药半年之久。治疗后诸症消失，肝功能恢复正常，肝于右肋下 1cm 质稍软，已能参加生产劳动。

本病例前后累计共用柴胡达 2000g 以上，病情日渐好转，也未见"劫肝阴"的症状出现。

根据临床的粗浅体会，柴胡有疏肝解郁兼清热升散的作用，入肝胆两经，又可和解表里，既是治疗肝郁胁痛的主药，也是引导其他药物入肝胆经的引经药，临床上比较常用。对肝郁胁痛，通常可用仲景四逆散（枳实改枳壳）作为基础方加减应用，痛剧加青皮、金铃子散；血虚加当归身、川芎；肝热加黄芩、栀子；血瘀加丹参、桃仁。

当然，中医治病贵在辨证。说柴胡是疏肝良药，并不是说柴胡可以统医一切肝病。例如对素体阴虚的患者，长期大量使用柴胡等疏肝理气药，也未必尽妥，但也不至于达到"劫肝阴"的地步。从总体来说，只要应用得当，柴胡仍是疏肝解郁的首选药物，而不是伐肝劫阴的大盗。

旱莲治溶血有效　　|徐富业|

旱莲品种有二，一是苗似旋覆，花白而细者是鳢肠，二是花黄而紫，结实如莲房，乃小连翘也。其味甘性寒，能益肾阴，酸寒入肝，又能入血分，为止血凉血之要药。其止血可能与凉血、收敛作用有关。愚曾用墨旱莲（鳢肠）治疗药物引起溶血数例，效果满意。如龚某，男，患"伤寒"用西药引起溶血，体温高达 39.5~40.8℃之间，血红蛋白在 2 天内由 110g/L 降至 45g/L，血红蛋白尿强阳性。经输血、输液、用激素等治疗未见好转。病危，中西医会诊后，决定停用合霉素。余提出用墨旱莲治疗。诸医有相信者，亦有怀疑者。本人曾用此药治疗血尿屡建奇功，故亲自找生墨旱莲 500g，捣烂加凉开水 100ml 洗净榨取汁，嘱其母（母是医师）观察病情，药后 10 小时酱色样尿变淡，12 小时后尿色正常。尿 pH 酸性逐现碱性。查血红蛋白尿转阴性。说明此药确是凉血止血，控制溶血之佳品。临床上应用此品，医者多用干品水煎服，取汁用法，诚属少见。为探求其药用法，又治谢某，男，四十余岁。因寒热与尿血症，当时乡村医师投阿司匹林，1 天后，尿似酱色并恶心呕吐，遂来求治。查体温

38.8℃，白睛发黄，四肢有散在性瘀点，大小不等，压不退色。化验：血红蛋白85g/L，白细胞总数及中性白细胞升高。尿潜血试验（＋＋＋＋）。肝功能：黄疸指数溶血非常严重。西医诊为"药物氧化性溶血"，邀余诊治。决定使用干墨旱莲90g，水煎服。进药后症状逐渐好转，但治疗4天，酱色尿才变为淡黄色，尿潜血试验转阴性，后兼用养阴扶正之品治疗半月余，症状才完全消失。临床可见，生、干墨旱莲治疗药物引起溶血均有效，但生墨旱莲取汁比干墨旱莲水煎剂控制溶血远胜干品。

灵芝炖鸡治哮喘 | 林毓文 |

近治一哮喘者唐某。诉说1974年以前素体健康，无哮喘病史及家族史。后因车祸受伤，体质虚弱一直未能康复。此后，每遇气候突变则感气短，喘促，且逐日加重。冬季尤甚，发作前先感胸膈满闷，咳呛阵作，继之呼吸急促，张口抬肩，喉中有水鸡声，咳痰白而量多，稀而多沫。某日用冷水洗头后，上症大发。每晚喘甚而不能平卧，使用"气喘灵喷雾剂"喷喉后喘稍缓解，或暂平息。

面色晦滞，唇色紫黯，皮肤苍白而干燥，舌质淡红。语声低微无力，痰多难咯。脉弦而滑。多方治疗喘未止。余得一民间单方：用灵芝菌炖鸡，疗效良好。灵芝菌止咳平喘，安神定志。鸡肉性平味甘，益五脏、补虚劳，适用于老年体弱、久病。则给该患者灵芝菌50g，鸡肉90～120g，放少量盐油调味，加水适量，隔水炖1小时。吃鸡肉及汤。当晚病情即感明显好转。后连服7剂，哮喘之症缓解。为巩固疗效，培补其体质，根据辨证施治，除继服灵芝炖鸡外，另予生脉参蚧散加减以健脾补肾纳气。红参3g、蛤蚧3g、五味子6g、麦冬6g、黄芪20g、白术6g、法半夏3g、沉香6g、茯苓20g。水煎服，日1剂。7剂后诸症悉除。1年未见复发。

哮喘之病，宿根深固，病因复杂，且易复发。日久累及脾、肺、肾三脏皆虚。临床往往表现为本虚标实。医者只注意治其标，多投以平喘止咳方药，忽视对根本的培补。认为培补应待缓解期才进行调理，这观点其实是片面的。灵芝菌炖鸡就是一个攻补兼施能用于发作期，又可用于缓解期，既平喘止咳又补虚。对于一些体虚哮喘发作者在治法上独具一格，可见散在于民间之中的饮食疗法中有许多是卓有成效的好经验。

火药治缩阳、缩舌证 ｜刘家文｜

我曾诊治一例子病缩阳累及母病缩舌的杂病。患儿3岁，平时喜拨弄阳具，某夜突然睡中惊叫而醒，嚎哭打滚，手紧抓阳具不放，惊动邻居，一老叟见其阳具内缩，告诉其母用口吮吸，母依法竭力吮之，约10分钟，母舌渐内缩。家人见此情况急送来急诊。我诊后思悟为寒邪直中，予火药（鸟枪用的火药）少许，调水过滤，取澄清液令母子同服，服后10分钟，子阳具复伸，母舌复原而愈。火药乃硫黄、火硝、木炭研制而成，性大热，有温中壮阳、祛寒功效。而缩阳乃寒邪直中，故效。以后，因此法又治缩阳2例均效。

蒲公英利水通淋 ｜刘惠纯｜

蒲公英一药，传统用于解疮毒、治乳痈、疗诸疗；西医则谓其有利胆作用，用于治疗肝胆疾患。余读《本草从新》，书中载蒲公英为"通淋妙品"。常思一试。后诊一病人腰痛，叩之更剧，小便频数，尿道刺痛，验尿常规红细胞、白细胞较多，即处以单味蒲公英60g，水煎服。2剂后腰痛减轻，再服1剂，排出黄豆大结石1粒，症状逐渐消失，附记于此，以资交流。

话 靰 鞡 草 ｜郑源庞｜

靰鞡草又称乌拉草。系多年生草本，灰绿色，根壮茎短，形成踏头，茎叶纤细强韧，不易折断。生于森林地区的沼泽地上，分布于我国东北，苏联远东地区及蒙古、朝鲜、日本等国。

俗话说，东北三宗宝，人参、貂皮、靰鞡草。前二者确被人们奉若至宝，而后者却视为野生丛草。我国东北约于8月下旬采拾晒干，经锤打后放入鞋中（靰鞡），可供御寒之用，但其药用价值至今鲜有问津。殊不知靰鞡全草入药，性味辛温，功用温中祛寒止痛，主治胃寒腹痛，吞酸呕吐。临床上用于脾胃虚寒型的胃及十二指肠球部溃疡与慢性胃肠炎等，疗效颇为满意。现举1案，以供参考。

患者沈某，男性，47岁，系乡镇企业干部。1976年1月初诊。主诉：胃脘胀痛十余年，屡治未效，愈发愈重。近2个月来自觉吞咽不畅，胸骨后下端阵阵烧灼感，食后饱胀加剧，不时疼痛，偶有泛酸，胃纳呆钝，大便少而软溏。当地某市一医院曾行X线钡剂造影，怀疑贲门癌。患者有所察觉，惊恐万状，彻夜不寐，神无所依，魂无所归，以致精神焦虑不休，形体迅即消瘦，更感粥饮难进。在亲友劝导下，特来杭州检查。经纤维胃镜内窥，确诊为慢性浅表性胃炎、胃窦炎伴局部糜烂、十二指肠球部炎及食管下段炎。炎症广泛，加以延治日久，殊非轻疴。余察其舌质淡而暗滞，苔白中灰腻，脉来虚弱无力。此属中阳衰微，脾胃虚寒。然中阳益虚之日，正是络瘀形成之时，即前人所谓“久病入络必有瘀”。虚中夹实之证，治应虚实兼顾，宜温脾运中以和胃，活血和络以止痛。方用自拟靰鞡九香汤合香砂六君汤加减之，药如靰鞡草、九香虫、桂枝、延胡索、潞党参、茅白术、姜半夏、茯苓、当归、煅瓦楞、煨木香、淡吴茱萸、炒川黄连、炙甘草等。

上药迭进20余剂，患者神色复振，胃脘已无不适，纳谷渐香，只是不敢多进。无奈年关春节将至，不能在杭州久呆。遂嘱返乡后守方再服1个月以资巩固。不料2年后，饮食失慎，旧恙复燃。病者在当地按前复方（惟缺靰鞡草）照服，但总觉效微。翌年开春，由其侄儿陪护来杭州，再处方配药30剂，回乡服后，果然又获效验。

临床实践表明，根据靰鞡草温中祛寒的功用，不仅对脾胃病有佳效，而且对各类虚寒性疾病皆可应用。如心肾阳气虚衰的病态窦房结综合征和高度房室传导阻滞等，常与参附配伍以加强温阳益气的作用；配瓜蒌薤白桂枝汤以治心阳不足之胸痹心痛证；与祛风胜湿药相伍治疗风湿性抑或类风湿性关节炎，可增强温中散寒、祛风除湿止痛的效果。此外有脾肾失调，痰浊内阻而致的代谢性疾病，如痛风等，可与调理脾胃药相配伍以温助阳气振运之力，消除痰浊，促进代谢复原。故其临床药用价值由此可略见一斑。

五倍子消蛋白尿有效

谈发建

《上海老中医经验选编》茹十眉先生介绍用五倍子粉0.3g入胶囊，每次1粒，1日3次，消除1例肾病综合征患者蛋白尿。笔者用此法治愈1例顽固蛋白尿。

卓某，男，19岁，学生。患者于6个月前出现浮肿，蛋白尿（＋＋～＋＋＋），经某医院诊断为肾病综合征，用地塞米松治疗好转，体型出现柯兴综合征样改变，紫纹很多。在激素减量过程中，病复发如故。患者不愿再服激素，于1984年6月13日来我院中医病房求治。

先用清利湿热法治疗，待湿热一去，改为健脾固肾法治疗。方用：黄芪、党参、山药、茯苓、仙茅、淫羊藿、覆盆子、芡实、金樱子、泽兰、蝉蜕、白花蛇舌草。

服上方6月余，蛋白尿一直持续在（＋＋～＋＋＋），而患者拒绝服用激素。尿蛋白电泳呈大中分子。

同年10月18日：上方加投五倍子胶囊1粒（0.3g），1日3次口服。10月22日尿蛋白减为（＋），10月25日蛋白尿消失。随访4个月，蛋白尿一直阴性，现已参加工作了。

按：继此例之后，笔者用健脾固肾的中药汤剂加服五倍子胶囊1粒，1日3次，同时应用强的松每日30mg口服，治疗1例肾病综合征大量蛋白尿（＋＋＋＋）患者，治疗1个半月蛋白尿转阴，在减激素过程中亦未出现反复。尚未发现五倍子口服有任何不良反应。五倍子在消蛋白尿方面有较好效果，经得起重复。五倍子主要作用在于固肾，故必须在纯虚无邪时应用。

谈　用　姜　　│张运开│

姜有生姜、干姜、廉姜之分，炮制后又有姜皮、煨姜、炮姜等不同。现分生姜、干姜、廉姜3类加以区别。

1. 生姜类：分鲜生姜、煨姜、生姜汁、姜皮4种。鲜生姜辛温，有解表散寒，温胃止呕，化痰行水，健脾解毒的功效。《本草纲目》曰："生姜之用有四，制半夏、厚朴之毒，一也；发散风寒，二也；与大枣同用，辛温益脾胃元气，温中去湿，三也；与芍药同用，温经散寒，四也。"煨姜为生姜用纸包，润湿入火煨熟而成；辛散之力不及生姜，而温中止呕、止痛和血之力较生姜为优；常与当归、白芍、柴胡等配伍，用于气血不和，月经不调，或经来腹痛等症，取其"熟用和中"也。生姜汁，辛散之力较强，多用于中风痰迷、口噤昏厥及呕吐不止之症。生姜皮，性味辛凉，功能行水，常与茯苓皮、大腹皮等同用，治皮肤水肿尿少之症。

2. 干姜类：分干姜和炮姜两种。干姜性热味辛，具有温中祛寒、回阳救逆、温肺化饮功效。正如《珍珠囊》云："干姜其用有四：通心助阳，一也；去脏腑沉寒痼冷，二也；发诸经之寒气，三也；治感寒腹痛，四也。"炮姜为干姜炒至表面焦黑色面成，性温味苦涩，其温里作用弱于干姜，长于温经止血。《本草从新》曰："炮黑，止吐衄诸血。"常用治吐血、崩漏、泄泻等症。

3. 廉姜：又名山姜、姜叶淫羊藿等。性温味辛，有温中下气、祛风活血、止痛功效。常用治胃痛胀闷，噎膈呕吐，腹痛泄泻，风湿关节冷痛；外用治跌打瘀血停滞，无名肿毒。

余曾治一男性中年患者，经常脘腹胀痛已近五载，喜温按，四末欠温，面色苍白，饮食减少，舌黄淡，脉虚弱。病属脾胃虚寒，气滞不舒，拟温中健脾、理气止痛法。方用香砂六君子汤加良附丸、廉姜而取效。

上述各姜虽属姜科植物，但因功效、炮制各异，其主治各有差别，有的则迥然不同。余在教学和临床中发现，初学者容易混淆，临证者往往忽视。为了准确用姜，提高疗效，医者不可不辨。

阿 胶 琐 语 ｜邹卓群｜

北宋沈括《梦溪笔谈》谓"剂水伏流"，指出剂水源远流长，且多地下水。掘井取水，清凉爽口，沁人心脾。尤以山东阳谷阿城镇的井水，更具清冽甘美之味。用以煮胶，质量好，疗效高，阿胶因而驰名中外。据文献记载，以胶投水搅溶，浊水即清。故可用来止浊，净化污水。六朝著名文学家庚子山《哀江南》赋中，就有"阿胶不能止黄河之浊"的名句。

现在，各地所产的驴皮胶统称阿胶。制胶的方法，一般均用水煮驴皮，加进适量的皂角水或碱水，煮沸洗净，再反复煎熬而成。有的地区还加进少量的糖和酒，先用大火，后用微火，浓缩至含水量为20%左右，放冷切成小片阴干。古代对于阿胶的熬制方法与今不同。医籍上没有专门记载，却被记录在笔记小说《巾箱记》中。据载，宋时熬胶，还配有人参、鹿角、茯苓、山药，当归、川芎、生地黄、白芍、枸杞子、贝母等10味药物，增强其补气扶阳，滋阴止血，健脾豁痰的功效。"精不足者，补之以味"，凡属虚损病症，服此效果更好。

我于临证时，根据病情需要，常嘱病家将市场上出售的阿胶再配上述10味药物熬制，虽较麻烦，常获显效。为了增强药物功效，更好地发挥治疗作用，个人认为宋代的制胶方法确是值得进一步研究和普遍推广的。

另外，据现代分析，阿胶水解后产生多种氨基酸，其含量与明胶相似。临床上，若缺乏阿胶，其他动物皮熬制的胶，亦未尝不可代用。

（马文骏　整理）

麻黄配伍应用一得　｜刘燮明｜

麻黄出自《神农本草经》。其味辛、微苦，性温，归肺、膀胱经。辛能散能行，苦能燥湿，温能散寒。有发汗解表、宣肺平喘、利水散结之功。因其发汗作用较强，人多谓其悍猛峻烈，有伤津亡阳之虑。尤以夏月炎热，更畏麻黄如虎。然则黔东南州地处苗岭山区，语云"四季无寒暑，一雨便成冬"。全年气候变化剧烈，寒湿之气颇重，故麻黄应用机会亦多。

临证凡风寒表实、咳喘、水肿、风湿痹痛、阴疽诸症不分季节均可在相应方药中加用麻黄。个人浅见，以上诸症只要掌握舌不干红、苔不光剥、身无汗出三要点即可放心使用。舌不干红者是无热伤津液之象；苔不光剥者是无阴虚血少之虑；身无汗出是表实可汗之征，故但用无妨。用量上，余常用小量递增法，使药至病所，令微汗出，病退而止，颇为稳当。曾遇杨某，女，32岁。时值7月炎暑，淋证复发，小便淋涩疼痛，头面虚浮，四肢发紧。用八正散后小便增加，尿痛减轻，余症未愈。复因外感而畏风鼻塞、身痛困盹，苔薄黄，脉细。诊为风水相搏，投麻黄汤合五皮饮加减：麻黄5～10g，桂枝、杏仁、桑白皮、大腹皮、生姜皮、连翘、生甘草各10g，白术、陈皮各15g。连进7剂，溲畅痛止，身和肿消。

又治刘某，男，35岁，仲夏之时，臂部多发疖子，硬肿无头，此起彼伏，曾开数刀及肌注青霉素、链霉素等未能控制，查局部肤色暗红，硬肿而不灼手。切开处亦少见脓汁，身无汗出，苔白脉弦。余诊为阴疽，投以阳和汤加减：麻黄、桂枝各10g，白芥子9g，干姜6g，鹿角霜20g，红藤20g。上方共进12剂后，疖肿渐消。

以上2例，均发病于暑夏炎热之时，均用麻黄且加用桂枝等辛温之品而未见大汗出。可见用之得当，疗效确切，极少不良反应。《素问·六元正纪大论篇》"有故无殒"之言，验之临床，信而有征。

妙 用 商 陆 |聂光荣|

商陆，《神农本草经》云"味辛平"，《本草纲目》云"苦寒有毒"。属利尿逐水峻药。临床用治大腹水肿，小便不利，有去菀陈莝之功。商陆有赤白两种，临床应以白花商陆入药。白花商陆，味苦寒、性微辛、无毒。花白者，根块商陆呈白而微黄色，状如白甘薯，表皮浅褐色。

方书多言商陆赤者有毒，不可内服。有云商陆内服剂量应掌握在1.5～4.5g，过量可引起中毒，反致尿量减少，可能针对赤花商陆而言。

贵州民间呼白花商陆为大苋菜，多栽种于庭院备用。谓其能治虚弱，或病后体虚浮肿。取新鲜者炖肉吃，每次用量达50～100g。商陆能否治虚弱，理论上尚无根据，临床也不用其补虚。《本草纲目》仅载有"商陆，其苗、茎并可蒸食，可作脯，可充粮救肌"。

余喜用白花商陆，内服常用量，干品10～15g，外用50～100g。家传商陆、鲜葱贴敷小腹法，治疗腹水肿满、癃闭。其法用白花商陆，干品100g或鲜品150g（鲜品更佳），鲜葱50g，共捣烂如泥，置锅内炒热，贴敷小腹，冷则炒热又贴，如此反复多次，一般4～6小时即可达目的。

曾治一危重水肿病青年男子，因感冒后患急性肾炎住院治疗，数日之后，浮肿不仅未消，且日甚一日，渐而肿势入腹，小便涓滴而下，竟至癃闭。医院按急性肾炎并尿毒症，已下病危通知。余诊见其人全身浮肿，腹大如瓮，面赤，气喘，烦躁不安，恶心，呕吐，食饮难下。患者肾关闭塞，三焦不通，水气泛溢，壅滞于腹。尤为棘手者，恶心呕吐，汤药难进。即先用商陆贴敷小腹法，以救万一。遂取新鲜白花商陆500g给患者家属，嘱另加鲜葱1握约150g，共捣烂如泥，置锅内炒，趁热敷小腹部，冷则炒热又敷。越日家属欣喜来告曰：如法用后，半夜小便大下，腹大明显消退，且全身漐漐汗出，身肿已消，今晨已进稀粥2碗，还叫不饱。一味平淡之药，把病人从痛苦、重危的边缘上挽救回来，且收效之快，亦令人惊叹。患者积水得行，肾关已开，胃气因和。后投加减疏凿饮合自拟二皮消肿汤扫荡余水兼以清热，治疗半月余即获痊愈。

白花商陆对各种原因所致的腹水，如急慢性肾炎、尿毒症之腹水、心原性腹水、肝硬化腹水、尿潴留，用贴敷法，均具有独特而卓著的疗效。而且外用，患者也乐于接受。敷时不要过烫，对皮肤亦无刺激。

须要注意者：赤花商陆苦寒有毒，内服慎用。我只用白花商陆，赤者均不作内服、外用。

　　白花商陆内服除应掌握剂量外，应注意患者病情及体质。体虚者应从小量用起，或掺入扶正之药，外用则无妨。现尚未发现白花商陆的不良反应及毒性反应，故不须畏惧。

荆芥妙用止清涕　　|陈幼姗|

　　吾曾治一老翁，每于受凉即清涕长流，伴轻微寒热，咳吐黄色黏痰。他医诊为风热犯肺，予桑菊饮治之，药后寒热及咳嗽减轻，惟清涕不止。其脉浮，舌边尖红，苔薄，乃以桑菊饮中加荆芥 1 味，清涕竟止。又诊一 6 岁女孩，其母告曰："小女自幼流清涕，致使双鼻孔皮肤都被清涕浸蚀发红。"查其小女孩，除双鼻孔下被清涕蚀成两道红沟外，无鼻阻流浊涕，舌边尖红，苔薄，双额窦、鼻窦均无压痛，予疏风清热之桑菊饮加荆芥 2 剂。药后清涕大减。仍拟上方 2 剂，1 周后，清涕已止，鼻孔下仅留干燥红色痕迹。

　　考荆芥一药。《神农本草经》曰："辛温，入肺肝经，祛风解表……。"《本草求真》曰："……辛苦而温，芳香而散，气味轻扬……借其轻扬以宣泄之具。"以其辛温可祛风散寒，但其气味轻扬，不致助其热邪，起到药达病所，分剔寒热之功。

大黄救人有功　　|潘但铨|

　　吾自幼跟随黔之名老中医黎伯勋及学验俱富的老中医胡仲簏习学中医。二位老师熟谙医理，遣方用药，既精且巧。在补泻问题上，他们曾告诫曰："用药不可妄攻，亦不可妄补，人常言：人参杀人无过，大黄救人无功。此乃反诘之语，富含讽刺性。换言之，即人参杀人有过，大黄救人有功。切记虚虚实实之诫。"虽事隔20余年，音犹在耳。且举 2 例吾师用大黄力挽沉疴的治验于下。

　　龚某，男，22 岁。发病前 1 个月因工作失职，屡被领导批评，致郁郁寡欢，少言语。突于 10 天前猝然发狂，喜笑不休，骂詈不避亲疏，甚则裸衣赤足，毁器登高，狂歌乱舞。曾用大剂量冬眠灵等镇静剂肌注数日，另以甘麦大枣汤治之未效。病势日增，始邀黎老会诊。黎老带吾同往病房，见两个壮汉按住病人双肩，强使坐定。患者面红目赤，声音洪亮，唱叫不休，喉间痰声漉漉，腹胀满，便结，舌尖红，苔黄厚，脉弦滑而数。诊毕，黎老谓：此系肝郁化火，炼液为痰，痰火扰心，母病及子，蒙蔽心窍，神识迷乱而发狂，兼之肝气横逆犯胃，致阳明胃府热盛便结，热无从出，亦能耗灼心液，子病累母，而致谵狂。乃用生铁落 90g、淡竹叶 60g 加水 1500ml，煎至 750ml，后入大黄 24g 煎 3 分钟，取汁 400ml，兑入竹沥，分 2 次服，3 小时服 1 次。当晚腹中雷鸣，排出燥屎数枚，患者稍安。又如上法煎服第 2 剂，次日天明连泻 2 次稀便混同燥屎，臭秽不堪。始觉神疲，昏昏入睡十数小时，醒后其病若失，一如常人。

又如王某，男，28 岁。1964 年端午节后 7 日求胡老诊治。自述端午晨起食冷粽子 2 个，中午又酒肉、水果杂进，至晚吐泻交作，西医予食母生、土霉素、黄连素等品，次日腹泻稍减，而呕吐及腹痛依然。某医嘱继服西药外，另进理中汤 1 剂。第 3 日呕吐渐止，惟腹中矢气频传，疼痛不休，痛剧时泻出臭秽稀水。后数易其医，所服不外保和丸、平胃散、胃苓汤等消导止泻之品。药后腹痛、腹泻益甚，众医束手，患者才由家人陪同来诊。现症：痛苦病容，腹痛频作，痛甚则泻下稀水，极臭。腹部硬满，拒按，口渴引饮，舌红，苔黄厚且燥，脉沉数。诊毕，胡老谓吾：此何证？当以何法何方？吾答：乃食滞泄泻。当用消法。方取枳实导滞汤和中化滞。胡老曰：此乃宿食停滞肠胃，失治误治所致之热结旁流，当用下法，取通因通用之义。用枳实导滞汤治疗，病必不除，犹如杯水车薪，难遏燎原之势，应以调胃承气汤泻其热结，急下存阴。旋即疏方：大黄 30g、芒硝 9g、甘草 15g。嘱患者大黄、甘草同煎，分 2 次服。每次煎取 150ml 兑入芒硝 4.5g 顿服。若燥屎泻尽则止后服。患者依言，服药后 3 小时腹中雷鸣，泻下燥屎及稀便近一痰盂，腹胀、腹痛顿消。翌日，患者复诊，胡老以异功散加焦三仙连进 2 剂，调治痊愈。

大黄苦寒，无毒，入胃、大肠、肝、心包经。《本草纲目》载："破癥瘕积聚，留食宿饮，荡涤肠胃，推陈致新，通利水谷，调中化食，安和五脏……除痰实……实热燥结，潮热谵语。"前例乃肝郁化火，痰火蒙蔽心窍而发狂，兼有肝气横逆犯胃、阳明热盛便结之证。黎老令大黄后下少煎，取其剽悍峻烈之性以清心豁痰，泻火通便，故一剂知，二剂已。后例初乃伤食泄泻，过用止泻之品而消导之力不足，闭门留寇，致成热结旁流之证，非重用大黄不足以泻下热结燥屎。胡老匠心独运，重用大黄至 30g，以清热破结通便，故效如桴鼓。

大黄在仲景主要泻下剂中的配伍意义 　　│杨抗生│

《神农本草经》谓大黄"味苦寒，主下瘀血，血闭寒热，破癥瘕积聚，留饮宿食，荡涤肠胃，推陈致新，通利水谷，调中化食，安和五脏"。张机在《伤寒论》及《金匮要略》中所创制的 7 首泻下剂名方，就充分体现了大黄在不同的方剂、不同的配伍情况下，发挥良好的泻下之力。

大承气汤证的病机为肠胃实热，燥屎内结。治疗必须急下存阴，以救将绝之肾水。方中用大黄之苦寒直降下行，走而不守，泄热通便，荡涤胃肠积垢，配伍辛咸苦寒的芒硝以软坚泻热，润燥增液，使燥屎软化，有"增水行舟"的意思，从而能治疗造成热结便秘的病因和主证。这又不同于增液承气汤的阴液亏损，燥屎不行，"欲通先充"用增液汤加硝、黄攻补兼施的"增水行舟"。大承气汤是遵循《内经》"热淫于内，治以咸寒"，以水克火。以及依据"佐以苦辛"，芒硝与大黄相须为用，来增强泻下热结的作用。

在小承气汤中，大黄苦寒，泻热通便。配枳实、厚朴下气破结，除痞满，苦辛健胃，一是消既滞之食；二是筹纳食于既下之后。使泻下药配理气药后，更能增强泻下作用。

在大黄牡丹皮汤中，大黄泻肠间瘀热结聚，清热解毒，行血通便；牡丹皮清热凉血，活血散瘀，通血脉中热结，两药合用，苦辛通降而下行，共泻瘀热为方中君药，荡涤一切湿热瘀结之毒，多用于治外科肠痈初起，脓未成的病证。

麻子仁丸是仲景用治肠燥胃热而致大便硬、小便数的脾约证。方剂的立法是根据《内经》"脾欲缓，急食甘以缓之"，《神农本草经》的"润可去结""润可去枯"的原则，用麻子仁甘平为君，杏仁甘润温为臣。脾胃干燥，必用甘润之物。枳实苦寒、厚朴苦温，破结者必以苦，为佐药。芍药酸寒，大黄苦寒，酸苦涌泄为阴，同为使药。祛结润燥，使津液还入于胃，则大便行，小便少而治脾约便秘，所以在润下剂中，同样需用大黄。

大陷胸汤是用治水热结实的大结胸证。大黄苦寒，长于荡涤邪热；甘遂苦寒尤善峻下泻水逐饮，泄热散结，使结于胸中的水与热从二便而出，两药共为君药，共泻水热互结之邪。作为攻坚与泻下药并用的范例。

在大黄附子汤中，大黄苦寒泻下通便除积，与辛热温经散寒的附子共为君药，借温热之性制大黄的寒凉，保存其通下走泄之性，是一种去性存用的配伍。因为对肠胃久留的寒积，非攻不能去。所以寒温并用的温下法，是治里实寒证的重要治法，它与温补法治里虚证，在临床实践中具有同样的配伍意义。

最后，三物备急丸是"主心腹诸卒暴百病"即里寒实证的危急证。方中用大黄苦寒下热结，以制巴豆的大辛大热大毒之性为佐药，可缓和其泻下作用，使之持续而缓慢地发挥药效。《本草图解》上说："巴豆秉阳刚雄猛之性，有斩关夺门之功。气血未衰，积邪坚固者，诚有神功。"巴豆大黄同为攻下之剂，但大黄性冷，腑病多热者宜之，故仲景治伤寒传胃恶热者多用大黄。

以上所举的 7 方，可看出仲景泻下剂中对大黄的配伍独具匠心，用大黄配软坚散结的芒硝；配下气破结之枳实、厚朴；配清热凉血的牡丹皮；配甘润酸寒的火麻仁、芍药；配峻下逐水的甘遂；配辛热刚猛的巴豆等，分别起到了不同的泻下作用。值得我们在临床中认真研习。

久病头痛，将军夺关　　|陈兴珠|

头痛一症，有风、火、湿、痰、瘀、虚诸因，随其证治，多有效验。但是临证间又有病气兼化，正邪相混，以致治难中肯，迁延不愈。

福州市汽车配件厂女工吴某，头部击伤后头痛频发，痛时要服索密痛 3 片才能缓解。经多方求治，屡服钩藤、菊花、蔓荆子、藁本、白芷、苦丁茶等均无效。1984 年 10 月就诊于余，患者年已半百，自诉头痛如刀割，多在凌晨发作，痛位在巅顶，不痛时则如常人。脉沉细而弦，舌苔薄而净，质偏紫，寝食如常，二便自可。细揣搜风止痛无效，似与风火头痛无关。况病从被击伤起，不但气血受阻，定必愤怒伤肝，病位，与肝经吻合，且肝郁可化火，血阻必成瘀。泻肝胆之火，通瘀阻之血，乃治病之本。遂投龙胆泻肝汤，用当归尾，加桃仁、红花、丹参、赤芍等。连服 3 剂，头痛大减，不服索密痛亦可缓解。若大便通畅，则头痛更轻。复悟前药虽已中肯，而泻火通瘀之力尚感不足，拟前方加大黄 9g，以增强泻火通瘀之力。服后大便通畅，头痛若失，连服半个月头痛告愈，继以钩藤、甘菊合 6 味而功。

本案病位在肝。若谓病因，则高巅之上惟风可到，而医用搜风止痛全不奏效。但病由打伤，久病入络，分明有瘀。而遭打者愤怒伤肝，郁而化火，此正独处藏奸，不可不审。乃投泻肝理瘀，痛减而便后更轻，旋知非通瘀泻火不可，主药则非将军莫开，投之果效，叹医道之艰难，聊备一格。

单用牡蛎治亡阴证 　|双安安|

某妪，年逾七旬，夏月伤暑，发热，便泻日二十行，经用多种抗生素及补液治疗不效，而改服中药。曾用芍药汤、左金丸、四君子汤多方，数更其医，终不见效。用芍药汤则便泻反剧，用四君子汤则烦躁不安，病家延我诊治，视其头汗不止，形体枯槁，舌光如镜。便泻日十余行，泻物少而稠，腥而不臭，余无所苦，脉小细数。此阴伤而下焦不固也，若用苦寒，则有化燥之势，而用阴柔，则阴为泻用，但用温补，必助其热。惟塞流固津乃当务之急。吾仿吴氏一甲煎法，令以生牡蛎120g煎服，家人疑之曰："能愈？"答："姑妄试之。"

翌日，病家喜来相告："吾母重病月余，所用药需用箩装，而病反剧，岌岌待毙，且寿木已备，今用药只5分钱，便泻即止，真菩萨也！"后嘱以糜粥自养而痊愈。

久疟宜补，首推狗肉 　|肖　熙|

闽北地区丛山峻岭，武夷山脉横亘其境，峡谷深幽，雾多地湿，山岚瘴气氤氲拂郁。每当夏秋季节，疟疾疫疠频发，甚至猖獗蔓延。

疟疾病因，固由感受疟邪引起，但与人体正气强弱亦有密切的关系。因此，临床上如已用过截疟疗法而不瘥者，则应考虑是正虚不能托邪外出，而另图良法。

一年仲夏，曾治赵某，患疟已经两载，经中西医药诊治，终未痊愈，症见恶寒发热，反复发作，体倦乏力，眩晕嗜卧，下肢麻木不温，寐则抽筋，外观唇淡面眺。血检：疟原虫阳性。揣度病情，细思其治，恍然顿悟，患者疟久不愈，气血耗损，正气日衰，前医也有治以益气养血截疟，本属对证而未奏效，可知草木无情，功效终逊，宜改用血肉有情之品，以充精血。选用狗肉500g，配以黄芪30g，当归10g，水酒各半煮食，每2天进食1次。食疗半个月，诸症大减，寒热未作，1个月之后，饮食倍增，脸色红润，血液复检疟原虫转阴。未治疟，疟自愈。

狗肉性温，功能补血脉，益阳气，填精髓，厚肠胃，实下焦，为久疟正虚，食疗补养之佳品，用之常获良效。

余40年来的临床实践证实，凡慢性疾病正气日衰者，不仅应重视药治，更应注重食疗，酌用血肉有情之品补益后天，效果比较满意；而欲补养精血，温养阳气，狗肉可列为首选之品。但狗肉性温，凡素体阳盛，或在炎夏季节，或为热病之后，均应慎用，孕妇则忌服。此外本品不可与蒜同食。

话 说 食 疗 |万本善|

食疗即食物补养疗法，早在《黄帝内经》里就有记载。如"五谷为养，五果为助，五畜为益，五菜为充，气味合而服之"。在这部著作的13个方剂中，就有1个方剂乌鲗骨丸治疗血枯病。其药物组成是麻雀卵、乌鲗骨、茜草研末为丸，鲍鱼汤送下。《伤寒论》中有猪肤汤、当归生姜羊肉汤等。上述鲍鱼、麻雀卵、羊肉都是营养较丰富的补品。此外，唐代孟诜著的《食疗本草》，可谓是食物疗法的代表作之一。孙思邈更推崇用食物治病。他说："食能排邪而安脏腑，悦神爽志，以资气血。"又说；"若能用食平疴，适性遣病者，可谓良工，长年饵老子奇法，极养生之术也。"这些论述都指出了食疗治病的重要性。

我于去年冬天曾治一老妇，年56岁。诉说小溲失禁已2个月多，屡治未效。每日尿遗滴内裤，少则数次，多则10余次。病虽不致于殒命，但尿液常湿内裤，苦不堪言。西医诊断为膀胱括约肌功能减退；中医拟为老年肾虚，约束无权。阅其病历，皆用补肾固涩之类，人参、黄芪、熟地黄、枸杞子等大量使用，金樱子用至30g以上，均告罔效。诊查素体虚亏，脉形细弱，两尺尤沉，余无特殊。细审前医之治疗基本对症，为何未效？百思之后，拟用人参、炙黄芪、升麻、益智仁、枸杞子、熟地黄6味大剂量煎服，每日1剂。并嘱每日煮食鲜猪膀胱1~2个。患者连服2星期后，稍能约束排尿。仍照上法继续服5日之后，尿失禁基本消失。于是改为每隔2~3日或4~5日，再服1次，连服月余而收全功。可见本案例不仅肾虚失摄，尚有气虚下陷，且虚甚需配血肉之品，以脏补脏，才能收到意想之效。嗟乎！中医辨证不能有分毫之差，治疗用药也应细审精选，有情之品不可忘却。所以中医之食疗、药膳，应予重视、发掘，研究提高。

菠萝过敏，盐水可解　|王鉴钧|

菠萝又称凤梨，成熟了的菠萝果肉脆嫩，味道香醇，甜中带酸而可口，且具有去暑生津、止渴解酒的作用，是我国南方驰名的水果之一。吃法比较讲究，必须削净如龙鳞状的外皮及剔除"肉钉"洗净，切成小片块，若用淡盐水泡浸片刻再吃更好。然而，常有一些人不了解此果的吃法，或怕麻烦，只削去外皮，未剔除"肉钉"便嚼食，吃后引起喉间奇痒难忍，口流清涎，甚则全身发痒潮红、发热等过敏现象。1952 年我初到南宁某医疗单位工作，同年 9 月间便遇上几位出差来南宁的北方同志吃了未剔去"肉钉"的菠萝后发生咽喉奇痒难忍、声音嘶哑、口流清涎等。当时我亦没有治疗菠萝过敏的经验，正在犯愁时，一位壮族老媪言：只需盐水即解。于是，我便按她所授之法取来温开水，加入少许食盐，待盐溶化后给过敏者饮服，饮后不及 10 分钟，症状果然消失，感谢之后愉快而去。此后，几十年来，我每遇吃菠萝过敏之人，均教其用此法解之，屡屡获效。

蝉鸣荔红话荔病　|肖钦朗|

荔枝与柑橘、龙眼、枇杷、香蕉、菠萝并称福建 6 大名果，在国内外享有盛誉。荔枝果味鲜美甘香，人皆喜啖，但大量连续啖吃，轻则发热上火，重则而得"荔枝病"，尤其小孩更须注意。

去年夏日，荔枝丰收，某日杨君下班路上，1 次购买 10 余斤放置家中，旋即揭锅开炉，煮饭做菜，其荔枝被其 8 岁独子任食而不知。午饮时，发现小孩仰卧床上，面色苍白，汗出淋漓，言语低微。杨见其状则惊慌不知所措，即来喊我急诊。细询后，方知荔枝已被吃去 1/3。我说："这是荔枝病。"叫先用糖开水灌服，然后取荔枝壳 30g 洗净煎服。遵法饮服后，小孩逐渐清醒。

考《食鉴本草》记载荔枝"多食发虚热"。又《本草撮要》记载"荔枝壳解荔枝热"。可见果与壳有相承相制作用。又啖荔枝太多，引起的脘胀，饮用酱油 10ml，可除。书此引以为多啖荔枝者戒！

咽喉疾患与养阴清肺汤 |谈灵钧|

养阴清肺汤原方载于《重楼玉钥》，据说系清代郑梅涧所撰，郑的平生史实已不可考，只知郑氏精针法治喉科有奇效，其方药以养阴清肺汤为主。按养阴清肺汤原方仅 8 味，以生地黄、玄参、麦冬为主药（生地黄30g，玄参24g，麦冬18g），即《温病条辨》之增液汤（玄参30g，麦冬、生地黄各24g），牡丹皮、白芍、贝母、甘草、薄荷为辅药。在《重楼玉钥》书中此方治白喉，后世亦据此方治白喉，但如加入土牛膝根，则更为收效快捷。

笔者从事中医药工作30余年，使用养阴清肺汤主治喉科疾患（包括急性扁桃体炎、咽峡炎、化脓性扁桃体炎等），治愈率达90%以上。

白喉一症，以香港地区来说，在二三十年前，患者较多。自卫生当局推行预防白喉注射，儿童经过 3 次注射白喉类毒素之后，一般都很少发病。因此，中医诊治白喉的机会极少，本人仅有 2 个病例，其一是 2 岁半幼儿，发麻疹后不久继发白喉，在某医院留医不治（曾注射第 1 次预防针，未曾服食中药）；另一例则系 10 岁儿童，患白喉症，使用养阴清肺汤加土牛膝根治愈。

综合看来，据前人经验，养阴清肺汤可以作为治疗白喉之基础方；但笔者个人体会，常见之急性扁桃体炎，可用该方治疗，不必因其名有养阴二字而不敢使用。

急性扁桃体炎，相当于中医所称之乳蛾、喉蛾，或单、双蛾喉、喉痹之类，患者亦以儿童为多。患者咽喉肿痛，吞咽困难，头痛，有恶寒发热，或发高热，如确诊为咽喉疾患，扁桃体肿大或有脓液、黄白斑点，本人治疗均不采用解表退热药，只投以养阴清肺汤，效果颇佳。

为何感冒发热，甚至热度很高的患者使用养阴清肺药物而获效呢？笔者初时也未留意探索，及至看到《方剂学》书中介绍的例子和《简明中医辞典》记载治疗急性扁桃体炎和慢性咽炎后有所启发，因此略谈其药理作用，并就教于诸同道。

养阴清肺汤之主药生地黄、玄参、麦冬具有清热凉血的作用，并具养阴生津之效，用治温热病热邪入营而见高热，口渴，舌质红绛以及温热病后期的热甚伤津等。玄参还能泻火解毒，故善治咽喉肿痛，麦冬亦可用于养阴清热，润肺止咳。

其他辅药中，牡丹皮凉血活血，对金黄色葡萄球菌、链球菌，及其他多种细菌都有抑制作用；白芍除养血和阴外，对葡萄球菌、溶血性链球菌均有抗菌作用；贝母功能清热化痰，清热散结；甘草作用为清热解毒；薄荷性味辛凉，入肺、肝经，疏散风热，兼治咽喉肿痛。

急性扁桃体炎，直接病原通常是溶血性链球菌所引起，或因热性病诱发，为此如单纯使用解表退热药加喉科药如山豆根、板蓝根之类间或有效，但总不如使用养阴清肺汤收效之速。

总之，愚见以为，养阴清肺汤可应用于急性扁桃体炎等咽喉疾患，因热邪已传入咽部，使咽部附近组织发炎，已和单纯性之邪热在表者不同，可不必忌讳养阴之药，因养阴药本身具有清热凉血作用，何况更配有抑菌抗菌解表之药配合，故能迅速退热消炎。使用本方时，个人意见剂量宜大，如药量过轻则效果不甚理想。

中医在香港（一）　　|谈灵钧|

香港大学同学出版的专刊中，有一段记者访问某西医的谈法，使我看后甚为激忿，现摘记如下。

问：对中医这门学问，你可否作些评价？

答：中医是有着它一定的用处，这点我们是肯定的。但因未经研究，它缺乏一定的基础，而只是信赖传统的经验。我认为有些市民沿用中药也只是由于家庭习惯。另一方面，中医中药是甚少有所改良，更遑论中医外科和产科。总括来说一句，就是没有了中医，我觉得也不会带来什么坏的后果。

上文是原文照录，一字不差。那位西医抱着这种态度来看中医，试想：我们在香港执业的中医同道，是在如何艰苦的环境中，负担维护民众健康的任务呢？1957 年 4 ~ 5 月间流行性感冒大流行时，香港中医是否负担了很大部分的医疗任务，请某医生翻阅一下当年的报章，自可得出答案。

再从中西医人员比例上看，香港现有正式注册（香港医务卫生署登记承认有医生资格者）西医，约三千人，中医却有一万余人。以香港 600 万人口计算，每 2000 人口中有 1 名西医，而中医有 3.3 人。故不言而喻，中医在保障香港居民健康中的重要作用。

也是在上述专刊中，另一位执教于大学的杨女士却认为："中国医药及针灸之疗效和成就，是经过数千年来的实践和再经过近数十年来现代科学之研究，而成为我们祖国最宝贵的文化之一。在国内，中医药和针灸受到了普遍重视和发展，各大城市开设了五或七年制的中医学院，并对中药大力开展科学研究，去其糟粕，取其精华，成绩斐然。"可见，就是在香港，也不乏对中医怀正直看法的有识之士的。

我想举例说明，究竟中医只是因"家庭习惯"的关系抑或是中医确有其治病救人的本领，可以治疗疾病呢？

约在20年前，某君电话邀我出诊，其子年约4岁，1周前因半夜腹痛，送至某西医私家医院留医，诊为阑尾炎，需开刀割治，术后次日晚，患儿突发高热，手足逆冷，一连四五日，均夜热昼退。西医束手，故决定改看中医，他坚信中医必有办法。诊见：头面微红，身热不退，颈身微热，手足逆冷，舌干苔黄，脉微数，大便不畅。发热已1周，均是下午六七时开始发热，逐渐高热至39.4℃以上，至天明便微汗而热退。此证主要为热邪伤阴所致。《温病条辨》中有"脉左弦，暮热早凉，汗解渴饮，少阳疟偏于热重者，青蒿鳖甲汤主之"。此证虽不是"疟疾"，但其为热邪伤阴则一，且符合暮热早凉之证，故以此方为基础，并酌加羚羊角。

病儿服药当晚，仍发高热，所不同者，为全身手足均热，而非手足逆冷。据笔者临床经验：小儿发热如不遍及全身，手足不热者，与热积食滞有关。翌日再诊，仍以前法增损，当晚热度已减至37.2℃。三诊服药后，热度全退，精神恢复如常。稍加善后，拟以祛痰、清热、消滞开胃之剂二三剂，康复如常。迄今此儿已长大成人，颇为壮健。

只此聊举1例，以证看中医绝非是由于家庭习惯所致，若非中医能治病，谁人又肯有此"习惯"呢？

中医在香港（二）　　│卢振德│

香港有人口约600万人，全港居民90%以上系中国人，而经济建设40余年来取得的成就，应归功于中国人，由于中国人勤俭奋斗之传统精神以致也。中医中药在香港居民生活中占十分重要的比重，祖国供应香港之中药材除60%左右转供台湾之外，又小部分远销国外，其余则供应香港居民之所需。在香港执业之中医人士，据不成熟之统计为1万人左右，此人数包括内科、外科、骨科、针灸以及各专科等。执业中医所挂之招牌均称中医或中医师，由于西医生可称为"医生"，则中医不称医生作为区别。中医师绝大多数已向香港税务局申请营业牌照（营业证明书），牌照持有人之职业祗称为"草药使用者"。英政府百余年来以香港为其殖民地，其管治香港亦以殖民地性质治理，因此尊重中国人之传统医疗方法，故不欲强制干涉。居于香港的中国人一向品流复杂，于是中医之中难免存在个别属于杂流之辈，横街陋巷叫卖膏丹丸散或摆草药者皆可领取营业牌照，甚者冒用中医名义经营不道德的勾当。执业之西医生所使用之药物以及器械等西法诊治手段，中医概不能使用。香港中医师由于受到不得用西法之限制，不能运用中西医结合的办法来施治病人，惟有按照传统方法治病。至于营业情况，从表面看，营业鼎盛者实属少数，一般仅可糊口，而门庭冷落者亦不少。

全国解放后，中医药事业获得新生，认为中医药是为广大群众解除疾苦的有力手段之一。历史上无数医家，根据辨证施治之原则，从理论到实践，创造无数珍贵著作。解放后经过努力发掘整理和加以提高，而且进一步西医学习中医，形成中西医相结合，今天祖国之新中医前进之步伐仍在继续中。香港于20世纪60年代开始举办过多次中医药展览会，收获成绩甚丰，由此香港居民群众对中医药获得甚多的认识，最浅显已认为中药对人体无不良反应和不良后果，病家无限信任，因此我国之中成药在香港和国际市场亦相应畅销。

漫谈下肢骨折伤证治　|陈志英|

下肢骨折伤中较为常见者，为扭伤踝部，其症见疼痛肿胀，踝部附近充满瘀血，后遂出现水肿。

余治下肢骨折伤症凡几十年，除用手术正骨法及外敷跌打药散外，更以内服行血祛瘀加利尿药为主，故疗效较速。现以扭伤踝部为例，论述骨折伤应内服利尿药。

踝部扭伤后，始因瘀血而致水肿，复因水肿而碍血行，互为因果。故若但祛瘀而不祛水，或但祛水而不祛瘀，则肿不能消而痛不能止，治一遗一，其病必不除也。是以应消瘀祛水，双管齐下法方建奇功。盖凡消水利尿之药，均能促肾脏排除残余水毒，故于祛瘀剂中加入利尿之品，当能收事半功倍之效。然去瘀利尿之药何以为佳？以余多年来之临床体会，乃用桂枝茯苓丸主之，并可随症外加牛膝、生薏苡仁、宽根藤等药，加强其利尿作用。

推而广之，举凡下肢一切瘀肿必加利尿药助之，其消肿之速，竟出人意料之外。然证有虚实寒热，当不能一概而论。实证宜用桂枝茯苓丸；虚证宜用当归芍药散；寒证宜桂枝汤加茯苓、白术、附子；热证宜犀角地黄汤加天葵子、茯苓等。均可随症选用。

上述乃余一得之见，谨冀望同道予以批评指正。

治疗肥胖病之体会 ｜朱南孙｜

徐小姐，18 岁。自 10 岁起体形日趋肥胖。近 1 年来增加 10 多千克，体重增到 80kg。曾经医院检查治疗，诊断为肥胖病，水潴留性肥胖、闭经。经西医治疗，并低钠控制饮食 1 周，未见明显改善，体重有增无减。自觉头痛乏力，停经。1983 年 5 月 17 日，经人介绍来我处治疗。

《内经》云："诸湿肿满，皆属于脾。"脾阳不运，水湿滞留。形体肥胖，面目浮肿，神疲乏力，头昏心悸，夜来失眠，停经，少腹作胀，腰脊痠楚，舌苔白腻，脉象濡滑。此乃脾虚生湿，水液停聚，不能蒸化，肾气内伤，肾虚开合不利，膀胱气化失常，水液泛滥横溢也。从脾虚作胀证论治，拟温运太阴佐以活血调经；方宗香砂六君子汤化裁。焦潞党参、贡白术、云茯苓、全当归、紫丹参各 9g，炒陈皮、姜半夏、川芎各 5g，淡远志 6g，春砂仁（后下）、炮姜炭各 2g。

服上药 2 剂后，经事来潮，色淡量少，头昏心悸，夜寐稍安，腹胀亦减，腰脊酸楚，苔薄白，脉滑。《内经》云："饮食入胃，游溢精气，上输于脾。"又云："中焦受气取汁，变化而赤是谓血。"今中焦失其变化之功能，所生之血日少，上既不能奉于心脾，下又无以灌溉于冲任，故经行后期而经量少也。拟补气益血，安神宁心，取八珍汤增损：全当归、赤白芍、潞党参、焦白术、怀山药、生黄芪、川续断、益母草各 9g，川芎 5g，淡远志 6g，熟酸枣仁、桑寄生各 12g，大枣 10 枚，服 2 剂。

1983 年 5 月 21 日：服上方后，月经已净，头晕心悸，神疲嗜卧，面目虚浮，纳少便溏，苔薄腻，舌质胖，齿痕，脉沉缓，此乃脾虚生湿，湿困脾土，中阳不足，气不化水。拟温中健脾，行气利水，取实脾饮合参苓白术散加减。炒潞党参、焦白术、带皮茯苓、大腹皮、怀山药、广陈皮、竹沥、半夏各 9g，淡附片 5g，车前子（包）12g，大枣 10 枚。

取上方加减法连续服 3 个月，加鹿含草、夏枯草、莱菔子等。自述服药后每次大便时见灰白色油脂排出，体重由 80kg 渐减至 75kg。

1983 年 10 月 3 日，月经逾期半月，头痛面浮，胃纳不馨，少腹及乳房作胀，小溲短数，脉弦细，苔白腻。此谓营血亏损，脾失健运，肝不条达，责之冲任。冲为血海，隶于阳明，阳明者胃也。饮食入胃生化精血，营出中焦，阳明虚则生化精血无能，下注冲任不盛，经安从来？拟养血柔肝和胃、通经三法。不治心脾而治肝胃，穷源返本谋也。方取平胃散和逍遥散增减。苍白术、淡黄芩、全当归、川楝子、广郁金、焦栀子各9g，制川厚朴、广陈皮、大川芎、广木香各5g，车前子（包）12g，柴胡、薄荷（后下）各3g，3剂。

服3剂后，乳胀面浮，头晕，尿频数之症均瘥。少腹仍胀，天癸未临，此系营血亏虚，肝气失调，拟疏肝理气健脾和营，取柴胡疏肝散合四物汤加减。服3剂药后，月事已届，诸恙均瘥。从上方加减服30剂，再检体重，由75kg减轻至67kg。目前仍服用朱氏妇道丸以调经健脾，化湿理气之法，加上每日运动，情况良好。

按肥胖病属于现代医学中内分泌功能紊乱，水液代谢障碍一类疾病。西医尚无特殊疗法。从患者症状，祖国医学辨证，属脾胀之证。脾肾两虚，痰湿内盛，从本治疗，因证而变，尚能取得一定疗效。

论诸痔出血皆属燥热 | 李宁汉 |

痔疾是一般肛门病的统称，包括内痔、外痔、肛裂、肛门疮等。痔血多指内痔出血而言。内痔的治疗方法很多，如枯痔、结扎等。本文专论内痔及其出血的成因和内治法，外科方法不讨论。

关于痔疾的成因及病机，清代《医宗金鉴》载："总不外乎醉饱入房，筋脉横解，精气脱泄，热毒乘虚下注，或忧思太过，蕴积热毒，愤郁之气，致生风、湿、燥、热，四气相合而成。如结肿胀闷成块者，湿盛也；结肿痛如火燎，二便闭者，大肠、小肠热盛也，结肿多痒者，风盛也；肛门围绕，折纹破裂，便结者，火燥也……"并概括为："不外风湿燥热源。"

我认为，内痔出血病因皆由于燥热引起出血或发炎，与"风""湿"无关。《医宗金鉴》所称："结肿多痒者，风盛也。"其原因多为久患肛漏，不断渗流脓血，刺激肛缘，引起肛周皮肤瘙痒，或禀赋不足，或服食虾蚧等所致。只是续发病或肛门皮肤病，并不是内痔的病因，故一般内痔出血，笔者认为治法应以清热、凉血、润肠为主。痔血新患者，多为实证，由燥热引起；但如痔血过久，反复出血太多，则会变为虚证。兹分别虚实证治论述于后。

实证：病者身体壮健，舌黄，唇红，脉滑数，口苦咽干，便秘，大便时内痔滴血或喷血，治宜清热、凉血、润肠。处方：槐花12g、生地黄12g、牡丹皮

9g、赤芍9g、黄芩9g、金银花9g、地榆9g、枳壳9g、火麻仁15g。

本方以生地黄、牡丹皮、赤芍、槐花、地榆凉血止血；黄芩、金银花清热；枳壳、火麻仁润肠通便。是针对痔血的原因——燥热，而内痔出血多与血热有关，故使用凉血药物。本方对上述典型之痔血实证固然合用，但临床上并非每位患者都如此典型，故只要患者无虚象便可应用，以扩大其使用范围。一般服食3剂便会收效，如连服1周以上仍未收效，则应使用其他外科方法治疗。

虚证：病者多因反复出血，而出现面青唇白，头晕眼花，四肢无力，眼结膜及爪甲色淡白，舌质淡红，脉弱无力。此时，切勿以为痔血皆因燥热，而使用清热凉血药物，以虚其虚。此因病者虚象已现，因出血过多而致血虚，中医理论认为与气不摄血、脾不统血有关，宜用补气止血法，补中益气汤加味：黄芪15g、党参15g、白术15g、陈皮6g、当归6g、炙甘草9g、升麻1.5g、柴胡1.5g、地榆9g、枳壳9g、大枣5枚、仙鹤草9g。

本方具有补气健脾作用，对于久患痔血而身体虚弱者，效果十分显著，一般服药数剂，患者头晕眼花，四肢无力的症状，便会逐渐改善，而内痔出血亦会减少。不过，对于内痔反复出血的病人，于止血和身体康复后，则宜用外科方法去除痔核，以收正本清源之效。

此外，对于有些妇女因内痔出血，身体虚弱又兼月经不调者，使用归脾汤合剂，配合成药四红丹同服，疗效颇佳。肤浅经验，谨就教于高明。

六气为病论（节选）　　|饶师泉|

六气外邪非如细菌原虫病毒，不能潜藏于肌肤脏腑之间以繁殖滋长也。

或谓：六气既不能居留于人体身上，则所有祛风、散寒、消暑、利湿、泻火之剂，何以能用之辄效？既然六气所主之病需用此等药物将其驱出体外而病始愈，这难道就是气能居留人身之明证吗？

余曰：诚然，在表面上观之，用上述药剂而能愈病，一若药物能将六气逐出于人体之外。然实际上，药物仅能治愈病症而已，并非将病原（六气）驱出人体也。广东中医前辈谭次仲先生对此有一精当之比喻，大意谓："人为木棒所击伤后，伤口之变化，与木棒已脱离关系，今以药物治愈伤口，谓此药能治棒伤，可也。若谓此药能将木棒驱出人体之外，岂非笑话？"六气诚能致病于人，药物亦确能治愈由六气所引发之病证，然而并非谓药物能将六气驱出于人体之外也。

中医古籍所谓风与寒，除指外界气候之外，尚有其他含义，如指肠胃之气体为风，指大脑或神经之疾病为风；及指细胞功能之衰减为寒，津液分泌之过多为寒。惟对于暑字，除指天气炎热之暑气外，似别无其他含义。

《金匮要略》治中热（中暑亦称中热），汗出恶寒，身热而渴者用白虎加人参汤，后世多宗之（《医学纲目》谓：治湿温汗少者，白虎加苍术；汗多者，白虎加桂枝）。白虎汤中之生石膏，实为退热之神品。

治疗伤暑，昔日前贤多重用香薷，以香薷为主药之方剂，不胜枚举，如三物香薷饮、五物香薷饮、六味香薷饮、十味香薷饮、茹薷汤、香朴饮子、清暑和中汤等。香薷为暑天用之解热药，对伤暑而汗少者甚为适宜，有发汗利尿之作用，李时珍谓其能利湿清暑是也。香薷又能治霍乱、吐泻，对伤暑病而有吐泻等胃肠症状者，尤为适合。此外如六一散（滑石6份，甘草1份），玉泉散（石膏6份，甘草1份），皆为清热解暑之名方。惟暑热及湿温之病，变证不一，医者当视其顺逆，随证施治而灵活运用也。

气功揭秘 ｜沈余生｜

气功是中国几千年来先辈们累积经验而成的强身治病的国粹。在驱除杂念，清净大脑，造成"止念"的条件之后，人的呼吸就会自动伸长到达脐下丹田。根据古籍，父母所赋的先天真气就在丹田，炼气功就是炼"真气"，因此《难经》称丹田为生命之源，这种呼吸叫胎息，是婴儿在母胎时的呼吸方式，又叫腹式呼吸或称龟息，因为乌龟就是利用这种腹式呼吸方法，而达致数百年长寿的。这种呼吸，深长缓慢，有长到数分钟一次或更长的，外表看来，气若游丝（晋代抱朴子所说："以鸿毛著口鼻之上，吐炁，而鸿毛不动为候也。"）。当练功进入这种好像动物冬眠状态的境界时，人体的真息即会突然发动，使身体内部形成一股强大得似蒸汽引擎般的气流，挟着高热（气功名"三昧真火"），推动体内气血，运行全身。内自五脏六腑，外达四肢百骸，贯彻全身十四经络的数百个穴位。当人的身体某一部分发生病变时，这种无孔不入的气流，就像针灸的针刺，会自动将体内不平衡的部分给予自然的调整，气到病除，百病消失。在练功过程中，人体热血沸腾，汗流浃背，冬天零度下气温，也会底衫尽湿，体温之高，比之剧烈运动，有过之而无不及。但是，由于这种气功的剧烈运动是在人体处于冬眠状态，心脏、大脑接近休息之下进行的，因此，对体能消耗，减低到最少程度。每次练功完毕，神清气爽，精神百倍，绝对没有剧烈运动后的精疲力竭的疲乏状态。而且由于气功使全身气血运行，促进新陈代谢，又对平时运动机会少的腹部脏器如肠、胃、肝、肾等，由于练功用腹式呼吸的关系，得到充分的活动，增加肠壁对营养的吸收，肝、肾二脏的清洗调整，加强了器官的功能。

气功练法

1. 坐前准备

（1）尽可能有一个比较洁净的环境（如人多屋小，可以在黎明家人未起身时练习），空气流通而不直接有风吹向身体的位置，气候过寒或置身风口均不适宜。

（2）排清大小便，因为练功中途不能离座，而气功刚坐完后，也不能立即大小便，否则会影响练功效果。

（3）解除身上一切束缚，如领带、领扣、皮带、袜带、手表等一切束缚，必须解除放松。

（4）晚上练功，必须有光、蜡烛、植物油灯均可，顺便一提，这是练功的主要原则之一。练功时，如双目紧闭是不会练好气功的。试看庙宇中之佛像，盘膝而坐作气功之形式，其双目都是半开半合的。

（5）项下须围一条毛巾，因通窍时会涕泪交流。

2. 初步练法：练功的方法很多，在此介绍一种较普通和大部分古代丹经道书上常采用的形式如后。

（1）休息：坐于地上或蒲团，两足伸而略屈，全身放松，二手放于膝盖，双眼开如平常，口亦微开。二眼半开半合，作视而不见状。经10～20分钟后，觉口中津液渐多，至将满溢时即闭口，并将舌抵上腭（在气功术语中名为"搭桥"）。见图1。

（2）平视：将双膝盘屈，男人右足在内，左足在外，女人相反，二手仍放膝盖。二目继续向前望，但此时须将眼神回望自己，此名"返照"，又曰"敛神"。因为普通人多数"神不守舍"，此时便须要将神守在自己身上，所谓"形神合一"，如此经10～20分钟之后，可将双目微闭，但需留缝透光，这样，平视功夫就算完成了，见图2。

（3）上丹：平视功夫完成后，将双手合扣，男人左内右外，女人相反，开始将意志集中在丹田，此曰正式上丹，一名"意守丹田"。"上丹"时间无定，一般为20～30分钟。见图3。

（4）落丹：上丹到相当时间之后，准备"落丹"，可将口水一点一滴慢慢咽下，并以意会将口水引下丹田，此为练功之成果，练功至此可告一段落。

图 1　休息

图 2　平视

图 3　上丹

（5）收功：口水吞下后方可开口、开眼，先松二手，再将双脚慢慢放开，如初步坐功时的休息方式，此时可再略坐 10 分钟，等气息恢复原状，才可慢慢起立。

（6）善后：坐毕起身，必须在房内走几步，饮一杯热水后，才可以外出工作。至于静坐时的呼吸方式，可以下列的两种方式：后天式或自然式，依照个人情形，自己选择。

以上初步练法，是以后天（人为功夫）来练的。每部功夫时间由自己控制，但当一旦有了相当"功夫"以后，因为先天真气的上来和回复（术语名为"返气归原"），循环一周（名小周天或大周天）的时间长短不同，由功夫本身自己运行的，练功者无法自己掌握时间长短，因此，每次练功有长达数小时的。

3. 后天呼吸法：练功最紧要的两点：一是呼吸，二是意念控制。

初练者为使意念容易集中起见，可用以意引气的后天呼吸法，即是用"吸——平——呼"3个字，先把气吸入，慢慢以意引吸入丹田，"平"即停一停，再由丹田向上呼出，即是用意随气，默念"吸、平、呼"三字来控制杂念，全部过程把意念集中到丹田，名为"默守丹田"。

无论吸或呼，都不能用力吸尽或呼尽，只做七八成为度，不要当作是深呼吸，这种呼吸法可做 10~30 分钟。初学者如觉疲倦，可将时间缩短，再慢慢加长，不可勉强。

4. 自然呼吸法：宁神息虑，排除杂念，目光内敛，把思想轻轻地集中在丹田（即"意沉丹田"）。不可用力，完全不理会呼吸，日积月累，久而久之，就会自然而然的呼吸深长，直达丹田，出现腹式呼吸。古代大部分气功家（炼丹者）多数采取自然呼吸法。

两种呼吸方法的形式不同，目的都在于使丹田能有阳气发动，因为只有阳气发动时，才有功夫出来（所谓"先天真息"），而这种成果，有赖于杂念减少消失，杂念少一分，阳气长一分（所谓"阴消阳长"），杂念越少，阳气越多，只要长期坚持，练功定有成就。

由于每个人体质有异，病情不同，因此练功时间长短、采用方式亦因人而异，除上述盘坐式外，尚有卧式（体弱者适合）、坐凳式、站式多种，根据情况，灵活运用。

关于丹田的具体位置，各家说法不一，有说脐下一寸半（即气海穴）者；有说脐下三寸（关元穴）者；也有说脐下一寸三分（指与背部命门穴相对处）。练气功已达到相当水平时，静极而阳气发动，自会觉脐下热气蒸腾，如汽车引擎的发热器，就是丹田的所在，就我个人体会，丹田位置应在脐下 1.5~3 寸之间。

中西医结合之我见　　|吴奕本|

记得于 1985 年 3 月 10 日在香港中文大学邵逸夫堂，聆听全国中西医结合研究会理事长季钟朴教授所发表《目前中西医结合的趋势》时说：用现代科学（包括现代医学）继承发扬祖国医学；使两者互相渗透、取长补短，结合起来，发展成为新医药学术体系。用意良好，堪称为建立起中西医互相沟通的桥梁。

观近十多年来中医针灸之风靡一时，世界卫生组织之提倡传统医学，莫不是中医药前途之光？所以中西医结合，有朝一日必可实现！依笔者个人意见，在中西医结合的时机未臻完善之前，主力仍在中医方面。

医学之发明，绝不是从哲学产生，著书者乃假借哲理以演绎医理而已。譬如《内经》"东生风，风生木，木生肝"等理论，是中医学理的根据呢？还是演绎的说理呢？

中医要如何赶上时代？这个责任仍得由中医自己去芜存菁，撷取精华。然后研究商讨，慎重地改成易学易懂的学说文词，方可走向现代科学的境界，并且虚心地逐渐把自己充实起来，以说到做到拿得出来的东西与西医切磋，方可顺利走向中医西医结合的道路。我深刻地了解，我们这一代的老同业，真真感到有心无力，所以只有作为从旁协助，从后推动则可，至于实际负责完成这项艰巨的使命，应交给下一代对中医学术深有修养而又懂得西医的中医学院毕业生去承担。

中西医结合的关键，应该首先重视培育中医人才，提高中医的素质，同时亟需提高中医在整个医疗卫生事业上之地位，中医中药人员晋职等法定标准，务使培训出来的中医师能较安心坚守岗位。否则培训出来的中西医学兼备之中医师，为了本身利益而放弃执业中医，转为执业西医之弊端，对发展中西医结合之过程，不无影响。

我虽然居住于香港，但始终是中国公民，况且身为中医从业人员，自应关心这个良好的中西医结合的开端。换句话来说，我国政府培育出来的中西医兼备的优秀人才，间接或直接对香港中医业的前途，只有利而无害，或许对香港未来的培训中医工作有很大的帮助。

久咳午后热甚经方治验 | 雷英华 |

在冬冷春寒之天气下所患风寒外感病，最忌辛凉解表，苦寒清里之剂治之。若不审此而滥用，必犯抑正纵邪，越治越使病变加剧，延缓病者康复时间也。

本港甲子岁暮，淫雨连天，寒流不去，至乙丑新正，春寒益甚，故人多患外感也。

近治一老年男子郭君，自云去年底患咳嗽发热，先延西医诊治4天未愈，后数易中医服药20余剂，越服越剧，午后热甚，体温达39.4℃。后由东江药店工友介绍来诊。当前脉症：脉弦滑，舌心湿滑而两旁红，胸胁痛，咳而午后热甚，此乃前服凉药太过，抑正纵邪，病邪留恋少阳不解所致也。

遂进柴胡桂枝汤加味，此法以调和营卫，透解少阳为主。连续5诊，胸胁舒畅，热退身和，久咳亦随之而愈。方中未尝一用镇咳之药，盖营卫调和，少阳留恋之病邪得解，则诸症自然随之而愈矣，经方用之对证，效果十分显著。

谈虚劳治疗　唐学文

虚劳（包括低血压病）在香港是常见病。说起来令人感到不相信，香港的物质生活丰富，港人讲究补养，讲究高能量、高热价、高蛋白等，从"血肉有情之品"，而至多种中西药品不乏常服。可是一部分人仍是面色苍白，口唇暗淡，体质消瘦，精力不足。虽是乔装打扮，涂脂抹粉，外表虽呈美感，体力常不足，所以低血压及慢性消耗性疾病亦较常见。究其原因是多方面的，但其中主要是劳逸失度，精神紧张，生活无规律而致饥饱不适等等，造成脾肾两虚，心气不足，则出现低血压、头晕、倦怠、消化力薄弱、胸闷、腰酸等症。我在临证时，除了分析病因，针对性进行保健指导外，对治疗低血压药物，常应用杨氏还少丹一方，随症加减服用。

还少丹是出自《洪氏集验方》，由熟地黄、山药、山茱萸、枸杞子、牛膝、茯苓、杜仲、远志、五味子、楮实、小茴香、巴戟天、肉苁蓉、石菖蒲组成。多改成汤剂煎服。香港人讲究煲汤，那就是研究不同的病情，在原方基础上酌加冬虫夏草、黄芪、人参、燕窝、鲍鱼等味，煲汤频服。

以上方药，功能补养心肾，适用于虚损劳伤、眩晕倦怠、失眠健忘、遗精阳痿、未老先衰等证候。这些正是香港市民的常见病多发病，甚则酿成虚损证。还少丹补而不腻，温而不燥，既能温肾，又可滋阴，方剂组成相辅相成，这比港地单纯追求壮阳药以维持体力，大不相同。

当然药物不是万能的，"血肉有情"之品亦有限度，更主要的是要改变不健康的生活习惯，然后对症下药。

黄连解毒汤治"乙肝"　杨健民

根据世界卫生组织报告指出，亚太地区的肝炎患者与日俱增，单就香港来说，患乙型肝炎者大约有9.6%，但治疗方法不多。我在临证时，喜用黄连解毒汤为主方治疗本病，效果较好。如吴某女士，患慢性乙型肝炎已2年多。右胁隐痛，夜寐多梦，精神疲乏，肝功能反复异常，"澳抗"持续阳性，形体消瘦，舌红苔黄，脉弦细。证为湿热久蕴，伤及肝肾。法当清湿热，养肝肾。方用黄连解毒汤合六味地黄丸加减，连续服用3个月，诸症基本消失。复查肝功能正常，"澳抗"阴性。

又治张某，过去有肝炎病史。近2年来两胁闷痛，胃脘胀满，厌食便溏，形体消瘦，面色不华，少气懒言，舌淡苔白，脉沉细。肝肿大胁下2cm，脾未触及。肝功能：谷－丙转氨酶70U，麝香草酚浊度6U，硫酸锌浊度13U，脑磷脂胆固醇絮状（＋＋），"澳抗"阳性，此为脾虚湿盛，肝郁毒生。治宜补脾燥湿解毒，方用参苓白术散合黄连解毒汤加减，相继服用40多剂后，胁痛腹胀消失，精神好转，食量增加，大便正常，肝功能恢复正常。"澳抗"转为阴性。

苏某，男学生，半年前经某医院诊断为乙型肝炎。经中西医药多次治疗未效。来诊时两胁时时作痛，腹胀胸闷，纳少口苦，舌质红，苔薄黄，脉弦。证属肝郁气滞，热蕴毒生。治宜疏肝解郁，清热解毒。以黄连解毒汤合四逆散加减。连服20余剂，胁痛胸闷消失，肝功能复查正常，但"澳抗"仍呈阳性。后仍用黄连解毒汤加疏肝理气药物，再服20剂，则"澳抗"已转为阴性。

就我所见，乙型肝炎多因湿热蕴毒为患，治则宜清热燥湿解毒为主，黄连解毒汤恰胜其任。临床实践证明，本方对乙型肝炎疗效较好，不但能解除临床症状，而且能促使肝功能的恢复，也可使"澳抗"转阴。

高血压致阳痿宜阴阳双补　　|胡作德|

香港林某，男，48岁。患高血压病10年。现时有头痛，心烦，面赤，口苦，咽干，睡眠不安及大便干结等症状。近3年来，更兼患阳痿病。检查：病人身体肥胖，但讲话声音低微，稍动便感气促，头部经常冒汗。舌淡苔厚，脉细两尺无力，血压24/14.7kPa（180/110mmHg）。根据症状与体征，属于肾水不足，不能濡养肝木，致肝阳上亢，故见高血压；又由于长期肾水不足，导致命门火衰，而发生阳痿，此即所谓阴损及阳也。宜阴阳双补，脾肾同治。选用张介宾巩堤丸加减（生地黄、熟地黄各18g，菟丝子9g，白术9g克，五味子6g，益智仁9g，补骨脂9g，云茯苓9g，韭菜子9g，双钩藤12g，杭白芍15g，石决明30g，草决明12g，肉苁蓉9g，柏子仁15g）嘱服5剂。服药后，睡眠转佳，头痛见减，大便通畅，阳痿渐愈，恢复了性欲，血压亦降至20/12.6kPa（150/95mmHg）。前药有效，嘱再以前方续服5剂。

1 星期后，患者来诊时说，"诸羔均已痊愈，无需再治疗了。"

失眠伴耳鸣，亦因心火旺 ｜胡作德｜

沙田阮先生，30 余岁，失眠 1 年多，同时伴耳鸣 3 个月，且有逐渐加重的趋势。患者感到非常苦闷，因而身体逐渐消瘦。为了治愈疾病曾到西医耳专科医师处检查，但没有结果，不知是患何病。又看中医，众医都谓"耳鸣为肾虚"，多给补肾壮阳之品，失眠与耳鸣更甚。后由友人介绍来我处诊治。见其面红耳赤，口苦咽干，尿赤，舌苔黄厚，脉弦数有力。余曰："君非肾虚，乃心火旺盛也。"遂以黄连解毒汤合酸枣仁汤加减（黄连 9g、黄芩 9g、黄柏 12g、栀子 9g、柏子仁 15g、酸枣仁 12g、知母 9g、茯神 12g、川芎 6g、生石膏 30g、川牛膝 9g、赭石 24g、甘草 3g），清泄三焦之火，以安心神。嘱服 3 剂，再来复诊，以观效果。服前药 3 剂后，耳鸣明显减少，睡眠也好了许多。前药有效，嘱按原方再服 5 剂。1 周后痊愈。

小儿遗溺家人苦，中药固肾可建功 ｜胡作德｜

周仔 9 岁，自幼起每夜必尿床。经本地西医及中医屡治无效，家人感到非常苦恼。一日，其母至我诊所询问："遗溺有药医否？"我曰："可携来一诊。"次日其母携子来，见其子神态清醒，活泼可爱，就是全身消瘦，面色萎黄。诊其脉细弱，舌质淡苔薄。此属肾虚，固摄无权，不能行使决渎之职，故夜夜溺尿。遂用缩泉丸合桑螵蛸散加减（桑螵蛸 9g、益智仁 9g、覆盆子 9g、台乌药 9g、石菖蒲 9g、远志肉 9g、金樱子 24g、苏芡实 12g、五味子 6g、莲须 9g、桑椹子 24g、肉苁蓉 9g），补肾固摄及调补心肾。上药连服十多剂，则遗溺痊愈。2 个月后，我又遇其母，询其子情况，其母曰："自服药后，现夜夜尿急能自醒起床小便。"